D1931337

Antonia Fehrenbach

Lotus-Effekt

Roman

Antonia Fehrenbach

Antonia Fehrenbach wurde 1957 im Osten Westfalens geboren. Sie studierte Biologie, zunächst in Straßburg, später in Freiburg und Cambridge. Den Plan, Meeresbiologin und Journalistin zu werden, gab sie in Freiburg auf und wurde Zoologin – schrieb dann statt einer Doktorarbeit als freie Journalistin für die Badische Zeitung, in der FAZ, der TAZ, im Sternmagazin und war für die Grüne Seite in DIE BUNTE tätig. Sie promovierte am Deutschen Primatenzentrum in Göttingen, arbeitete danach fünf Jahre in der Biomedizinischen Forschung (Medizinische Hochschule Hannover, Zentrum Anatomie Göttingen, Zentrum Innere Medizin Marburg). Den Ortswechsel nach Marburg im Jahr 2002 nahm sie zum Anlass, endlich literarisch zu schreiben.

Der Lotus-Effekt

Roman über Nanoteilchen

in der biomedizinischen Forschung

axel dielmann – verlag Die Wissenschafts-Romane KG

Frankfurt am Main

© axel dielmann – verlag
Die Wissenschafts-Romane KG
Frankfurt am Main, 2008
www.dielmann-verlag.de
Alle Rechte vorbehalten.

Satz durch Urs van der Leyn, Basel
Titelgestaltung durch Leonie Bodeving, Frankfurt am Main
© Titelfotografie von Kornelia Boje, Berlin
© Autorenfoto Seite 356 von Fotostudio Jürgen Laackman, Marburg
Gesamtherstellung durch Ayalon Printing, Jerusalem
Printed in Israel

ISBN 978 3 86638 204 6

„Je planmäßiger die Menschen vorgehen,
desto wirksamer vermag sie der Zufall zu treffen."
Friedrich Dürrenmatt, Die Physiker

Prolog

Die Rockwell-Bronco fliegt eine sanfte Kurve. Tony Stampa blickt aus dem Seitenfenster seines Cockpits. Weiße Dunstfahnen schweben wie Fremdkörper in der klaren Luft. Fast wie ein Wunder. Vor wenigen Sekunden hatte sein Funkspruch an das Tankflugzeug dicht hinter ihm dessen Ventile geöffnet. Es spuckte seine wässrige Fracht in mehreren kräftigen Schüben in den Himmel über der Wüste. Jetzt zieht sich der feine Tröpfchenteppich allmählich in die Breite und schickt sich an, auf dem kargen Land niederzugehen.

Für Tony ein ungewöhnlicher Einsatz. Bald wird diese feuchte Spur verschwunden sein, als hätte es sie nie gegeben. Die Natur hat Wasser für das Gebiet nicht vorgesehen: Die Luft ist auf der Mesa New Mexikos, in fast zwei tausend und fünfhundert Metern Höhe, klar und trocken. Hier ist Nebel ein Fremdwort, das nur bei den Löscheinsätzen im Sommer verwendet wird.

Tonys Blick fliegt über die faltigen Buckel und Runzeln des Gebirges, das wie ein müder Saurier den Nationalpark unter ihm bewacht. Die Gegend hat Geschichte. Bandelier National Monument, das war Indianerland. Die Felsen, ein löchriges Labyrinth aus Höhlen, hat Menschen und Tieren Zuflucht geboten. Heute ist das Terrain ein Museum in freier Natur mit ein paar Dorfruinen aus der Zeit der Pueblo. Viele Orte ihrer zuweilen geheimen Zeremonien sind noch nicht entdeckt.

Er spürt das Prickeln unter der Kopfhaut, wie es den Nacken, schließlich den Rücken hinab läuft, ihn aufrichtet. Es kommt jedes Mal, wenn er mit seiner Rockwell aufsteigt und über das steinige Land jagt. Auf einmal ist er Pionier und Sheriff zugleich. Fünfzehn Jahre Kommandoflieger und immer sind es Brände gewesen. Leben retten, Häuser schützen. Seine Arbeit macht Sinn. Und noch immer der verbissene Krampf in seinen Kiefern, wenn er an die Buschbrände von vor drei Jahren denkt. Dieser verrückte Park Service! Tony schnauft. Der glühend rote Streifen, der damals den Himmel über Los Alamos verfärbte, war kein Sonnenaufgang gewesen. Eine Fehlentscheidung war es. Die vom Nationalparkmanagement gehörten alle entlassen. Kontrollierter Brand! Und das bei der hiesigen Trockenheit. Tony schüttelt den Kopf. Nein. Es war kein Fehler gewesen, ein Vergehen war das, verantwortungslos und dumm. Er stellt sich die Leute vom Parkservice vor, wie sie von einem Bein aufs andere treten, sich langweilen, dann auf Geheiß ihres Vorgesetzten, der sie zu beschäftigen versucht, Buschwerk zusammentragen, es ohne ein Quäntchen Verstand anzünden. Keiner von ihnen hat mit dem Wind gerechnet. Der wirbelte die Glut hoch in die Luft und blies sie weiter nach Westen. Vor Tonys geistigem Auge fällt ein rotglitzender Funkenregen auf trockenes Holz, frißt sich in fremdes Gewebe hinein wie ein Tumor, der alles assimiliert und schließlich zerplatzt. Zerstäubt. Noch mehr Funken, Flammen, Rauch. Das Feuer lebt. Sein rötlicher Schein stand bedrohlich am Himmel über Los Alamos. Fast sechzig Meter hoch schossen die Flammensäulen aus den Pinienwäldern um die Stadt herum in die Luft. Überall Brandgeruch und Rauchfahnen. Rund tausend Feuerwehrleute rangen vom Boden aus mit den Flammen. Ein halbes Dutzend Löschflieger waren im Einsatz. Alle kämpften bis zur Erschöpfung. Am sechsten Tag ging der Drache endlich in die Knie. Zwar vernichtete das Feuer mehr als fünfhundert Gebäude, aber einen Übergriff auf die Atomwaffenlaboratorien in Los Alamos konnten sie abwehren. Der Boss des Parkservice, der den Brand angeordnet hatte, war nach der Katastrophe gefeuert worden. Wenn der Gouverneur es nicht getan hätte, wäre Tony womöglich die Faust ausgerutscht, so wütend war er gewesen.

Ein leichter Zug am Steuergriff bewegt das Höhenruder. Schon hebt sich die Nase der Maschine. Tony schaut in den blauen Himmel hinauf, er hält kurz die Luft an. Ausatmen! Dieses Mal ist es kein Feueralarm. Lediglich ein wissenschaftliches Experiment. Eine kalifornische Firma hat ihn dafür geheuert. Der Auftrag lautet anders als sonst. Keine Kriegserklärung an das Feuer, sondern eine versöhnende Geste, um die Brandwunden und Blasen, mit denen das Erdreich hier noch bedeckt ist, endlich zu heilen. Eine Substanz zur Entgiftung des Bodens, hieß es.

Zielgebiet: eine Fläche von fünfhundertsechzig Hektar zwischen der nördlichen Parkgrenze und Los Alamos. Übersichtlich. Kein Risiko. Damals war hier ein Treibstofflager bei der großen Brandkatastrophe den Flammen zum Opfer gefallen, und seine schädlichen Hinterlassenschaften hatten den Boden unbrauchbar gemacht.
Er schaut auf die Uhr im Bordcomputer. 11:30. Der Kalender daneben zeigt den dreiundzwanzigsten Mai 2003. Alles ist nach Plan verlaufen. Aus seinem Cockpit verfolgt Tony den Weg eines Reisebusses über die South Route Four, die von White Rock aus in einem weiten Bogen die nördliche Grenze des Nationalparks berührt. Wie ein ferngesteuertes Spielzeugauto fährt der Bus unbeirrt weiter in Richtung Westen. Inzwischen schwebt der feine Sprühschleier tief unten. Als er die Straße erreicht, ist er nur noch ein vager Hauch, über den der Bus arglos hinweg rollt.

Teil Eins

1
Unter den Wolken

Das Flugzeug setzte mit einem Ruck auf. Wanda war sofort hellwach. Die Zeiger ihrer Uhr standen auf halb fünf, Ortszeit von Chicago. Auf dem Zifferblatt las sie das Datum: 15/04/05. Es gab ihr die Gewissheit, dass seit ihrer Abreise tatsächlich ein ganzer Tag vergangen war. Während die Maschine zum Terminal rollte, zogen Bilder der vergangenen vierundzwanzig Stunden an ihrem inneren Auge vorbei. Der strahlend blaue Himmel, der sich gestern Mittag beim Abflug von Rochester über dem Ontario See wölbte. Es war kalt gewesen, aber zum Glück hatte es nicht mehr geschneit. Mitte April war das in der Region keine Seltenheit. Dann die Dunstglocke über Chicago. Am Abend war sie dort in die Maschine nach Europa gestiegen. Amerika. Europa. Sie wechselte die Kontinente schneller als ihre Unterwäsche. Und auf einmal schob sich das Flugzeug zwischen die Wolkenberge über Frankfurt, durchdrang den Tröpfchenvorhang, der sich hinter ihr sogleich wieder zuzog. Es gab kein Entrinnen, und zum ersten Mal spürte sie am ganzen Körper die Unumstößlichkeit ihrer Rückkehr. Weshalb bin ich überhaupt hier? Und warum ausgerechnet jetzt diese Frage? Es war doch alles ganz klar. Ich musste weg, damit die Sache ein für alle mal vergessen wird. Und jetzt habe ich eine neue Chance.

Die Maschine erreichte den Flugsteig, stand still. Die Metallverschlüsse der Sicherheitsgurte klackten. Auf den Kabinenfenstern zog der Wind seinen Pinsel durch die Regentropfen. Ein hellgrauer Himmel schimmerte in den zarten Wasserstrichen. Sie linste verstohlen auf die Armbanduhr ihres Nachbarn. Zwanzig vor zwölf. Pünktlich gelandet.

Wanda folgte dem Strom der Passagiere in das Labyrinth des Flughafens. Am Kofferband musste sie eine Weile warten. Ihr Rucksack war unter den letzten Gepäckstücken. Sie lief ihm entgegen, begrüßte ihn wie einen alten Freund: der einzige, der sie nach langer Abwesenheit zu Hause Willkommen hieß. *Dr. Wanda Waals* stand in fetten Buchstaben auf dem kleinen Kofferschild und die Adresse in Marburg, bei der sie für ein paar Tage unterkommen konnte. Es stimmte also. Sie war wieder da.

An der Rolltreppe zu den Bahnstationen schulterte sie den Rucksack und stellte den großen Koffer quer, so dass er nicht weg rutschen konnte. Hinter ihr drängten Menschen. Ihr wurde heiß. Deutschland war so eng. Auf der nächsten Ebene lief sie hilflos zwischen den Plänen mit den Abfahrtszeiten der S-Bahnen hin- und her. Keine elektronische Hinweistafel, die auf Reiseverbindungen für Fernzüge verwies. Auch keine Schwarze in Uniform, die ihr mit einem „nice trip, mam" den Weg zeigte. Die Menschen hasteten an ihr vorbei, schienen zu wissen, wohin es ging. Sie spürte den Sog, aber widerstand der Versuchung, der Menge zu folgen. Eher zufällig entdeckte sie den Hinweis auf eine Verkaufsstelle der Bahn.

Der Rollkoffer ratterte über den Bodenbelag. Die holperige Strecke nahm kein Ende. Der Lärm ohrenbetäubend. Passanten schauten auf. Strafende Blicke. Willkommen in Deutschland. Endlich erreichte sie den Schalterraum. Eine Menschenschlange vor der einzigen besetzten Verkaufsstelle. Sie reihte sich ein und wartete. Der Raum war klein, roch nach feuchten Wintermänteln und kaltem Schweiß. Kein Ort zum Atmen. Am Schalter kaufte sie eine Fahrkarte für die nächste Verbindung nach Marburg und eilte zur S-Bahn.

Im Frankfurter Hauptbahnhof meldete die große Anzeigetafel Verspätungen für Fernzüge aus dem Süden. Menschen drängten aus überfüllten Waggons, schoben sich zwischen den Strom der Abreisenden, den sie teilten und unterspülten wie salzige Flutwellen die Mündung des Flusses, der sich nicht aufhalten lässt, sein Ziel zu verfolgen, sich in der Weite aufzulösen. Wanda rempelte sich einen Weg durch die Menge zu ihrem Gleis. Sie war überrascht, wie leicht ihr dieses Verhalten nach zwei Jahren amerikanischer Sozialisierung noch fiel. Hundemüde sehnte sie sich nach einem warmen Plätzchen, an dem sie die Augen schließen und sich ihrer Mattigkeit hingeben konnte. Ein Regionalexpress nach Treysa wartete auf Anschlusszüge. Aus dem Fenster der Lok baumelte ein rot behaarter Arm.

„Excuse me.“ Sie bemerkte sogleich ihren Fehler. Dann tauchte der verstrubbelte Kopf des Lokführers auf. Seine blauen Augen strahlten. Wieder lag ihr ein englischer Satz auf der Zunge, den sie diesmal verschluckte.
„Ich möchte nach Marburg.“ Es klang ein bisschen wie das Betteln eines kleinen Mädchens.
Der Mann nickte ihr aufmunternd zu.
„Nur einsteige, junge Frau!“
Im Zug waren die meisten Plätze bereits besetzt. Wanda kämpfte sich an sperrigen Gepäckstücken vorbei und fand schließlich einen Fensterplatz im unteren Teil des Waggons an der Zugspitze. Den Koffer ließ sie im Gang stehen. Ihren Rucksack nahm sie auf den Schoß. Schräg gegenüber ließ sich ein junger Typ auf den Sitz fallen. Er atmete heftig wie nach einem Spurt. Die dunklen Klamotten unterstrichen seine Blässe. Er nahm die Brille ab und rieb die beschlagenen Gläser an seinem Sweatshirt. Dabei trafen sich für einen Moment ihre Blicke. Er lächelte nicht. Wanda schaute zur Seite. Aus den Augenwinkeln konnte sie sehen, wie er bald die Arme vor der Brust verschränkte und sich zum Fenster drehte. Sie ließ ihren Kopf auf den Rucksack sinken. Sie spürte die Schwere ihrer Lider, die Augen fielen ihr zu und sachte glitt sie durch die ersten Nebelschwaden schläfriger Bewusstlosigkeit. Ein leichter Ruck riss sie wach. Mit fünfzehn Minuten Verspätung rollte der Zug langsam in Richtung Norden.
Durch das Fenster sah sie in eine Puppenstube. Selbst die Hochhäuser hatten etwas Niedliches. Dann eine Schrebergartenkolonie, Wiesen, ein paar Weiler. Die Dinge, die sie umgaben, schrumpften, als spulte ein Film die Kulisse ihrer Kindheit am Fenster vorbei. Es ging zurück aufs Land, dort wo sie nie wieder hin gewollt hatte. Zum Frühschoppen am Sonntag, der Vater trank das kleine Gedeck, am Mittag sprach die Mutter das Tischgebet und der Pastor hielt Andacht am Nachmittag. Mit vierzehn gab es flüchtige Küsse unter der Raupe beim Schützenfest und später eine entzündete Blase vom Motorradfahren zur Disco in einen Nachbarort. Im Winter ging es nach Winterberg, im Sommer an den Möhnesee. Mit neunzehn ging sie fort, ohne noch einmal zurück zu schauen. Vor einem Jahr waren die Eltern gestorben. Ganz kurz hintereinander. Sie empfand keine Trauer, nur dumpfe Erleichterung. Deshalb war sie auch nicht zu den Beerdigungen gefahren, sie hätte die

Heuchelei am Grab nicht ertragen. Zuviel Arbeit und kein Geld für die Flüge nach Europa. Es stimmte und war zugleich vorgeschoben. Ihr Bruder Robert schrieb ihr schon seit einer Weile nicht mehr. Bestimmt war er verärgert. Sie konnte es ihm nicht verdenken. Irgendwo im Koffer steckte der Brief des Notars. Da werde ich hinfahren müssen.
Draußen mischten sich die Grautöne zu einem düsteren Landschaftsbild. Wie Marburg wohl ist? „Nice place." Ricks Stimme war ihr noch deutlich im Ohr. Hatte ihr amerikanischer Boss nicht etwas von einem Schloss gemurmelt? Klang alles ein bisschen verstaubt. Hamburg wäre ihr lieber gewesen.
Der Typ schräg gegenüber telefonierte. Ob sie ihn ansprechen sollte? Sie wollte nur anrufen, um sicher zu sein, dass Kirstens Bekannte den Wohnungsschlüssel bei der Nachbarin abgegeben hatte. Ja, Kirsten war ein Geschenk des Himmels gewesen. Sie kam genau zur richtigen Zeit nach Rochester, um ihr Laborpraktikum zu machen. Wanda war total abgebrannt und dankbar, für zwei Wochen in ihrer Marburger Studentenbude bleiben zu dürfen. Eine Starthilfe, die es ihr erlaubte, in Ruhe eine Wohnung zu suchen und die Formalitäten für die neue Stelle zu regeln.
Der Typ mit dem Handy beendete das Gespräch. Er steckte das Telefon in seine Tasche zurück und zog einen Zettel hervor, den er langsam entfaltete. Seine Augen sprangen unruhig über das Papier. Mit seinem zerzausten Haar hatte er etwas von einem Dirigenten, in dessen Kopf gerade eine Musik tönte. Es musste etwas Dramatisches sein. Kein Klassiker. Bedrohlicher. Spiel mir das Lied vom Tod. In ihrem Schädel vibrierte noch das Katzengeheul der Mundharmonika, als er das Blatt zusammen faltete und es in der Innentasche seines Anoraks verstaute.

Er war sich sicher, dass sie ihn schon seit einer Weile beobachtete. Als Andreas aufschaute, drehte die junge Frau schnell ihren Kopf zum Fenster. Sollte er sie kennen? Sie zeigte nicht gerade viel von sich. Ein hübsches Gesicht, ohne Zweifel, obwohl ihm kein Detail daran wirklich gefiel. Ihr Blick war stumpf. Ihre Haut blass, die Lippen zu schmal, die Nase mit den Sommersprossen ein wenig zu kindlich. Er mochte ihr pechschwarzes Haar. Allerdings trug sie es für seinen Geschmack viel zu kurz. Es war nichts gegen Larissas duftende Haarpracht. Weshalb hatte er ihr neulich nicht die Wahrheit gesagt? Er hätte nur *ja* sagen

müssen. Er sah sich noch einmal, an den Rahmen der Badezimmertür gelehnt. Die Hände in den Hosentaschen vergraben, schaute er seiner Freundin beim Packen zu. Sie traf ihre Reisevorbereitungen. Er selbst war auf dem Sprung nach München. Seine Mutter hatte gebeten, schnell zu kommen. Sein Vater war eben ein hohes Tier gewesen, die Trauerfeierlichkeiten für seine Beerdigung entsprechend aufwändig.
„Soll ich nicht doch mitkommen?“ Es war das Mitleid in Larissas Augen, das seine Abwehr entfachte.
„Du musst jetzt an dich denken. Meine Familie ist meine Angelegenheit.“ Er hatte lässig wirken wollen und mit tiefer Stimme gesprochen. Mit seinen Problemen wolle er ihr nicht die Vorfreude auf die lang ersehnte Reise verderben. Ihr Nicken kam ihm dankbar vor. Es war ihm wichtig, dass ihr letzter Eindruck von ihm nicht dieses hilflose Bündel aus Schuldgefühlen war, als das er sich fühlte. Inzwischen sehnte er sich danach, seinen Kopf in Larissas dunkler Löwenmähne zu vergraben und sich selbst zu vergessen. Aber sie war auf dem Weg zum Frankfurter Flughafen. Er wünschte sich, dass sie aus dem Zugfenster schaute so wie er jetzt, dass sie sich für Bruchteile von Sekunden wieder erkannten. Irgendwann klingelte sein Handy. „Wo bist du gerade?“ Ihre Stimme war voller Zuversicht. Aber ihre Züge waren längst aneinander vorbei gefahren. Er blickte auf den großen Rolli im Gang. Der Papierstreifen der Fluggesellschaft mit der Gepäcknummer hing noch am Koffergriff. Er seufzte. Die einen kommen, die anderen gehen.
Andreas zog noch einmal den Zettel aus der Tasche, den ihm ein Fremder vorgestern auf der Beerdigung seines Vaters zugesteckt hatte. Er stand am Grab neben der Mutter. Die Trauergäste zogen an ihnen vorbei, drückten ihm die Hände. Menschen, die er nie zuvor gesehen hatte, berührten ihn, wühlten ihn auf und ließen ihn doch ausgehöhlt zurück. In ihren Augen stand immer dieselbe Frage, als könne er ihnen eine Antwort auf den plötzlichen Tod seines Vaters geben. Manchmal waren die Begegnungen auch vollkommen blicklos, ein flüchtiges Streifen von Fingerspitzen. Irgendwann senkte auch er die Augen. Er konnte sich nicht erinnern, wie lange er dem Zug der Trauernden seine Hände überlassen hatte. Dann auf einmal hielt er dieses Papier in den Fingern. Als er aufblickte, stand ein junger Mann vor ihm, Mitte zwanzig, kaum älter als er selbst. Seine Augen blickten ernst, beinahe aufmunternd. Es dauerte eine Weile bis Andreas begriff, dass hier etwas

anderes geschah. Da war es auch schon vorbei. Der Typ verschwunden. Im ersten Moment hatte er an seinem Verstand gezweifelt. Eine Erscheinung? Aber da war dieser Zettel.
Er überflog die Namen, die dort aufgelistet waren. Nur wenige klangen deutsch. Eine internationale Gesellschaft. Er zählte nach. Er kam auf zwanzig Personen. Die meisten trugen einen Titel. Bis auf den Namen seines Vaters, sagten sie ihm nichts. Vor zwei Monaten, im Februar, hatte er noch mit ihm gestritten. Das übliche Streitgespräch. Damals konnte er nicht wissen, dass es das letzte sein würde.

2
HISTORISCHE VERBINDUNG

Andreas Hilberg saß im Büro seines Vaters. Das Weiß des väterlichen Kokons ließ ihn blinzeln. Er sah zur Seite. Sein Blick fiel auf das Kalenderbild. Eine Afrikanerin großformatig, und farbenprächtig auf Hochglanz gedruckt. Die Touristenperspektive. Das heile Afrika. Darüber das Logo einer Pharmafirma. Und das im Februar. Wo war der Bezug zur Jahreszeit? Andreas kapierte nicht. Er schaute zurück zum Vater, der hinter seinem Schreibtisch saß. Professor Günther Hilberg trug wie immer eine Krawatte. Sein Chefarztkittel war zugeknöpft.

„Woran arbeitest du gerade?" Die Frage seines Vaters hing noch im Raum. Was sollte er ihm sagen? Dass er sich Gedanken um seine Doktorarbeit mache, dass er über das *Ausschalten des Denkens* in der modernen medizinischen Forschung schreiben wolle, über den gefräßigen Reduktionismus in der Sprache der Wissenschaftler, den Fehler im westlichen Wissenschafts- und Technologiekonzept, die vermeintliche Illusion von Handlungsfreiheit und dem Dilemma vom Gelingen menschlichen Handelns und der Unabsehbarkeit seiner Folgen? Vermutlich würde sein Vater es wieder als philosophische Spinnereien abtun, nichts, mit dem er Erfolg haben würde, nicht einmal eine Familie davon ernähren könne. Ihm kam ein Satz in den Sinn, der nicht sein eigener war, aber über eine Sprengkraft verfügte, die er jetzt brauchte.

„Atombomben können so eingesetzt werden, wie man eine Gewehrkugel einsetzt." Er hatte diese Worte des amerikanischen Präsidenten Eisenhower auf die Brust seines Vaters gerichtet. Er sah, wie sein Vater die Lippen schürzte und mit dem Kopf leicht von links nach rechts pendelte als suchte er nach einer Mitte.

„Ich dachte, das Thema hätten wir endlich hinter uns. Du kennst meine

Meinung. Das hat ein alter Mann vor fünfzig Jahren gesagt. Längst überholte Prognosen. Junge, hör endlich auf, dich selbst zu bemitleiden. Komm zurück in die Wirklichkeit." Dann dozierte er über Atomwaffensperrverträge, dass man daraus für die Zukunft gelernt habe, dass jede sinnvolle Technologie missbraucht werden könne, jede Nutzung daher reguliert, ja kontrolliert werden müsse und dass wir, bei aller Betroffenheit über das, was in der Vergangenheit geschehen sei, inzwischen verantwortlich handeln würden. Andreas hatte längst aufgehört, ihm zuzuhören. Er mochte es nicht, wenn sein Vater predigte. Aber das *Wir*, dieses scheinbar verbindliche *Wir* in seinen Sätzen grub sich in sein Gedächtnis, während seine Augen auf dem Schreibtisch zwischen ihm und seinem Vater ruhten. Kirsche, wie dieser zu sagen pflegte und dabei so tat als würde er gerade einen Kern ausspucken. Andreas blickte auf das Familienfoto mit Hundebaby. Designerrahmen, die Gesichter kaum wieder zu erkennen, ein Junge nur halb so groß wie er und das Hündchen inzwischen grau, lahm und inkontinent. Neben dem Bild lag die Kugel aus Glas, die er seinem Vater vor, was wusste er wie vielen Jahren geschenkt hatte. Auf einmal war es wieder da, dieses *Wir* und während er die Glaskugel im Blick behielt, sagte er leise: „*Wir* müssen lernen, auf neue Weise zu denken."

Für einen Augenblick wurde es still. Ein Vogel flog zeternd am Fenster vorbei. Unten im Park modellierte die Sonne schon seit Tagen sanfte Kuppeln aus den kantigen Schneehaufen und Eisbrocken, die die Spazierwege säumten, als hätte ein Schneemann seine Spielzeugkiste in die Landschaft gekippt. Unmittelbar zu Füßen der Krankenhausfestung lag Großhadern, ländlich, beinahe idyllisch, im Südwesten von München. Eigentlich wollte Andreas nach dem Skiurlaub nur auf einen Sprung bei den Eltern in München vorbeischauen. Er hätte es wissen müssen, dass die Mutter sofort den Vater in der Klinik anruft. Der bat ihn nach Großhadern zu kommen, weil er dringende Termine hätte, die sich nicht verschieben ließen. Andreas war zu ihm gefahren. Nun saß er wie ein Patient dem Chefarzt gegenüber und verweigerte dessen Rezepte.

Günther Hilberg schob die Glaskugel beiseite und seufzte. Er sprach heiser und seine Stimme war leiser als früher. Es klang auf eine seltsame Weise kraftlos.

„Ja, denken, das konntest du schon immer gut… und schlaue Sprüche machen." Andreas hob die Augenbrauen und schmunzelte.

„Du schmeichelst mir. Der Satz *Wir müssen lernen, auf neue Weise zu denken* ist nicht von mir. Ich habe ihn nur zitiert. Es stammt aus einem Manifest von Albert Einstein, sozusagen seinem ethischen und politischen Nachlass. Einstein starb sechs Tage nachdem es erschien.“ Ausdruckslos starrte er in das Gesicht seines Vaters. Es fiel ihm nicht leicht, seinen Triumph zu verbergen. Er mochte die Einsteinschen Aphorismen. Sie ließen sich wunderbar in jedem beliebigen Kontext verwenden. Die Menschen versanken dann nachdenklich in inneren Bildern. Vermutlich sah jeder dabei etwas anderes. Sie öffneten ein Fenster zu ihrer Seele und machten sie auf einer intimen Ebene empfänglich für neue Ideen. Andreas wartete mit seiner Frage bis sich sein eigener Hohn in die Mundwinkel seines Vaters legte.

„Und was willst du der Menschheit hinterlassen?“

„Sicherlich keine Gedanken, die ausreichend Kalorien in sich haben, damit sich eine Generation von Philosophiestudenten daran laben könnte.“ Dies war der Hieb gegen seine Abtrünnigkeit. Zwei Semester Medizin hatten ihn kuriert. Der Sohn des Chefarztes hatte sich tatsächlich getraut, das Studium zu schmeißen. Sie standen wieder an dem Graben, von dem aus ihre Leben seit nunmehr fünf Jahren auseinander drifteten, ihren San Andreas Graben wie seine Mutter die Kluft zwischen *ihren beiden Männern* gerne bezeichnete. Als müsse er die Hauptschuld daran tragen. Auf dem Rückflug von San Francisco im vergangenen Jahr hatte Andreas nach einem gewaltigen Riss in der Erdkruste gesucht. Aber er erkannte nur einen schwarzen Strich, eine feine Bruchstelle in der rostigen Hülle der Erde, aus der Entfernung beinahe lächerlich und dabei doch ein Pulverfass.

„Wir stehen vor einem großen Durchbruch. Hyperthermie. Wir schikken Nanopartikel in Hirntumoren und heizen sie auf. Das Gewebe zerfällt. Der Tumor verschwindet. Es ist unglaublich. Aber es funktioniert.“ Es hörte sich so an, als wollte sein Vater mit einem Vortrag beginnen. Er sprach weiter, dass die Nanotechnologie einen wunderbaren Werkzeugkasten für den medizinischen Fortschritt bereit hielte, mit dem sich das Wachstum von Tumoren besser kontrollieren, Medikamente gezielter und wirksamer applizieren ließen. Der Kollege Jordan aus Berlin habe da bereits hervorragende Arbeit geleistet. Andreas lauschte dem betörenden Schnarren in der Stimme seines Vaters, das er wie ein Netz über seine Zuhörer warf, wenn er von seinen Erfolgen sprach.

„Andreas Jordan ist einer von den Besten. Er gibt nicht so schnell auf." Die Pause, die jetzt folgte, war einer von Günther Hilbergs rhetorischen Kunstgriffen. „Ein verbaler Angriff ist wie eine Injektion", hatte sein Vater einmal gesagt. „Die größte Wirkung erzielst du, wenn sich der andere nach einem überraschenden Einstich nicht bewegt. Dann fließen deine Worte wie von selbst hinüber." Diesmal wollte Andreas die väterliche Nadel erst gar nicht an sich heranlassen.

„Habt ihr denn immer noch nichts kapiert?" Seine Stimme stolperte über den schrillen Ton. „Ihr werkelt an einer winzigen Stelle und redet vom großen Durchbruch für die Medizin. Blickt ihr wirklich nicht durch oder tut ihr nur so?" Spöttisch verzog er die Lippen. „Es ist nicht überall Kompetenz drin, wo Exzellenz draufsteht! Das Geld fließt in den Größenwahn."

„Das ist doch närrisch." Günther Hilberg drehte den Kopf zur Seite.

„Alles ist irgendwie miteinander verbunden", fuhr Andreas unbeirrt fort. „Du kannst nicht an einem Punkt etwas verändern, ohne dass es eine Wirkung auf etwas hat, das weiter entlegen ist. Uns fehlt die Übersicht."

„Ah, die Geschichte vom Schmetterling, dessen Flügelschlag ausreicht, irgendwo in der Welt einen Hurrikan auszulösen hatten wir schon." Sein Vater wirkte müde.

„Erstaunlich, nicht wahr? Was eine zarte Luftbewegung nicht alles bewirken kann. Auf einmal ist nichts mehr festgelegt. Wir müssen damit rechnen, dass die Apfelsine, die uns hier vom Tisch rollt, im Himalaya einen Steinschlag auslöst, unter dem ein Yak stirbt. Du preist die Vorzüge der Nanowissenschaften, obwohl gerade *du* wissen solltest, dass bisher niemand die Folgen dieser Technologie wirklich einschätzen kann."

„Dafür sind andere zuständig. Ich kann nur Katastrophen abwenden."

„… und erfindest doch nur neue Gummisohlen, um nicht von der Karriereleiter zu rutschen. Die Vorstellung, ganz unten zu liegen, muss schlimm für dich sein." Andreas biss sich auf die Lippen. Es war zwecklos. Er konnte nicht anders. Er musste jetzt weitermachen.

„Du bekämpfst Krankheiten, weil du nur in den Kategorien von Gut und Böse denken kannst. Aber was ist, wenn Krankheiten nichts anderes sind, als der Versuch eines Organismus sich anzupassen, also eine Suche nach Lösungen, eine schlichte Laune der Natur, Lust am

Experimentieren? Nennen wir es doch einfach die Fähigkeit zur Wandlung, die du nicht akzeptierst, weil du dich hinter deinem teueren Schreibtisch verschanzt und Statistiken wälzt, damit wenigstens die dich bestätigen, auch wenn der Patient leider gestorben ist. Spätestens dann stellst du das Denken ein. Vielleicht ist es auch nur ein unwillkürlicher Kurzschluss. Alle Sicherungen fliegen raus. Bumm. Auch eine Form von Chaos. Ordnung und Kontrolle und die eindimensionalen Wirkketten, die ihr postuliert, sind so selten, wie das Glück..." Er überlegte kurz. „Na, wie das Glück beim Quidditch einen Schnatz zu fangen." Andreas atmete heftig. Er hatte sich zu einer Predigt hinreißen lassen. Er war kein bisschen anders als sein Vater.

„Wenn ich mich recht erinnere, ist dazu nicht nur Glück, sondern auch ein besonderes Geschick erforderlich." Günther Hilberg stand auf. Die ersten Schritte wirkten steif und unbeholfen. Fast stolperte er. Dann fing er sich und trat zum Fenster.

„Was ist?" fragte Andreas. Sein Vater schüttelte den Kopf. Er schob die Hände in die Taschen, bis auf die beiden Daumen, die wie zwei einsame Fender über der Reling seiner Kitteltaschen hingen. Sie zitterten leicht. „So spricht nur jemand, der zu viel Zeit zum Grübeln hat. Junge, wenn du wüsstest was hier los ist."

„Ich weiß das gut genug. Schließlich war ich Zivi in diesem Laden hier." Sein Vater hatte ihm den Rücken zugewandt. Andreas sah wie er sich spannte.

„Ich glaube nicht, dass du mir wirklich zuhörst." Günther Hilberg sprach jetzt zum Fenster, als würde unten im Park ein Publikum lauschen. „Wir möchten das Glück herausfordern und dazu müssen wir wirklich gut sein. Das ist unsere einzige Chance." Da sprach der Arzt, leidenschaftlich, stets um das Wohl seiner Patienten besorgt, der Retter in der Not. Applaus und Vorhang. Andreas ärgerte sich vor allem über den Neid, den er plötzlich empfand. Sein Vater wirkte so echt in seinem aufgeblasenen Selbstbild, so von sich überzeugt und hatte doch etwas Magnetisches.

„Wir müssen die Gesetze verstehen, von denen die lebendigen Prozesse gesteuert werden, erst dann können wir Einfluss darauf nehmen." Günther Hilberg wandte sich wieder Andreas zu. „Es ist wie ein großes Puzzle, dessen Komplexität wir erst richtig erfassen können, nachdem wir die einzelnen Teile herausgenommen und genau untersucht haben."

„Und wenn du Sandkorn um Sandkorn untersucht hast und die Körner am Ende zusammenfügst, findest du dich vor einem kurzlebigen Sandhaufen an einer Baustelle wieder, und nicht an dem Palmenstrand, den du einmal vor Augen hattest. Was ist schon ein einzelnes Korn? Erst der Zusammenhang lässt dich erahnen, wo du dich gerade befindest. Wirklich ist, wenn heiße Luft über dem Sandstrand flimmert und das Bild leicht vor deinen Augen verschwimmt. Dann bist du angekommen. Die Annahme, das Universum bestünde aus Teilen, ist nur eine Idee."
Günther Hilberg schüttelte müde den Kopf.
„Ist das wieder so ein Zitat? Du hörst dich an wie der Dalai Lama persönlich." Er trat neben seinen Schreibtisch. Auf dem Beistelltischchen türmten sich Zeitschriften und Papierstapel. Er hob ein paar Blätter hoch und legte sie an anderer Stelle wieder ab. Das Papier raschelte in seinen flattrigen Händen. „Nein, uns helfen keine romantischen Vergleiche. Wir brauchen handfeste Instrumente, um die Probleme in den Griff zu bekommen." Ein sanftes beständiges Beben durchdrang seine kompakte Gestalt. Im selben Moment meldete sich der Pieper. Günther Hilberg ging an sein Telefon und gab eine Nummer ein.
„Ja, bin gleich bei Ihnen", sagte er. Dann wandte er sich an Andreas. „Tut mir leid, ich habe zu tun." Das Handy glitt ihm aus der Hand, als er es in die Ladestation zurückstellen wollte. Er ließ es auf dem Schreibtisch liegen. Auf dem Weg zur Tür drehte er sich noch einmal um.
„Gute Reise. Wir telefonieren", sagte er matt. Die Audienz war zu Ende. Er ging langsamer als sonst. Sein Abgang wirkte verkrampft. Dennoch war sein Vater erstaunlich ruhig geblieben. Kein Wutausbruch, keine Vorwürfe, wie sonst so oft. Nichts, das Andreas Grund genug gegeben hätte, aufzuspringen und die Tür hinter sich zu zu schlagen. In einer Stunde ging sein Zug zurück nach Marburg. Aber ihm fehlte der Impuls für den Quantensprung in sein eigenes Leben.
Eben noch wäre er am liebsten ausgebrochen, jetzt sehnte er sich danach, hier zu bleiben, in diesem Raum, in dem noch die Duftmarken seines Vaters hingen. Andreas musste lächeln. Eine historische Verbindung eben. Wenigstens die konnte sein Vater nicht leugnen.
Auf der Rückfahrt damals nach Marburg hatte Andreas sich leichter gefühlt. Kündigte sich da nicht ein Stimmungswechsel zwischen ihm und seinem Vater an? Dass er dann eine Weile nichts von ihm hörte, beunruhigte Andreas nicht weiter. Das war nicht ungewöhnlich. Erst

als seine Mutter zwei Wochen später bei ihm anrief, erinnerte er sich wieder an den verhaltenen Tremor, den er an seinem Vater beobachtet hatte. Die Nachricht kam wie ein Schock. Sein Vater war plötzlich ins Koma gefallen. Günther Hilberg lag in seiner eigenen Klinik und mit jedem Besuch dort erkannte Andreas, wie sich der Vorhang der Verzweiflung vor die Hoffnung schob und die Angst festhielt, die bald alle Gemüter infizierte und deren Virulenz erst nach dem Tod des Vaters allmählich verebbte. Schlaganfall, sagten die Ärzte und furchten die Stirn, als ob sie etwas für sich behielten. Sie erwähnten das Zittern und die motorischen Ausfälle, die seinen Vater wohl schon seit geraumer Zeit plagten, die er jedoch nicht hatte wahr haben wollen, zuletzt selbst therapierte. Dann ging alles ganz schnell. Andreas wurde die Sätze, die er seinem Vater noch sagen wollte, nicht mehr los. Günther Hilberg wachte nicht mehr auf. Selbst im Sterben unerreichbar. Er war erst siebenundfünfzig Jahre alt. Er besaß ein starkes Herz. Niemand konnte Andreas erklären, weshalb es dennoch nach wenigen Wochen aufgab. Er konnte nichts dagegen tun, dass seine Wut zuweilen die Gefühle der Trauer überschattete. Diese Stimmung war ihm seit Jahren vertraut, aber jetzt zog sie ihn nach unten wie ein Strudel, in den er sich selbstvergessen stürzte. Er machte sich Vorwürfe, dass er seinem Vater niemals gesagt hatte, wie sehr er ihn vermisste.

3
WEISSE LÜGEN

Wanda erwachte aus einem unruhigen Schlummer. Ein Blick aus dem Fenster verriet ihr, dass sie standen. *Gießen* las sie auf dem Schild am Bahnsteig. Ihre Armbanduhr zeigte immer noch Chicagoer Zeit. Sieben Uhr. Sie rechnete nach. Es musste etwa zwei Uhr am Nachmittag sein. Sie hatte eine gute halbe Stunde geschlafen. Gegenüber saß immer noch der Typ. Er hatte den Kopf ans Fenster gelehnt. Schaute er oder schlief er? Sie konnte sein Gesicht nicht sehen. Ihre Lust, ihn anzusprechen, war verflogen. Sie reckte sich und gähnte. Freu dich, versuchte sie sich aufzumuntern. Du kannst bald das tun, von dem du immer geträumt hast. Ein toxikologisches Labor aufbauen, eigene Projekte entwickeln, ein Team leiten. Sie hatte nicht lange überlegen müssen, als Max Sturm bei der Tagung im vergangenen Herbst auf sie zugekommen war, um ihr eine Stelle in seinem Institut in Marburg anzubieten. Er hatte regelrecht mit dem vorzüglichen technischen Inventar und den finanziellen Mitteln in seiner Abteilung geprahlt und ihr obendrein in Aussicht gestellt, sie zu habilitieren. Professor Dr. med. Maximilian Sturm schien ihr nicht gerade der väterliche Typ, den sie als Vorgesetzten bevorzugte. Er hatte etwas von einem magersüchtigen Frettchen.

Der Zug setzte seine Fahrt fort. Wanda seufzte und blies ihren Atem auf die kalte Fensterscheibe. Ein feiner Nebel schlug sich dort nieder und verschwand sogleich wieder. Verträumt schaute sie in die graue, regennasse Landschaft. Ich bin wieder zu Hause in Deutschland. Sie musste sich in die Wange kneifen, um sich zu überzeugen, dass sie nicht träumte. Wie aus der Ferne in eine andere Welt gebeamt. Ein einsamer Seelenzustand aus Abermillionen von Partikeln neu materialisiert. Was will ich eigentlich hier? Die Nestwärme einer Gemeinschaft, die es nicht gibt? Oder habe ich Angst, den Anschluss zu verpassen? Torschlusspanik? In Amerika bin ich nur eine unbedeutende Postdoktorandin unter vielen gewesen. Die Stelle auf zwei Jahre befristet. Natürlich hätte sie das Angebot für ein weiteres Forschungsjahr in Rochester annehmen können. Aber da war es wieder dieses Hämmern, das langsam aus der Brust nach oben stieg und gegen ihre Kehle pochte. Zuweilen überfiel es sie nachts, ließ sie stundenlang wach liegen. Nein, sie wollte keine Angst mehr haben müssen. Es war richtig, jetzt zu gehen, versuchte sie sich zu beruhigen. Die eine Sache wird schon niemand bemerken. Jetzt, wo ich weg bin, schon gar nicht. Das Projekt war abgeschlossen. Niemand würde es überprüfen. Rick hatte gedrängt, weil er ihre Ergebnisse für die Veröffentlichung brauchte. Sie hatte ein paar Zahlen weggelassen. Damit war sie in guter Gesellschaft. Ein bisschen Kosmetik an der Statistik unterstrich nur die Glaubwürdigkeit der Daten, von denen sie sowieso überzeugt war. Sie hatte sich in der Autorenzeile sehen wollen, sich die Gelegenheit, in einer so renommierten Zeitschrift zu veröffentlichen, nicht entgehen lassen können. Auf die Publikation verzichten? Niemand wäre so dumm gewesen. Sie musste so handeln, wenn sie weiter kommen wollte. Schließlich hatte sie nichts gefälscht. Nur ein wenig geglättet. *White lies* nannten es die Kollegen. Nicht gelogen. Nur bereinigt. Für mehr Klarheit und ein besseres Verständnis. Für eine gute Sache eben. Allerdings nur die halbe Wahrheit. Natürlich konnte man sich dabei die Finger verbrennen. Die Grenzen zum Betrug waren fließend.

Sie öffnete den Reißverschluss ihrer Daunenjacke und fuhr sich mit der Hand über den Hals. Dort war die weiche Falte, das leidige Erbe ihrer Mutter. Sie hatte zugenommen. Der Stress war Schuld. Zwei ruhelose Jahre lagen hinter ihr. Ein Leben wie auf einer Klinge, über die man früher oder später springen konnte. Das musste sich ändern. Die neue Stelle war auf drei Jahre befristet. Nach ihrer Zusage hatte Sturm gelacht und seine Krawatte glatt gestrichen.

„Mal sehen, wie Sie sich so machen." Ein Geschmack von Galle war ihr in den Mund gestiegen.

4
NanoSniff

Max Sturm blickte durch das Fenster des Sitzungszimmers. Um diese Jahreszeit unterschied sich der Himmel über Boston kaum von dem über Marburg. Ein leichter Aprilregen fiel auf den blassgrünen Rasen. Wie ein Teppich schmiegte er sich an die Mulden und Wellenberge des Erdreichs. Sturms Augen brannten. Er ließ seinen Blick durch den lichten Regenvorhang in die Ferne schweifen. Aber dieses Grün besaß nicht die Kraft, seine Netzhaut wieder aufzuladen. Gestern Mittag war er in Frankfurt los geflogen und fast zu selben Zeit in Boston gelandet. Sechs Stunden Flug gen Westen und bei der Ankunft sechs Stunden Zeitverschiebung nach hinten. Trotzdem war ihm die Reise lang vorgekommen. Seine innere Uhr spielte ein wenig verrückt. Die Boston Innovative Therapeutics, kurz BIT, hatte einen Wagen zum Flughafen geschickt, der ihn in ein Hotel in der Nähe der Firma brachte. Sie verließen die Stadt. Er kannte die Strecke. Über verknotete Highways fuhren sie nach Nordwesten, bis sie nach etwa einer Stunde Bedford erreichten.
Der Gewinn an Zeit machte ihm zu schaffen. Ausgerechnet ihm, der immer unter Zeitdruck stand. Mit viel Mühe hatte er sich bis zum Abend wach gehalten. Nach dem Essen mit der Geschäftsleitung war er früh zu Bett gegangen. Gegen vier Uhr morgens wachte er auf und konnte nicht mehr einschlafen. Er stand auf, kochte sich einen dieser faden Hotelzimmerkaffees und ging noch einmal seinen Vortrag durch. Er durfte die Aufmerksamkeit der Zuhörer nicht auf die falsche Fährte lenken. Sabine Mertens war sehr aufgeregt gewesen, als sie ihm kurz vor seiner Abreise nach Boston ihre Beobachtungen schilderte. Zwar mochte er keine Gefühlsausbrüche, doch hatte er ihr zugehört und versucht, sie zu beruhigen. Schließlich war sie eine seiner besten Wissenschaftlerinnen. Nur manchmal ein bisschen zu engagiert. Hoffentlich

konnte sie auch den Mund halten. Er hatte nicht vergessen, sie noch einmal ausdrücklich an die Geheimhaltungserklärung zu erinnern, die sie für diese Kooperation mit der BIT unterschrieben hatte. Ihr Verdacht betraf ausschließlich die Vorversuche für die zweite Studienphase. Solange keine eindeutigen Beweise vorlagen, durfte niemand davon erfahren. Ausgerechnet jetzt, wo die Amerikaner mit ihm weiterarbeiten wollten, musste das passieren. Ein Gerücht, eine undichte Stelle und ihm würden fünfhunderttausend Dollar an Projektgeldern durch die Lappen gehen.

Auf dem Tisch vor ihm lag ein Blatt Papier mit dem Zeitplan für die heutige Sitzung. Sturm zog seine Brille ab und rieb sich die Augen. Er setzte die Brille wieder auf. Es fiel ihm schwer, sich an die neuen Gleitsichtgläser zu gewöhnen. Er nickte bedächtig, bis er den Punkt fand, an dem die Buchstaben scharfe Konturen bekamen. Seine Gedanken kehrten noch einmal zu Sabine Mertens zurück. Sie war bloß ein Rädchen in seinem Unternehmen. Austauschbar. Im nächsten Monat sollte die neue Wissenschaftlerin aus Rochester bei ihm anfangen. Die Mertens würde schon still halten, beruhigte er sich selbst. Er zog ein Taschentuch aus seiner Hosentasche und drückte seine Finger in den blütenweißen Stoff. Die feuchte Schwüle seines Händedrucks war ihm peinlich. Zum Glück waren die Amis nicht so versessen auf Hautkontakt. Er schaute auf seine Rolex. Noch fünf Minuten bis zum offiziellen Beginn der Sitzung um neun.

„Hello, Max!“ Sturm spürte die schwere Pranke des Geschäftsführers auf seiner Schulter.

Der Schreck über diesen jähen Aufprall ließ seine Stimme brechen wie einen dünnen Ast. Er versuchte, es hinter einem missglückten Lachen zu verbergen. „Guten Morgen, Paul.“

„Sorry, ich weiß, es ist fruh fur euch, die verschobene Zeit und der Klima, aber es is ixtriem wichtig.“ Der amerikanische Akzent klebte an der Aussprache des Geschäftsführers. Sein Deutsch war so gut, dass er alles verstand – was Sturm insgeheim bedauerte, weil es ihm nicht erlaubte, sich mit seinem Anwalt während der Sitzung unbemerkt abzustimmen. Paul Torman hatte sich in voller Größe am Kopfende des Tischovals aufgebaut und ließ seine Bass-Stimme durch den Raum dröhnen.

„Wo is Doktor Looser?"
„Luther", korrigierte der Jurist, der soeben von der Toilette zurückkehrte, „wie Martin Luther. Einen guten Morgen, Mister Torman."
„Oh ja, Martin Looser, ich erinnere mich." Torman grinste aus seinen dunklen Knopfaugen. Der Anwalt legte seinen Aktenkoffer auf den Tisch und rückte ihn zurecht, bis die Vorderseite parallel zur Tischkante lief. Er war blass. Sturm lachte ihm aufmunternd zu. Auch wenn er selbst Torman sein plumpes Benehmen nicht wirklich verübelte, so würde er es niemals wagen, ihm den Rücken zuzuwenden. Hinter Tormans Plüschtiercharme verbarg sich ein hungriger Eisbär.
Linda Varn betrat das Sitzungszimmer. Sie war die Produktmanagerin für die Sektion Nanotherapeutics. Sturm hatte sie beim Geschäftsessen am Vorabend kennen gelernt. Er schätzte sie auf Ende zwanzig. Blond, blauäugig, schlank und glatt wie ein Aal schien sie gerade von den Dreharbeiten zu einer Doku-Soap in ihre nächste Rolle zu schlüpfen. Auf der Synchronklappe vor ihrem Gesicht stand in fetten Kreidestrichen die Anweisung *Bitte lächeln*. Ihr folgten drei Männer, die er nicht kannte. Das mussten wohl Tormans Anwälte sein.
„Darf ich Sie miteinander bekannt machen?" wandte sich Torman an die Anwesenden. Der Klang des Amerikanischen nahm seinem Ton die Schärfe.
„Doktor Steven Bright, von Lynx-Pharmaceuticals, herzlich willkommen Steve, und das sind Mike Barnfield und Jim Ross, meine Bodyguards." Er lachte laut, als er den beiden zunickte. „Natürlich nur ein Scherz. Aber wir sind glücklich darüber, dass wir sie vor wenigen Monaten ganz für uns gewinnen konnten. Sie müssen wissen, die BIT hat inzwischen eine eigene Rechtsabteilung." Dann zeigte Torman auf Sturm.
„Professor Maximilian Sturm aus Deutschland, Institut für Toxikologie der Universität Marburg sowie Geschäftsführer von NPEX und sein Anwalt Doktor Rolf Loother." Sturm hörte wie Luther neben ihm erleichtert ausatmete. Torman bat alle Sitzungsteilnehmer, am oberen Ende des Tischovals Platz zu nehmen. Er selbst blieb vorne stehen.
„Keine Ahnung weshalb es ausgerechnet zwölf Plätze gibt", sagte er achselzuckend. „Ich kann euch versichern, dass wir es hier mit keiner religiösen Verschwörung zu tun haben." Er schaute zu Luther herüber, der wie beiläufig etwas notierte. „Wussten Sie, dass Judas Iskariot beim

Abendmahl gar nicht dabei gewesen ist? Jesus hatte ihn weggeschickt." Er grinste und machte eine kurze Pause. „Außerdem sind wir nur sieben, was statistisch gesehen die Überführung eines Verräters einfacher macht, sollte er noch unter uns sein." Sturm verspürte ein leichtes Zucken am linken Augenlid. Torman hatte die unsichtbaren Grenzen, die ohnehin schon zwischen den Teilnehmern dieser Sitzung bestanden, gerade mit einem Rotstift nachgezogen.

Die Linse des Beamers oben an der Decke des Sitzungszimmers warf das übliche Microsoft-Einheitsdesign, die Blue Jeans für Computeroberflächen, an die Wand, vor die sich Torman inzwischen gestellt hatte. Er nahm die Fernbedienung zur Hand und ließ eine weiße Pfeilspitze über das Wandbild huschen. Sofort erschien dort die Skyline von Boston im Abendlicht. Sturm stutzte. Hatte er dieses Foto nicht auf einem Prospekt in seinem Hotelzimmer gesehen? Linda Varn war aufgestanden und zur Tür gegangen. Sie drückte auf ein paar Schalter, worauf sich ein schwarzer Stoff leise surrend aus der Decke herabließ und von innen vor die Fenster schob. Es wurde Nacht im Raum und wäre nicht der schmale Lichtstreifen am unteren Horizont zwischen Fensterrahmen und den Jalousien geblieben, so hätte Sturm dies hier für die Kulisse einer Zeitreise gen Osten gehalten, auf die andere Seite des Kontinents.

Als nächstes erschien das Firmenlogo der Boston Innovative Therapeutics mit ihrem eingängigen Kürzel.

„Wir möchten heute die zweite Phase unserer Kooperation besiegeln." Torman rieb sich die Hände, als wollte er sogleich zur Tat schreiten. „Dazu müssen wir noch ein paar, aus meiner Sicht, nebensächliche Formalitäten klären." Er räusperte sich, griff in seinen Hosenbund und zog ihn zum Äquator seines mächtigen Leibs hinauf. „Vielmehr unsere Juristen müssen das tun. Und damit auch die verstehen, was wir machen wollen, möchte ich den Dienern der Justitia den Hauptschauplatz unserer Vorhaben kurz umreißen." Seine wachsamen Augen wanderten zwischen den drei Anwälten hin und her. „Also heute eher National Geographic und weniger Nature Medicine. Das sollte Ihnen entgegen kommen. Und bitte, unterbrechen Sie mich, wenn ich mich nicht klar genug ausdrücke." Auf der Wand erschien nun ein Bildausschnitt von einer Straße, über die Menschenmassen strömten. Während Torman den stufenlosen Zoom betätigte, kam es Sturm so vor als würden die Personen im Bild auf ihn zu kommen. Als einzelne Gesichter deutlich erkennbar wurden, gefror die Bewegung. Es waren alles Köpfe von älteren Menschen, weißhaarige Frauen und glatzköpfige Männer mit würdevollen Mienen und leuchtenden Augen. Sturm musste an die Werbung einer Lebensversicherung denken, die er neulich im Kino gesehen hatte.

„Bisher war der Weg das Ziel", begann Torman in ruhigem Ton. „Aber wir werden älter und weiser." Schweigend schaute er in die Runde. Sturm verstand, worauf Torman hinaus wollte.

„Wir haben NanoSniff entwickelt, um Wirkstoffe mit Hilfe winziger Nanopartikel als Transportfähren über die Riechbahn ins Gehirn zu schleusen. Das ist ein vollkommen neuer Weg. Ich denke an Krebstherapie, Darreichung von Schlafmitteln und Psychopharmaka. Ein breites Spektrum. Wir werden dabei sein, wenn die ersten *Sniff*-Medikamente auf den Markt kommen. *Nose-only*. Das Patent ist uns so gut wie sicher."

Auch Sturm war von der Genialität des Verfahrens überzeugt. Nasenschleimhaut und die Schaltstelle für die Riechnerven im Gehirn lagen so nah beieinander, dass es nur eines Sprungs über den Gartenzaun bedurfte, um Nanopartikel ins Gehirn zu schleusen. Genau genommen war es eine Lücke im Maschendraht, durch die sich die Nano-Zwerge hindurch mogelten, eine uralte Schwachstelle, die von den gefürchteten Viren für Polio und Meningitis schon immer genutzt wurde. Man hatte sich bloß wieder daran erinnert. Erst im vergangenen Monat hatte Sturm seine BIT-Aktienanteile aufgestockt, auch wenn er in die Hintergründe dieses Projektes nicht wirklich eingeweiht war. Schließlich bestätigten die jüngsten Ergebnisse aus seinem Labor das Prinzip dieser Anwendung als erfolgreich. Noch hütete die BIT NanoSniff wie ein Staatsgeheimnis. Nach Deutschland schickten sie nur streng begrenzte Mengen der Nanosubstanz. Der Kooperationsvertrag sah hohe Geldstrafen vor, sollten sie etwas anderes damit machen als die vereinbarten Untersuchungen. Nanopartikel über die Luft an den gewünschten Ort ihrer Wirkung zu bringen, ohne dass sie verklumpten, war bisher noch niemandem gelungen. Dies machte es unter anderem schwierig, sie in medizinischen Sprays einzusetzen. Die Wissenschaftler der BIT hatten offensichtlich ein Verfahren entwickelt mit dem sich diese störenden Effekte unterbinden ließen. Sturm mutmaßte, dass das eigentliche Geheimnis von NANOSNIFF auf der Oberfläche der Nanopartikel lag. Ein besonderer Trick, der den starken Anziehungskräften zwischen den Teilchen entgegen wirkte. Es ärgerte ihn zwar, dass er nicht mehr erfuhr. Gleichzeitig aber machte es ihn stolz, mit an der Front einer so innovativen Entwicklung zu stehen. Für ihn lag die Schnittstelle zwischen Globalisierung von Humankapital und Internationalisierung exzellenter Forschungscluster in den Nanowissenschaften. Inzwischen kamen ihm diese Begriffe so charmant über die Lippen, dass er solche Sätze auch in Momenten größter Erschöpfung, ja sogar aus dem Schlaf heraus, formulieren konnte. Es sparte ihm Zeit und war den Gesellschaften, in denen er sich bewegte, angemessen. Es störte ihn nicht, wenn er sich zuweilen selbst nicht verstand. Es ging nicht darum, was er sagte sondern wie er es sagte. Dennoch wünschte er sich manchmal einen winzigen Sensor an seinem linken kleinen Finger wie eine hauchfeine Nadel. Er würde sie in die NANOSNIFF-Lösung tauchen, um ihr Geheimnis zu erkunden. Was immer es auch war, es gab keinen Zweifel, dass ihnen eine der größten medizintechnischen Errungenschaften ins Haus stand. Ein Meilenstein auf dem Weg zur Nanotherapie. Weshalb jetzt die Auftraggeber verunsichern? Auf ihren Leerfahrten erwies sich die NANOSNIFF-Sonde als äußerst zuverlässiges Verkehrsmittel und diese Erfolgsmeldung kam aus seinem Labor. Bisher war alles gut gelaufen. Es würde auch weiterhin gut gehen. Zweifel ist Gift für den Wettbewerb. NANOSNIFF funktionierte. Die Zielvereinbarungen waren getroffen und er war mit im Boot.

„Aber wir wollen mehr“, drang Tormans dunkle Stimme zu ihm durch. Der Geschäftsführer wies dabei mit einer Hand zu den großformatigen Gesichtern auf der Wand. „Wir wollen die Weisheit erhalten, die in all diesen Köpfen steckt. Dort läuft unser künftiges Klientel. Es bewegt sich direkt auf uns zu.“ Mit diesen Worten zoomte er das Bild wieder auf seine ursprüngliche Größe zurück. Sturm war jetzt klar, dass es hier um mehr ging, als um Kooperationsgespräche mit seiner Firma. Gestern beim Abendessen hatte Torman angedeutet, dass die BIT zurzeit von zwei Pharmariesen umworben wurde. Seine Augen wanderten zu Steven Bright hinüber. Lynx-Pharm wäre sicher kein schlechter Partner.

„Haben Sie schon einmal etwas von epigenetischen Modifikationen gehört?“ fragte nun Torman seine Zuhörer und gab sogleich selbst die Antwort. „Ich würde sagen, die Epigenese bestimmt, was schließlich aus unserem Leben wird. Insbesondere wenn es ein langes ist. Sie ist so etwas wie eine höhere Instanz, die unseren Genen das Wort erteilt oder sie zum Schweigen bringt. Man weiß inzwischen, dass epigenetische Vorgänge in unseren Zellen einen nicht unerheblich Beitrag dazu leisten, dass und wie wir altern. Neurodegenerative Erkrankungen, Demenz, jegliche Art von mentalen Hinfälligkeiten, die mit dem Älterwerden einhergehen, darin liegt unsere Zukunft.“ Feine Risse zogen sich durch das Bild auf der Projektionswand, und schon zerfiel es in winzige Quadrate während sich aus der Tiefe eine Art Rosette in den Vordergrund schraubte. Es sieht aus wie ein Mandala, dachte Sturm. Aber nicht ganz so ebenmäßig. Schließlich hatte es die Natur erschaffen. Er erkannte sogleich die Molekülstruktur der DNA.

„Sie schauen hier auf das Modell eines Nukleosomenkerns“, führte Torman seinen Vortrag fort. „Die farbigen Zylinder in der Mitte stellen Histonproteine dar. Sie bilden so etwas wie eine Spule, um die sich der DNA-Faden wickelt. Im menschlichen Genom soll es fünfundzwanzig Millionen solcher Nukleosomen geben. Stellen Sie sich einfach ein Buch vor, ein Lexikon, das statt auf großflächigen Seiten auf einem schmalen Papierstreifen gedruckt ist. Der Buchbinder hat ihn fein säuberlich um eine lange Kette gewickelt, die er bequem aufrollen und in einer Schublade verstauen kann. Zum Glück wurde für den Druck nicht starres Papier sondern ein elastisches Material verwendet, das Sie aufdehnen können, denn Sie wollen gezielt nach Begriffen suchen. Nur dort, wo Sie den Streifen von der Kette lösen, können Sie den Text auch lesen. Sie müssen dafür eine Pinzette verwenden, weil der Textfaden so zart ist, dass Sie ihn mit den Fingern nicht fassen können. Genauso verhält es sich in einem Nukleosom. Wie die Pinzette in Ihrer Hand so lockern bestimmte Enzyme in unseren Zellkernen die Bindungen zwischen der Histonspule und dem DNA-Faden. Nur dort kann nämlich der genetische Code gelesen werden. Nun ist Ihr Lexikon inzwischen in die Jahre gekommen. Der Textfaden klebt an vielen Stellen bereits so fest an der Kette, dass Sie ihn nicht mehr öffnen können. Immer mehr Textstellen werden unlesbar. Das geschieht auch in unseren Zellen, wenn wir älter werden. Wichtige Textstellen unserer Erbsubstanz sind für immer verriegelt. Mundtot. Einfach dicht gemacht. Diesen Vorgängen wollen wir mit einem neuen Therapieansatz entgegen wirken." Torman nickte kurz zu seiner Mitarbeiterin herüber, die sogleich aufstand und das Licht anmachte. „Dank NANOSNIFF sind wir mittlerweile in der Lage, kurze Gensequenzen ins Gehirn von Versuchstieren zu schleusen. Wir koppeln sie an unsere Nano-Fähre und schicken sie auf die Reise. Es sind Enzymgene, das heißt, hinter ihrer Sequenz verbirgt sich die Botschaft für verschiedene Enzyme, Katalysatoren, die in das Geschehen der Epigenese eingreifen sollen. Wir liefern sozusagen die Pinzetten, das Werkzeug, das die Hirnzellen benötigen, um verriegelte Textstellen ihres Genoms wieder aufzusperren." Er fuhr sich mit der rechten Hand über den Mund. „Das soll genügen. Sie werden verstehen, dass ich über Details aus Gründen des Firmengeheimnisses nicht reden darf." In dem Moment glitt Linda Varn zurück an ihren Platz. Sturms Augen hefteten sich an ihren Hintern, der sich wie ein munterer Ball unter dem engen Stoff des blauen Kostümrocks drehte. Da zerriss Tormans Stimme jäh diesen Zauber.

„Unser Experte, Professor Sturm, wird mich bestätigen, wenn ich sage, dass die ersten Gentransfers mit NANOSNIFF erfolgversprechend sind."

5
Das Tagebuch

Marburg empfing sie mit einem Wolkenbruch. Wanda schaute gespannt aus dem Fenster, während der Zug einlief. Aber sie sah so gut wie nichts. Was ist ein Bahnhof anderes, als ein Tor zu einem Ort? Er kann Illusionen wecken und zerstören. Hinter riesigen Bahnhofshallen vermutete sie das Flair einer Großstadt. Wenn sie an Flughäfen erinnerten, war die Welt dahinter bestimmt wohlhabend und mächtig. Glichen sie Bushaltestellen, gab es an dem Ort mit Sicherheit nur ein einziges Hotel, wenn überhaupt. Die Ankunft in Marburg ließ sie für einen Moment an ihrer Entscheidung zweifeln. Das Kofferband an der Treppe zur Unterführung war so tot wie die abgestreifte Haut einer Schlange. Auch auf dem Weg nach oben in die Bahnhofshalle erwies sich das Gepäckgutbeförderungsband als reiner Blickfang. Man hätte Blumen darauf pflanzen sollen. Dieses Mal folgte sie dem Strom der Menschen auf die beiden Türen zu, die sich wie Nadelöhre zur Stadt hin öffneten. Was würde sie dahinter erwarten? Schlammige Wege kamen ihr in den Sinn und nikotingelber Putz, der von den Häuserwänden bröckelte. Der Pfeil zum Ausgang wies auf einen riesigen Schriftzug darüber. *Marburger Bier* war dort zu lesen. Draußen fiel das Wasser in Sturzbächen vom Himmel. Eines war sicher. Verdursten würde sie hier nicht.

Wanda trat in den Regen hinaus. Eine Bildstörung zog sich quer durch ihr Blickfeld. Laster brausten darüber hinweg. Unter ihren Reifen zischelte nasser Asphalt. Der Unterschied zwischen neuronaler und digitaler Bildbearbeitung wurde ihr schmerzlich bewusst. Mit Photoshop hätte sie die Betonbrücke, die sich vor der Eingangskulisse spannte, einfach ausradiert. Was wohl dahinter lag? Heute schien die Brücke den wolkenschweren Himmel zu tragen. Wanda eilte durch den Regen hinüber und fand ihre Vermutung bestätigt. Weit und breit bot sie das einzige trockene Plätzchen und Wanda überlegte, ob sie nicht besser umkehren und ein Taxi nehmen sollte.

Das Wetter wurde allmählich besser, aber Wanda war in den ersten Wochen mit Wohnungssuche und den Aufgaben am neuen Arbeitsplatz so beschäftigt, dass sie es gar nicht bemerkte. Die Welt um sie herum hätte untergehen können, sie wäre im Institut geblieben und hätte weitergemacht. Sturm hatte natürlich übertrieben. Jetzt, wo sie da war, hieß es auf einmal *Humankapital ist kostenintensiv*. Sie müsse ihre Projekte schon selbst finanzieren. Also stellte sie eigene Anträge. Sie musste dafür im allgemeinen Computerraum mit den Doktoranden und Postdocs um die heiß begehrten PC-Plätze rangeln. Wissenschaftliche Mitarbeiter bekamen zwar einen eigenen Computer. Nur an ihrem Arbeitsplatz war er noch nicht installiert. Außerdem fehlte ihr Personal. Also packte sie selbst im Labor mit an. Zellkulturen kannten schließlich keine Wochenenden. Sie war es gewohnt, viel zu arbeiten und auf Freizeit zu verzichten. Allerdings hatte sie mit ein bisschen mehr Starthilfe gerechnet. Hinzu kamen die Kämpfchen mit der Bürokratie, wichtige Bestellungen, die aus unerfindlichen Gründen nicht weitergeleitet wurden. Zwei Monate lang wartete sie auf ihren Computer. Der Vorgang blieb einfach liegen, eine Karteileiche, die erst auf ihre Nachfrage hin langsam zu stinken anfing. Angeblich ein selbst verschuldeter Formfehler bei der Bestellung, über den sie der Einkauf jedoch nicht informierte. Sie hatte Glück. Kurz darauf verabschiedete sich ein Kollege, dessen Rechner sie übernahm. Endlich konnte sie in Ruhe am eigenen Schreibtisch ihre Texte verfassen, lesen, recherchieren, Datensätze auswerten, Protokolle erstellen. Ihr rauschte der Kopf. Abends fiel sie in einen narkotischen Schlaf. Sie hörte einfach auf, zu denken. Sie funktionierte. Ob sie glücklich sei? hatte ihre Kollegin Sabine sie einmal gefragt. Wenn Glück bedeutete, dass wir die Zeit vergessen, ja, dann war sie es wohl.

Da Wanda den Sommer nicht wahrnahm, blieb sie blass. Mit einem Mal war die Wohnung kalt, wenn sie spät abends nach Hause kam. Manchmal hörte sie, wie sich der Wind heulend um die Hausecken drückte und an den Fenstern rüttelte. An jenem Morgen im November hatte sie

wieder diesen Traum. Sie ist im Haus ihrer Kindheit. Sie läuft durch die Zimmer, lässt Jalousien herunter, verschließt Fenster und Türen. Sie weiß, draußen ist ein Fremder, ein Einbrecher. Sie spürt seine Bewegungen, wie er heimlich ums Haus herum streift, nach einem Schlupfloch sucht, einer unverschlossenen Tür, einem gekippten Fenster. Etwas, das sie vergessen hat. Ihre Eltern und Robert, ihr Bruder, sitzen wie Wachsfiguren im Wohnzimmer, vor Entsetzen gelähmt. Aber sie hält das Schweigen nicht aus. Sie greift zum Telefonhörer, will die Polizei rufen. Doch die Nummer fällt ihr nicht ein. Sie starrt in das dämmerige Zimmer. Sie ist drinnen und gleichzeitig schleicht sie mit ihm ums Haus herum, kann sie jeden seiner Schliche am eigenen Körper spüren. Wo ist er gerade? Verdammt. Die Kellertür. Ich habe die Kellertür vergessen.
Sie war mit pochendem Herzen aufgewacht. Diesmal war der Traum weiter gegangen. Der Fremde war in ihrem Haus gewesen. Auf ihrer Stirn lastete ein dumpfer Druck. Bitte keine Kopfschmerzen, flehte sie im Stillen. Ihr Konsum an Schmerztabletten war in letzter Zeit bedenklich gestiegen. In der Wohnung war es noch dunkel. Sie knipste die kleine Stehlampe neben dem Bett an. Vier Uhr. Viel zu früh, um aufzustehen. Aber sie fand keine Ruhe. Barfuss tappte sie ins Badezimmer und schaltete die Therme ein. Sie streifte den langen Rollkragenpulli über den Schlafanzug, zog sich Wollsocken an und schlüpfte in die alten Filzpantoffeln. Noch schlaftrunken schlurfte sie in die Küche. Es war ihr bereits zur Gewohnheit geworden, den Backofen einzuschalten, die einzige Heizquelle in diesem Raum. In ihren Schränken bewahrte sie stets einen Vorrat an Mehl, Zucker und Eiern auf, den sie vorausschauend auffüllte. Als sie nach einem Rezept suchte, stieß sie auf eines ihrer Tagebücher. Es klemmte im Küchenschrank zwischen den Rezeptbüchern hinten in der zweiten Reihe. Wanda schaltete den Backofen wieder aus, wickelte sich in eine Wolldecke und setzte sich an den Schreibtisch, eine massive Platte aus Kiefernholz, die auf zwei mit Farbspritzern verkleckerten Holzböcken ruhte. Sie klappte das Tagebuch auf. Eigentlich war es nur ein Heft. Eine Metallspirale hielt die Blätter zusammen. Wanda mochte keine Notizbücher, aus denen sich Blätter nicht sauber heraustrennen ließen. Sie hatte viele Tagebücher angefangen, aber nie lange durchgehalten. Irgendwann musste sie auch dieses umgedreht haben, weil sie eine Kladde für ihre Rezepte brauch-

te. Da waren die Walnussmuffins, die sie zu Sabines Geburtstag gebakken hatte. Über dem verlockenden Titel *Französischer Liebeszauber* klebte ein eingetrockneter Tomatenkern. Sie kratzte ihn mit dem Daumennagel ab. Wanda hatte diese Salatvariation ausprobiert, um sie bei passender Gelegenheit Thomas zu servieren. Sie blätterte über etliche unbeschriebene Seiten. Dann kamen gestauchte Sätze, Buchstaben, die sich duckten. Alles stand auf dem Kopf. Sie drehte das Heft um und las den letzten Eintrag.

Marburg, 20. Juli 2005

Es fällt mir so schwer, mich zu erinnern. Was sind eigentlich Erinnerungen? Winzige Molekülstrukturen, die in unseren Neuronen schlummern? Gebundene Energie, die uns in der Zeit verankert? Der Traum ist wieder zurückgekommen. Ich hatte ihn völlig vergessen. Es kommt mir so vor, als suchte ich unablässig nach einer wichtigen Datei. Eine Fehlstelle in meinem Datenspeicher. Ich kann nicht glauben, dass sie gelöscht ist.

Wäre mein Gehirn jetzt gescannt, ließe sich mit Sicherheit mehr in Erfahrung bringen. Umkehrtechnik. Ich kann mir nicht vorstellen, wie das einmal gehen soll. Ein Supercomputer soll meine Gedanken denken? Jedenfalls schwärmt Thomas immer davon. Er ist fest entschlossen, sein Gehirn „in Silizium gießen zu lassen“ oder in einem winzigen Würfel aus Nanoröhrchen unterzubringen, wenn es irgendwann einmal möglich sein sollte. Er meint, damit würden künftige Computer das Denken übernehmen. Ich stelle mir vor, wie die Menschen sich jede Woche zu einer bestimmten Zeit, zum Beispiel montags in der Mittagspause, statt unter die Sonnenbank kurz in die Röhre legen und ein CT ihres Gehirns machen lassen, um die Daten der letzten Woche zu sichern. Wie lästig. Ich schaffe das nicht einmal bei meinem Computer.

Wanda hob den Kopf und schaute zum Fenster. Auf der noch schwarzen Scheibe erkannte sie sich selbst.

„Was ist mit Programmfehlern?“ wollte sie damals von Thomas wissen. „Was ist, wenn die Datei irgendwo hängt und die Erinnerung versperrt?“

„Dann nimmst du ganz einfach ein älteres Backup“, war seine Antwort gewesen. Ihr Spiegelbild bekam Falten auf der Stirn. Es gab Dinge, an die sie sich so nicht mehr erinnern wollte. Sie hatte neue Bilder darüber gepinselt, die ihr einfach besser gefielen. Sie hatte keine Lust, diese mühsame Arbeit noch einmal zu tun.

Also sind auch Erinnerungen nur fortwährend überarbeitete Sicherungskopien. Gibt es dann überhaupt so etwas wie eine Urerinnerung? Ein unverfälschtes Original?
Als Kind hatte ich einen Traum. Ich sitze auf einem Sandhügel vor einem großen Wasser. Es endet dort, wo der Himmel beginnt. In diesem Wasser schreiten meine Eltern, Hand in Hand dem Horizont entgegen. Ich schaue ihnen nach, zwei gedrungene Striche, die allmählich miteinander verschmelzen und sich schließlich im dunkel schimmernden Wasser aufzulösen drohen. Da schreie ich und renne los. Ich laufe ihnen nach ins Wasser hinein, stürze hinter ihnen her.
„Ja, das ist damals tatsächlich passiert", sagte meine Mutter, als ich ihr von dem Traum erzählte. „Damals an der Ostsee. Du warst zwei Jahre alt. Du wärst beinahe ertrunken."
Hier ist sie also, die unverfälschte Erinnerung, eine Datei, die sich, aus welchen Gründen auch immer, spontan geöffnet hat und wie frische Lava aus den Tiefen des Gedächtnisses ans Tageslicht strömt, sich verfestigt und eine Insel begründet, einen Sandhügel an einem Ostseestrand.
Ich muss mehr träumen. Vielleicht kommen dann die Bilder, die mir fehlen, um besser zu verstehen.

Damit endeten ihre Aufzeichnungen. Was hatte sie verstehen wollen? Sich? Ihre Eltern? Oder war sie nur nervös gewesen, weil alles so neu für sie gewesen war? Wanda richtete die Frage an das blasse Gesicht in der dunklen Scheibe. Sie mochte das leicht Spöttische um den kleinen Mund, denn es trieb ihr ein freches Schmunzeln in die Augen. Sie wirkten größer, jetzt, wo die Wangen wieder flacher waren. Sie fand sich hübsch bei diesem indirekten Licht, das die Zeichen von Müdigkeit für sich behielt. Sie nahm den Füller aus der Zigarrenkiste, in der sie ihre Stifte aufbewahrte, und begann zu schreiben.

Marburg, 7. November 2005
Vor einer Woche rief der Notar mich an. Ich hatte seinen Brief völlig vergessen. Er hat wohl eine Weile gebraucht, um herauszufinden, wo ich wohne. Seitdem werde ich nachts wieder wach und backe, weil ich schlecht träume.

Wanda betrachtete die schwarze Tintenspur ihrer gedrungenen Schrift auf dem Papier. Alles fängt irgendwo einmal an. Ihr fielen die alten Ägypter ein. Für ihre Tinte mischten sie Ruß mit Gummiarabikum, um es in Wasser zu lösen und stellten wohl als eine der ersten Kulturen eine wässrige Suspension aus Nanopartikeln her. Was sie damals nicht wussten, war, dass sich die langen Molekülketten dieses natürlichen Polysaccharides aus dem Saft der Akazie wie Krakenarme um die Rußteilchen legten und somit verhinderten, dass sie im Wasser zu schlierigen Klumpen verklebten. So floss der Farbstoff geschmeidig auf Textil und Papyrus, und seine Spur wurde zum Faden im Gewebe der Zeit. Es ist eben wichtig, die Dinge einzeln in der Schwebe zu halten, sonst verklumpen sie zu einem nutzlosen Brei.

Ich werde wohl hinfahren müssen.

Wanda legte den Füller beiseite. Sie war sich nicht sicher, ob es nur Erkenntnis oder bereits entschieden war. Dann klappte sie das Tagebuch zu. Ein leichtes Beben ließ den Boden unter ihren Füßen zittern. Die Gläser auf dem Regal klirrten leise. Unten auf der Straße fuhr ein Bus seine erste Runde. Was war heute für ein Tag? Wanda stöhnte und fasste sich an den pochenden Schädel. Montagsbesprechung. Bei der Aussicht auf dieses allwöchentliche Ritual verspürte sie ein nervöses Flattern im Magen. Georg, ihr Doktorand, hielt diesmal den Vortrag. Sie musste ausgeruht sein. Wanda ging ins Bad und spülte mit zwei Schlucken Wasser aus dem Hahn die Tablette hinunter. Das Bett war noch warm.
„Alles wird gut", murmelte sie und fiel in einen flachen Schlummer.

6
Monday, Monday

Eine Minute vor zehn betrat sie den Besprechungsraum. Für ein paar Sekunden fühlte Wanda die bohrende Last von mindestens fünfzehn Augenpaaren auf sich gerichtet. Die Kollegen hatten wohl den Chef erwartet. Sie nickte kurz in die Runde, ohne einzelne Blicke aufzufangen. Sie hatte genug mit sich selbst zu tun. Bald war der Raum wieder erfüllt vom Tuscheln und Lachen der Anwesenden. Jeden Montag, wenn Wanda hier her kam, fühlte sie sich wieder in ihre Schulzeit zurück versetzt. Es war ein junges Kollegium, die meisten unter dreißig. Die Leute lümmelten sich auf den Tischen herum, redeten durcheinander und schubsten sich neckend. Der Seminarraum war ein wenig länger als breit und die Tische standen in Längsreihen hintereinander wie in einem Klassenzimmer. Sie waren gerade in das neue Forschungsgebäude umgezogen und der Raum roch noch nach den Ausdünstungen von frisch verlegtem Teppichboden und fabrikneuen Möbeln. Als sie den pelzigen Geschmack nach Lösungsmitteln auf ihre Zunge verspürte, lief sie zum Fenster und öffnete es sperrangelweit.
„Mensch, Wanda, muss das sein?" Astrid näselte ihre Worte durch ein Papiertaschentuch, das sie sich im gleichen Moment auf die Nase drückte, um kräftig hinein zu schnäuzen. Ihre wasserblauen Augen blickten vorwurfsvoll über den zerknitterten Schleier hinweg.
„Hier stinkt's nach Chemie!" fauchte Wanda zurück.
„Ich habe gerade ein anderes Problem!" Doktor Astrid Dobermann krächzte wie eine flügellahme Krähe. Na prima, triumphierte Wanda innerlich. Jetzt ist das Monster endlich am Boden.
„Was machst du dann noch hier? Willst du uns alle anstecken?"
Sie war immer noch sauer auf Astrid. Erst neulich hatte sich die Kollegin einen dicken Batzen aus den diesjährigen Mitteln für

Forschung und Lehre einverleibt, schnell noch bevor die Gelder nach festgesetzten Leistungskriterien auf die einzelnen Arbeitsgruppen hätten verteilt werden können. Es war ihr sogar gelungen, ihren Raubzug dem Chef als Sonderausgaben für die Abteilung zu verkaufen. Wanda spürte ein Kribbeln unter der Kopfhaut. Sie zügelte ihren Zorn und ließ ein blasiertes Gurren in Astrids Richtung schwingen.
„Stimmt. Du könntest tatsächlich etwas verpassen."
Ein paar Stuhlreihen weiter vorne kicherte Johannes. Er schaute Wanda aufmunternd an.
„Schlecht geschlafen?" Dabei zog er an dem Stuhl neben sich, eine eindeutige Einladung, sich an seine Seite zu setzen.
„Zuviel gearbeitet, zuviel Rotwein", gab sie beiläufig zurück. Er musste nicht wissen, wie es wirklich war. Eigentlich mochte sie Johannes. Man wusste gleich, woran man bei ihm war. Zumindest kam es ihr so vor. Johannes lästerte gern. Er trug sein Herz auf der Zunge, und wenn er sich einmal einen Kommentar verkniff, lief er vor Aufregung puterrot an. Johannes stand nicht auf Frauen. Witzigerweise schien er zu denken, dass niemand es wusste. Er mimte den Hetero mit einer Beharrlichkeit, als wollte er sich selbst parodieren. Mit Mitte dreißig war er nicht gerade der jüngste unter den Wissenschaftlern, eher ein Spätentwickler, der in kein wissenschaftliches Förderprogramm mehr passte. Allen war klar, dass Sturm ihn nicht besonders mochte. Aber Astrid wollte ihn unbedingt einstellen und gegenüber Astrid war manchmal sogar der Chef machtlos. Johannes Liebknecht war promovierter Biologe, scheute sich nicht vor langwierigen Tierversuchsserien und, was vermutlich ausschlaggebend für seine Einstellung war, er machte Astrid keine Konkurrenz. Wanda überlegte kurz. Sich neben ihn zu setzen, brachte sie gefährlich nah an die Schusslinie des Chefs. Zu nah für meine heutige Verfassung, befand sie und schaute sich suchend um. Sabine saß ganz vorne. Wanda sah auf ihren schmalen Rücken, und wusste unmittelbar, dass etwas nicht stimmte. Sabines Kopf klemmte zwischen ihren hoch gezogenen Schultern. Ihr Körper stand unter einer Spannung, die schon beim Hinsehen schmerzte. Sie schrieb, das konnte Wanda an dem leichten Vor und Zurück ihrer rechten Schulter erkennen. Irgendetwas an der Bewegung störte sie. Der Platz neben ihr war frei.
Gerade als sie sich dazu entschlossen hatte, Johannes einen Korb zu

geben, bog der Chef in den Besprechungsraum ein. Professor Maximilian Sturm lief nicht, er flog regelrecht und setzte im Sturzflug zur Landung an. Sein Navigationssystem lotste ihn stets auf einen freien Platz in der vordersten Reihe. Hinter ihm flatterte wie immer Michael Wallach, sein Kronprinz, in den Sitzungsraum. Michael beendete seine Flugübung abrupt und ließ sich auf einen Stuhl nahe der Tür fallen. Zweifelsohne hatte er überaus wichtige Termine und musste früher gehen. Vorne angekommen verzögerte Sturm plötzlich seine Sinkbewegung aus fast ein Meter neunzig Höhe, was ihm erlaubte den Kurs leicht abzuändern und nicht neben Sabine, sondern in der Reihe hinter ihr direkt neben Ali aufzusetzen. Das war der Auftakt für den Beginn der Sitzung. Das geschwätzige Menschenknäuel fiel auseinander und jeder einzelne auf einen Stuhl. Wanda ließ sich neben Johannes nieder, unwillig zwar, aber wachsam. Sie sah Georgs rote Flecken am Hals und nickte ihm aufmunternd zu.

Ihr Doktorand studierte Medizin und kam daher nicht jeden Tag ins Labor. Aber er nutzte die Abende und Wochenenden und hatte in den vier Monaten, die er nun schon bei ihr arbeitete, einige Ergebnisse zusammengetragen. Er untersuchte die Toxizität von Quantum Dots, nanopartikuläre Halbleiterkristalle, die je nach Größe in unterschiedlichen Farben fluoreszierten und somit für die Markierung an lebenden Zellen zunehmend gefragt waren. Viele Stoffwechselvorgänge konnten inzwischen dank rasanter Entwicklungen auf dem Gebiet der Vitalmikroskopie an Zellkulturen beobachtet werden. Dazu benötigte man Spurenleger, sogenannte Markersubstanzen, die wie Glühwürmchen in das Membranlabyrinth von Zellen ausschwärmten und über eindeutig zuordenbare Lichtsignale mitteilten, wo sie sich gerade befanden.

„Quantum Dots erzeugen eine große Bandbreite schimmernder Farbeffekte, sobald sie einen ultravioletten Lichtimpuls bekommen“, begann Georg seinen Vortrag. „Die Farbe, die sie abstrahlen, ist durch ihre Größe festgelegt. Deshalb können mit unterschiedlich großen Quantenpunkten mehrere Farbmarkierungen gleichzeitig durchgeführt werden. Die Beständigkeit dieser Lichtsignale ist im Unterschied zu herkömmlichen Fluoreszenzmarkierungen erstaunlich hoch.“ Georgs Leidenschaft für die Animationen des Powerpoint-Programmes war nicht zu übersehen. Die Textzeilen flogen mal von oben, mal von rechts, mal von links ins Bild. Diese Effekte konnten jedoch einige Kollegen nicht davon abhalten, sich ihren Manuskripten zuzuwenden, die sie, für den Fall, dass es langweilig werden sollte, immer dabei hatten. Weiter hinten steckten zwei Leute die Köpfe zusammen und tuschelten. Wanda ärgerte sich darüber. Sicherlich, Georg hätte in dieser Runde nicht so weit ausholen müssen. Andrerseits war dieses Forum eine der seltenen Gelegenheiten für Doktoranden, das Referieren zu üben. Anfängerfehler haben wir alle gemacht, entschied Wanda, und ließ ihn gewähren.

„Quantenpunkte können aus bis zu 100 000 Atomen bestehen", fuhr er fort. „Sie sind also winzige Festkörper, verhalten sich aber wie ein einzelnes Atom. Sie nehmen diskrete Energiezustände ein. Der Grund dafür ist ein Oberflächeneffekt." Was Georg hier ein wenig holperig zu erklären versuchte, war im Nanokosmos ein alltägliches Phänomen. Je kleiner ein Teilchen desto größer war der Anteil der Atome, die an seiner Oberfläche lagen. Obwohl auch Wanda viele Aspekte der Nanotechnologie nicht verstand, so hatte sie doch eines begriffen, nämlich dass das Wörtchen *Nano* ein neues Terrain eröffnete. Es war die Entdeckung der Oberfläche. Das hieß umdenken, auch in der Toxikologie.

„Trifft ein Lichtimpuls auf einen Quantenpunkt", hörte sie wieder Georgs Stimme, „geraten einzelne Elektronen dabei immer öfter in die Nähe von Atomen, die an der Oberfläche liegen. Sie stecken in einer Sackgasse, die kein Fortkommen erlaubt und sie ähnlich gefangen hält wie auf den Schalen eines Atoms. Sie geben ihre Energie in Form von Licht nach außen ab." Ist dies der Moment, in dem die Materie Fühlung mit der Welt aufnimmt? fragte sich Wanda. In den mikroskopischen Aufnahmen, die Georg nun zeigte, eröffneten diese Leuchtpunkte Einblicke in die zarten Strukturen von Zellen. Sie schimmerten wie filigrane Traumgewebe aus einer Galaxis der Winzigkeiten.

„Quantenpunkte sollen dabei helfen, Tumorzellen aufzuspüren. Es wird überlegt, sie zur Früherkennung von Krebserkrankungen einzusetzen. Allerdings bestehen sie aus potentiell toxischen Verbindungen, deren Wirkung zu prüfen ist." Wanda atmete auf. Endlich war er bei seinem Thema angekommen. Die Daten, die er nun vorstellte, waren neu. Ihre Untersuchungen belegten, dass bereits eine sehr niedrige Dosis an Quantenpunkten auf Zellkulturen toxisch wirkte. Sie brauchten noch ein paar zusätzliche Versuche, um die Ergebnisse abzusichern. Ein interessanter Befund, der sich mit Sicherheit gut publizieren ließ. Aber Georg war unerfahren. Er brauchte ihre Hilfe,

und das Schreiben der Publikation blieb wie immer an ihr hängen. Ihr lief die Zeit davon.
Wichtige wissenschaftliche Arbeiten erledigte sie inzwischen zu Hause am Computer, schrieb oder las bis spät in die Nacht hinein.
Am Tag ballerte Sturm sie mit seinen Aufträgen zu, als wäre sie ein Container, in den hinein er seinen Schreibtisch entleeren konnte. Sie war die Neue und musste jetzt durch dieselbe Schule gehen, wie alle anderen vor ihr. Das heißt nicht alle: Astrid hatte mit Sicherheit ein paar Klassen übersprungen. Manchmal beneidete Wanda sie um ihre Dickfelligkeit. Sie selbst war viel zu leicht in die Pflicht zu nehmen. Sie machte sich inzwischen Sorgen, ihre Zeit zu verplempern mit Korrekturen von Doktorarbeiten, Schreiben von Gutachten, Organisation von Seminaren und Studentenunterricht, für den nicht einmal ihr Name im Vorlesungsverzeichnis erschien. Offiziell wurden diese Arbeiten auf Sturms Konto verbucht.
„Ein Versäumnis des Dekanats", hatte er auf ihre Beschwerde hin abgewunken. „Zerbrechen Sie sich ihr Köpfchen nicht über solche Nichtigkeiten." Sie solle sich besser Gedanken um ihre Forschung machen. Sie müsse unbedingt mehr publizieren, wenn sie überhaupt für eine Juniorprofessur in Frage kommen wolle. Wanda schluckte den Ärger hinunter. Sie war überzeugt, dass, wenn sie hart genug arbeitete, irgendwann der Durchbruch für sie kommen würde.
Durch die Linse des Beamers wirbelte nun ein dickes Fragezeichen, das sich auf der Projektionswand wie ein Ballon aufblähte und schließlich zerplatzte, ein Showdown, der vermutlich nicht ohne Folgen bleiben sollte. Georg legte den Laserpointer zur Seite.
„Wenn alle Fragen ausgeräumt sind, dann können wir ja gehen!" Max Sturm wandte sich grinsend an die Sitzreihen hinter ihm. Die Häme war nicht zu überhören. Die Lacher verstummten. Er hatte das rechte Bein über sein linkes geschlagen und wippte angriffslustig mit dem Fuß. Michael Wallach zog den Kopf zwischen die Schultern und hutschte wie eine Eidechse aus dem Raum. Das Türschloss klackte verräterisch. Astrid konnte sich ein Grinsen nicht verkneifen. Wanda ärgerte sich über sich selbst. Sie hätte ihren Doktoranden warnen sollen. Sturm konnte unangenehm werden. Gleich würde der Chef den armen Georg in die Mangel nehmen. Wenn sie die Situation retten wollte, war es höchste Zeit einzugreifen. Sie stand auf und ging zu ihm ans Redner-

pult. Wie Sturm so mit aufgeklapptem Mund zu ihr aufschaute, kam er ihr ein wenig dümmlich vor. Aber sie ließ sich nicht davon täuschen. Er war noch immer gefährlich.

„Vielen Dank, Georg. Mir hat dein Vortrag sehr gut gefallen. Über stilistische Feinheiten reden wir später.“ Johannes gluckste im Hintergrund.

„In Anbetracht der fortgeschrittenen Zeit möchte ich gleich die Diskussion über die Ergebnisse eröffnen. Gibt es Fragen?“ Wanda vermied es, Sabine anzusehen. Ihr jämmerlicher Anblick hätte sie aus dem Konzept gebracht. Ihre Augen glitten kurz über Sturm hinweg, der sich wieder nach vorne gedreht hatte. Er stütze einen Ellenbogen auf den Tisch. Sein Kinn ruhte in der rechten Hand. Der kleine Finger lag wie ein Riegel über den schmalen Lippen. Sein Blick ging in die Ferne. Wanda überflog die Köpfe der Anwesenden. Sie suchte Thomas. Sie sah Astrid, die sich ein Papiertaschentuch vor das Gesicht hielt. Welch ein Glück. Heute trug sie bis auf ein mit Viren voll geladenes Magazin keine scharfen Waffen. Sie sollte sich öfter erkälten. Thomas Weiland saß in der letzten Reihe und blickte sie aufmerksam an. Eine Radarwelle löste sich aus ihrem Unterleib und kreiste in sanften Schwüngen um ihren Bauchnabel. Wanda senkte schnell den Blick. Jetzt bloß nicht rot werden. Dann hob sie langsam die Augen und sah ihn beschwörend an. Thomas war der kluge Kopf der Abteilung. Er war Mitte dreißig und Informatiker, hatte ein paar Semester Physik studiert und bastelte an Computersimulationsmodellen für biologische Systeme. „Doktor Weiland ist meine Investition in die Zukunft“, pflegte der Chef immer zu sagen. „Eine Kapitalanlage, von der Sie alle noch profitieren werden.“ Wenn Thomas die Diskussion eröffnete, würde alles gut gehen. Wanda war sich sicher. Sie schickte ihm einen langen Blick. Endlich hob er die Hand, um sich zu Wort zu melden.

Um halb zwölf war die Besprechung zu Ende. Wanda brummte der Schädel, aber sie war zufrieden. Sie hatte die Fäden in der Hand behalten. Der Ton war sachlich geblieben. Es hatte ein paar hilfreiche Kommentare gegeben. Einer sogar von Astrid. Wie immer stürmte der Chef als erster aus dem Sitzungsraum. Die anderen folgten ihm, einige eilig, andere in kleinen geschwätzigen Grüppchen. Sabine saß immer noch da und schrieb. Wanda setzte sich neben sie.

„Hey, Biene, was ist los?“ Sabine sah kurz auf. Eine tragische Blässe ließ ihr feines Gesicht mit den klaren Zügen noch durchscheinender wirken als es aufgrund ihrer hellen Haut von Natur aus schon war. Sie besaß die hohen Wangenknochen einer Ägypterin. Aber die zierliche Nase und die dünnen, immer ein wenig zu trockenen rosa Lippen, der etwas asymmetrisch verschnittene dunkelblonde Mecki und ihre schmale, beinahe jungenhafte Gestalt machten sie zu einer eindeutig westlichen Erscheinung. Wanda sah die langen, von Tränen verklebten Wimpern an den geröteten Lidern, und ihre Augen folgten Sabines Blick, als der sich erneut dem Schreiblock zuwandte. Die Seite war von oben bis unten voll gekritzelt und Wanda las immer wieder denselben Satz: *Es ist zu Ende*. Sabine hatte ihn mehrfach überschrieben. Jedes Mal wenn sie unten angekommen war, setzte sie ihre verhängnisvolle Litanei oben auf derselben Seite fort und vertiefte so die Buchstaben, gravierte sie regelrecht in die Unterlage. An einigen Stellen hatte der Druck des Kulis das Papier durchstoßen. Sie musste die gesamte Sitzung hindurch an dieser Endzeitstimmung gemeißelt haben.
„Nun sag schon, was ist passiert?“ drängte Wanda.
Sabine murmelte etwas Unverständliches.
„Ich kann dich nicht verstehen, Biene, du musst schon deutlicher sprechen.“
„Ich bin nicht verlängert.“
„Was?“
„Er verlängert meine Stelle nicht, und mach den Mund wieder zu. Das sieht blöd aus.“ Die Nachricht klatschte Wanda wie eine Ohrfeige ins Gesicht. Sie spürte, wie ihr die Hitze in die Wangen schoss und hätte am liebsten gebrüllt. Sabines Anblick hielt sie zurück.
„Seit wann weißt du es?“
„Er hat es mir kurz vor der Sitzung gesagt. Morgen ist mein letzter Arbeitstag.“ Sabine starrte auf ihren Block.
„Mit welcher Begründung?“
„Kein Geld.“
„Das ist vollkommener Quatsch“, schnaufte Wanda empört. „Ich werde mit ihm reden.“
„Nein, das lässt du schön bleiben.“ Für einen Moment schien die Freundin aus ihrer Betäubung zu erwachen.

„Was hast du jetzt noch zu verlieren? Damit kann ich nichts mehr verderben."

Es dauerte einen Moment, bis Sabine wieder sprach.

„Ich schäme mich", sagte sie schließlich mit dünner Stimme. „Ich schäme mich für meine Dummheit."

Wanda nahm ihr behutsam den Kugelschreiber aus der Hand. Dann legte sie ihren Arm um Sabines Schultern, lehnte die Stirn gegen ihren Kopf und wiegte sie sanft.

„Wenn du dumm bist, dann bin ich eine Vollidiotin. Und ich sage dir, es wird nur noch schlimmer mit uns, wenn wir das jetzt nicht aufklären."

7
Das Kennwort

Am Nachmittag hing der Nebel immer noch tief an den Hängen der Lahnberge, als hätte er sich in den Ästen der Bäume verfangen. Wanda saß an ihrem Schreibtisch und schaute in die Dunstschwaden hinaus. Es war so hell, dass sie blinzeln musste. Sie schloss die Augen, und das Bild von Sabines verzweifeltem Gesicht tauchte vor ihr auf.

„Ruf Wolfgang an und lass dich abholen", hatte sie ihr geraten. Was sollte sie noch hier? Sturms kalte Seele besaß eine für Tränen undurchlässige Schicht. Leider war das ein atmungsaktiver Stoff, sonst wäre er womöglich an seiner Herzlosigkeit längst erstickt. Sabine Mertens war seit zwei Jahren Postdoktorandin in der Abteilung und unmittelbar dem Chef unterstellt. Sie war schon da gewesen, als Wanda vor einem halben Jahr hier anfing. Sie hatten sich gleich gemocht.

„Ich führ dich rum", hatte Sabine gesagt und sie ohne Kompass durch hässliche Korridore und düstere Nebenwege geschleust, sich vergeblich, aber stets geduldig bemüht, ihr eine Orientierung in diesem Wirrwarr aus Glas, Kunststoff und Beton zu geben.

„Das eben war der offene Vollzug", hatte Sabine fachmännisch erklärt, als sie die Schleuse zu den Tierställen betraten. „Hier beginnt die geschlossene Abteilung. Aber hab keine Angst. Hier drinnen sind alle viel netter als draußen. Wenn du was von mir willst, versuch's erst mal hier."

Eigentlich wäre es Astrids Aufgabe gewesen, Wanda am neuen Arbeitsplatz einzuführen. Schließlich war sie am längsten in der Gruppe. Aber diese paranoide kleine Wespe witterte überall Konkurrenz und war ständig darauf bedacht, ihre Pfründe zu sichern. Das war eindeutig der Schlüssel zu ihrem Erfolg. Sie hatte tatsächlich den Chef breit geschlagen, sie noch vor Michael, seinem ergebenen Zögling, zu habilitieren.

Zumindest war das der derzeitige Stand. Der Wind blies hier schnell aus einer neuen Richtung.
Aber Sabine war ein echter Lichtblick. Sie war nicht nur hilfsbereit und kollegial. Sie hatte das Zeug zu einer brillanten Naturwissenschaftlerin. Ihre Ausbildung war außergewöhnlich. Im Grunde genommen war sie ein Quereinsteiger, rutschte nach ihrem Bachelor of Science an der technischen Hochschule der Universität Maastricht sogleich in ein PhD-Programm und war im Alter von sechsundzwanzig bereits promoviert. Sie kannte sich mit sämtlichen Verfahren der modernen Molekularbiologie aus, war überaus großzügig mit ihren guten Tipps, so dass das technische Laborpersonal und die Doktoranden sie gerne zu Rate zogen, auch wenn sie so manche Schludrigkeit unverblümt kritisierte. Kurzum, mit ihrem analytischen Verstand und praktischen Geschick genoss sie ein hohes Ansehen in der Abteilung. Sie hatte deshalb fest darauf vertraut, dass Sturm ihr die Stelle verlängerte, dass es nur noch eine Formalität war, eine *Verwaltungsangelegenheit* wie er meinte, bis der Vertrag vorliegen würde. Sie war so sehr mit dem Abschluss der Forschungsarbeiten beschäftigt gewesen, dass sie sich nicht auch noch darum hatte kümmern können. Die Zeit hatte gedrängt, denn die Firma brauchte die endgültigen Daten. Sabine hatte bis zum letzten Tag geackert, um die Auswertungen ihrer Versuche abzuschließen. Sie hatte auf Urlaub verzichtet, viele Wochenenden im Labor verbracht und einen furiosen Endspurt hingelegt, aber nun erfuhr sie, dass sie aus dem Rennen war. Was hatte sie übersehen?
Angeblich sei die Finanzierung des Projektes kurzfristig geplatzt, der Chef zutiefst betroffen, habe leider zurzeit keine Mittel, sie zu beschäftigen, in einem halben Jahr, vielleicht. Wanda gefiel die Sache nicht. Sturm verfügte über genügend Geld, einen Wissenschaftler zu bezahlen, und wenn es nur für ein paar Monate zur Überbrückung eines Engpasses war. Er musste nur einen Nutzen darin sehen, und nützlich schien ihm alles, was ihn noch mächtiger machte.
Sabine forschte an einem Industrieprojekt. Soviel wusste Wanda. Sie hatte einen privaten Arbeitsvertrag mit dem Chef oder genauer gesagt bei NPEX, seiner Firma. Das machte die Sache nicht gerade einfacher. Es gab keinen Personalrat, der sich für sie zuständig fühlte. Diese privatwirtschaftlichen Ambitionen waren ein Trend, dem sich inzwischen viele Hochschulprofessoren anschlossen, sobald sie Kooperationen mit der

Industrie eingingen. Sie wurden für diese Tätigkeiten frei gestellt, durften die Labore und deren technische Ausstattung für ihre privaten Aufträge nutzen und gaben dafür einen bestimmten Teil ihrer Einnahmen an die Universität oder das Klinikum ab. Die Vorteile lagen auf beiden Seiten. Der Privatier durfte über die Industrieeinnahmen selbst verfügen. Arbeitsverträge konnten innerhalb weniger Tage geschlossen und Einkäufe kurzfristig getätigt werden, weil diese Vorgänge nicht mehr dem langwierigen und trägen Verdauungsprozess der öffentlichen Verwaltungsmaschine unterlagen. Der Privatisierungseifer der höchsten Beamten spielte der Universität in die Kassen und verbesserte eindeutig die Statistik der erwirtschafteten Gelder. Ein Imagegewinn in jeder Hinsicht. Hier entstand eine ideale Nische für eine neue Führungsspezies, in der sich professoraler Dünkel und modernes Managertum schon mal unangenehm miteinander verbünden konnten. Die Inhalte der Aufträge orientierten sich meist an den Interessen der Industrie. Es ging weniger um Grundlagenforschung, als um die Prüfung von Pharmaka oder Vorläufersubstanzen. Wanda war bekannt, dass Sabine für ein amerikanisches Unternehmen arbeitete. Sie sprach nur selten darüber, hatte auch bisher noch keine Daten dazu vorgestellt. Wanda war in den ersten Monaten so mit sich selbst beschäftigt gewesen, dass sie sich nichts dabei gedacht hatte. Jetzt aber fiel ihr wieder ein, wie sie Sabine neulich durch das Fenster in der Tür zum Quarantänebereich der Tierversuchseinheit gesehen hatte. In ihrem fülligen Schutzanzug glich sie der NASA Shuttle Pilotin Eileen Collins, eine Mischung aus knabenhafter Unschuldigkeit und stoischer Verleugnung einer Weiblichkeit, die zu diesem Ort keinen Zutritt fand. Wanda wunderte sich über die aufwändige Schutzmaßnahme, und als sie ihre Freundin an jenem Abend darauf ansprach, reagierte sie ungewöhnlich nervös und ausweichend. Es gab eine Seite an Sabine, die ihr fremd geblieben war. Sie musste sich eingestehen, dass sie nicht wirklich wusste, woran sie forschte. Wanda nahm sich vor, Sabine bei Gelegenheit darauf anzusprechen. Nun drückte sie gedankenverloren ihre Schneidezähne in das Ende eines Kugelschreibers und blinzelte in die Dunstschwaden, die nach wie vor zäh an den Lahnhängen klebten. Wie es ihr wohl ging? Wanda nahm den Hörer vom Telefon und wählte Sabines Nummer. Ihr Freund Wolfgang meldete sich.

„Hallöchen, ich bin's.“ Sie wollte aufmunternd klingen. „Wie schmeckt dem Bienchen der Ausflug ins Freie?“

„Von einer ausschwärmenden Bienenkönigin kann hier wohl nicht die Rede sein. Sie fühlt sich eher wie eine abgestochene Drohne." Wolfgang hörte sich hilflos an.
„Kann ich sie trotzdem sprechen?"
„Sie röchelt ein wenig, aber ich denke, du wirst sie verstehen können."
Sabine röchelte nicht, sie maunzte wie ein verlorenes Kätzchen und Wanda überwand den Impuls, sie zu trösten. Jetzt bloß kein Mitleid. Dafür war Wolfgang zuständig. Sie entschloss sich, erst gar nicht um den heißen Brei herumzureden.
„Hör mal, Biene. Ich würde gerne einen Blick auf deine letzten Auswertungen werfen." Wanda lauschte gespannt. Wie würde die Freundin auf diese forsche Anfrage reagieren? Gab es etwas, über das sie nicht reden wollte?
„Was spielt das jetzt noch für eine Rolle?" Sabine klang teilnahmslos.
„Ich weiß es noch nicht. Aber vielleicht kann ich dir mehr sagen, wenn ich sie gesehen habe."
„Sie sind noch auf dem Computer im Institut. Ich habe keine Kopie. Sturm hat mich angewiesen, die Daten nicht mit nach Hause zu nehmen."
„Ich fasse es nicht. Hast du etwa deine Akrobatiknummern in den vergangenen Wochen ohne Netz und doppelten Boden gemacht?"
„Nein, Klugscheißer!" zischte Sabine. „Aber, zu deiner Beruhigung, die Kopie hat Sturm. Er meinte, das würde reichen." Wanda spürte ein Grummeln im Magen, verkniff sich jedoch eine Bemerkung.
„Ich brauche das Kennwort."
„Wie?"
„Na, das Kennwort zu deiner Datenbank."
„Und, was versprichst du dir davon?"
„Keine Ahnung. Ich weiß es wirklich nicht. Aber ich glaube, dass es wichtig ist."
In die Pause am anderen Ende der Leitung mischte sich ein kurzes Schniefen, dann ein tiefer Seufzer.
„Das geht nicht. Du darfst die Daten nicht einsehen."
„Du weißt es also."
„Was?"
„Na, du kennst den Grund, weshalb er dich nicht weiter beschäftigen will."

„Ich habe keinen blassen Schimmer. Aber die Nummer könnte trotzdem zu groß für uns werden. Außerdem sind die Daten okay. Da wirst du nichts finden, bis auf die..." Sabine verstummte plötzlich.

„Wie bitte?"

„Ach, vergiss es!"

„Nein, Biene, so geht das nicht. Du verbreitest Endzeitstimmung, sprichst in Rätseln und lässt mich jetzt einfach am ausgestreckten Arm verhungern. Dann muss ich eben auf eigene Faust meine Nachforschungen anstellen. Ich bekomme allmählich das ungute Gefühl..." Wanda zögerte.

„Ja?"

„... dass du und Sturm irgend ein faules Ding miteinander dreht."

„Nenn mich nie wieder mit diesem Arsch in einem Atemzug!"

„Wenn du ihn schützt, wird sich das wohl kaum vermeiden lassen." Für einen Augenblick wurde es still am anderen Ende der Leitung. Wanda kannte Sabine inzwischen gut genug, um zu wissen, dass sie auf Vergeltung sinnen würde, sobald sie aus ihrem mit Selbstmitleid und Enttäuschung tapezierten Erdloch wieder herauskrabbelte.

„Okay", sagte sie leise. „Du bekommst was du willst. Aber mach keinen Scheiß damit."

„Klar doch. Ich werde die Kontaktanzeige, die du letzte Woche an den Express geschickt hast, an Wolfgang weiterleiten. Wie war noch mal seine E-mail-Adresse?"

„Lass den Quatsch!" Sabine klang genervt. „Du kriegst das Kennwort nur unter der Bedingung, dass wir uns die Daten gemeinsam ansehen. Ich will sie bei mir behalten. Sie dürfen auf keinen Fall in fremde Hände geraten."

„Ich schwöre bei der Wahrheit der Wissenschaften."

„Das glaubst du doch selbst nicht", entgegnete Sabine trocken. „Also, schreib auf! Und Anfang glänzt an allen Bruchstellen unseres Misslingens." Wanda notierte. Sie las Sabine den Satz noch einmal vor, um sich zu vergewissern.

„Klingt poetisch. Ein bisschen zu lang für ein Kennwort, oder?"

„Es ist eine Zeile aus einem Gedicht von Rilke. Du nimmst die ersten Buchstaben von jedem Wort, beachtest dabei die Groß- und Kleinschreibung und hängst noch die Zahl zweiundvierzig dran. Das ist das Kennwort." Wanda schrieb *UAgaaBuM42*.

„Sieht aus wie eine schlecht transkribierte DNA. Weshalb zweiundvierzig?"
„Solltest du wissen, du Kulturbanausin. 'The Hitchhiker's Guide to the Galaxy'. *Zweiundvierzig* antwortet der Computer auf die Frage nach dem Sinn des Lebens."
„Hm, wie hoch muss der IQ sein, damit man das versteht?"
„Mindestens zweiundvierzig."
„Das reicht ja gerade für eine Juniorprofessur. Aber trotzdem vielen Dank für dein Vertrauen."
„Ich erkläre dir das mal bei einem kühlen Bier...", hörte Wanda sie noch sagen. Aber ihre Aufmerksamkeit dümpelte schon wieder in der Milchküche über den Lahnhängen. Es gab nur einen Weg, in Sabines Datenbank zu gelangen, ohne dass jemand aus dem Institut etwas davon bemerkte.

8
Nach(t)forschungen

Das Anrufsammeltaxi schob sich langsam die breite Fahrstrasse hinauf. Im Licht der Scheinwerfer vollführten Nebelfetzen einen Geistertanz. Wanda war der einzige Fahrgast. Zu dieser späten Stunde fuhr kein Bus mehr die Lahnberge hinauf und sie hatte sich gleich ein weiteres Taxi für die Rückfahrt bestellt. Eine Stunde muss reichen für das, was ich vorhabe, befand sie. Sie wollte Sabines Dateien herunterladen und, wenn noch Zeit war, im Internet nach Literatur für ihre Veröffentlichung suchen. Am Nachmittag waren alle Rechner im Computerraum belegt gewesen. Aus ihrem Büro gab es keinen Zugriff auf die zentrale Datenbank der Abteilung. Außer dem Chef konnte nur Thomas Weiland als Administrator in das System gelangen. Beinahe hätte sie Thomas um Hilfe gebeten. Doch dann entschied sie sich dagegen. Sie kannte ihn nicht gut genug. Außerdem wollte sie nicht, dass noch mehr Leute Schwierigkeiten bekamen. Am besten, niemand würde etwas von ihren nächtlichen Ermittlungen erfahren. In der Jackentasche ertastete sie den Zettel mit Sabines Kennwort. Dort waren auch die beiden Transponder, die ihr Einlass in die elektronisch gesicherte Forschungsfestung gewähren würden.

„Du nimmst am besten meinen", hatte Sabine gesagt. „Diese elektronischen Schlüssel hinterlassen Spuren auf dem Zentralcomputer wie Fingerabdrücke. Es muss niemand erfahren, dass du für mich da oben schnüffelst. Ich kann immer sagen, dass ich noch privates Zeug vom Computer löschen wollte. Ganz nebenbei habe ich keinen Job mehr zu verlieren", fügte sie trocken hinzu. Sie hatte am Ende doch nicht mitkommen wollen.

Das Taxi hielt an der Bushaltestelle Hans-Meerweinstrasse. Wanda stieg aus und lief die breiten Stufen hinauf. Der gepflasterte Pfad war nur spärlich beleuchtet. Irgendwo weiter hinten erhoben sich bei Tageslicht die Betonbauten der Naturwissenschaftlichen Institute, graue Riesen, deren Eingang man nicht auf Anhieb fand, und wenn man einmal hineingefunden hatte, kam man nicht ohne weiteres wieder hinaus. Im Schein einer Laterne sah sie auf ihre Armbanduhr. Zwanzig Minuten vor Mitternacht. Die alten Forschungsgebäude lagen in vollkommener Finsternis. Zumindest konnte sie durch den Nebel keinen Lichtschein erkennen. Schnell lief sie die Treppen zum neuen Forschungszentrum hinunter. An der Eingangstür sah sie sich kurz um. War da nicht was? Sie kniff die Augen zusammen und blickte in Richtung Parkplatz. So ein Blödsinn, dachte sie und schüttelte den Kopf. Jetzt komme ich mir schon wie eine Einbrecherin vor. Ihre Hände gruben in der Jackentasche und zogen den glatten Knopf mit dem ledernen Anhänger heraus, Sabines Transponder. Wanda zielte auf den Sensor im Innern des Gebäudes und drückte auf den Auslöseknopf. Nichts geschah. Der Transponder funktionierte normalerweise wie ein elektronischer Autoschlüssel. Das System war nur ein bisschen träger und es klappte nicht immer gleich beim ersten Mal. Man musste schon ziemlich genau auf das Kästchen mit dem Sensor zielen. Ihre rechte Hand wiederholte die vertraute Bewegung. Wieder nichts. Eigentlich hätte jetzt ein Klacken ertönen müssen, das das Schloss freigab, dann ein Summen, mit dem sich die schwere Glastür wie von Geisterhand öffnete. Auch beim dritten Versuch tat sich nichts. Mist, dachte Wanda. Ist das Gebäude nachts überhaupt zugänglich? Sie war noch nie zu so später Stunde hierher gekommen. Zwar verließ sie das Labor oft spät, aber hinaus kam sie immer. Sie machte einen letzten Versuch, dieses Mal nahm sie ihren eigenen Transponder, und erschrak als es plötzlich klackte und – Sesam öffne dich – die Tür ihr summend entgegen schwang. Sie trat in das dunkle Foyer des Forschungszentrums. Sie wartete, bis der elektronische Mechanismus die Tür wieder fest ins Schloss gezogen hatte. Ein flaues Gefühl breitete sich in ihrer Magengegend aus. Ein bisschen nervös darf ich doch wohl sein, versuchte sie sich zu beruhigen. Schließlich ist Schnüffeln nicht mein Tagesgeschäft. Aber merkwürdig war es schon, dass es mit Sabines Schlüssel nicht geklappt hatte.

Das fahle Licht der Außenlaterne fiel durch die großen Scheiben auf die weißen Wände des Flures. Hier drinnen war es ein wenig heller als draußen. An der gegenüberliegenden Wand glimmte der rote Leuchtpunkt eines Lichtschalters. Ein erster Impuls ließ sie darauf zugehen. Doch kurz davor zog sie ihre Hand zurück. Ein leichter Druck und der gesamte Eingangsbereich mitsamt Treppenhaus würden von Licht durchflutet. Allein die Vorstellung ließ sie zusammenzucken. Jetzt noch kein Licht machen, ermahnte sie sich. Nicht hier, wo es von weit her sichtbar ist. Die Abteilung im dritten Stock finde ich, wenn nötig, auch blind, so oft wie ich diesen Weg schon gegangen bin. Rechts leuchteten die Betriebsknöpfe des Aufzugs. Jetzt im Lift stecken bleiben. Grauenvoll und peinlich zugleich. Ein gefundenes Fressen für die lokale Presse. Sie stellte sich die Titelzeile vor: „Auf frischer Tat ertappt. Feuerwehr erwischte Wissenschaftlerin beim Datenklau". Sie könnte sich immer damit herausreden, dass sie dringend noch eigene Daten habe einsehen müssen. Der Gedanke beruhigte sie ein wenig. Die Glastür zum Treppenhaus lag rechts hinter dem Aufzug. Wanda musste mit aller Kraft daran ziehen. Die schwere Tür sträubte sich wie ein unwilliger Pförtner. Sie hutschte durch den Türspalt hindurch. Sie wartete. Sie stand in einem dunklen Schacht, irgendwo vor ihr begannen die Stufen. Ihre Augen gewöhnten sich schnell an die Dunkelheit. Mit der Rechten ergriff sie den Handlauf des Geländers, das sie führte. Nach jedem Treppenabsatz kam sie aus dem Tritt, musste die nächste Schwelle mit den Füßen ertasten. Vor der Tür zur Abteilung blieb sie stehen. Ihr Atem ging schnell. Der Flur hinter der Glastür lag im Dunkeln. Nichts deutete darauf hin, dass jemand heute eine Spätschicht machte.

Neben dem Eingang leuchtete das rote Licht des Türöffners wie eine Warnung. Es sprang sogleich auf Grün, als sie mit dem Transponder darauf zielte. Das Schloss piepste leise und die Tür schwang auf, einladend, als würde sie längst erwartet. Wanda stand am Anfang des langen Korridors und blickte in die Schwärze wie in einen Tunnel. Ein süßlich schwerer Geruch, eine Mischung aus frisch verklebtem PVC-Boden und Zellkulturmedium, drang in ihre Nase. Hinter ihr fiel die Abteilungstür leise ins Schloss. Ihre Hände wühlten in der Jacke und sie erfasste das Handy, glatt und kalt und doch so vertraut. Dann wurde es hell über ihr. Unwillkürlich hatten ihre Finger auf den Lichtschalter neben der Tür gedrückt. Der Flur war nun bis zur Mitte erleuchtet. Das hintere Ende lag noch im Dämmerlicht. Eine Neonleuchte schnalzte und zuckte wie eine gefangene Eidechse. Linkerhand lagen die

Laborräume, deren Sichtfenster gräulich schimmerten. Zuerst der Spülraum mit den Autoklaven, dann kam das Labor für Zell- und Gewebekultur, in dem sie mit ihrem Team arbeitete. Sie ging daran vorbei und erreichte die Labore der Toxikologie I und II, Astrids Hoheitsgebiet. Ihr Blick fiel auf die großen Schautafeln, die die Wände zwischen den Labortüren schmückten. Auf ihnen sah ihre Arbeit so leicht und bunt aus. Beinahe lustig. Nichts ließ auf langwierige Analysen schließen, auf stetes Überprüfen, Wiederholen und In-Frage-stellen. Dennoch hatten diese Bilder etwas von Fenstern, die einen Blick in die Räume dahinter erlaubten. Wanda war inzwischen auf der Höhe der Bildanalytik mit den Mikroskopen angekommen. Nur noch ein paar Schritte bis zur Pipeline, so nannten sie den zentralen Computerraum, der sich gegenüber der Molekularbiologie befand. Wie alle Büros lag er auf der rechten Seite des Flurs. Zunächst kam noch das Arbeitszimmer von Thomas Weiland. Er hatte ein Zimmer für sich allein. An der Tür hing ein großes Schild mit der Aufschrift *in silico*. Sie wunderte sich, dass die Tür zum Computerraum nur angelehnt war. Sie schob die Hand durch den Türspalt und strich von innen über die Wand. Sie fand sogleich den Lichtschalter und drückte ihn. Die Leuchtstoffröhren flakkerten. Am Boden in der Mitte des Raumes lag ein Mann auf dem Rücken. Der Kopf wies zur Tür und seine Arme und Beine waren ausgestreckt. Für einen Moment war sie wie gelähmt. So blass hatte sie Johannes Liebknecht nie gesehen. Eine hektische Flut von Gedanken hielt sie gefangen. Auf einmal wusste sie, was zu tun war. Sie warf ihre Tasche zur Seite und eilte zu ihm.
„Johannes, was ist los mit dir?“ Wanda fasste seine Schultern und schüttelte ihn sanft. Sein Körper war schlaff wie der einer Ratte in Vollnarkose. Sein Kopf rollte leicht hin und her. Sie kniete sich neben ihn. Mit einer Hand fasste sie unter sein Kinn, mit der anderen hielt sie seinen Kopf so wie sie es neulich im Erste Hilfe Kurs gemacht hatte. Vorsichtig schob sie ihn in den Nacken und zog sanft an seinem Unterkinn. Seine Lippen öffneten sich leicht und entblößten ein in Gold saniertes Gebiss. Wanda hielt ein Ohr über seinen Mund und lauschte. Er atmete. Ein leiser Pfiff entfuhr ihren Lippen, als sie die angehaltene Luft ausblies. Sie durfte jetzt keine Zeit verlieren. Auf den Knien rutschte sie an seine linke Seite, schob Johannes' linken Arm dicht an seinen Körper heran und fasste seinen Hosenbund. Die Hose gab ein

wenig nach. Sie spürte sein knochiges Becken, das sich leicht anheben ließ. Johannes war nicht gerade kräftig. Ganz im Gegenteil. Er wirkte immer ein bisschen unterernährt, obwohl er ständig an etwas kaute. Wanda klemmte seine linke Hand so unter seinen flachen Hintern, dass sie nicht wegrutschen konnte. Dann beugte sie sich über ihn, um seinen rechten Arm zu erreichen, erwischte ihn am Pullover, ein teures Teil von *Boss*, auf deren Emblem er immer grinsend zeigte, wenn er sich über den Chef lustig machte. Sein schlaffer Arm lag jetzt quer über seiner Brust. Es kostete sie kaum Kraft, Johannes zu sich auf die linke Seite zu drehen, dann den hinteren Ellenbogen ein wenig zu lockern und ihm die rechte Hand unter das Kinn zu schieben. Johannes atmete ruhig. Aus seinem Mund zog sich ein dünner Speichelfaden. An seinem Hinterkopf ertastete sie eine Beule. Ich muss den Notarzt rufen. Sie suchte nach ihrem Handy und wollte gerade auf die Notrufnummer drücken, als das Licht ausging. Sie erschrak und starrte wie hypnotisiert auf das erleuchtete Telefon in ihrer Hand. Plötzlich schlug etwas Hartes von hinten gegen ihren Kopf. Sie schwankte. Ein Lichtblitz hinter verschlossenen Lidern, ein dumpfer Schmerz bis in die Schläfen, dann fing die Dunkelheit sie ein.

9
Schwarze Katze

Mike Zincke schob seine rechte Hand in die Hosentasche. Unruhig befingerte er den glatten Plastikknopf. Er würde ihn abwischen müssen, um keine Spuren zu hinterlassen. Die Schritte, die er nun hörte, kamen von links. Mit einem einzigen Sprung hechtete er hinter einen Toyota, der unmittelbar vor dem Gebäude des Forschungszentrums geparkt war. Zum Glück, denn bis auf ein weiteres Auto am hintersten Ende war der Parkplatz leer. Mike rieb sich die Augen. Hatte zu wenig geschlafen. Gestern Nacht war er gefährlich abgestürzt, hatte gerade noch rechtzeitig den Absprung geschafft, als er erfuhr, dass das Mädchen ausgerechnet an seinem Einsatzort arbeitete. Dummer Zufall. Sie hatten sich in einer Disco kennen gelernt, und er war mit zu ihr nach Hause gegangen. Vorsichtig lugte er über die Motorhaube und sah in dem spärlichen Licht der Außenlampen, wie eine Frau vor dem Haupteingang des Instituts stehen blieb. Sie wirkte unschlüssig. Es war zu dunkel, so dass er nicht erkennen konnte, was sie da tat. Plötzlich drehte sie ihr Gesicht in seine Richtung. Mike konnte gerade noch rechtzeitig seinen Kopf hinter den Kotflügel ziehen, als er ihn wieder anhob, war die Frau verschwunden. Er hörte wie die schwere Glastür ins Schloss fiel und duckte sich tief hinter den Wagen, um nicht von dem Lichtschein, den er nun aus dem Innern des Gebäudes erwartete, erfasst zu werden. Aber es ging kein Licht an. Als hätte die Dunkelheit ihren riesigen Rachen aufgesperrt und die Person einfach verschluckt.

Hatte er geträumt? Nein. Wenn er sich auf etwas verlassen konnte, dann war es sein klarer Verstand. Soeben hatte eine Frau das Forschungsgebäude betreten. Da war er sich sicher. Merkwürdig war, dass drinnen kein Licht angemacht wurde. Entweder es funktionierte nicht

oder sie wollte nicht gesehen werden. Er entschied sich dafür, noch einen Moment abzuwarten.
War sie sein anonymer Auftraggeber? Man hatte ihm gesagt, dass es ein Mann wäre. Vielleicht hatte er sie geschickt. Man konnte nie wissen, was diese Leute so anstellten. Entgegen der Abmachungen tauchen sie plötzlich am Einsatzort auf und gefährdeten mit ihrer Neugier eine ganze Aktion. Für Mike waren es frustrierte Wissenschaftler, die ihrem Chef etwas anhängen wollten. Ihre Motive interessierten ihn nicht. Ihn faszinierten die Türen und Schlösser, die ihnen den Weg versperrten. Er musste sie öffnen. Es war wie eine Verpflichtung seinem Talent gegenüber.
Er erinnerte sich nicht, wann genau es damals anfing. Er war noch sehr jung gewesen. Genau sieben Mal brach er den Schmuckkasten seiner Schwester auf, ohne auch nur einen Kratzer am Schloss zu hinterlassen. Er las ein paar Briefe, die sie unter ihren billigen Kostbarkeiten aufbewahrte. Sie erfuhr es nie. Ganz anders verlief die Sache mit dem Safe seines Vaters. Er war damals zwölf. Es sollte auf jeden Fall echt aussehen und so drang er gewaltsam durch die Tür zur Veranda ins Haus, bevor er sich am Tresor im Arbeitszimmer zu schaffen machte. Alles passte gut in die Serie von Einbrüchen, die in jener Zeit die Siedlung verstörte. Nur dass bei ihnen nichts fehlte. Dennoch wurde die Polizei gerufen. Der Fall ging ungelöst zu den Akten. Damals fing es an mit diesem berauschenden Kitzel in seinem Bauch, der sein Dasein, das ihm sonst so mickrig schien, erfüllte und ihn nicht wieder losließ. Irgendwann versuchte er sich an elektronischen Schließsystemen. Nach der Scheidung der Eltern meckerte niemand mehr, wenn er ganze Tage lang am Computer verbrachte. Bald fand er ein paar Gleichgesinnte, mit denen er sich durch städtische Datenbanken hackte. Wer bei diesem Hürdenlauf zuerst das Netz der Finanzabteilung eroberte, hatte gewonnen. Ihnen war egal wie viel der Bürgermeister für Toilettenpapier und Dienstreisen ausgab, aber sie waren davon besessen, in aller Heimlichkeit äußere Widerstände zu brechen, die den Strom aufhielten, in dem sie trieben.
Irgendwann langweilten ihn auch diese Spielchen. Er suchte nach neuen Herausforderungen. Eine Freundin brachte ihn zu „Walden Four“, einer Gruppe in seinen Augen weltfremder Naturfreaks, für die Technik und Technologie Schimpfwörter waren. Sie wollten alles stop-

pen, was damit zusammenhing. Im Grunde fand er ihre Ideologie lachhaft, weil sie ausgerechnet einen wie ihn dazu brauchten, einen Technikjunkie, der ohne seine tägliche Dosis an Bits nicht mehr konnte. Für Mike waren sie nur deprimierte Umweltaktivisten, denen das Konsensgefasel der etablierten Organisationen auf den Geist ging. Sie wollten die Strukturen von unten aufbrechen und scheuten sich nicht vor den verminten Pfaden der Illegalität, wenn es darum ging, wissenschaftsgläubigen Lobbyisten und ihren Handlangern ans Bein zu pinkeln. Er war der Undercover-Aktivist für die heißen Projekte, jetzt mit Anfang zwanzig sicher einer der besten Hacker der Szene. Und er liebte, was er tat. Er musste es lieben, denn nur so fand er die Fährte in die Geflechte digitaler Verschlüsselungen. Er genoss es, wie ein Hund darin zu schnüffeln. Wenn er nicht von außen in das fremde Datennetz eindringen konnte, schlich er sich heimlich in das Zielobjekt, knackte schlecht gesicherte Computercodes, lud ein paar Dateien herunter und verschwand wieder. Die eigentliche Herausforderung jedoch lag für ihn in der Vorbereitung seiner Aktionen, Gebäudepläne zu studieren und Schließsysteme zu überlisten. Inzwischen erhielt die Gruppe zahlreiche Hinweise von Wissenschaftlern auf Datenfälschung, Missbrauch öffentlicher Forschungsgelder und illegale Untersuchungspraktiken. Leider verbarg sich dahinter nur selten die erregende Schamlosigkeit eines Skandals. Dies hier musste allerdings eine größere Nummer sein. Sonst hätten sie ihn wohl kaum darauf angesetzt. Das neue Forschungszentrum in Marburg entpuppte sich bald als harte Nuss. Die individuellen Daten der Wissenschaftler waren über einen Server der Universität zu erreichen, dessen Firewall er nicht zu durchbrechen vermochte. Er musste einen anderen Zugang finden. Zum Glück bediente sich die elektronische Schließanlage des neuen Gebäudes eines separaten Servers, in den er sich erfolgreich einhackte. Mit dem Schlüsselcode seines Auftraggebers verschaffte er sich Zugang zu den Nummernkreisen, mit denen das elektronische Schließsystem arbeitete und installierte sich einen Platz im Herzen der Festung. Er loggte sich einfach von außen als neuen Nutzer in das System ein, allerdings nur als eine kurzlebige Zahlenreihe, die wie eine Eintagsfliege nach erfolgter Mission unbemerkt unterging. Eine sich selbst auslöschende Spur, die niemand zurückverfolgen konnte. Jetzt blieb ihm noch eine Stunde. Solange hatte er Zeit, seine Arbeit zu tun.

Er spürte das glatte Plastik zwischen den Fingern. Das einzige, was er hinterlassen würde, war dieser rote Knopf, die Visitenkarte von Walden Four, die seinem Auftraggeber anzeigte, dass sie da gewesen waren. Mike nahm den kleinen Rucksack vom Rücken und öffnete den Reißverschluss. Er holte das Kästchen mit dem selbst gebastelten Sender hervor. Er drehte sich noch einmal um. Alles still. Dann schlich er zum Eingang des Instituts. Er musste vorsichtig sein. Er war nicht allein. Niemand sollte sich später an sein Gesicht erinnern können. Er wollte sich in eine schwarze Katze verwandeln, die mit einem einzigen Lidschlag einen lichtdichten Vorhang vor den Widerschein ihrer Augen zog. Mike richtete den Sender aus. Ein leises Surren des Türöffners und er huschte in die Arme der Finsternis, die das Gebäude erfüllte.

10
Gelöscht

„Wanda? Waaanda?" Die Stimme kam von weit unten aus einem fernen Tal. Ein Fels drückte hart gegen ihre Rippen. Dann rumorte der Boden unter ihr. Der Fels wuchs in die Höhe, hob sie hoch und sie rutschte hinunter, rollte über die Seite auf den Rücken und landete auf einem Holzstoss. Aber der Schmerz, den sie erwartet hatte, blieb aus. Wanda öffnete die Augen und sah in das kalte Licht einer Leuchtstoffröhre. Eine Hand rüttelte an ihrer Schulter.

„Wanda, bist du wach?" hörte sie Johannes vertraute Stimme.

Sie hob den Kopf und sah in das besorgte Gesicht ihres Kollegen. „Ich weiß nicht", antwortete sie. „Vielleicht träume ich nur."

Erst jetzt erkannte sie ihre Umgebung. Sie lag rücklings auf den Beinen von Johannes, der sich auf einen Unterarm stützte und mit der anderen Hand vorsichtig seinen Hinterkopf massierte. Sie spürte das Hämmern, das sich erbarmungslos hinter ihre Schläfen klemmte. Sie ließ den Kopf wieder sinken.

„Haben wir gesoffen?" fragte sie unvermittelt.

„Sicher, *ad analysi*, reiner geht's fast nicht mehr."

„Was redest du da? Ich bin doch nicht lebensmüde." Wanda rappelte sich langsam hoch und setzte sich neben ihren Kollegen auf den Boden. Johannes hatte etwas von einem Clown, so wie er da lag und sich ein schmerzverzerrtes Grinsen abzwang. Sie musste auf einmal prusten. Dann spürte sie wieder das Dröhnen in ihrem Kopf. Benommen starrte sie auf die Wollmäuse, die sich zwischen den Kabeln unter der langen Tischplatte tummelten. Allmählich kam die Erinnerung zurück. Sie rieb sich die Schläfen.

„Wie spät ist es?" fragte sie. Johannes schaute auf seine Armbanduhr.

„Genau vier Minuten nach Mitternacht." Sie rechnete nach. Ihr fehlten etwa zehn Minuten. Was hatte sie bis dahin getan? Der Zeitraffer in ihrem Kopf spulte Momentaufnahmen an ihrem inneren Auge vorbei. Taxi. Treppenhaus. Dunkler Flur. Johannes am Boden. Dumpfer Schmerz am Kopf. Filmriss.

„Wie lange bist du schon wach?" fragte sie.

„Nicht viel länger als du."

„Was machst du eigentlich um diese Uhrzeit hier?"

Johannes wurde rot.

„Dasselbe könnte ich *dich* fragen."

Wanda sah sich im Computerraum um. Einer der Rechner war eingeschaltet.

„Hast *du* daran gearbeitet?"

Johannes schaute ein wenig ratlos über seine Schulter.

„Nö."

„Was heißt hier *nö*? Hat deine Wortschatztruhe nicht mehr zu bieten?"

„Könntest du dir einen anderen Ton zulegen." Johannes Stimme bebte ein wenig. „Ich komme mir vor wie bei einem Verhör. Der Computer war aus, als ich hier rein kam. Ich dachte, *du* hättest ihn eingeschaltet."

„Wie denn? Glaubst du im Ernst *ich* hätte dir eins über die Rübe gezogen, um mich dann an den Computer zu setzen. Das hätte ich auch einfacher haben können."

Johannes verschränkte die Arme vor der Brust und schaute sie prüfend an.

„Du *wolltest* an den Computer?"

Wanda dachte nach. Ich kann mich die nächste halbe Stunde mit ihm streiten. Ich werde nichts dabei erfahren. Aber ich muss wissen, weshalb er hier ist.

„Ich wollte noch einmal in mein Büro", sagte sie etwas ruhiger. „Da habe ich gesehen, dass die Tür zur Pipeline offen stand. Du lagst auf dem Rücken am Boden. Bewusstlos. Ich habe ein bisschen Erste Hilfe an dir geübt. Als ich den Notarzt rufen wollte, wurde es plötzlich dunkel. Etwas Hartes schlug gegen meinen Kopf. Mehr weiß ich nicht."

Unauffällig ließ sie ihre rechte Hand in die Jackentasche gleiten. Wo war nur der Zettel mit dem Kennwort? Sie konnte ihn nicht finden. Ihr wurde schwindelig.

„Was ist los?" Johannes beobachtete ihre Hand, die immer noch in der Jackentasche stöberte. „Du bist auf einmal so blass."

„Ich weiß nicht. Mir ist ein bisschen flau. Ich suche … meine Taschentücher." Johannes stand auf und reichte ihr die Packung KimWipes, die auf dem Tisch stand. Wanda zog ein Papiertaschentuch aus dem Schachtelschlitz und schnäuzte sich. Offensichtlich hatte er ihr Ablenkungsmanöver geschluckt. Sie erhob sich langsam vom Boden und setzte sich auf den Stuhl vor den eingeschalteten Computer. Auf der Oberfläche des Bildschirms sah sie die Shortcuts zu den Datenkonten der einzelnen Mitarbeiter, jedes mit einem Symbol versehen. Sabine hatte eine Hummel, deren Facettenauge sie anstarrte, tief und unergründlich wie ein auf Hochglanz polierter Tomalin. Warum kann ich mir nur keine Gedichte merken, verfluchte Wanda sich insgeheim. Sie erinnerte sich nur an die Ziffern, die am Ende des Kennwortes gestanden hatten. Alles andere war wie ausgelöscht. Ihre Finger spielten nervös mit einem roten Knopf, der neben der Tastatur lag. Sie nahm ihn auf die offene Fläche ihrer Hand und betrachtete ihn. Es war eine flache Scheibe aus Plastik, etwas größer als ein Zweieurostück, rot wie eine Tomate. Wanda streckte Johannes die Handfläche mit dem Knopf entgegen und wandte sich wieder dem Monitor zu.

„Was ist das?" fragte sie, ohne den Blick vom Bildschirm zu nehmen.

„Was weiß ich?"

„Es war außer uns noch jemand hier, Johannes." Sie schaute ihn jetzt aufmerksam an. „Wir haben diese unbekannte Person offenbar gestört. Ich frage mich nur bei was?" Johannes rieb sich den Hinterkopf.

„Ihren Händedruck spüre ich jedenfalls immer noch." Er schaute sich im Raum um, als suchte er nach dem Gegenstand, mit dem er vor wenigen Minuten zusammengeprallt war. Dann trafen sich ihre Blicke.

„Und wenn diese Person noch hier ist?" Wanda erschrak über die eigenen Worte.

„Vielleicht sollte ich mich mal umsehen", schlug Johannes vor. Er schaute in den Flur hinaus.

„Hier ist alles ruhig", hörte sie ihn noch sagen. Dann verschwand er. Wanda glaubte ihm nicht. Warum kommt er nicht auf die Idee, die Polizei zu rufen? Er nimmt das alles verdammt locker. Vielleicht denkt er gerade dasselbe über mich. Im Telefonverzeichnis ihres Handys fand sie Sabines Nummer und wählte sie an. Während Wanda auf die Verbindung wartete, zog sie ihren USB-Stick vom Hals und schob ihn in den Port des Computers. Es schien ihr eine Ewigkeit bis Sabine sich meldete.

„Ja?“ Sabine klang verschlafen.
„Hallo, ich bin's“, flüsterte Wanda.
„Hallo? Ist da jemand?“
„Verdammt, Biene, ich kann jetzt nicht so laut sprechen.“
„Was ist denn los?“ Sabine gähnte.
„Später. Sag mir dein Kennwort. Schnell.“
„Also 'Und Anfang …'“
„Nein, bitte gleich zum Mitschreiben in den Rechner.“
„Au weia, aber alles ohne Gewähr. Also groß U, groß A, klein g, klein a, klein a, nein, doch, klein b, nein vergiss es groß B, klein u, groß M, vier, zwei.“ Wanda drückte die Eingabetaste. Sabines Datenkonto öffnete sich.
„Unter welchem Ordner hast du die Projektdaten abgelegt?“
„BIT, Daten 2005, alles Excel-Dateien und zwei Word-Dokumente.“
Wanda schaute auf die weiße Bildschirmoberfläche.
„Der Ordner ist leer.“
„Kann nicht sein. Habe mindestens zwanzig Dateien angelegt.“
Im Flur näherten sich Schritte.
„Null. Alles weg. Ich melde mich später.“ Dann beendete sie das Gespräch und verließ Sabines Konto. Johannes war bleich, als er zurück in den Computerraum kam.
„Die Luft ist rein“, sagte er. Wanda vernahm die Erschöpfung in seiner Stimme. Sie fragte sich, ob er enttäuscht oder erleichtert über die Sache war.
„Was sollen wir jetzt tun?“ fragte sie. „Die Polizei rufen? Schließlich war es ein Überfall.“
Johannes schwieg. Dann sprach er von einem großen Versuch, der morgen anstünde, seit Wochen geplant, nicht zu verschieben, wegen der Vorbereitungen sei er so spät noch hier, es dürfe nichts schief gehen, und er jetzt hundemüde, müsse unbedingt schlafen. Bloß nicht die Polizei rufen, sie würde auch nichts tun können, würde ihnen nur die Nachtruhe stehlen. Ein kurzer Besuch in der Notfallambulanz schien ihm wichtiger. Ein Freund hätte da Dienst. Schließlich wären sie beide bewusstlos gewesen.
„Du kannst ja gehen. Ich bin okay.“ Wanda schaute auf die Uhr. Es war kurz nach halb eins. „Mist. Mein Taxi. Es ist bestimmt schon weg.“
„Kannst auch mit mir runter fahren“, sagte Johannes. „Ich fahre nicht so schlecht, wie ich aussehe.“

Warum nicht, dachte Wanda. Vielleicht erfahre ich dabei noch etwas von ihm. Insgeheim war sie froh darüber, dass Johannes keine Polizei rufen wollte. Bevor sie den Raum verließen, schaute sie sich noch einmal um. Alle Monitore waren dunkel. Wanda kniff kurz die Augen zusammen. Sie schloss die Tür mit dem Gefühl, etwas Wichtiges übersehen zu haben.

11
Abseits der Altstadt

Inzwischen war es kurz nach eins. Wanda stand allein vor dem großen Kaufhaus im Zentrum der Stadt. Sie trat in den grellen Lichtschein eines Schaufensters und fröstelte. Mittlerweile bedauerte sie, dass sie Johannes Angebot, sie nach Hause in die Nordstadt zu fahren, abgelehnt hatte. Er wohnte im Südviertel. Während der Fahrt von den Lahnbergen hinunter hatten sie nicht viel miteinander geredet.
„Kommst du mit deinem Manuskript voran?" Wanda hatte sich sogleich über ihren ungeschickten Versuch, ein Gespräch anzufangen, geärgert. Es fiel ihr schwer, das Misstrauen gegenüber ihrem Kollegen abzulegen. Etwas an seinem Verhalten oben im Computerraum ließ sie noch immer zweifeln. Bilder von den Ereignissen der letzten Stunde stiegen in ihr auf und verloren sich wieder. Sie reihten sich nicht in eine logische Abfolge, so sehr sie sich auch darum bemühte. Talwärts lichtete sich der Nebel ein wenig.
„Geht so." Es hatte eine Weile gedauert, bis Johannes antwortete. Dann schwieg er wieder. Er wirkte unruhig. Für kurze Momente beschleunigte er sein Auto und nahm plötzlich das Gas wieder weg. Ständig blickte er in den Rückspiegel. Wanda musste an ein fliehendes Reh denken, das nach wenigen Sprüngen immer wieder stehen blieb und nach hinten sicherte. Dabei hätte er um ein Haar den Betrunkenen übersehen, der an der Konrad-Adenauer-Brücke quer über die Straße torkelte.
„Verdammt, das war knapp." Johannes machte ein Geräusch wie ein Fahrradschlauch, dem gerade die Luft ausging. Es war zu dunkel, um zu erkennen, ob er rot oder blass geworden war.
„Ich glaube, in meinem Kopf wird gerade eine Straße gebaut", stöhnte Wanda. „Hörst du auch den Lärm der Baumaschinen?"

„Ich hätte dich doch in die Notfallaufnahme bringen sollen."
„Ich gehe morgen früh zum Arzt. Versprochen." Wanda bemühte sich, überzeugend zu klingen.
„Vielleicht bekomme ich auch nur eine Erkältung. Ich habe schon seit Tagen leichtes Kopfweh." Dann hatte sie darauf bestanden, in der Innenstadt auszusteigen. Sie müsse ihr Hirn noch etwas auslüften. Sie wusste, dass er ihrer Bestimmtheit nichts entgegen setzen würde. Ihr war übel. Aber davon sagte sie ihm nichts.
Johannes hielt vor dem großen Kaufhaus in der Universitätsstraße. „Du rufst mich an, sobald du zu Hause bist?" Er musste wohl bemerkt haben, dass es lächerlich klang, denn er fügte entschlossen hinzu: „Wenn ich in einer halben Stunde nichts von dir gehört habe, komme ich vorbei."
„Okay, Dad." Wanda schmatzte ein frei schwebendes Küsschen in Johannes Richtung. „Aber bitte mit einer Gute-Nacht-Geschichte." Dann schlug sie die Autotür zu. Sie blickte den Rücklichtern des Wagens nach, der kurz darauf um die Ecke in die Gutenbergstraße einbog und verschwand.
Sie erinnerte sich nicht, wie lange sie in diese starren Augen gesehen hatte. In ihrem Kopf hallte noch das Echo ihrer letzten Worte, als sich ihr Blick vom Gesicht der Schaufensterpuppe löste. Vor wenigen Minuten hatte das Gebläse der Autoheizung ihre Füße in wohlige Wärme gehüllt, jetzt stand sie vor dem Kaufhaus und spürte, wie kaltfeuchte Nachtluft unter ihre Hosenbeine kroch. Sie vergrub ihre Hände in den Jackentaschen und lief in Richtung Rudolphsplatz. Sie eilte die wenigen Stufen zu den Unterführungen hinab. Es war ein Reflex, der am Tag durchaus Sinn machte, wenn durch dieses Nadelöhr zwischen Lahn und Altstadt ein dichter Verkehr floss. Aber um diese Zeit hätte sie ungehindert über die große Kreuzung laufen können, um auf die andere Seite des Platzes zu gelangen. Für einen Moment verlangsamte sie ihren Schritt. Sollte sie umkehren? Wachsam blickte sie nach allen Seiten. Kopfsteinpflaster glänzte im milden Laternenlicht. Rechts erhob sich ein Bankhaus, geradeaus war die Treppe, die auf die Brücke nach Weidenhausen und weiter westwärts führte.
Es gab zwei Wege in Richtung Norden. Der eine war Marburgs Hauptschlagader und lenkte den Verkehr in Nord-Süd-Richtung am historischen Zentrum vorbei. Aber ihre Füße strebten bereits zur

Uferstraße hinüber. Wanda überquerte den kleinen Platz, der sich wie ein Nabel leicht in den Körper der Stadt hinein senkte. In seiner Mitte stand ein Brunnen, nichts als ein Haufen unförmiger Gesteinsbrocken, ausgetrocknet wie eine versiegte Quelle. Sie fühlte sich ausgeschlossen von der Intimität dieser Gegend, ganz unten, abseits der schmucken Häuserfassaden. Hier trafen sich die Erfolglosen, diskutierten und tranken. Mitten in der Nacht war der Platz leer. Auf der Mauer vor der Unterführung zum Lahnufer stand eine einzelne Bierflasche. Am Boden lag ein aufgeplatzter Müllsack. Seine Innereien quollen aus dem langen Riss wie durch eine offene Bauchdecke. Das kleine Metalltor, das zum Fluss hinunter führte, war geöffnet. Wanda war froh, nicht durch den kurzen Tunnel laufen zu müssen. Stattdessen eilte sie durch den Torbogen auf den grob gepflasterten Pfad, der abwärts auf den Uferweg führte und die Brücke nach Weidenhausen unterquerte. Ihre Füße rutschten über die feuchten Steine, als sie vor dem Geländer um neunzig Grad nach links einbog. Scharfer Geruch nach Urin drang in ihre Nase. Sie würgte. Eindeutig Menschenpisse. Sie hatte vergessen, wie sonst immer an dieser Stelle, die Luft anzuhalten. Hinter der Brücke nahm sie einen tiefen Atemzug. Es roch nach Fluss und Erde. Neben ihr toste das Wasser in wildem Strudel, als wollte es die nächtliche Stille verschlingen. Die neonblaue Leuchtschrift an Hugo's Restaurant zog ihre Gedanken für einen Moment in die Wärme zwischen den Gästen, die zu später Stunde hinter der gläsernen Fassade gemütlich beieinander saßen. Vor ihr lag im fahlen Laternenlicht die neue Lahnbrücke. Bei guter Sicht konnte man von hier aus den Kaiser-Wilhelmturm auf den Hügeln an der anderen Flussseite sehen. Heute schimmerte nicht einmal seine Beleuchtung durch die Dunstschwaden hindurch. Hinter der alten Lahnbrücke stieg sie links die Stufen hinauf und bog nach rechts in die Uferstraße ein. Das Gelb der Straßenlaternen trug einen nebligen Saum. Am Boden eine dünne Gestalt, die sie mit jedem Lichtkegel, den sie durchschritt, erneut überholte. Schattenhuschen. Ein Wettrennen ohne Gewinner. Dann Schritte von hinten. Umdrehen. Niemand. Die rechte Hand am Pfefferspray. Ein Geschenk von Sabine. „Marburg ist nicht so harmlos, wie es sich gibt", waren ihre Worte gewesen. Da war das dumpfe Stampfen der eigenen Schritte, das Reiben ihrer Kleidung, das eher ein Schleifen war. Sie machte viel zu viel Lärm. Vergeblich versuchte sie die eigenen Geräusche auszublenden, um besser zu hören,

was hinter ihr war. Sie suchte nach einem Schalter in ihrem Kopf, der ihre Wahrnehmung schärfte. Ich bin verliebt in die Schärfe. Dafür bin ich bereit, mich aufzugeben. Ich will den Klang meiner Schritte, das Rascheln meiner Kleider, das Hämmern meines Herzens in meinem Kopf auslöschen, um besser erkennen zu können. Das ist mein Job. Darin bin ich gut. Ich beobachte, wie sich die Zellen in ihrem Nährmedium teilen, wachsen und sterben, dringe in ihre Intimsphäre ein und versuche den Lärm, den ich dabei mache, auszufiltern, um das Flüstern zu hören, das im Verborgenen lebt. Tatsächlich empfand sie sich als viel zu grob gegenüber der Feinstofflichkeit der Lebensvorgänge, an denen sie forschte. Sie wusste, dass nun die elende Frage nach dem Sinn ihres Tuns nicht mehr weit war, die wie ein meckerndes altes Weib hinter ihr her hinkte. Es wunderte sie nicht, nach alldem, was passiert war. Sei nicht hysterisch, schüttelte sie die Gedanken, die sie lähmen wollten, ganz schnell wieder ab.
Inzwischen hatte sie die Brücke zum Schülerpark hinter sich gelassen. Die frische Luft klärte ihren Kopf. Das Brummen darin war verstummt. Sie lauschte und hörte nur das Rauschen des Wassers am Wehr. Es war also nicht mehr weit. Ein Rascheln im Laub. Ein kurzer Blick über die Schulter. Nichts. Vielleicht sehe ich ihn, aber erkenne ihn nicht, weil ich keine Idee, kein Bild von ihm habe, kam es ihr in den Sinn. Wenn dieser vermeintliche Verfolger nur in meinem Kopf lebt, ist er dann weniger wirklich? Wo läuft er hin, wenn ich ihn wie eine lästige Fliege aus meinen Gedanken schüttele? Vielleicht eilt er zu meiner Haustür, versteckt sich im Dunkel der Schwelle. Wanda beschleunigte ihren Schritt, lief über eine Querstraße in Richtung Elisabethkirche. Sie nahm den Bogen rechts herum. Unter ihren Füßen glitschte der aufgeweichte Boden des Kirchplatzes. Wie im Mittelalter, dachte sie und ärgerte sich, dass sie nicht den etwas weiteren Weg über die Deutschhausstraße genommen hatte. Auf Zehenspitzen sprang sie über die schmierigsten Stellen hinweg, bis sie schließlich wieder Asphalt unter den Füßen spürte. Kurze Atemschwaden stießen aus ihrem Mund. Verdrießlich schaute sie auf die verdreckten Schuhe und trat ein paar Mal fest auf den Boden, als könnte sie mit jedem Erdklümpchen, das sich von dem groben Profil ihrer Sohlen löste, ein Stück ihrer Angst abschütteln. Das Café Jornal war noch gut besucht. Der Anblick von Menschen beruhigte sie. Eine Gruppe junger Männer kam ihr entgegen.

Sie lachten und prosteten sich zu. Eine Bierflasche ging klirrend zu Bruch. Sie drückte sich an den grölenden Typen vorbei, um die Häuserecke herum. Nur noch wenige Meter, dann stand sie vor der Haustür. Ihre Hände zitterten. Es dauerte ein paar Sekunden, bis der Schlüssel ins Schloss hinein glitt. Sie huschte ins Treppenhaus und warf sich von innen gegen die schwere Holztür, bis sie krachend zufiel.

Wanda atmete einmal tief aus. Dann drosch sie auf den Lichtschalter ein und verfluchte den Hauswart, der den Kurzschluss nicht repariert hatte. Ein matter Laternenschimmer fiel durch die Fenster des Treppenhauses. Die hohen Stockwerke des Altbaus kamen ihr noch endloser vor als sonst. Alles war still. Ihre Wohnung lag im dritten Obergeschoss. Der Vibrationsalarm des Handys ließ sie zusammen zucken.

„Wo bist du?“ Johannes Stimme klang besorgt.

„Ich erklimme gerade den Kilimandscharo bei Nacht. Nur bin ich mir nicht sicher, ob nicht ganz oben das ewige Eis auf mich wartet.“ Die eigenen Worte machten ihr Mut.

„Kann ich dir irgendwie helfen?“

„Ich stehe in meinem finsteren Treppenhaus und scheiß mir fast in die Hose vor Angst. Du bist meine einzige Verbindung zum Rest der Welt. Sag irgendwas Blödes. Sprich mit mir und komm sofort, wenn ich schreie.“

„Kneif deinen Hintern zusammen und mach erst mal das Licht an!“

„Geht nicht!“

„Was?“

„Na, das Licht!“ Wanda war bereits auf halbem Weg zu ihrer Wohnung.

„Kannst du was sehen?“

Ihre Hand glitt über die gestreifte Tapete.

„Ich sehe fliegende Zebras…“

„Ist mit dir wirklich alles in Ordnung?“

„…und oben schimmert Licht aus einer Hütte.“ Das Oberlicht der Nachbarwohnung war hell erleuchtet. Erleichtert sprang sie die letzten Stufen hinauf. Vor der Wohnungstür des Nachbarn stapelte sich wie immer Leergut in Kisten und Plastiktüten wie nach einer Party. Zum ersten Mal ärgerte Wanda sich nicht darüber. Hastig schloss sie die Wohnungstür auf. Ein Papierschnipsel flatterte ihr vor die Füße. Das merkt doch jeder, dachte sie genervt. Sie musste sich etwas Neues ein-

fallen lassen. Wanda glitt in den dunklen Flur hinein. Schnell verriegelte sie das Türschloss und knipste in allen Zimmern die Lampen an.
„Die Sicht ist fantastisch hier oben!“ Ihre Stimme klang schrill. Sie war völlig überdreht.
„Johannes, bist du noch da?“ Wanda schaute auf das Display. Die Batterieanzeige war weiß. Der Akku war leer, und das Ladegerät lag mal wieder im Institut.

12
Die Explosion

Wanda erwachte mit starken Kopfschmerzen. Es war zwanzig vor sieben. Sie hatte noch etwas Zeit. Für gewöhnlich stand sie um sieben auf, um spätestens um halb neun im Institut zu sein. Sie lag auf dem Rücken und konzentrierte sich auf den Schmerz, der ihren Schädel wie eine Zwinge fest im Griff hielt. Sie drehte sich auf den Bauch, drückte ihre Nase ins Kissen und betastete vorsichtig die Stelle am Hinterkopf, an der sie der Schlag getroffen hatte. Sie war tatsächlich da, eine kleine, kaum taubeneigroße Beule, aber feinnervig wie das Blatt einer Mimose. Sie musste unbedingt Sabine anrufen. Da fiel ihr ein, dass sie letzte Nacht ihren USB-Datenträger im Computer vergessen hatte. Der Gedanke ließ ihr keine Ruhe. Sie stand auf, duschte schnell und machte sich auf den Weg ins Institut. Johannes sollte ihn nicht vor ihr finden. Wenn sie sich beeilte, konnte sie sogar noch beim Hausarzt vorbeigehen. Dies würde ihr später zumindest Johannes' mütterliche Schelte ersparen.

Um kurz vor acht saß Wanda bereits im Wartezimmer der Arztpraxis. Allmählich spürte sie die Wirkung der beiden Tabletten, die sie sogleich nach dem Aufstehen geschluckt hatte. Der Druck auf ihrer Stirn ließ gerade nach, als die Tür aufging und eine verschnupfte Sprechstundenhilfe sie ins Behandlungszimmer bat.

Doktor Gläser empfing sie an der Tür, reichte ihr zur Begrüßung freundlich die Hand und wies auf einen schwarzen Ledersessel. Er selbst setzte sich hinter seinen Schreibtisch ihr gegenüber. Während er aufmerksam ihre Karteikarte studierte, betrachtete Wanda die Fotos an den Wänden. Sie erkannte mit bunten Fähnchen geschmückte buddhistische Schreine und marode Tempelanlagen, die in gelbem Abendlicht so knusprig braun erschienen wie das Gesicht des Arztes, der sie nun

fragend über seinen Brillenrand hinweg anschaute. Er sah beneidenswert erholt aus.
„Wie geht es Ihnen?“
„Ich glaube, ich bekomme eine Erkältung.“ Ihre Stimme klang offenkundig belegt. Vor dieser Gutwetterkulisse kam sie sich farblos wie eine Albinomaus vor, gerade richtig, um ihren Absichten treu zu bleiben. Schließlich brauchte sie nur ein Alibi, um Johannes gegenüber ihr Versprechen zu halten. Sie mochte die väterlich sanften Augen dieses Arztes, der sie nun aufmerksam musterte.
„So, glauben Sie“, gab er schmunzelnd zurück.
„Ich habe schon seit Tagen Kopfschmerzen. Heute früh sind sie ziemlich stark.“ Lächerlich, dachte Wanda. Eigentlich geht es mir schon wieder besser.
„Sie sehen müde aus und blass. Arbeiten Sie viel?“
„Arbeiten könnte ich rund um die Uhr, wenn es nach meinem Chef ginge.“ Ihr entfuhr ein hilfloses Lachen. „Vielleicht schlafe ich zu wenig.“
Er wollte sie für den Rest der Woche krankschreiben. Wanda lehnte ab. Auf jeden Fall wolle er ein Blutbild machen lassen und ihre Eisenwerte überprüfen. Dagegen hatte sie nichts. Sie war froh, dass er sie nicht weiter untersuchte.
Eine halbe Stunde später stürzte sie bereits die Treppen zur Abteilung hinauf und steuerte sogleich in Richtung Pipeline.
„Man sagt *guten Morgen*“, trällerte es hinter ihr. Wanda blickte sich um und sah in Petras schmollendes Gesicht. Ihre technische Assistentin war offenkundig Frühaufsteherin, bereitete jedenfalls gerade ihr zweites Frühstück vor. Sie stand in der Nische vor der kleinen Spüle, die Hände in die Hüften gestemmt und mimte die Beleidigte. Hinter ihr gurgelte die Kaffeemaschine und spie ihre letzten Tröpfchen in den Filter.
„Gleich“, brummte Wanda über ihre Schulter nach hinten und stürmte durch die offene Tür in den Computerraum. Zwei Mitarbeiter saßen dort und rührten sich nicht, als sie eintrat. Wie gebannt starrten sie auf die Monitore der Rechner, an denen sie gerade arbeiteten. Es war keine Unhöflichkeit. Auch Wanda hatte am Anfang hier sitzen müssen und wusste, dass mentale Abschottung die einzige Möglichkeit war, an diesem Ort, an dem sich die Privatsphäre auf das eigene Datenkonto beschränkte, seine Arbeit zu tun. Der Computer, an dem sie gestern

Nacht nach Sabines Dateien geforscht hatte, war ausgeschaltet. Ihr Datenträger war nirgends zu sehen.
„Hallo", rief sie kurz in den Raum. „Hat jemand von euch hier irgendwo einen USB-Stick herumliegen sehen?"
Als erste löste Li Wang ihren Blick vom Monitor und schaute Wanda lächelnd an. Die Chinesin war mit einem Forschungsstipendium für ein halbes Jahr nach Marburg gekommen. Eigentlich kümmerte sich niemand um sie. Der Chef hatte sie Michael aufs Auge gedrückt. Da keiner Li wirklich verstand, umgab sie der reizvolle Schleier fernöstlicher Lebenskultur. Dies sorgte, zusammen mit der Tatsache, dass niemand wusste, woran sie forschte, für unterhaltsame Spekulationen. Vielleicht wollte Sturm sie alle bald gegen Asiaten eintauschen, mutmaßte Johannes. Schließlich könnte man sich für den Preis von zwei deutschen Wissenschaftlern zwanzig Chinesen leisten. Inzwischen kursierten Gerüchte, dass sich Sturms unternehmerische Ambitionen auf China richteten, und sie malten sich aus, wie der Chef im Kimono am Schreibtisch sitzend von Frau Bünte, seiner Sekretärin und Geisha, den Jasmintee empfing, die volle Klischee-Palette eben, und sie erschraken jedes Mal ein wenig peinlich berührt, wenn plötzlich Li Wang, alias Madame Butterfly, lautlos wie ein Schmetterling hinter ihnen auftauchte und einen hysterischen Gelächtersopran anstimmte.
„Kein USB, nein", antwortete sie immer noch lächelnd, als sollte Wanda sich darüber freuen.
Auf der Seite gegenüber strich sich Bin Laden nachdenklich durch das krause Gestrüpp seines Bartes. Eigentlich hieß er Abdelrachman. Seinen Nachnamen konnte sich keiner merken. Er war Gastwissenschaftler aus dem Iran. Alle nannten ihn Ali. Bin Laden hieß er nur, wenn er es nicht hörte. Die Ähnlichkeit war einfach verblüffend. Für ein paar Sekunden fühlte Wanda seinen ernsten, verklärten Blick auf sich gerichtet.
„Als ich heute morgen hier ankam, stand der Raum offen", antwortete er ruhig. Wanda nickte, weniger dankbar als schicksalsergeben, und zog sich zurück. Vermutlich hatte jemand den Speicher-Stift heute früh entdeckt und im Sekretariat abgegeben, versuchte sie sich zu beruhigen. Sie hoffte nur, dass es nicht Johannes gewesen war.
Als sie ihr Zimmer aufschloss, klingelte das Telefon. Frau Bünte war am Apparat und jammerte, sie sei heute allein und dies jetzt schon der drit-

te Journalist, der wegen der Explosion anrief. Der Chef sei mit Michael unterwegs, Astrid nicht erreichbar, Johannes in der Tierversuchseinheit und Herr Doktor Weiland habe heute frei. „Herr Doktor Weiland“, dachte Wanda und hob die Augenbrauen. Thomas verstand es eben, mit Sekretärinnen umzugehen.

„Was für eine Explosion?“ fragte Wanda ungehalten. Sie mochte es nicht, gleich am Morgen von Kollegen überfallen zu werden.

„Na, die in China“, entgegnete Frau Bünte erstaunt. „Irgend so ein italienischer Konzern lässt dort Nanopartikel herstellen und dann hat es plötzlich wumm gemacht und ein Reaktor oder Kessel, was weiß ich wie die ihre Kochtöpfe nennen, ist in die Luft geflogen. Kam sogar in der Tagesschau. Kucken Sie nicht?“

Wanda betrachtete den kleinen Kreisel aus Holz, der noch genauso auf ihrem Schreibtisch lag, wie sie ihn gestern Abend dort zurück gelassen hatte. Der leiseste Stoss gegen den Tisch brachte ihn ins Trudeln und Wanda wusste am anderen Morgen, dass unbefugte Hände hier etwas gesucht hatten. Diese Methode war ihr in den Sinn gekommen, nachdem sie eines Sonntags morgens den Chef in ihrem Zimmer überrascht hatte. Es habe nach Brand gerochen, hatte er gestammelt. Eine Überprüfung nur zur Sicherheit. Sein Kopf glühte wie ein Tauchsieder auf dem Trockenen. Solange der zweite Schreibtisch in ihrem Zimmer ungenutzt war, würde sie an dieser Alarmanlage festhalten können.

„Dieser Pressefuzzi ist von der Lokalen“, hörte sie wieder Frau Bünte reden. Wanda fiel ihr Datenträger ein, aber die Sekretärin ließ sie erst gar nicht zu Wort kommen. „Er ist der Ressortleiter. Professor Sturm sieht es gar nicht gern, wenn wir ihn nicht informieren. Das können Sie doch viel besser als ich.“ Wanda staunte. Die Bünte konnte richtig schnurrig klingen.

Wanda notierte ein Sternchen in ihrem Tischkalender. „Kompliment von B.“ kritzelte sie dahinter. Büntchen, wie viele sie heimlich nannten, besaß nämlich ein ausgeprägtes Klassenbewusstsein. Sie vergötterte den Chef. Wanda stand eigentlich nicht auf der Liste ihrer Lieblinge. Unter ihren abschätzenden Blicken empfand sie die eigene Blässe wie einen Makel. Wanda überlegte kurz, ob dies eine gute Gelegenheit war, ein paar Pluspunkte zu sammeln.

„Wenn ich Ihnen den Ressortleiterfuzzi vom Hals halten soll“, sagte sie schließlich, „dann müssten Sie mich auf das Thema ein wenig vorbereiten.“ Sie klemmte sich den Hörer zwischen Kinn und Schulter und schaltete den Computer ein.

„Man vermutet, dass sich das Nanopulver selbst entzündet hat“, ereiferte sich die Sekretärin. Die Aussicht, diese Aufgabe loszuwerden, schien sie anzuspornen. „Etwa einhundert Werkarbeiter standen in unmittelbarer Nähe der Verpuffung und wurden für kurze Zeit in eine Staubwolke gehüllt. Es gibt ein paar Schwerverletzte mit hochgradigen Verbrennungen. Fast alle waren diesen Feinststäuben ausgesetzt.“

„Wissen Sie welche Substanzen?“ Der Computer verlangte nach ihrem Kennwort. Wanda tippte es ein und bestätigte.

„Keine Ahnung“, hörte sie die Bünte sagen. Im gleichen Moment erschien der vertraute Schriftzug auf dem Monitor.

Guten Morgen, Wanda. Wie geht es Dir? Fasziniert starrte sie auf die fetten weißen Buchstaben, die nun den Bildschirm ihres Rechners erleuchteten. Sie hatte sich inzwischen daran gewöhnt, dass er sie stets nach dem Einschalten begrüßte. Wanda hatte sich dieses interaktive Computerprogramm aus den USA mitgebracht und auf ihrem Rechner installiert. Es verfügte sogar über eine Sprachfunktion in Deutsch. Eine nette Spielerei für die Momente, in denen sie auf das Ende einer Inkubation warten musste oder sich einfach auf andere Gedanken bringen wollte. Es störte sie ein wenig, dass ihr dieses Begrüßungsritual zunehmend wichtiger wurde.

„Sind Sie noch da?“ Büntchen wartete noch immer auf eine Antwort. Wanda erschien die Angelegenheit zu spekulativ. Sie wusste zu wenig über die Hintergründe dieses Unfalls. Außerdem hatte sie keine Lust, Sturm ständig den Rücken frei zu halten. Soll der Ressortleiter den Chef doch per Handy erreichen.

„Für dieses Gebiet bin ich leider nicht zuständig.“ Sie bemerkte, dass es ein wenig patzig klang und schickte deshalb noch ein paar mildernde Erklärungen hinterher, als sie durch den Telefonhörer plötzlich ein Räuspern vernahm. Es war eindeutig männlich.

13
Im Brownschen Universum

Wanda hielt die Luft an. Die Bünte hatte es tatsächlich gewagt, das Gespräch zu ihr durchzustellen. Eine heiße Woge stieg ihr in den Kopf. Für einen Augenblick war sie versucht, die Verbindung zu unterbrechen. Ein leichter Druck mit dem Finger auf das Häkchen am Telefonapparat. Eher zufällig. Eine Störung. Sie zögerte. Die Bünte würde es unter Garantie dem Chef berichten. Wanda zog ihren Zeigefinger zurück.

„Hallo?“ fragte sie unsicher.

„Wilfried Ganther, Mittelhessische Nachrichten. Guten Morgen.“

„Wanda Waals…“, weiter kam sie nicht.

„Nicht zuständige, überaus beschäftigte Wissenschaftlerin, die vermutlich in Kürze wieder ins Labor zurück muss, weil ihr ein Kolben überkocht?“

„Nicht ganz. Aber einer unserer Brutschränke schlägt Alarm und ich muss die Kulturen retten, bevor ihnen die Luft ausgeht.“ Die Lüge kam ihr erstaunlich locker über die Lippen.

„Kulturen retten, klingt gut. Wie wär's mal mit einem Blick nach China?“

„Oh, für Tibet ist ein anderer Kollege zuständig. Wenn Sie kurz warten wollen bis …“

„Machen Sie sich keine Mühe“, unterbrach er sie schon wieder. Sie glaubte ein Schmunzeln in seiner Stimme zu vernehmen. Das Gespräch fing an, ihr Spaß zu machen.

„Frau Doktor Waals, ich will Sie nicht lange aufhalten. Ich brauche nur ein paar Informationen, um etwas besser zu verstehen“, fuhr er freundlich fort. „In China wurde eine Wolke aus Nanopartikeln freigesetzt. Was müssen wir befürchten?“

„Sicherlich kein Szenario nach Michael Crichton, wenn sie das meinen. Eine Wolke aus Nanopartikeln fällt rasch in sich zusammen. Die winzigen Teilchen sind wegen ihrer relativ großen Oberfläche extrem reaktiv."

„Da bleibt nichts in der Luft?"

„Die Nanopartikel, die bei einer Explosion freigesetzt werden, verkleben zu Aggregaten, die sich schließlich irgendwo ablagern. Sie bilden keine Schwärme wie die fliegenden, solarbetriebenen Nanobots, die Crichton in seinem Roman in die Wüste von Nevada entlässt."

„Wie können sie da so sicher sein?"

„Ganz einfach, weil es nicht funktioniert. Sie sind zu klein zum Fliegen. Das kleinste uns bekannte Insekt, das fliegt, ist eine winzige Schlupfwespe. Sie ist nicht ganz zweihundert Mikrometer groß. Das entspricht einem Stecknadelkopf geteilt durch zehn. Darunter scheint das Fliegen praktisch unmöglich zu sein. Teilchen aus Ruß und Staub, wie sie bei einem Brand oder einer Explosion entstehen, bewegen sich ausschließlich durch Diffusion. Mit dieser Fortbewegungsweise kommen sie nicht weit."

Wanda vernahm ein leises Schnaufen am anderen Ende der Leitung. Auch wenn er nicht sprach, so spürte sie doch die Ungeduld eines Menschen, der Informationen sogleich nach ihrem Marktwert sortierte.

„Sie können das Interesse der Menschen mit Unwahrheiten wecken, oder sie mit der Wahrheit langweilen", sagte er gedehnt. „Es lässt sich darüber streiten, was besser ist." Er machte eine kurze Pause. „Die Realität kann schrecklich langweilig sein. Finden Sie nicht?"

„Sie sind Journalist. Wenn es Ihnen nicht um Aufklärung geht, wem dann?" Was mache ich eigentlich hier? fragte sich Wanda. Wilfried Ganther war Sturms Haus- und Hofreporter, und vermutlich rauchten sie einmal im Monat eine Club-Zigarre miteinander.

„Sie sind Wissenschaftlerin."

„Eben. Genau deshalb halte ich mich an die Fakten, und die sind anders als Sie denken. Es ist naiv, zu glauben, dass Sie die Dinge einfach kleiner machen können und alles genauso funktioniert wie bisher. Mini-U-Boote, Mini-Chirurgen sind Spielzeuge menschlicher Fantasien und können auf dieser Welt ebenso wenig existieren wie, na wie … Riesenspinnen."

„Fantasie kann Realitäten schaffen."

„Ich bin der Meinung, dass sie uns hilft, Realitäten zu verstehen“, gab Wanda zurück. „Stellen Sie sich vor, ich würde Ihnen ein Gebräu verabreichen, das sie auf die Größe eines Bakteriums schrumpfen ließe.“ Die Vorstellung gefiel ihr. Sie machte eine kurze Pause, um das Bild auf ihn wirken zu lassen. „Im ersten Moment finden Sie Halt an einem Haar in meiner Nase“, sprach sie weiter. „Aber schon muss ich niesen und katapultiere Sie in einem orkanartigen Luftstrom hinaus ins Freie. Sie kleben an einem winzigen Wassertröpfchen, das von den Wirbeln und Strudeln der Luftmoleküle um Sie herum wie ein Floß im Ozean hin und her gestoßen wird. Auf einmal ist Luft für Sie nicht mehr das leichte seidige Element, das ihren Bewegungen schmeichelt, sondern eine zähe Masse, die Sie nicht fortkommen lässt, ganz im Gegenteil, Sie herumwirbelt und mit Ihnen spielt wie die Katze mit einer benommenen Maus.“

„Nicht gerade mein Traumszenario“, murmelte Ganther.

„Zum ersten Mal spüren Sie die Kräfte des Nanokosmos“, fuhr Wanda unbeirrt fort, „den unermüdlichen Tanz der Moleküle. Sie sind im Brownschen Universum gelandet, das seine eigenen Gesetze hat.“

„Was für eine Galaxie?“ unterbrach sie Ganther unwirsch. „Das müssen Sie mir schon genauer erklären. Ich hatte Sport als Leistungskurs.“

„Dann haben Sie gute Voraussetzungen“, entgegnete Wanda spitz. „Ich spreche von der Brownschen Molekularbewegung. Sie beschreibt die thermisch getriebene Eigenbewegung von Molekülen. Haben Sie schon einmal einen Wassertropfen durch ein Mikroskop betrachtet?“ Der Journalist brummte etwas Unverständliches. Wanda ging nicht weiter darauf ein. „Dann haben Sie bestimmt gesehen, wie die Staubteilchen darin zittern. Das ist die Brownsche Bewegung. Es ist das uns unsichtbare Hin und Her der Wassermoleküle, das sie ständig anstößt.“

„Und das gleiche passiert mit mir in der Luft, wenn ich mich von Ihnen verzaubern lasse?“

„Schrumpfen“, verbesserte Wanda. „Auch in der Luft sind Ihre Bewegungen zufällig und ungerichtet. Das Tempo ist enorm. Mit weit mehr als einhundert Stundenkilometern werden Sie herumgestoßen, kommen aber nie sehr weit, sondern werden sogleich in eine neue Richtung geschleudert. Irgendwann prallen Sie vielleicht mit einem Teilchen ihrer Größe zusammen, zum Beispiel einem anderen Kollegen der schreibenden Zunft. Dann wird man sehen was passiert.“

„Ich fürchte, das bin ich gerade. Wie wäre es mit einer gemeinsamen Flugstunde?"

„Das können Sie sich abschminken", lachte Wanda, während sie ein paar Begrüßungsworte in den Computer tippte. „Fliegen ist dann nicht mehr drin. Für kleine Objekte ist es wesentlich schwieriger, in die Luft zu kommen, als für große. Deshalb müssen Insekten so emsig mit den Flügeln schlagen. Bei einem Flugzeug ist das Verhältnis von Auftrieb zum Strömungswiderstand der Luft wesentlich günstiger."

„Ich wusste doch, dass es langweilig ist", seufzte er.

„Da muss ich Ihnen abermals widersprechen", gab Wanda zurück. Auf dem Bildschirm erschien ein verwirrtes *Wie, bitte?*. Ihr Computer verstand sie nicht. Sie war auf der Tastatur in der Zeile verrutscht und hatte ihm einen unverdaulichen Buchstabensalat eingeflößt. „Zwar können Nanoteilchen nicht fliegen, aber die Wucht einer Explosion wie in dieser chinesischen Fabrik kann sie dennoch in die Luft befördern. Vermutlich haben Arbeiter in unmittelbarer Nähe der Verpuffung etwas von diesen ultrafeinen Stäuben eingeatmet. So eine Staubwolke ist ein Gemisch aus unterschiedlich großen Teilchen, die sich tief in der Lunge ablagern und dort Entzündungen hervorrufen können. Womöglich mogeln sie sich über die zarten Wände der Lungenbläschen an den Immunzellen vorbei in die Blutbahn und verteilen sich im Körper. Herzkreislauferkrankungen und Tumoren können die Folge sein."

„Sie kennen sich aus." Ganther räusperte sich. „Ich bin nur ein dummer Journalist."

„Ich verstehe nicht ganz." Eine warnende Stimme meldete sich plötzlich in ihr.

„Na, Sie sprechen von Nanoteilchen, die uns krank machen können", bemerkte Ganther. „Andererseits gibt es diese Erfolgsmeldungen über Wundertherapien mit Nanopartikeln, Zauberkugeln, wie viele sie nennen. Sie sollen uns bis zu 200 Jahre alt werden lassen. Nicht gerade mein Traumalter, wenn ich ehrlich bin. Ist es ein Segen oder ein Fluch?"

„Der Transport von Medikamenten mit Hilfe von Nanopartikeln kann sehr effizient sein." Wanda hatte diesen Satz schon viele Male gesagt. Eine vertraute Formulierung, an die sie sich lehnen konnte wie an ein Geländer. Sie würde sich nicht davon wegziehen lassen. „Toxische Arzneien, wie bei der Krebstherapie, können in wesentlich geringeren Mengen verabreicht werden."

„Das mag Ihr Chef so sehen, aber ich kann an diese Heilsbotschaften nicht so recht glauben", entgegnete Ganther nun zunehmend gereizt. „Einige wenige Zivilisationskrankheiten werden sich vielleicht etwas besser behandeln lassen. Das veranlasst die Politiker, mit höheren Lebenserwartungen zu kalkulieren. Warum nicht 200 Jahre? Dann geht es mit 167 in die Rente. Aber werden wir das Rentenalter jemals erreichen? Unsere Organe sind irgendwann mit Nanopartikeln befrachtet wie heute mit Pestiziden. Vielleicht funktioniert so der Übergang vom Menschen zur Maschine. Eine Art schleichende Kristallisation. Oder es läuft einfach weiter wie bisher. Neue Krankheiten, neue Medizin, nur das Rentenalter wird nicht mehr herabgesetzt."

Wanda knabberte an ihrem Kugelschreiber. Sie hätte das Gespräch an dieser Stelle am liebsten beendet. Ganther hatte nicht Unrecht. Natürlich besaßen die Erfolgsmeldungen und Prognosen der Nanomedizin politisches Gewicht. Sie dachte an die Flutwelle neuartiger Nanosubstanzen, von der die Toxikologie gerade überrollt wurde. Sie standen staunend vor den mächtigen Säulen eines Palastes, in dem die Wissenschaftswelt schon das königliche Mahl für eine Vereinigung von Nano- und Gentechnologie zubereitete, während die Wirkung vieler Zutaten noch unbekannt war. Man konnte die Macht dieser Ehe erahnen, die eine arrangierte war, so wie sie Königshäuser schon immer betrieben haben. Jedoch welcher Nachwuchs der Fusion beider Technologien entspringen würde, überstieg ihre Vorstellungskraft. Die gesellschaftliche Triebfeder, die diesen Ereignissen zugrunde lag, war das wachsende Bedürfnis der Menschen, die Prozesse des Lebens in den Griff zu bekommen. Dabei konnte Wanda sich des Eindrucks nicht erwehren, dass gerade dieses Bestreben nach Kontrolle die Unkontrollierbarkeit der neuen Technologien vergrößerte. Im Schatten wetteifernder Ahnungslosigkeiten spielten Biotechniker „Viropoli", und es war nur peinlich zuzusehen, wie die Toxikologie den Entwicklungen hinterher hinkte.

„Ich halte mich lieber an die Fakten", sagte sie schließlich. Wanda biss sich auf die Zunge. Es könnte sie ihren Job kosten, wenn sie diese Bedenken der Öffentlichkeit preisgab.

„Und ich glaube nicht an Ihre Visionen", gab der Journalist unumwunden zurück. „Ich möchte sogar behaupten, dass in den Nanotechnologien Machbares und Visionäres noch weit voneinander entfernt sind. Es ist nur unsere Wahrnehmung, in der sie sich überlappen."

„Tragen nicht gerade die Medien dazu bei, dass es so ist?“
„Sicher. Aber auch die Wissenschaftler, die uns benutzen, um ihre Projekte zu Markte zu tragen. Die wenigsten sprechen über die Risiken.“
„Vermutlich weil sie sie nicht kennen. Es ist nicht so einfach, sie richtig einzuschätzen.“
„*Sie* sind doch die Expertin. Wie denken Sie denn über die Kontamination italienischer Soldaten im Kosovo? Vermutlich nanopartikulärer Abrieb aus der Beschichtung von Marschflugkörpern, heißt es.“ Es war höchste Zeit, das Gespräch mit Ganther zu Ende zu führen.
„Ich denke, Sie sollten alles Weitere mit Professor Sturm besprechen“, sagte sie. „Das ist sein Spezialgebiet.“
„Kommen Sie. Ich kenne Ihren Chef. Der lässt auch nichts raus.“
„Ich muss jetzt wirklich ins Labor zurück“, drängte Wanda.
„Ach, ja, der Brutschrank. Aber eine letzte Frage habe ich noch. In welchen Dimensionen bewegt sich eigentlich dieser Nano-Spuk?“
„Ein Nanometer entspricht einem Milliardstel Meter“, gab Wanda mechanisch zurück. Endlich fühlte sie sich wieder auf sicherem Terrain. „Richard Feynman, einer der ersten Visionäre der Nanotechnologie, hatte einmal gesagt *Ganz unten ist eine Menge Platz*. Im Größenvergleich verhält sich nämlich ein Nanoteilchen zu einem Fußball wie der Fußball zum Mond. Wir definieren es als eine Struktur in einer Größenordnung zwischen einem und einhundert Nanometern.“
„Und weshalb einhundert Nanometer?“
Wanda zögerte kurz.
„Weil Bill Clinton es so wollte.“

14
Schnittstellenkonfusion

Wanda fühlte sich aufgedreht wie eine Spieluhr. Das Telefonat mit dem Ressortleiter der Lokalzeitung ging ihr nicht aus dem Kopf. Ziellos stöberte sie in den Papierstapeln auf ihrem Schreibtisch herum und ignorierte die Versuche ihres Computers, das Gespräch mit ihr fortzuführen. Nein, es gefiel ihr ganz und gar nicht, dass ein Politiker, ob er nun der Präsident der Vereinigten Staaten von Amerika war oder sonst wer, eine wissenschaftliche Norm festlegte. Aber die Industrienationen hatten seit dem Wechsel ins zwanzigste Jahrhundert viel Geld in die Nanotechnologien gepumpt. In den USA erhielt die National Nanotechnology Initiative inzwischen über rund eine Milliarde Dollar pro Jahr. Auch die deutsche Regierung hatte kürzlich die Investitionen für die kommenden vier Jahre auf zweihundert Millionen Euro erhöht. Im internationalen Wettstreit um Patente stand eine Menge Kapital auf dem Spiel. An den neuen technologischen Errungenschaften spiegelte sich außerdem nationales Prestige.

Als Toxikologin stand Wanda auf der Seite der Wächter, denn ihre Aufgabe war es, die Gefahren einzuschätzen, die von neuen Substanzen ausgingen. Ihr kritischer Blick auf die Dinge änderte nichts daran, dass sie – ein Rädchen in der Forschungs-Maschinerie – mit ihrem Tun naturwissenschaftlich-technische Innovationen unterstützte. Sie empfand das nicht als Widerspruch. Die Nanotechnologie revolutionierte regelrecht ihre Arbeit im Labor. Auch wenn geschrumpfte Menschen und verzwergte U-Boote im Nanokosmos jämmerlich untergingen, so arbeiteten doch die auf Scheckkartengröße zusammen geschnurrten Miniaturlabore höchst effizient. Diese „labs-on-a-chip" waren regelrechte Wunderkammern, in denen gemischt, gepumpt, gefiltert, getrennt, inkubiert und analysiert wurde, und das alles voll automatisch auf einer

Fläche von etwa vierzig Quadratzentimetern. Die in Plastik gegossenen Arbeitsplätze dienten der molekularbiologischen Analyse von DNA, Proteinen und Zellen. Auch wenn ihr Quadratmeterpreis derzeit noch gigantisch war, so unterstützen sie doch die fortschreitende Automatisierung im Labor. Humankapital, wie der Chef es ausdrückte, war weitaus kostenintensiver, und qualifiziertes technisches Personal würde langfristig immer weniger gebraucht werden – spätestens dann, wenn die Computer das Denken übernehmen könnten, würden auch Wissenschaftler überflüssig. Sturm arbeitete bereits an diesem Modell. Er benutzte seine Leute wie Lückenfüller. Austauschbar. Die befristeten Verträge spielten ihm ins Konzept. Vermutlich würde es eine Übergangsphase mit vielen Chinesen geben, ein bisschen Ming-Dynastie, bis schließlich die Maschinen das Reich der Menschen in sich aufsaugten.

Der Zynismus dieser Gedanken entging Wanda nicht. Mehr noch als die Willkür eines US-amerikanischen Präsidenten beunruhigte sie daher, dass sich ein Teil von ihr mit den neuen Gegebenheiten abfand. Das war Wanda, die Kleine, die hoffte, dass alles gut werden würde. Wie damals, als sie die Mutter weinend im Keller fand. Sie hockte in sich zusammengesunken am Boden vor einem riesigen Berg Wäsche und hielt sich ein schmutziges Handtuch vor das nasse Gesicht. Wanda, damals zehn Jahre alt, wollte die Mutter trösten, weil sie glaubte, die viele Arbeit sei Schuld an ihrer Traurigkeit. Sie versprach ihr, zu helfen und begann die Wäschestücke in kindlichem Leichtsinn nach hell und dunkel zu trennen. Das ging ihr so leicht von der Hand wie später nie wieder. Arme Mama, seufzte Wanda.

Dann war da noch die loyale Wanda, die es vorzog, ihren Kopf in den Sand zu stecken, damit sie den Weg zur Schule überstand wo doch alle das mit dem Vater wussten. Nur sie selbst hatte es lange Zeit nicht wahr haben wollen, dass er trank. Manchmal kam ein Windstoß und blies ihren verbuddelten Kopf wieder frei. Dann erkannte sie seine rotgeränderten Augen und roch den Schnaps in seinem Atem. Enttäuscht kniff sie die Augen wieder zusammen. Sie gab *ihm* die Schuld, dass es ihr schlecht ging. Mit neunzehn ließ sie dann alles zurück.

Das war Wanda, die Waghalsige, die einfach loszog, die Macherin, die nicht lange fackelte, wenn es darum ging, etwas in Erfahrung zu bringen, zu erforschen und aufzuklären. Dabei fiel es ihr tausendmal leichter, sich nachts auf die heimliche Suche nach zweifelhaften Informationen zu machen, um eine Freundin zu rächen, die ihr nicht einmal alles erzählte, als mit dem eigenen Bruder zu reden. In diesem Punkt war sie feige. Sie hatte auf den Brief des Notars noch nicht reagiert. Robert musste stinksauer auf sie sein, weil sie sich mal wieder nicht kümmerte.

Das Telefon klingelte und auf dem Display erschien Sabines Nummer.

„Schön, dass du anrufst", rief Wanda erfreut.

„Schön, dass ich endlich bei dir durchkomme", stöhnte Sabine.

Wanda ging nicht darauf ein: „Ich sage nur Fehlanzeige."

„Wie?"

„Nicht hier. Vielleicht langweilt sich gerade jemand in der Telefonzentrale."

„Verstehe. Ich rufe dich auf dem Handy an", schlug Sabine vor.

„Besser wir treffen uns."

„Wie du meinst."

„Ach, übrigens. Johannes war gestern Abend auch da." Wanda versuchte, beiläufig zu klingen. „Es ging ihm nicht besonders gut."

„Aha." Mehr schien Sabine nicht dazu einzufallen. Kapierte sie nichts oder tat sie nur so?

„Was hältst du von ihm?"

„Von Johannes?"

„Ach, vergiss es, Schatzi." Wanda gab es auf.

„Mach dich nicht unglücklich, Wanda. Der steht nicht auf Frauen."

Es klopfte, die Tür ging auf und Johannes dünne Gestalt stand auf der Schwelle. Sein Gesicht war gerötet. Er kam aus dem Tierstall und das kurz geschnittene Haar war vom Duschen noch feucht.

„Können wir uns heute Abend sehen?" fragte Wanda und beobachtete argwöhnisch den Kollegen, der sie seinerseits nicht aus den Augen ließ.

„Caipirinha um neun", antwortete Sabine und legte auf.

Ohne ein Wort betrat Johannes das Zimmer. Mit einer servilen Verneigung, die ihm so gar nicht stand, legte er den USB-Stick vor Wanda auf dem Schreibtisch. Der Triumph in dieser Geste blieb ihr nicht verborgen. Er holte sich den kaputten Stuhl von der Wand, schob ihn ziemlich dicht neben Wanda, drehte die Rückenlehne nach vorne und schwang sich rittlings auf den Sitz. Er bewegte sich wie ein Cowboy mit Muskelkater. Wanda hob die Augenbraunen.

„Guten Morgen, Django."
Johannes grinste, aber in seinen hellen Augen funkelte Streitlust.
„Du kannst dir wohl denken, wo ich den gefunden habe."
Wanda zog die Schultern hoch.
„Er steckte heute früh immer noch fest im Schlitz. Muss wohl 'ne heiße Nacht gewesen sein." Johannes genoss seine Verbalerotik wie andere ihren Espresso, Zigaretten, Schokolade oder Gummibärchen.
„Schon möglich, dass er diesem mysteriösen Unbekannten gehört, der uns gestern Nacht mit Handschlag begrüßt hat", fuhr Johannes fort, als könnte er ihre Gedanken lesen. „Autotomie eines Körpergliedes in Fluchtsituation. Soll vorkommen. Zumindest bei Spinnen. Vielleicht sollten wir einfach mal nachschauen, was drauf ist." Johannes ließ nicht locker und Wanda hätte sich am liebsten unter ihrem Schreibtisch verkrochen.
„Das hast du doch bestimmt schon getan."
„Ich schnüffle nicht einfach so auf fremden Datenträgern herum. Der Eigentümer …", er hielt kurz inne: „… oder die Eigentümerin könnten aus der Abteilung sein – hast du keine Skrupel, Wanda?" Sie spürte den Druck des Schwitzkastens, in dem er sie nun festhielt. Sie wollte raus aus dieser Enge.
„Ich habe jetzt keine Zeit, mich darum zu kümmern", sagte sie eilig. „Lass ihn einfach hier."
Sie sah wie er neugierig über ihre Schulter auf den Monitor starrte, der es nicht aufgab, sie nach ihrem Befinden zu fragen. Flink drückten ihre Finger auf die Eingabetaste und sogleich erschien die Oberfläche des Desktops.
„Warst du eigentlich beim Arzt?" Es war schon erstaunlich, wie schnell Johannes von aggressiv nach fürsorglich wechseln konnte, so ähnlich wie es Mütter mit heranwachsenden Töchtern tun. Irgendwo weit hinten in ihrem Bewusstsein meldete sich wieder das vertraute dumpfe Pochen.
„Ja, sicher. Ich hab's dir ja versprochen. Nichts Dramatisches."
„Wenigstens in dem Punkt lügst du mich nicht an", seufzte Johannes. „Deinen Stick habe ich übrigens nicht angerührt, würde aber trotzdem gerne wissen, was du gestern Nacht im Computerraum gesucht hast."
Wanda atmete erleichtert aus: „Eine Hand wäscht die andere."
„Du zuerst!"
„Später", entgegnete sie entschieden. „Ich muss endlich mal was arbeiten."

15
Geschenkt

Caipirinha um neun war ein guter Code, dachte Wanda, als sie am Abend mit der Buslinie sieben in die Stadt hinunterfuhr. Zum Glück war ihr an diesem Tag Johannes nicht mehr über den Weg gelaufen. Sie wollte erst einmal mit Sabine über alles sprechen. Caipis gab es in einigen Marburger Kneipen. Sie bevorzugten das Havanna. Dort fanden sie meistens ein stilles Eckchen. Ins Mexicali gingen sie, wenn Wirkung-Testen angesagt war. Dann setzten sie sich an einen der mittleren Tische mit der besten Übersicht über das Lokal, und wo niemand so einfach über sie hinweg sehen konnte. Kurz bevor der Bus den Bahnhof erreichte, hupte ihr Handy. Wanda duckte sich hinter den Rücken eines Fahrgastes und beobachtete den Busfahrer, um sich zu vergewissern, dass er nichts davon mitbekam. An der Leiste über der Frontscheibe klemmten Verbotsschilder. Keine Zigaretten, keine Handys. Es war nur eine SMS.
müssen treffen verschieben auf morgen. gleicher ort. gleiche zeit. S.
okay. W., schrieb Wanda umgehend zurück. Sie war todmüde und erleichtert, das Thema für ein paar Stunden ruhen lassen zu können. Den ganzen Tag über waren Kollegen zu ihr ins Büro gekommen, hatten wissen wollen, was passiert sei. Die Nachricht von Sabines plötzlichem Ausscheiden verunsicherte die Belegschaft. Einige waren wütend, aber es war nicht zu übersehen, dass die meisten sich fürchteten. Schließlich hatte der Großteil der Mitarbeiter befristete Stellen. Sabines Schicksal hatte ihnen bewusst gemacht, wie schnell sich das Blatt wenden konnte. Launenhaft. Sie saßen alle im selben Boot.
Vor der Tür zur Nachbarwohnung stand immer noch der Müll vom Vorabend. Wanda klingelte. Niemand öffnete. Als sie den Papierstreifen von ihrer Türschwelle aufhob, fragte sie sich kurz, ob er nicht

doch schon vorher dort gelegen hatte. Aber vermutlich hatte sie mal wieder nicht mitbekommen, wie er ihr beim Öffnen der Tür vor die Füße gefallen war. So müde wie sie war, empfand sie ihre Sorge, jemand könnte in ihrer Anwesenheit die Wohnung betreten haben, nur lächerlich.
In dieser Nacht schlief sie tief und fest.

Am anderen Morgen war ihr Kopf so klar wie schon lange nicht mehr. Dafür konnte sie ihn kaum bewegen. Irgendwie schien das Problem eine Etage tiefer gerutscht zu sein. Ihr Nacken war steif wie ein Brett. Sie warf das Daunenbett zu Seite und spürte sogleich die Kälte. Im Wohnzimmer war der Heizkörper abgedreht. Wanda rümpfte die Nase. Es müffelte ungelüftet. Ich bin zu selten hier, dachte sie. Es würde mich nicht wundern, wenn hier jemand am Tag sein heimliches Leben lebte. Wie in Bin-Jip, diesem koreanischen Film, den sie neulich im Kino gesehen hatte. Er erzählte von einem jungen Mann, der in leere Wohnungen und Häuser eindrang und dort blieb, solange die Besitzer verreist waren. Jedes neue Zuhause offenbarte ihm für kurze Zeit einen anderen Lebensstil, den er genoss, und er dankte es den unfreiwilligen Gastgebern, indem er ihre Wäsche wusch, putzte, spülte, verstopfte Abflüsse und kaputte Spielsachen reparierte. Bei mir kann er noch nicht gewesen sein, stellte sie ernüchtert fest, als ihr der Klodeckel mal wieder in den Rücken klappte wie ein Antreiber, der ihr diese wenigen Momente absoluten Nichtstuns nicht gönnte. In der Dusche ließ sie heißes Wasser über das Muskelbrett im Nacken fließen. Es tat gut, auch wenn der Strahl eher plätscherte als prasselte, weil der Brausekopf verkalkt war.
Eine halbe Stunde später war sie bereits im Institut und schloss ihr Arbeitszimmer auf. Am Telefon blinkte das rote Lämpchen der Rückrufautomatik. Die Spitze des Kreisels auf ihrem Schreibtisch wies in Richtung Tür. Ihre Augen wanderten zum Tischkalender. Es war Mittwoch, der neunte November. Im Ausgangsfach lag noch die Bestellung über die Antikörper. Sie hatte vergessen, sie an den Einkauf weiterzuleiten. Wanda griff unter die Packung Papiertaschentücher im Wandregal. Sie zog eine kleine Scheibe aus Pappe hervor und legte sie vorsichtig auf den Schreibtisch neben das kleine Tischchen aus Plexiglas, auf dem der Naturholzkreisel ruhte. Sie hatte die Pappscheibe erst neulich

angefertigt, zuvor den Deckel einer Petrischale auf die graue Pappe gelegt, dann mit dem Bleistift einen Kreis darum gemalt, damit es schön gleichmäßig wurde. Mit dem Lineal hatte sie einen Strich durch die Mitte des Kreises gezogen, die Fläche halbiert, geviertelt, schließlich geachtelt wie eine Torte, aber ohne zu schneiden, nur mit dem Stift, so dass schließlich acht Striche die Kreisfläche zerteilten. Das war das Zifferblatt, das sie nummerierte und über das sie den Kreisel wie einen Zeiger bewegte. In der Schublade lagen zwei Würfel. Jeden Abend bevor sie nach Hause ging, erwürfelte sie seine neue Position. Am anderen Morgen konnte sie prüfen, ob sich etwas daran verändert hatte. Behutsam schob Wanda die Scheibe unter das Plexiglastischchen. Sie drehte das Zifferblatt und legte die Linie mit der Null an die dunkle Kerbe im Schreibtisch, die ihr als Referenzmarkierung diente und von der aus sie den Kreisel abends in seine neue Position bewegte. Der Kreisel ruhte somit jede Nacht in einem anderen Winkel, den nur sie kannte und den sie jederzeit mit Hilfe der kleinen Scheibe aus Pappe rekonstruieren konnte. Wanda beugte sich über den Kreisel. Durch das Plexiglas konnte sie die Striche auf der Pappscheibe erkennen. Der Zufall hatte ihm gestern die vierte Position zugewiesen. Aber die Spitze des Kreisels wies auf die Sieben.
Es klopfte an der Tür. Die Klinke wurde heruntergedrückt und Frau Bünte lugte durch den Türspalt.
„Da sind Sie ja. Der Chef will Sie sprechen."
„In fünf Minuten", bettelte Wanda.
„Es ist dringend", gab die Sekretärin knapp zurück und verschwand. Wanda nahm die Pappscheibe vom Tisch und schob sie unter die Taschentuchpackung ins Regal zurück. Sie fischte die unerledigte Bestellung aus der Ablage und machte sich auf den Weg in Sturms Büro. Im Vorzimmer war Frau Bünte bereits dabei, sich die Ohrstöpsel ihres Diktaphons wieder in die Gehörgänge zu pfriemeln. Auf ihrem Schreibtisch dampfte eine Tasse Tee. Wanda schnupperte. Es roch nach süßlich herben Beeren. Die Doppeltür zum Chefbüro stand offen. Max Sturm saß hinter seinem Schreibtisch und winkte.
„Kommen Sie herein!" Er wedelte mit der Hand wie ein Zirkusdirektor, der seinem Publikum Sensationelles verspricht. Vor ihm stand ebenfalls eine dampfende Tasse. Es war dasselbe Porzellan, derselbe Duft.

„Frau Bünte, bitte noch einen Tee für Frau Waals." Aber das Klappern der Tastatur nebenan setzte nicht aus. Seine Sekretärin hörte nicht.
„Danke, nicht nötig", erwiderte Wanda. „Ich habe gerade gefrühstückt."
„Setzen Sie sich doch. Ich hoffe, Sie haben einen Augenblick Zeit."
Sie nickte unmerklich, um ihren Nacken zu schonen, und ließ sich auf dem Besucherstuhl nieder, ganz vorne auf die Kante, als hoffte sie, gleich wieder gehen zu können. Das Chromgestell mit weißem Lederbezug wippte leicht nach. Wann hatte Sturm das letzte Mal so mit ihr geredet? Ihre Beziehung zu ihm teilte sie inzwischen in zwei Epochen: Die Zeiten vor und nach der Unterzeichnung des Arbeitsvertrages. Dazwischen lag ein historischer Bruch, den sie nicht wirklich nachvollziehen konnte. Alles am jetzigen Moment erinnerte sie an die vorvertragliche Ära. Was er wohl will? Sturms Blick wanderte an ihr hinab und wieder hinauf, verharrte kurz in der kleinen Mulde unterhalb ihrer Kehle, bis er sich schließlich fest auf ihre Augen richtete. Er strahlte sie regelrecht an, und nur ihre Erfahrung schützte sie davor, ihm zu trauen.
„Wilfried Ganther, sie wissen schon, der Mann von der Zeitung. Wir haben uns gestern noch getroffen. Gutes Interview. Ausgezeichnet." Dabei tippte er ununterbrochen mit einem Kugelschreiber auf die Schreibtischunterlage. Er drehte den Kopf zum Fenster, und Wanda starrte gebannt auf den Adamsapfel, der sich über dem weißen Hemdkragen langsam hob und wieder senkte. Unter seinem Kinn klebte eine Spur geronnenen Blutes von einem Kratzer oder einem Schnitt. Alles an diesem Mann war in die Länge gezogen. Der dünne Hals und dann das Profil der Nase, gelblich durchscheinend wie eine Pipettenspitze. Er schaute immer noch aus dem Fenster, während er weiter sprach.
„Das mit Sabine Mertens tut mir übrigens leid. Mir sind zurzeit die Hände gebunden. Aber ich werde alles tun, was ich kann. Kennen Sie sie näher?"
Wanda zögerte. In ihrem Kopf läutete eine Alarmglocke. Der Chef und sich rechtfertigen, das passte so gar nicht zusammen. *Lass dich nicht einwickeln*, hatte auf dem Aufkleber gestanden, den ihr damals in der Universität ein anderer Doktorand auf das Laborbuch geklebt hatte. Warum musste sie ausgerechnet jetzt daran denken?
„Was heißt kennen", hörte sie sich sagen. Sturms Blick wanderte zu

ihren Händen. Ihre Finger waren dabei, den Bestellschein sorgfältig zu falten.

„Wir sind Kolleginnen. Waren“, stammelte sie. Sie schaute auf das geknickte Blatt in ihren Händen. Sie schwitzte. Sabine würde sie dafür lynchen.

„Jemand muss dieses Projekt fortführen.“ Die Botschaft seiner Worte sickerte nur langsam in Wandas Bewusstsein. „Hören Sie?“

„Ich dachte, das Projekt sei geplatzt“, rief sie so unvermittelt und laut, dass sie sich sogleich auf die Zunge biss. Jetzt hatte sie sich wohl verraten. Aber Sturm führte in aller Ruhe seine Tasse zum Mund und begann seinen Tee in kleinen Schlückchen zu schlürfen.

„Ausgezeichnet. Nur ein bisschen zu heiß“, sagte er lächelnd. Er stellte die Teetasse zurück und schob ihr ein Formular über den Tisch.

„Sie sollten diese Geheimhaltungserklärung unterschreiben. Die Firma, mit der wir zusammenarbeiten, legt größten Wert auf Verschwiegenheit.“ Dann griff er in eine Schublade am Schreibtisch und nahm eine CD-Hülle heraus. „Ich möchte, dass Sie die Ergebnisse aus der BIT-Studie zu einer Präsentation zusammenstellen. Das ist alles, was Sie dafür brauchen.“ Er winkte mit dem Datenträger als wäre es eine Belohnung, ein Preisgeld, das sie sich erst noch verdienen musste. „Die Sache wird sich auszahlen.“

„Auszahlen?“

„Sie kommen auf jeden Fall mit auf die Publikation. Ganz bestimmt ein hoch stehendes Journal. Wir müssen unsere Publikationen künftig höher aufhängen. Die Abteilung braucht unbedingt mehr Punkte aus wissenschaftlichen Veröffentlichungen. Das kann doch nur in Ihrem Sinne sein. Oder?“

Es war nur ein unwillkürlicher Ruck mit dem Kopf, und schon schnurrten die Muskeln in ihrem Nacken fester zusammen, als hätte sich eine eiskalte Hand auf diese Stelle gelegt. Wusste er etwa von der Sache in Rochester? Konnte es sein, dass jemand dahinter gekommen war, dass ich damals ein bisschen gemogelt habe, um mit auf die Veröffentlichung zu kommen?

„Wie?“ Sturm schaute Wanda immer noch fragend an.

„Verspannter Nacken“, krächzte sie tonlos und hielt ihren Kopf gerade, als müsste sie eine wertvolle Last darauf balancieren.

„Ich kenne einen guten Physiotherapeuten.“

„Danke. Ich komme drauf zurück, wenn nötig." Das hätte noch gefehlt, dass sie sich freiwillig unter die Finger eines seiner Clubgenossen legte. Die Unterhaltung mit Ganther steckte ihr noch in den Knochen.

„Wenn das geschafft ist, sollten wir über Ihre Bewerbung um die Juniorprofessur reden." Sturm grinste gönnerhaft. Also das ist der Preis, den ich zahlen muss, wenn ich ablehne. Ihr Nacken schmerzte höllisch, aber sie riss sich zusammen.

„Was genau ist denn noch zu tun?"

„Ich benötige die statistischen Analysen, Diagramme und Präsentationsfolien bis Montag früh. Ich habe einen Vortrag in Boston. Ich selbst habe keine Zeit, das vorzubereiten, und möchte, dass Sie das übernehmen. Sie haben das doch schon einmal gemacht. Zwanzig Powerpoint Folien sollten ausreichen. Arbeitet außer Ihnen noch jemand an ihrem Computer?"

Wanda schüttelte den Kopf. Diesmal fuhr ihr der Schmerz bis in den Oberarm. Sie verfluchte sich innerlich für die unbedachte Bewegung. Sie konnte es nicht fassen. Das war zu einfach, um wahr zu sein. Dafür hatte sie sich vorgestern Nacht niederknüppeln lassen. Und jetzt bekam sie die gesuchten Daten auf dem silbernen Tablett serviert.

„Mit Ihrer Unterschrift versichern Sie, dass Sie die Daten nur an diesem einen PC bearbeiten werden. Alle Ergebnisse und Auswertungen müssen im Institut verbleiben. Eine Abweichung von diesen Vorgaben wird Konsequenzen haben, die sicher niemand von uns möchte." Damit schob er die CD-Hülle über den Tisch und lächelte, als hätte er ihr gerade ein Geschenk gemacht.

„Am besten Sie fangen gleich an. Die CD-Rom bringen Sie bitte umgehend zurück. Zu mir persönlich, versteht sich. Und…."

„Ja?" Was für eine Gemeinheit hatte er jetzt noch parat?

„Lassen Sie sich von Frau Bünte die Telefonnummer von Werner Fichtel geben."

„Werner Fichtel?"

„Der Physiotherapeut. Grüßen Sie ihn von mir."

16
Caipirinha um neun

Um zwanzig nach neun betrat Wanda das Havanna. Sabine saß an ihrem Lieblingstisch ganz hinten im Lokal. Gedankenverloren hing sie über ihrem Glas und stocherte mit einem Strohhalm zwischen den Eisklümpchen.

„Du trinkst schon?“ begrüßte Wanda sie vorwurfsvoll.

„Wenn du so spät kommst.“

„Tut mir leid. Es ging nicht früher. Auftrag vom Chef.“

Sabine schaute sie mitfühlend an und streckte die Arme aus. Wanda winkte ab.

„Anfassen verboten. Bin steif wie ein Brett. Ich brauche dringend was zu Trinken.“ Sie gab der Bedienung ein Zeichen. Eine Hüfthose mit Bauchnabelpiercing schob sich an ihren Tisch. Wanda bestellte eine Caipirinha und linste verstohlen auf die freigelegte Kostprobe eines makellosen Körpers. Sie seufzte.

„Weshalb trägst *du* so etwas nicht?“ wandte sie sich an Sabine, nachdem die Bedienung gegangen war. „Du hast die Figur dafür.“

„Mach dir nichts draus. Nicht alle Männer stehen darauf. Ich glaube, Thomas …“

„Hör auf damit“, fiel Wanda ihr ins Wort. Ausgerechnet jetzt musste Sabine dieses Thema anschneiden. Sie war nicht in der Stimmung, über Thomas zu reden.

„Willst du nicht wissen, was passiert ist?“ Dann berichtete sie der Reihe nach, von der erfolglosen Datensuche Montag Nacht im Institut, dem mysteriösen Überfall, Johannes merkwürdigem Benehmen und ihrer eigenen Dummheit, den USB-Stift zurück zu lassen. Die für Sabine wohl schlimmste Nachricht, dass sie, Wanda, die Nachfolge für das Projekt übernommen hatte, sparte sie aus mit umständlichen Worten über die vergebliche Suche nach ihrem Datenträger und ihrem Misstrauen gegenüber Johannes.

„Ich kann Johannes nicht einschätzen“, sagte Wanda. „Er verhält sich anders als sonst.“

„Stimmt. In den letzten Wochen schlich er ständig um mich herum, wenn ich in der Tiereinheit war. Manchmal habe ich mich richtig beschattet gefühlt.“

„Weshalb sollte er sich für deine Daten interessieren?“

„Es ist vertrauliches Material, und er kann Sturm nicht ausstehen.“

„Du meinst Rache?“

„Kann ich ihm jedenfalls nicht verdenken. So wie Sturm ihn in letzter Zeit ignoriert. Er könnte der nächste sein, der gehen muss.“

Wanda dachte kurz nach.

„Aber wenn er vorgestern Nacht nach belastendem Material gesucht hat, weshalb hat er dann deine Daten gelöscht?“

„Wanda“, Sabine tippte ihr auf den Arm. „Zu deiner Erinnerung: Jemand hat euch beide ausgeknockt.“

Wanda kniff die Augen zusammen.

„Genau, und die einzige, die wusste, dass ich Montagabend ins Institut wollte, warst du.“

„Klar, und ich gebe dir meinen Transponder und das Kennwort zu meiner Datenbank und setze einen Auftragskiller auf dich an. Schatzi, du bist wirklich ein bisschen derangiert.“

Einen Augenblick lang sagten beide nichts.

„Jemand war an meinem Schreibtisch.“ Wanda ließ ihren Blick durch das Lokal schweifen, als suchte sie ihn hier unter den Gästen.

„Wie kannst du das wissen?“

„Das ist unwichtig. Ich weiß es eben!“

„Du meinst, Johannes könnte …?“

„… oder Sturm.“

„Was sollte Sturm für einen Grund haben?“

„Meine Loyalität prüfen, vielleicht. Jedenfalls ahnt er etwas von unserer Verbindung. Ich soll die Auswertung deiner Ergebnisse übernehmen.“

Sie hatte es endlich ausgesprochen. Sabine schluckte.

„Das Schwein will uns spalten.“

„Biene, ich kann dich nicht ersetzen und ich will es auch gar nicht“, entgegnete Wanda ruhig. „Ich bin mir nicht einmal sicher, ob er weiß, dass wir befreundet sind."

„Hast du ihm nicht gesagt, dass du mir das nicht antun kannst?"

Wanda schwieg. Soll ich ihr sagen, Sturm hat mich in der Hand? Er weiß von meinen kleinen Betrügereien? Er setzt mich unter Druck, weil er weiß, dass ich ehrgeizig bin? Ich habe den Auftrag doch nicht übernommen, um mich zu bereichern.

„Jedenfalls muss er damit rechnen, dass ich mich mit dir berate", gab sie zur Antwort. „Vielleicht will er über mich deine Kompetenz indirekt nutzen."

„Das sieht ihm ähnlich", schnaufte Sabine.

„Ich habe den ganzen Nachmittag damit zugebracht, in deinen Daten zu stöbern", fuhr Wanda fort. „Tolle Arbeit. Ich kann mir gut vorstellen, wie dir zumute ist. Ein bisschen neidisch bin ich auch." Es war ein äußerst großzügig angelegtes Forschungsvorhaben: Sabine hatte über Mittel verfügt, von denen Wanda nur träumen konnte. Wenn sie richtig verstand, sollte die Wirkung eines Gentransfers geprüft werden. Wanda hatte über den außergewöhnlichen Therapieansatz gestaunt. Sie hatte noch nie zuvor von diesem NanoSniff-Verfahren gehört. Eine Substanz oder ein Gen mit Hilfe von Nanopartikeln über die Nasenschleimhaut gezielt ins Gehirn zu schleusen, war schlichtweg bahnbrechend und zumindest bei Ratten schien es möglich zu sein. Das bewiesen Sabines Untersuchungen. Dennoch blieb Wanda skeptisch.

„Ich kann nicht glauben, dass das jemals beim Menschen funktioniert. Unsere Nase ist stümperhaft. Verglichen mit dem Riechorgan der Ratte ist unser Riechepithel nur ein winziges Fleckchen. Zwei Quadratzentimeter gegenüber, lass mich schätzen …?"

„Sechs bis sieben Quadratzentimetern bei der Ratte", ergänzte Sabine. „Das sind etwa dreimal soviel wie bei uns Menschen."

„Da hast du's. Wir untersuchen das Touristenaufkommen in den Rocky Mountains und schließen daraus, dass ebenso viele in den Taunus fahren."

Sabine rümpfte die Nase. Sie winkte dem Bauchnabelpiercing und streckte zwei Finger in die Höhe.

„Stümperhafter Vergleich", sagte sie abfällig. Dabei hob sie das Kinn leicht an, und ihre Augen füllten sich mit der blicklosen Gleichgültigkeit einer britischen Gouvernante.

„Wenn ich mich recht erinnere, erstrecken sich die Rockies über den gesamten nordamerikanischen Kontinent, der Taunus lediglich durch Südhessen." Sabine konnte richtig humorlos sein. „Jedenfalls können wir die erwartete Wirkung bestätigen. Der Rest ist Sache der Pharmakologen."

„Und du weißt wirklich nichts über das Gen?" fragte Wanda ein wenig ungläubig.

„Ich habe keinen blassen Schimmer. Ich weiß nicht einmal, welche Nanopartikel sie verwenden. Ich weiß nur, dass es funktioniert. Die BIT lässt nichts darüber raus. Ich weiß jetzt, was eine Blackbox ist. Sie befindet sich in deinem Kopf, wenn du nicht eingeweiht bist."

„Aber du konntest doch einen Effekt nachweisen."

„Sicher. Dieses GFP ist eine fantastische Sache. Das Gen dafür wird einfach an die Fracht gehängt, die transportiert werden soll, sozusagen als kleines Werbegeschenk. Die Zelle ist nicht wählerisch. Sie baut das gesamte Paket in ihr Genom ein und macht Proteine daraus. Wenn's geklappt hat, leuchtet's grün."

Wanda kannte das Verfahren. GFP oder Grün fluoreszierendes Protein war ein bewährter Spurenleger, eine Standardmarkierung in der Zellbiologie. Das dazugehörige Gen ließ sich mit jedem beliebigen Gen verknüpfen und sich zusammen mit ihm in das Genom von Zellen einschleusen. Man nannte es Reportergen, weil es eine Mitteilung schickte, wenn der Gentransfer erfolgreich war. Die Zellen leuchteten grün, wenn man sie mit ultraviolettem Licht bestrahlte. Es bewies, dass sie den genetischen Code tatsächlich in ihre Bibliothek aufgenommen und Leseproben in Form von Proteinen hergestellt hatten. Wieder etwas, das man der Natur abgeschaut hatte. Das Grün fluoreszierende Protein verhalf nämlich einer nordpazifischen Quallenart zur Biolumineszenz. Man hatte sich das Meeresleuchten quasi unters Fluoreszenzmikroskop geholt. Das Protein war offenbar harmlos und ein Schaden an Leib und Leben konnte ausgeschlossen werden. Es war ein indirekter und schneller Nachweis für einen Gentransfer, wenn man auf kostspielige und zeitraubende Proteinanalysen verzichten wollte. So musste die BIT nichts über ihre Substanz preisgeben. Es reichte, die Verteilung der grünen Fluoreszenz zu verfolgen. Genau das hatte Sabine getan. Die Partikel fanden bald ihren Weg von den Sinneszellen der Riechschleimhaut über feine Nervenfaserbündel in die unmittelbar darüber liegende

Schaltstelle, den Bulbus olfactorius. Von dort aus wanderten sie entlang der beiden großen Stränge des Riechnervs in die tieferen Hirnregionen hinein und erreichten nach wenigen Stunden über ein weiteres Netz an Verbindungswegen die Gebiete des Hypothalamus, Thalamus und Limbischen Systems. Der Eingriff war erstaunlich zielgenau, denn die Substanz ließ sich in anderen Organsystemen wie Herz, Leber oder Nieren auch nach Tagen nicht nachweisen.

„Aber ich verstehe trotzdem nicht, wie das Zeug, das du in die Ratten pustest, ausgerechnet in der Nase hängen bleibt", bemerkte Wanda immer noch skeptisch.

„Vielleicht sind die Partikel mit einem spezifischen Rezeptor ausgestattet, der nur von den Zellen der Riechschleimhaut erkannt wird, so etwas wie ein Passierschein, der die Nanopartikel mitsamt ihrer Fracht nur durch die Membran dieser Zellen lässt." Sabine hob die Schultern. „Ich spekuliere nur …"

„Und wie hast du's in die Rattennasen gekriegt?"

„Sie haben eine Aerosolpumpe mitgeschickt. Sieht aus wie eine Wasserpistole mit einem Aufsatz vorne dran. Passt genau auf die Näschen der Tiere. Es ist ein ziemlich ausgetüfteltes Ding. Das Ganze wird an eine Plexiglasröhre angeschlossen. Das Tier läuft hinein, schiebt seinen Kopf durch eine Gummimembran, hinten wird dicht gemacht. Die Ratte klemmt fest. Ein Knopfdruck und das Zeug ist drin. Der Pumpmechanismus wird elektronisch gesteuert. Du musst nur aufpassen, dass das Vieh nicht die Luft anhält."

„Du hast jede Ratte einzeln behandelt?"

„Klar, um eine einigermaßen konstante Dosis zu gewährleisten. Das Zeug bleibt doch überall hängen. Was habe ich davon, wenn ich es ihnen ins Fell puste."

„Dann lecken sie es ab."

„Genau." Sabine klopfte sich an die Stirn. „Der Wirkstoff sollte aber ins Gehirn und nicht ins Gedärm. Außerdem sind es zwei Substanzen, die laut Vorschrift erst in der Nase zusammenkommen dürfen. Dafür gibt es in der Aerosolpistole zwei getrennte Kanäle. Frag mich bitte nicht weshalb. Es ist, wie alles in diesem Projekt, ein großes Geheimnis." Die letzten Worte sprach sie betont langsam und senkte die Stimme, als wäre das Märchen an dieser Stelle zu Ende. Die leichte Neigung des Kopfes nach unten verriet, dass sie es auch so meinte.

„Du willst mitten in der Geschichte aufhören?“ fragte Wanda. „Meine Märchen enden anders.“
„Du vergisst, dass ich draußen bin.“
Eine Weile redeten sie nichts. Nachdenklich nippten sie an ihren frischen Getränken. Wanda wartete. Bis jetzt sah es nach einer vielversprechenden Studie aus. Aber das war nicht alles. Sie kannte Sabine. Etwas lag ihr im Magen. Wann würde ihre Freundin endlich die Karten auf den Tisch legen? Jetzt stierte sie in ihr Glas, als könnte sie den Geist der Caipirinha beschwören, ihr aus der Klemme zu helfen. Da sah Wanda die Bewegung unter Sabines Pullover. Zwischen ihren Brüsten wölbte sich eine dritte, eher längliche Brust. Im selben Moment schob sich ein glatter, rosa Schwanz aus ihrem V-Ausschnitt. Er musste sie wohl am Hals gekitzelt haben, denn Sabine stopfte ihn sogleich wieder unter den Pulli zurück. Ihre Wangen glühten.
„Das ist Josy“, stotterte sie. „Ich konnte sie nicht einfach zurück lassen.“ Sie fasste sich zwischen die Brüste und drückte die Ratte bauchwärts. Das Tier quiekte leise und hielt dagegen.
Es war kein Geheimnis, dass Sabine ihre Versuchstiere zähmte. Eine Stunde täglich gönnte sie sich mit ihnen, ließ sie sich über Arme und Nacken krabbeln und gewöhnte sie so an sich. Das sei Teil der Versuchsvorbereitung, pflegte sie den Lästereien einzelner Kollegen entgegen zu halten. Schließlich sei Stress einer der größten Störfaktoren. Sie war stolz auf die geringe Zahl an Ausfällen unter den Tieren bei ihren Experimenten. Allerdings hatte sie in letzter Zeit immer wieder tote Tiere beklagt.
„Kein Wunder, dass er dich rausgesetzt hat“, spöttelte Wanda. Sabine schüttelte den Kopf.
„Ich weiß nicht, wie es dazu kommen konnte.“
„Wozu?“
„Die Weibchen saßen in großen Makrolonkäfigen und haben sich trotzdem gebissen. In jeder Box gab es mindestens ein totes Tier. Die Hierarchie in den Gruppen ist gestört. Alle versuchen, zu dominieren, bespringen sich, machen sich gegenseitig Stress. Ganz schlimm ist es, wenn sie im Östrus sind und ihren Eisprung haben.“
„Hast du eine Vermutung?“
Sabine tätschelte ihre dritte Brust. „Josy ist ein Kontrolltier. Nur die Versuchsgruppen, die die Substanz bekommen haben, sind davon be-

troffen. Ihr Aktivitätsrhythmus scheint gestört zu sein. Die aktiven Phasen dauern länger und liegen sogar mitten am Tag, wenn sie normalerweise schlafen. Aber sie sterben wie die Fliegen. Niemand kümmert sich mehr darum. Ich glaube, Sturm will die Tiere abstoßen."
„Wen wundert's", brummte Wanda. „Es ist jammerschade, dass wir davon keine Messungen haben."
„Ich habe die Verhaltensbeobachtungen protokolliert."
„Noch ein Grund, dich loswerden zu wollen", murmelte sie entmutigt. Sie bestellte zwei weitere Caipirinhas.
„Sturm hat keine Ahnung davon. Ich habe ihm allerdings von dem aggressiven Verhalten der Tiere berichtet. Er hat mir zwar zugehört, aber so richtig wahr haben wollte er es nicht. Ich musste ihm versprechen, mit niemandem darüber zu reden."
„Und wenn er doch von den Aufzeichnungen weiß? Jemand könnte es für ihn herausgefunden haben."
„Wer sollte das sein?"
Wanda zuckte die Achseln.
„Was weiß ich", sagte sie träge. Allmählich ließ die Anspannung nach. Wanda drehte vorsichtig den Kopf und rieb sich den Nacken. „Sag bloß nicht, dass auch diese Daten auf dem Institutscomputer gewesen sind", bemerkte sie entmutigt.
„Sie sind auf dem Computer in der Tierversuchseinheit", erwiderte Sabine kleinlaut. Wanda berührte sachte die Beule an ihrem Hinterkopf.
„Warum hast du mir das nicht gleich gesagt?" stöhnte sie.
„Tut mir leid. Ich war ziemlich von der Rolle."
„Kann ich irgendwie daran kommen, ohne dass mir der Kopf abgehauen wird?"
„Du musst dafür in die Tiereinheit gehen. Der Rechner dort hängt nicht am Intranet. Aber das Kennwort ist dasselbe."
Nach der dritten Caipi verspürte Wanda eine wohltuende Leichtigkeit.
„Neulich habe ich irgendwo gelesen, dass man daran arbeitet, telemetrische Tracker aus Nanopartikeln herzustellen. Sie sollen über das Futter von den Versuchstieren aufgenommen werden, in die Zellen von Skelett- und Herzmuskulatur eindringen und wie winzige Computer Impulse ans Internet senden können. Das könnten wir jetzt gebrauchen."

„Das ist Schmelzwasser von übermorgen“, entgegnete Sabine gleichgültig. „Bis die auf dem Markt sind, ist deine Vertragslaufzeit mindestens zweimal abgelaufen.“ Auf einmal musste Wanda kichern.
„Stell dir vor, wir würden sie an unseren Chef verfüttern.“
„Wie?“
„Na, diese Tele-Tracker. Sturms Muskelspiel im Internet. Am besten direkt auf unserer Homepage. So wie er wirklich ist. International zugänglich.“
Sabine verdrehte die Augen.
„Jetzt wirst du albern. Außerdem, wie willst du Sturm dazu kriegen, Rattenpellets zu fressen?“
„Wir packen sie heimlich in seine Tüte mit Gummibärchen, so als bissfeste Beilage für die Zahnreinigung zwischendurch.“
„Vergiss es. An der Qualitätskontrolle von der Bünte kommst du nie im Leben vorbei. Außerdem, der Chef steht doch unter Dauerstrom. Das ergibt eine deutlich nach oben verschobene Basislinie.“
„Genau. Alles, was darüber liegt, ist kritisch.“
„Was soll das bringen, zu wissen, wann seine Herzfrequenz steigt?“
„Ich ginge vor jeder Besprechung ins Netz und wüsste, was auf mich zukommt.“
Sabine grinste frech.
„Und ich sehe Johannes bereits jede Nacht im Internet surfen und Sturms sexuelles Aktivitätsmuster aufzeichnen.“
„… und dann eine Korrelationskurve erstellen zwischen den Sturmschen Windstärken und der Anzahl der Gummibärchen, die er am Tag danach verschlingt.“
Sie prusteten. Die Wölbung unter Sabines Pullover verrutschte ein wenig nach links.
„Die quantitative Auswertung dieses Konsumverhaltens fällt in Büntchens Zuständigkeit“, sagte Sabine, während sie den Wulst auf ihrem Brustbein sanft massierte. „Ich sage dir, das klappt nie.“
„Spielverderber“, frotzelte Wanda. Sie kramte nach ihrer Geldbörse. „Bevor ich’s vergesse. Könntest *du* mal mit Johannes reden? Irgendwie funken wir gerade auf unterschiedlichen Frequenzen. Vielleicht kannst du etwas aus ihm herausbekommen.“
Sabine wackelte skeptisch mit dem Kopf.
„Ich kann’s versuchen.“

Wanda gähnte.
„Jetzt muss ich aber ins Bett. Habe morgen Wichtiges zu erledigen."
Die frische Luft draußen wirkte wie Zunder auf ihren Alkoholpegel. Hoch über ihnen hörten sie Vögel rufen, Kraniche, die nach Süden flogen. Angestrengt schauten sie zum Himmel, aber es war zu dunkel und zu bewölkt, um etwas erkennen zu können. Jetzt kommt die Kälte, dachte Wanda.
„Weißt du, was mich am meisten erschreckt hat?" sagte Sabine auf einmal. Bis dahin waren sie still neben einander hergelaufen.
„Was?"
„Sie zittern unaufhörlich. Ich meine die Versuchstiere. Es ist wie das Beben, das eine schnurrende Katze durchläuft. Nur, dass es nicht aufhört."
Am Pilgrimstein trennten sich ihre Heimwege. Wanda streckte zum Abschied die Hand aus und berührte den Wulst auf Sabines Brustbein.
„Mach besser deinen Reißverschluss zu, damit Josy nicht den Pips bekommt."

17
Versteckte Pfade

Am anderen Morgen erwachte Wanda mit einem fetten Kater. Ihr Mund war trocken, und ein schaler Geschmack nach Nikotin lag ihr auf der Zunge. Als Jugendliche hatte sie ein paar Monate lang geraucht. Aber irgendwann hatte sie der Gestank angeekelt, der in ihren Haaren und Klamotten hing. Und dann hörte sie einfach mit dem Rauchen auf. Von heute auf morgen. Das war mit allem so gewesen. Sie ließ die Süßigkeiten weg, wenn sie abnehmen wollte. Sie trennte sich von Männern, wenn sie ihr lästig wurden. Sie ließ ihre Familie Familie sein, weil sie die Enge nicht mehr aushielt. Sie war an die Stelle ihrer Freundin gerückt, obwohl Sabine erst vor drei Tagen gegangen war. Bin ich gefühlskalt? Oder nehme ich mir nur keine Zeit zum Vermissen? Oft waren es Angst oder Wut, die sie antrieben. Wenn es nachließ, brauchte sie Aufgaben, einen Plan, neue Anregungen, irgendetwas, das ihre Hände beschäftigte, um die Zweifel zu überlisten, die sie sonst lähmten und sie daran hinderten, einfach weiter zu machen. Ich darf jetzt nicht nachlassen, ermahnte sie sich, spätestens seit gestern hänge ich mit in der Sache drin. Als der Bus die Lahnberge hinaufzockelte, stand ihr Vorhaben für diesen Tag bereits fest.

Auf dem Anrufbeantworter in ihrem Büro wartete eine Nachricht vom Hausarzt. Die Sprechstundenhilfe bat sie um Rückruf. Später, dachte Wanda, und begann das allmorgendliche Geplänkel mit dem Computer. Wanda griff zur Tastatur.
„Wie wird das Wetter?" Sie versuchte, ihn zuweilen wie ein Orakel zu benutzen.
„Du solltest dich nicht vom Wetter abhängig machen", erschien als Antwort auf dem Monitor. Typisch. Der Mensch, der dieses Programm

geschrieben hatte, musste ein Lehrer gewesen sein, der hier endlich ein Ventil für seine verkappten Weisheiten gefunden hatte.
„Bitte, beantworte mir meine Frage“, drängte Wanda.
„Welche Frage?“
„Ich habe einen Kater“, probierte sie es nun mit einem neuen Thema.
„Katzen mögen keinen Regen.“
Wanda hatte von Anfang an den Verdacht gehabt, dass das Programm während ihrer Unterhaltungen lernte. Es verknüpfte die Themen, die sie anschnitt, und experimentierte damit, bis etwas Sinnvolles daraus entstand. Es orientierte sich dabei an ihren Kommentaren und einem Archiv von Wissen und Weisheiten, das in seinem elektronischen Gedächtnis bereits verankert war.
„Alkoholkater“, korrigierte Wanda.
„Ein Präparat in der Sammlung des zoologischen Instituts“, war die lexikalische Antwort.
„Und in meinem Kopf, wenn ich zuviel Caipirinhas trinke.“
„Piranhas?“
„Nein, *Caipirinha*.“
„Im Amazonas?“
„Im Havanna.“
„Havanna ist die Hauptstadt von Cuba.“
„Nein, Havanna in Marburg.“
„Ich bin verwirrt“, antwortete der Computer. Wanda erkannte ihren eigenen Satz. Sie hatte ihn erst kürzlich in einem dieser nur mäßig ersprießlichen Wortwechsel verwendet. Das Programm setzte ihn so treffsicher ein, dass es ihr unheimlich war. Allmählich entwickelte es sich zu einem Spiegel ihrer Wortwahl und Denkweisen. Es redete ihr quasi nach dem Mund. Waren ihr diese Konversationen deshalb so angenehm? Sie musste sich sogar dazu durchringen, es jetzt in seiner Verwirrtheit zurück zu lassen. Ich werde komisch, dachte Wanda und drückte die Eingabetaste. Im selben Moment klingelte das Telefon. Frau Bünte war am Apparat. Wanda solle bitte um zehn die Vorlesung für den Chef übernehmen, er habe es gestern völlig vergessen, ihr zu sagen. Die Folien dafür würde sie über den Computer im allgemeinen Austauschordner finden.
Wanda schaute auf die Uhr. Es blieb ihr noch eine Stunde. Nicht genügend Zeit, um mich zu ärgern, entschied sie. Sturm war bestimmt

wieder auf Vortragsreise. Sie nahm an, dass er für seine Firma Kunden akquirierte. Eigentlich unterrichtete sie gern, aber sie hasste es, ihre Vorlesungen unter Zeitdruck vorzubereiten. Diese kurzfristigen Vertretungen brachten ihren gesamten Tagesplan durcheinander. Das machte sie unzufrieden, warf sie in eine Mittelmäßigkeit zurück, die sie schlecht aushielt. An solchen Tagen war sie nicht gut. Ihre Handlungen zerfransten wie ein Stück Stoff, an dessen Rand sich ein Faden löste, von dem sie nicht wusste, wie lang er noch sein würde. Dann wünschte sie sich inständig, dass diese zermürbende Aufribbelei bald ein Ende fände. Hinzu kam, dass die Studenten Sturms Vorlesungen schätzten. Es entging ihr nicht, dass einige den Hörsaal verließen, sobald sie stellvertretend an den Katheder trat.

Wieder klingelte das Telefon. Nochmals die Bünte. Eine dringende Anfrage der Giftnotrufzentrale aus Göttingen.

„Stellen Sie durch!" sagte Wanda. Die Ärztin am anderen Ende der Leitung suchte fachlichen Beistand. Sie erwähnte Vergiftungen durch ein Reinigungsspray, das angeblich Nanopartikel enthielt. Ob sie wüsste, wie diese Substanzen wirkten. Hilflosigkeit auf allen Seiten. Vielleicht sei gar kein Nano drin, meinte Wanda lakonisch. Auch wenn es draufstünde, müsse das nichts heißen. Gleich nach diesem Telefonat musste sie Georg vertrösten. Die Nachbesprechung seiner Präsentation verschob sie auf morgen. Bis dahin hatte sie noch keinen Blick in den Austauschordner geworfen. Hinter Georg stand Petra in der Tür. Ihre technische Assistentin brauchte dringend neue Anweisungen, um mit den Färbungen weiter zu machen. Aber Wanda war noch nicht dazu gekommen, die letzten Präparate anzusehen. Um zehn packte sie schließlich die Folien ihres jüngsten Vortrags auf den Datenträger. Es war ein Übersichtsvortrag, den sie vor ein paar Wochen auf einem nationalen Arbeitstreffen gehalten hatte. Genau die richtige Länge für eine Vorlesung. *Die Überwindung der Barrieren. Wie gelangen Nanopartikel in unseren Organismus?* hatte sie ihn genannt. Jetzt erinnerte sie sich, dass sie darin sogar von den Studien berichtet hatte, die das Eindringen ultrafeiner Stäube über die Riechschleimhaut ins Gehirn von Ratten belegten. Sie hatte es wie einen Nebenaspekt behandelt. Sie nahm sich vor, das noch einmal genauer zu recherchieren. Der Vortrag war damals sehr gut bei den Zuhörern angekommen. Es hatte viel Applaus gegeben. Einige Teilnehmer waren danach mit weiteren

Fragen zu ihr gekommen, hatten sich für den interessanten Beitrag bedankt. Eigentlich war es viel zu viel Arbeit für eine einmalige Präsentation gewesen, jetzt hatte sie die Gelegenheit, sie noch einmal zu verwenden. Sie holte das graue Jackett aus dem Schrank, das sie zu solchen Anlässen trug. Die Mediziner dozierten in weißen Kitteln. Nur einmal hatte sie selbst diese Verkleidung gewählt, aber es war für sie lediglich Maskerade. Schließlich war sie Wissenschaftlerin.
Das Hörsaalgebäude lag auf der anderen Seite der Hauptverkehrsstraße. Eine Fußgängerbrücke führte hinüber. Lichtstrahlen durchkämmten den lockeren Dunst und versprachen eine sonnige Mittagspause. Warum war sie nicht schon früher auf diese Idee gekommen? Sie würde eine Sondervorlesung halten. Sollte doch Sturm seinen Vorlesungsstoff irgendwann selbst nachholen.

Diesmal waren die Studenten geblieben, hatten ihr aufmerksam zugehört. Als sie gegen halb zwölf zum Institut zurücklief, hing ihr eine kleine Fangemeinschaft an den Fersen.
„Wann machen Sie das nächste Mal Vertretung?" Der Student, der das fragte, sah verdammt jung aus. Wanda lachte. Eine Studentin wollte wissen, ob sie auch Doktorarbeiten vergäbe. Wanda lud sie ein, einmal bei ihr vorbei zu kommen. Sie blinzelte in die herbstliche Sonne und sog die milde Luft tief in ihre Lungen. Ich muss es auf meine Weise tun, sagte sie sich. Dann bin ich gut.
Die Studenten hatten sich einer nach dem anderen verabschiedet, und sie bog auf den kleinen Pfad, der wie ein Fluchtweg versteckt zwischen Mensa und Bibliothek direkt in den Wald hineinführte. Der Herbst kam spät in diesem Jahr. Die Äste hielten an ihren Blättern fest, die bereits in ein stumpfes Graubraun gewechselt hatten. Es wirkte brüchig, ein heftiger Windstoß und sie würden alle auf einmal hinuntergefegt. Durch die bereits kahlen Stellen mogelte sich das Sonnenlicht und fiel in breiten Schlieren auf das Laub am Boden. Es kam ihr wie eine Belohnung vor. Ich sollte mir das häufiger gönnen. Wann hatte sie das letzte Mal diese Zufriedenheit empfunden? Sie kannte es aus Prüfungszeiten, wenn alles gut gelaufen war und sie es sich erlaubte, sich selbst zu feiern. Und wie konnte es kommen, dass sie dieses Gefühl nicht einmal vermisst hatte? Wanda kehrte um. Sie ging nicht in ihr Arbeitszimmer, wo vermutlich unverhoffte Aufträge auf sie warteten, sondern

steuerte gleich in Richtung Versuchstiereinheit. Sich in der Abteilung rar zu machen, war eine sehr erfolgversprechende Strategie, derer sich viele Kollegen bedienten, um das eigene Arbeitspensum überhaupt schaffen zu können. Sie sollte öfter davon Gebrauch machen.

Der Zeitpunkt war gut gewählt, die meisten Kollegen machten Mittagspause. Durch das Fenster in der Tür zu dem abgeschlossenen Trakt der Tiereinheit konnte Wanda niemanden sehen. Sie passierte die erste Luftschleuse, nahm einen der grünen Kittel vom Haken und zog ihn über ihre Kleider. Die Schuhe ließ sie stehen und schlüpfte in ein Paar Cloggs, die ihr passend erschienen. Ein süßlich schwerer Mief stieg ihr in die Nase. Es roch nach Mäusepuff, einer Mischung aus verbrauchter Luft und einer Überdosis Moschus. Obwohl die Tierversuchseinheit voll klimatisiert war, kam ihr die Luft hier ungemein stickig vor. Die weißen Kacheln an den Wänden blinkten und auf dem Fußboden zog sich eine feine Spur von Streu. Eine Spüle aus blankem Edelstahl hielt die gesamte Stirnseite des Raumes besetzt. Darauf standen ein paar Tierkäfige, gespült und zum Abtropfen aufgestellt, daneben saubere Makrolonschalen und Käfigdeckel ordentlich ineinander gestapelt, Drahtkörbe mit Tränken, Etikettenhalter, eine Waage, eine Schachtel Karteikarten, eine Schere. Mitten auf der Arbeitsfläche lag ein Kugelschreiber. Diese exponierte Lage gab ihm etwas Respekteinflößendes. Kugelschreiber waren hier Mangelware. Man behielt sie besser im Auge. Die Spüle endete kurz vor dem Zugang zur zweiten Schleuse, die zu den Tierställen führte. Die Tür zum Büroraum rechts davon stand offen. Der Computer war eingeschaltet. Wanda stöpselte den USB-Stick ein. Diesmal fand sie sofort was sie suchte.

„Kann ich dir behilflich sein?“ Sie zuckte zusammen. Blitzartig fuhr sie herum. Unmittelbar hinter ihr stand Johannes und blickte interessiert auf den Bildschirm.

„Verdammt. Hast du mich erschreckt!“ Wanda schnaufte und versuchte mit ihrem Körper den Monitor abzuschirmen. „Nein, danke. Ich komme klar.“ Aber Johannes blieb hartnäckig.

„Interessante Kurven.“

„Es ist unhöflich, anderen auf den Bildschirm zu starren.“

„Besser Bildschirm, als Busen.“ Johannes grinste. „Du arbeitest jetzt auch für NPEX?“

„Wie *kommst* du darauf?“

„Ein Gerücht."
„Dann glaube es besser nicht."
Johannes Finger wies auf die oberste Menüzeile, in der der Name des Kontoinhabers stand.
„Was suchst du dann auf dem Datenkonto von Sabine Mertens?"
„Hör mal, Johannes", fauchte sie zurück. „Das geht dich nichts an."
Sein Blick wanderte zu dem USB-Stick, der verräterisch blinkte.
„Du schuldest mir übrigens noch eine Antwort."
„Ich schulde dir überhaupt nichts", gab Wanda kurz und bündig zurück. „Aber für wen arbeitest *du* eigentlich?" Johannes Ohren erglühten wie zwei Rotlichtstrahler.
„Wir sprechen uns noch", sagte er gereizt, drehte sich auf dem Absatz um und verließ den Raum.
Nachdem Wanda die Dateien kopiert hatte, löschte sie Sabines Konto. Dieses Mal vergaß sie den Datenträger nicht.
„Was hältst du von Johannes?" fragte sie ihren Computer als sie wieder an ihrem Arbeitsplatz saß.
„Wer ist Johannes?"
„Ein Kollege", schrieb sie und ihr kam auf einmal die Idee, diesem halbwegs intelligenten Programm die Ereignisse der Woche mitzuteilen. Sie fütterte es mit Daten, ihren Beobachtungen, schön der Reihe nach. Es sollte ihr dabei helfen, Zusammenhänge zu ermitteln. Sie gab sich Mühe, keine Details auszulassen, schilderte auch ihr Misstrauen gegenüber Johannes, unterließ jedoch eigene Schlussfolgerungen.
„Du traust Johannes nicht", gab das Programm schließlich zur Antwort. Obwohl sie es bereits wusste, erschien ihr dieser weiß leuchtende Satz auf dem dunklen Hintergrund wie eine Ermahnung, die eigenen Gefühle ernst zu nehmen.

18
In silico

Am Freitagnachmittag schien die Sonne durch die große Fensterfront der Laborräume. Innerhalb weniger Minuten verebbten die Stimmen und Schritte auf dem Korridor. Jeder hatte es auf einmal eilig, nach draußen zu kommen. Die Tür ihres Büros stand offen und Wanda genoss dieses Abflauen der Geräusche. Jacken raschelten und in dem Sirrsang der Reißverschlüsse schwang das freudige Erwarten, mit dem alle ins Wochenende drängten. Dann war es plötzlich ganz still. Die Woche schien auszuatmen. Sie stand auf und ging über den Flur ins Labor. Es war niemand mehr da. Vor dem Fenster blinzelten die Jalousien gegen das Sonnenlicht. Auf der Laborbank standen die Pipetten stramm in ihren Haltern, die Kästen mit den kleinen Plastikspitzen waren aufgefüllt und die Chemikaliengefäße lagerten gut verschraubt der alphabetischen Reihe nach auf dem langen Glasregal über den Arbeitsplätzen. Alles war aufgeräumt und sauber. Petra hatte das Labor im Griff. Sie war erst Anfang zwanzig. Aber nicht einmal die Ärzte wagten es, am Wochenende, wenn sie Zeit für ihre Forschung hatten, ohne vorherige Absprache Petras Domäne zu betreten. Dann fanden sie alles, was sie brauchten. Pufferlösungen waren frisch angesetzt und für so manchen wartete an einem geheimen Ort eine süße Aufmerksamkeit. Aber wehe dem, der sich ihrem System nicht beugte, geschweige denn einen Saustall hinterließ.

Wanda ging in die kleine Teeküche, die sich in einer Nische des Korridors auf der Büroseite befand. Sie stellte den Wasserkocher an. Auf der Spüle stapelte sich ein Schlachtfeld aus verklebten Tassen, verkrümelten Tellern, mit Marmelade und Butter verschmierten Messern, Gabeln und Löffeln mit schokobraunen Kaffeeaugen. Wanda sah auf die Liste der Küchendienste, ein von zahlreichen Stürmen zerfleddertes

Fähnchen, das auf Halbmast am Griff der Besteckschublade baumelte. Diese Woche waren Ulrike und Ivo an der Reihe. Ulrike war auf einer Tagung und Ivo war kein Einzelkämpfer, ein Charakterzug, der ihn unter anderen Umständen sympathisch machte. Wanda fand ihre Tasse, ein Affengesicht mit Henkel, unter dem gestrandeten Geschirr in Gesellschaft einer schmollenden Mrs. Piggy und dem Nikolausbecher, in dem die Mitarbeiter dem Chef zu seinem Geburtstag eine heiße Zitrone spendiert hatten. Er hatte an dem Tag über Halsschmerzen geklagt und fand es nur rührend. Eigentlich mochte Wanda ihre Tasse nicht. Sie wirkte viel zu ernst zwischen all den Niedlichkeiten für die Spielpausen des Laboralltags. Sie stammte von einer Reise nach New Mexiko. Die blaue Maske um zwei Kulleraugen mit weißen Pupillen ähnelte dem Gesicht eines Mandrills, den es jedoch in Amerika nicht gab. Eine eindeutig künstlerische Faunenverfälschung. Das zu einem spitzen *Oooh* geformte Maul gab ihm etwas Bedrohliches. Wanda hatte gehofft, dass es andere davon abhalten würde, die Tasse zu benutzen.
Sie schnüffelte und rümpfte die Nase. Kaffee war einfach dominant und sie wusste sogleich, dass es Frank gewesen sein musste. Astrids Doktorand besaß von allen die geringsten Skrupel, das zarte Aroma von Ingwer und Ananas des Grünen Tees zu zerstören, den sie daraus zu trinken pflegte. Sie quetschte den Rest Spülmittel aus der verklebten Plastikflasche in die Tasse hinein. Die Borsten der Spülbürste sträubten sich starr und schwarz-braun verfärbt wie die Stacheln eines Igels. Mit spitzen Fingern warf sie die Bürste auf den Geschirrstapel. Sie spülte die Tasse mit kochendem Wasser nach, goss sich den Tee auf und schwebte endlich auf einer anregenden Duftwolke in Richtung Schreibtisch.
Irgendwo klackerte die Tastatur eines Computers. Danach ertönte das Summen eines Laserdruckers. Wanda blieb stehen. Die Tür zu Thomas Büro war nur angelehnt. Zaghaft klopfte sie an und spähte durch den Spalt.
„Sonnenlichtphobie?"
„Ganz so schlimm ist es nicht." Thomas lachte. „Aber dieser Algorithmus lässt mir keine Ruhe. Ich will den Fehler finden." Er schaute immer noch auf den Bildschirm. Wanda betrachtete das Profil seines Kopfes, die gerade Nase, die hohe Stirn mit den Denkerfalten und der Geheimratsecke, die sich unter das dichte, dunkelgrau melierte Kopfhaar schob. Thomas war mit Mitte dreißig einer der ältesten

Kollegen in der Abteilung. Die breiten Koteletten endeten genau auf der Höhe des Ohrläppchens. Es war angewachsen. Irgendwo hatte sie einmal gelesen, dass sich angewachsene Ohrläppchen dominant vererbten, genauso wie abstehende Ohren, die sich bei Thomas jedoch perfekt an den Schädel schmiegten. Wanda erkannte den kleinen Wulst am oberen Rand seiner Ohrmuschel, den Darwinhöcker, ein Rudiment, das an unsere tierische Herkunft erinnerte. Darwin hatte es als die umgeformte Spitze des Säugetierohres erkannt. Sie verspürte den starken Impuls, ihre Lippen an diese zarte Stelle zu legen und sie vorsichtig anzuknabbern. Wie er wohl schmeckte? Ihre rechte Hand umklammerte die Türklinke und ihr Blick folgte der Bewegung seiner Finger über das unrasierte Kinn, für Wanda ein Indiz, dass er noch ungebunden sein könnte. Dann drehte er leicht den Kopf und schaute sie von der Seite her an. Die buschigen Augenbrauen waren hoch gezogen. Eine steile Falte hing wie ein Schatten über dem Lid des ihr zugewandten Auges. Sein Blick war verengt, fokussierte ihre Pupillen, als suchte er nach einem Moment der Schwäche in ihrer Abwehr, und sie wunderte sich: Sie ließ ihn hinein, ganz kurz nur, aber es reichte, ihr die Knie aufzuweichen.

„Du hast wohl auch keine Freunde", sagte er nicht ohne eine Spur von Ironie. Wanda machte eine säuerliche Miene.

„Vortrag für den Chef. Er braucht ihn am Montag."

„Das klingt nicht gerade aufregend."

„Wie man's nimmt. Das Thema ist nicht uninteressant."

Thomas war bereits wieder mit seinem Computer beschäftigt. Sie spürte wie ihr Herz immer noch pochte, ungeduldig, so wie das Hämmern seiner Finger auf der Tastatur. Über seinem Schreibtisch hing das Plakat einer Kandinsky-Ausstellung, säuberlich gerahmt. Die Farben des Drucks leuchteten wie in einem Buntglasfenster, durch das gerade Sonnenlicht fiel. Freie Wandfläche für Persönliches war ein Luxus, den außer dem Chef und Frau Bünte wohl nur Thomas genoss. Als Informatiker besaß er einen Sonderstatus in der Abteilung. Dennoch sah es ganz danach aus, als hätte er sich das Privileg eines Einzelzimmers am Fotokopierer erarbeitet. Der Raum war länger als breit, aber klein genug, so dass es für einen Wissenschaftler ein Kinderspiel war, ihn mit Stapeln von Manuskriptkopien und Zeitschriften so zu belegen, dass kein weiterer Kollege Platz darin finden konnte. Die beiden zusätzlichen Tische dienten ausschließlich als Ablage, auf der sich, in Ermangelung von Fläche, das Papier Schicht um Schicht in die Höhe türmte, ein kleines Manhattan, wäre nicht der schwere Stein auf dem Dach eines jeden der Türme gewesen, der den Vergleich mit dem Original letztendlich verdarb. In den Regalen reihten sich lückenlos Bücher, auch auf der Fensterbank, die sie sich allerdings mit den missgestalteten Ausgeburten von Überraschungseiern teilten, vermeintliche Liebesgaben irgendwelcher Studentinnen. Ein Geruch von Aftershave und Gegerbtem zog Wandas Nase nach links. Sie schnüffelte. Dort hing an einem Haken, nur eine Armeslänge von ihr entfernt, die Lederjacke, ein Stück dunkelbrauner Haut, mit Narben und abgeschürften Stellen. Er trug sie ständig, auch wenn sie an ihn dachte. In ihrer Fantasie, denn sie hatte sie noch niemals berührt, fühlte sie sich weich und bergend an. Wanda nippte an ihrem Tee, dessen Aroma diesen Reiz kurz verschleierte und sie wohl davor bewahrte, die Klinke unbedacht loszulassen, um den Arm nach Thomas Jacke auszustrecken. Ihr Blick fiel auf das Monatsblatt des großformatigen Kalenders. Das Foto erinnerte an ein Ikea-Regalsystem. Die Fächer waren quadratisch, standen jedoch auf der Spitze, wodurch die Kanten nicht horizontal, sondern schräg verliefen. Allein die orangefarbenen Kanten und giftgrünen Flächen gaben dem Design etwas Poppiges.

„Was ist das?“ fragte Wanda und ließ die Türklinke los, um mit der Hand auf das Bild zu zeigen. Thomas drehte sich um.

„Ach das. Das ist eine Vergrößerung von makroporösem Silizium. Alles Falschfarben. Jede dieser Poren hat einen Durchmesser von etwa zehn Mikrometern. Es wird für Microarrays verwendet. Du arbeitest damit.“

Thomas hatte sich bereits wieder seinem Programm zugewendet. Seine Bemerkung erinnerte Wanda daran, dass sie unbedingt ihren Antrag auf Forschungsgelder fertigstellen musste. Das neue Projekt sah Gen-Analysen vor, die sie mit DNA-Microarrays durchführen wollte. Viele sahen in ihnen immer noch die Errungenschaft in der genetischen Analytik schlechthin, und entsprechend teuer wurden sie gehandelt. Die Methode bot höchste Konzentration auf kleinster Fläche, denn diese Chips passten bequem auf einen Handteller. Wanda musste immer an einen Tümpel voller Angelhaken denken, wenn sie mit ihnen arbeitete. Eigentlich hätte das Bild eines Netzes fast besser gepasst, bedachte man die hohe Dichte, denn über vierzigtausend verschiedene DNA-

Einzelstränge von bekannter Nukleotidsequenz lauerten dort auf ihren Fang. Sie waren sozusagen die Köder, mit denen sich ihre identischen Schwestern, komplementäre DNA-Stücke, aus dem Zellhomogenat herausfischen ließen. Es war wie Wettangeln im Nanokosmos. Für jeden Fisch, den sie mit den Testextrakten aus Zellen und Geweben dort einsetzte, gab es den passenden Köder. Ein fluoreszierender Punkt auf der Testplatte verkündete, dass an dieser Stelle angebissen wurde. So ließ sich ablesen, welche Information in den Zellen gerade Schlagzeilen machte und über welches Thema kaum noch berichtet wurde. Wanda lehnte im Türrahmen und schlürfte genüsslich ihren Tee.
„Darf ich dich was fragen?" Sie sah ein zustimmendes Nicken.
„Gibt es Computer, die intelligenter sind als Menschen?"
Thomas versetzte seinem Bürostuhl einen leichten Stoss und drehte sich zu ihr herum. Sie senkte verlegen den Blick.
„Du fragst danach, ob die Intelligenz die wir erschaffen, unsere eigene übertrifft." Er verschränkte die Arme vor der Brust. „Eine interessante Frage."
Wanda sah ihm nun direkt in die Augen.
„Gibt es sie nun?"
„Es braucht noch ein bisschen Zeit bis dahin. Stell dir die Evolution als intelligenten Prozess vor. Sie hat den Menschen hervorgebracht. Auch wir werden bald Maschinen bauen, die unsere Intelligenz überflügeln."
„Ach, ja." Wanda war zufrieden. Sie hatte bei Thomas den richtigen Nerv getroffen. Sie genoss, seine Aufmerksamkeit.
„Wir werden es als eine große Bereicherung erleben", fuhr er fort. „Die Zukunft liegt in der technischen Evolution." Blitzte da nicht ein Leuchten von Leidenschaft in seinen Augen? Wanda nickte verhalten. Sie mochte es nicht zugeben, aber die Selbstsicherheit, mit der Thomas seine Thesen vertrat, schüchterte sie ein. Neben ihm kam sie sich vor wie eine Studentin im ersten Semester.
„Die biologische Evolution, zum Beispiel, ist eine hervorragende Programmiererin", fuhr Thomas fort. „Sie hat die DNA entwickelt, in der die gesamte Vielfalt des irdischen Lebens festgehalten ist. Hier liegt die Schnittstelle zwischen Nanobiologie und Nanotechnologie. Unsere Körperzellen sind genau genommen Nanomaschinen. "
„Ich dachte immer, die Evolution sei zweckfrei", sagte plötzlich eine fremde Stimme hinter ihr. „Wie soll sie da denken oder handeln kön-

nen?“ Wanda schaute sich um und sah in das Gesicht eines großgewachsenen jungen Mannes. „Außerdem sehe ich eine große Gefahr darin, technische Begriffe auf Natürliches anzuwenden“, sprach er weiter. „Es ist nicht dasselbe.“ Er lächelte. Zwei kluge Augen blickten freundlich durch die Gläser einer Nickelbrille. Sie sah die makellose Nase, fast zu fein für einen Mann, und den kleinen Leberfleck rechts über seinen vollen Lippen. Er war blass. Irgendwie kam er ihr bekannt vor. Ein gelbes Blättchen hatte sich in dem dunkelbraunen Lockenaufruhr auf seinem Kopf verfangen. Wanda schaute wieder Thomas an. Er hing auf seinem Stuhl. Ein Arm baumelte über der Rückenlehne. Aber die Hand war zu einer Faust geschlossen.

„Ich will nur die komplexen Zusammenhänge anschaulicher machen“, erklärte er betont sachlich. „Wir müssen lernen zu akzeptieren, dass Technik und Natur in einem friedlichen Prozess miteinander stehen. Technik ist die Fortsetzung der Evolution mit anderen Mitteln.“

„Was für Mittel?“ Die Frage des Unbekannten surrte scharf an Wandas Kopf vorbei. Er stand noch immer hinter ihr. Wer ist er? Sie überlegte fieberhaft, wo sie ihn schon einmal gesehen haben könnte.

„Das menschliche Gehirn zum Beispiel“, erklärte Thomas unbeirrt weiter, „ist als Daten verarbeitendes Medium zu langsam. Noch baut die Evolution mit DNA. Aber dieses Baumaterial wird aufgegeben werden müssen, weil es mit der technologischen Entwicklung nicht Schritt halten kann.“

„Ich muss noch einmal nachfragen“, beharrte der Fremde: „Welche Mittel sollen das sein?“ Der Ton seiner Stimme hatte sich verschärft. Wanda schaute sich um. Sie machte einen Schritt zur Seite, um sich aus der Schusslinie zu bringen.

„Ich hatte nach der Intelligenz von Computern gefragt“, hakte sie dennoch nach.

„Und wie definiert ihr Intelligenz?“ Der Typ wurde allmählich lästig. Was will er überhaupt hier?

„Die Computertechnologie steht kurz vor einem gigantischen Sprung in eine neue Phase“, sprach Thomas weiter. „Voraussichtlich werden einfache Computer um das Jahr 2020 über die Rechenkapazität eines menschlichen Gehirns verfügen. Etwa zweimal zehn hoch sechzehn Berechnungen pro Sekunde.“

„Die Perfektionierung ist ein armseliger Reduktionismus. Ist das nicht paradox?" Eine Prise Bitterkeit lag in der Stimme des Fremden. „Es ist nur jämmerlich. Dabei begründet sich Intelligenz auf viel mehr als auf schlichte Rechenoperationen. Ich denke an Flexibilität, Lernen, Selbstbestimmung. Deep Blue kann vielleicht besser Schach spielen als ich, aber ich wette, es hat noch nie 'ne Pizza bestellt."

„Was soll Deep Blue auch mit einer Pizza?" entgegnete Thomas spitz. „Dank der Nanotechnologie stehen bald effizienter arbeitende dreidimensionale Chips, Halbleitermaterialien und supraleitende Schaltelemente bereit. Quantencomputer lösen die digitale Datenverarbeitung ab. Sie arbeiten mit Qu-Bits. Ein Qu-Bit steht für zwei mögliche Lösungen. Zwei verbundene Qu-Bits repräsentieren vier mögliche Lösungen. Allein 60 Qu-Bits miteinander zu verbinden, könnte dem Computer erlauben, eine Million Billionen simultane Operationen durchzuführen. Diese Computer werden ihre Programme selbst schreiben."

Thomas reckte sich und legte die Hände hinter seinen Kopf. Silbergraues Brusthaar lugte über den obersten Knopf seines Hemdes, das am Bauch spannte. Seine Augen funkelten angriffslustig. Wanda mochte das Spöttische, das seine Mundwinkel umspielte. Sie musste ihn jetzt bei Laune halten.

„Was, meinst du, Thomas: Werden sie für oder gegen uns arbeiten?" fragte sie vorsichtig.

„Ich bin davon überzeugt, dass alles besser wird. Das Gefühl von Erleuchtung, zum Beispiel, lässt sich inzwischen auf Aktionspotentiale in bestimmten Regionen unseres Gehirns zurückführen. Es wird Maschinen geben, die unser Bewusstsein erweitern können. Du gehst ins Internet und holst es dir."

Wanda schmunzelte. „Sollten wir unbedingt unserem Chef empfehlen."

„Ich plädiere für ein starkes Gegenmittel", hörte sie jetzt eine gereizte Stimme hinter sich. Allmählich überspannte er den Bogen.

„Irgendwann werden auch diese Widerstände brechen." Thomas sah ihn scharf an. „Der Gewinn ist einfach zu groß durch eine Technik, die man kaum noch sieht. Minicomputer in Brillen, Kontaktlinsen, neuronale Implantate werden bald unsere begrenzte Erfahrungswelt erweitern. Wir werden uns sogar freier fühlen."

„Virtuelle Labore, virtuelle Forschung, virtuelle Daten, Kollegen, Beziehungen, Karrieren, Sorgen, Nöte, Kopfschmerzen …?" Wanda hüllte ihre Skepsis in ein geheimnisvolles Lächeln.

„Ja, du kannst es dir aussuchen. Inzwischen gehört es zum guten Ton, über seine Visionen zu reden. Was sind Visionen anderes als unrealistische Szenarien, virtuelle Bilder, die wir auf die Leinwand unseres Bewusstseins projizieren? Wir sind schon dabei, uns auf diese neue Zeit einzustimmen, denn in diese Bilder wird investiert."

„Trugbilder", tönte es in Wandas Rücken. „Und das Internet ist ihr Auktionshaus."

Thomas schob das Kinn vor und blickte über Wanda hinweg zu dem Fremden.

„Woher wollen Sie wissen, dass genau dieser Moment keine Simulation ist? Vielleicht verschwinden Sie hier schneller, als Sie aufgetaucht sind."

„Dann stellen Sie mich doch ab!"

Wanda zog den Kopf in den Nacken und schaute sich um. Zu ihrem Erstaunen sah sie ein bescheidenes Lächeln.

„Ich fürchte, ich bin ziemlich real. Es gab in letzter Zeit einfach zu viele Pannen."

Wanda seufzte erleichtert.

„Ich spreche von kausalen Zusammenhängen", entgegnete Thomas ärgerlich. „Das Gesetz von Zeit und Chaos. Die Zeitabschnitte zwischen den herausragenden Ereignissen verkürzen sich. Diese Entwicklungen stoßen an keine Grenze mehr."

„So was Ähnliches stand neulich im Horoskop der TV-Beilage." Der Typ ließ einfach nicht locker.

Thomas warf einen langen Blick über die Schulter auf den Monitor.

„Nun, ich denke, die Sache lässt sich von dieser Seite betrachten und von jener", sagte er kühl. „Ist deine Frage damit beantwortet, Wanda?" Thomas war ein Meister im Abwimmeln. „Verpisst euch" hätte ehrlicher geklungen. Er konnte sich so plötzlich zurückziehen, dass nichts von ihm blieb. Als hätte jemand die Sendefrequenz am Radio verstellt und ließ sie in einem Empfangsloch zurück, in dem es nicht einmal rauschte. Dennoch blieb diese Unruhe in ihr. Sie begehrte ihn stärker denn je. Immer, wenn dieses Gefühl wieder nachließ, schaute sie kurz bei ihm rein. Ein Blick von ihm und die Batterie lud sich im Nu wieder auf. Bin ich verliebt? Und was ist mit ihm? Er rief sie nie an. Er lud sie nicht ein. Er schaute sie nur an und sie dachte, er weiß alles von mir. Er hätte nur mit den Fingern schnippen müssen. Aber er tat es nicht. Soll ich ihn ansprechen? Und wenn er sich gar nicht für reale Frauen interessiert? Thomas als Cyber-Jungfrau? Unglaublich. Oder doch ein ausnahmsweise treues Exemplar der männlichen Spezies, der sich bei ihr den Kick für das häusliche Kuscheln holte. Auch nicht besser. Wanda nahm den letzten Schluck Tee aus ihrer Tasse. Musste ausgerechnet heute dieser Typ hier aufkreuzen? Sie drehte sich um. Er war zurück in den Flur gewichen und betrachtete eine der Schautafeln, die an der Wand gegenüber hing. Wanda stellte sich neben ihn.

„Und wer bist *du*?"

„Ich heiße Andreas und möchte zu Wanda Waals."

„Das bin *ich*. Wer hat dich hier rein gelassen?"

„Einer, der hinausging."

„Schlamperei."

„Nur einen Augenblick. Ein paar Fragen."

„Das sagen alle."

Sie waren bereits auf dem Weg zu ihrem Arbeitszimmer.

„Für meine Dissertation."

„Wie kommst du ausgerechnet auf mich?"

„Secret Service." Andreas grinste. „Ach was, ganz harmlos. Ich habe mich auf eurer Homepage umgesehen. Du schienst mir die Beste."

Wieder einer, der mich einwickeln will. Es war ernüchternd. „Woran arbeitest du?"

„Grenzen und Möglichkeiten der nanophysikalischen Verbesserung des Menschen."

„Pfff." Wanda verdrehte die Augen. „Wer vergibt denn so etwas?"

„Das ist nur ein Arbeitstitel. Ich komme aus der Philosophie. Es soll darin um transhumanistische Visionen gehen, um die Entgrenzung unseres menschlichen Wesens, die Verwischung von Fakt und Fiktion im wissenschaftlichen Denken."

„Davon verstehe ich nichts." Sie betraten ihr Büro. Der Besucherstuhl ächzte bedrohlich, als er sich darauf nieder ließ.

„Dann wird es höchste Zeit. Du steckst bereits mittendrin. Dein Kollege hat es dir soeben vorgelebt. Wenn du willst, erkläre ich es dir." Ein Klugscheißer also. Sie hatte es geahnt.

„Und ich hatte schon befürchtet, ich müsste *dir* etwas beibringen."

„Ganz recht", entgegnete er lächelnd. „Vielleicht kann ich mich im Gegenzug mit meinem bescheidenen Wissen erkenntlich zeigen." Er hatte das eine seiner überlangen Beine unter den Stuhl geschoben. Das andere Bein war merkwürdig verdreht zur Seite gestellt. Er machte keine Anstalten, den Sitz in eine für ihn bequeme Position zu verstellen. Er saß da wie eine von diesen riesigen Meeresspinnen, diesen staksigen Krebstieren, die sie als Studentin in den Schaukästen des Senckenberg-Museums bestaunt hatte. Wanda unterdrückte ein Kichern. Warum nicht? dachte sie belustigt. Ein Chef, der mich ausbeutet, ein Kollege mit ausschließlich virtuellen Absichten, ein Computer, der mich berät, und jetzt ein Philosoph. Sie schenkte ihm ein aufmunterndes Lächeln. Willkommen im Dreamteam!

19
Der Lotus-Effekt

Das ganze Wochenende arbeitete Wanda an dem Vortrag für Sturm. Montag früh gegen halb neun rief er sie an, sie solle alles im Sekretariat abgeben, er habe keine Zeit mehr für ein Treffen vor seinem Abflug nach Boston am Mittag. Sie solle sich aber verfügbar halten, falls er noch Fragen habe. Eigentlich hatte sie sich vorgenommen, ihn nach den Versuchstieren zu fragen. Sie wollte ganz harmlos tun, nur um zu sehen, wie er reagierte. Aber er hatte ihr keine Gelegenheit dazu gegeben. Wanda brannte den Vortrag auf eine CD und gab sie bei Frau Bünte ab. Sie musste einen anderen Weg finden, Sturm zu konfrontieren.

Am Montagabend stand sie unschlüssig vor dem großen Schrankspiegel in ihrem Schlafzimmer. Dabei war es doch nur eine Ringvorlesung, zu der sie sich mit Andreas verabredet hatte. Normalerweise wählte sie ihre Kleidung nach praktischen Kriterien, abgestimmt auf die Bedürfnisse eines Lebens im Labor, überwiegend dunkel für eine einheitliche Maschinenwäsche und verträglich mit den diversen Verkleidungen, die der Berufsalltag ihr abverlangte. Ihre Garderobe beschränkte sich somit auf Pflegeleichtes, meist Hosen und T-Shirts, die sich problemlos kombinieren und ersetzen ließen. Nun suchte sie vergeblich nach etwas anderem. Weshalb nur?

Dieser streitlustige Philosophiestudent war deutlich jünger als sie. Noch jünger als ihr kleiner Bruder, aber irgendetwas ließ sie heute kritisch ihre Kleiderstapel betrachten und das Urteil „langweilig" darüber fällen. Die alte Bluse aus indischer Seide fiel ihr in die Hände. Ein bisschen zu sommerlich, dachte sie immer noch unschlüssig und hielt sich den weichen Fummel mit dem Blumenmuster vor die Brust. Das zarte Grün und Rot ließen ihre helle Haut ein wenig leuchten. Sie würde etwas Warmes darüber ziehen müssen.

Wanda betrat das Audimax durch den unteren Eingang und entdeckte Andreas sofort. Er reckte den Hals und spähte nervös nach allen Seiten. Es machte ihr Spaß, ihn zappeln zu lassen. Der große Hörsaal glich einem quadratischen Kasten, kühl und funktional. Die Luft war schwer und ausgesogen. Draußen hatte eine Gruppe von Studenten aufgeregt debattiert. Sie hatten soeben eine Klausur geschrieben. Dafür wurde die Klimaanlage nicht angestellt, ein Härtetest für das beste Ergebnis unter Sauerstoffmangel. Wanda ging in Richtung Podium. Auf der Höhe des Katheders blieb sie stehen und wandte sich in aller Ruhe dem Auditorium zu. Sie genoss diesen Augenblick jedes Mal von neuem. Für sie war der Moment, vor ein Publikum zu treten, das Beste, was ein Vortrag ihr zu bieten hatte. Es waren diese wenigen Sekunden am Anfang, in denen niemand etwas sagte und in denen sie völlig zur Ruhe kam. Es lag in ihrer Macht, das Schweigen zu brechen. Die Kunst bestand darin, den Pfeil der ersten Worte so lange wie möglich zurück zu halten und doch den Bogen dabei nicht zu sehr zu überspannen. Sie lächelte.

Echt mutig, dachte Andreas, als er Wanda ganz vorne erkannte. Allein die Vorstellung, vor eine Menschmenge zu treten, bereitete ihm Unbehagen. Aus diesem Grund war er von oben gekommen, hatte den hinteren Eingang des Hörsaals gewählt. Er hatte im vorderen Drittel des mittleren Blocks ganz außen links Platz genommen, nicht zu weit vorne und doch nah genug, um das Mienenspiel des Redners gut sehen zu können. Es fiel ihm leichter, einem Vortrag zu folgen, wenn er mehr von dem Menschen mitbekam, als nur dessen technisch verstärkte Stimme. Den Sitz neben sich belegte er mit seinem Schal. Den ganzen Tag lang hatte er sich schon auf dieses Treffen gefreut. Er war sich jedoch nicht sicher gewesen, ob Wanda tatsächlich kommen würde, obwohl *sie* es war, die diesen Treffpunkt vorgeschlagen hatte.
„Also bis Montagabend zur Ringvorlesung im Studium Generale.“ Er hörte noch den warmen tiefen Klang ihrer Stimme. „Jemand spricht über den Lotus-Effekt. Mit Sicherheit ein Beitrag zur nanophysikalischen Verbesserung des Menschen“, hatte sie ein wenig schnippisch hinzugefügt.
Als er vor ein paar Wochen auf der Homepage der Toxikologie nach einem Ansprechpartner gesucht hatte, war sie ihm sofort aufgefallen. Sie war die Frau aus dem Zug. Er war gerade von der Beerdigung sei-

nes Vaters aus München zurückgekommen, am Tag von Larissas Abreise nach Nicaragua. Über ein halbes Jahr war das schon her gewesen. Seitdem waren die Ereignisse an ihm vorbei geschlichen, wenn es überhaupt welche gegeben hatte. Er hockte in dieser finsteren Gasse seiner Selbstanklage und wartete immer noch, dass irgendwo eine Tür aufginge.

So von oben herab betrachtet, wirkte ihre Gestalt ein wenig gedrungen, obwohl er Wanda nicht als klein in Erinnerung hatte. Ihre Kompaktheit zog ihn an. Jedoch beleidigte diese aufgeblasene Wintermode sein Empfinden für ästhetische Proportionen. In seiner Fantasie versuchte er, die aufdringlichen Luftpolster ihrer Daunenjacke gegen einen leicht, fließenden Stoff einzutauschen. Je nach dem wie gut ihm das gelang, erschien sie ihm in der üppigen Gefälligkeit einer Fruchtbarkeitsfigurine oder in der wendigen Bulligkeit einer Eishockeyspielerin. Er sah wie ihre Augen nun systematisch die Ränge absuchten. Als sie in seine Richtung schaute, hob er die Hand. Freudiges Erkennen spiegelte sich auf ihrem Gesicht wider, und dennoch vernahm er aus der Ferne eine blasse Müdigkeit, die darunter lag. Diese Empfindung verschwand erst, als er Wandas forschende Augen sah, während sie die Stufen zu ihm hinaufstieg. Als sie vor ihm stand, fielen ihm die braunen Einsprengsel in ihrer lindgrünen Iris auf. Er dachte an Sommer und Schokosplitter in Pistazieneis. Das Weiß in ihren Augen glänzte metallisch über der dunklen Linie des Kayals auf dem unteren Augenlid. Ein leichter Schimmer lag auf ihren Lippen. Sie hatte sich geschminkt.

„Ist der Platz okay?“ fragte Andreas, während er eiligst den Schal vom Nachbarsitz zog. Er trat aus der Reihe, um sie hineinzulassen.

„Bestens“, antwortete sie lächelnd und klappte die Sitzfläche nach unten. „Immer den Fluchtweg offen halten, falls es langweilig wird.“ Sie roch nach Zitrusgärten im Pfefferminzwind. Er sah wie sie Block und Stift aus ihrer Tasche zog und sich endlich geschickt aus ihrem Daunenballon löste.

Als Wanda vor ihm stand, wusste sie schlagartig, was sie in diesen Kleidernotstand getrieben hatte. Andreas verehrte sie und sie wollte, dass es so blieb. Für einen Typ seines Alters wirkte er ausgesprochen gepflegt. Neulich im Institut war ihr bereits aufgefallen, dass er ausgewählte Kleidung trug. Keine teure Designermode, nein, es waren die

Akzente, die er geschickt zu setzen vermochte und aus denen etwas Eigenwilliges, ja beinahe Trotziges sprach. Seine Garderobe besaß nichts von der Nachlässigkeit eines Mitte Zwanzigjährigen, und doch kam es ihr so vor, als hätte er heute zwanglos in den Malkasten gegriffen und sein Sweatshirt mit einem warmen Kürbisorange durchtränkt, das wunderbar mit seinem dunklen Typus harmonierte und ihn reifer wirken ließ. Wanda hätte nie gedacht, dass grelle Farben männlich machen könnten. Sie sah den Siegelring an seiner rechten Hand und ahnte flüchtig, das alles schon einmal erlebt zu haben. Sein Blick streifte ihren nackten Hals und glitt über ihre Arme hinunter zu den Händen. Dann hob er langsam den Kopf und schaute nach vorne.
Der Veranstalter begrüßte die Zuhörer und stellte den Gastredner vor. Der Referent dankte dem Veranstalter. Bald plätscherte seine Stimme aus den Lautsprechern, als wollte er ihnen ein Märchen erzählen. Die heilige Lotuspflanze, Nelumbo nucifera, in Asien seit über zweitausend Jahren als Symbol der Reinheit verehrt, sei keine Seerose, sondern näher mit den Mohngewächsen verwandt, begann er seinen Vortrag. Ihre Frucht, von morphinalkaloidem Milchsaft erfüllt, wirkte vermutlich berauschend, die ganze Pflanze sei übrigens essbar, ein köstlicher Gewinn für die indische und chinesische Küche. Wanda erinnerte sich noch gut wie schlecht ihr gewesen war, nachdem sie wieder einmal schwach geworden war und sich von Sabine zu einem Besuch beim Chinesen hatte überreden lassen. Nach dieser schrecklichen Nacht damals in Santa Fe hatte sie sich damit abgefunden, dass sie die chinesische Küche nicht vertrug. Wanda hasste Stäbchen und sie hasste sich selbst dafür, dass sie nicht damit umgehen konnte. Sie war einfach zu ungeduldig. Diese partikuläre Nahrungsaufnahme raubte ihr den letzten Nerv und nährte eher ihre Aversion gegen diese Esskultur als ihren Körper. Sie hatte sich mit dem Gedanken getröstet, dass diese winzigen Portionen überaus bekömmlich und frei von unangenehmen Folgen für das Körpergewicht sein müssten und Sabine hatte sich mal wieder auf ihre Kosten amüsiert und die Nano-Häppchen-Diät propagiert. „Jeder Happen ist einzigartig“ sollte das Motto ihres frei nach neuro-linguistischen Erkenntnissen formulierten Programms werden. Sabine hatte sich irgendwann einmal mit diesem Thema befasst. Das Zu Munde-Führen, die befriedigende Schlüsselhandlung, könnte je nach Wahrnehmungstypus häufiger oder seltener vorgenommen werden. Ein

hochfrequentes Aufnahmemuster würde aufgrund der verschwindend geringen Mengen keine negativen Folgen haben, vermutlich sogar zu einem vorzeitigen Gefühl der Sättigung führen. Das war ihre Hypothese gewesen. Sabine meinte noch, da Wissenschaftler meist auditive Typen seien, sollten sie mit ihren Stäbchen klappern können, was durch eine Ausführung in Metall problemlos zu verwirklichen wäre. Später vergaßen sie, sich das Konzept patentieren zu lassen.
Die Lotusblume war jedoch nicht nur Futterpflanze und Droge, musste Wanda bald erfahren, sondern eine echte Heilige. Die Projektion auf der Leinwand ließ eine zartrosa Blütenknospe über einem dunkelgrünen Blättermeer schweben wie ein Erleuchten in Chaos und Schmutz. Das jedenfalls meinten die Buddhisten und sie wählten die Lotusblume zu einer ihrer acht Kostbarkeiten. Inzwischen habe die Bionik das heilige Geheimnis gelüftet, erläuterte der Referent und würzte seinen Bericht mit einem Schuss Selbstironie: Bionik, eine Verquickung von Biologie und Technik, sei nämlich nichts anderes als das Abkupfern von der Natur. Die Wissenschaftler, die sich damit befassten, seien fantasielose Nachahmer, die in die Arbeitsblätter der Natur linsten und ihre eigenen Erfindungen daraus machten. Sie übertrugen die Phänomene, die sie beobachteten, in technische Werkstoffe wie Metalle und Kunststoffe. Das Lotusblatt hatte es ihnen ganz besonders angetan. Seine wächserne Blattoberseite war von winzigen Hubbeln übersät, mikroskopisch kleinen Wachsnasen, die, ging man noch weiter ins Detail, aus Molekülröhrchen mit einem Durchmesser von einhundertzehn Nanometern bestanden. Hinter diesen Formen sollte sich also das Geheimnis der Reinheit verbergen.
Die schlanke, hoch gewachsene Gestalt am Rednerpult, ein sympathischer Vertreter dieser neuzeitlichen Forscherspezies, sprach von der Entwicklung biomimetischer Strukturen und meinte damit Oberflächen, die sich nach dem Prinzip der Lotuspflanze selbst reinigen konnten.
Vom Lotus-Effekt zum Lokus-Effekt, sinnierte Wanda belustigt. Kein Klo mehr putzen müssen und auch das Abschrubben verkrusteter Backbleche, die sich in letzter Zeit in ihrer Küche stapelten, hätte ein Ende. Sie putzte nicht gern. Allein der Anblick ihrer vernachlässigten Wohnung trieb sie regelmäßig hinaus auf die Straße, zur Arbeit, ins Leben. Würden Schmutz abweisende Oberflächen einen häuslichen Menschen aus ihr machen?

Nein, im Sanitärbereich würde der Lotus-Effekt nicht viel bringen, meinte nun der Referent, als könnte er ihre Gedanken lesen. Dort hieße das Prinzip Easy-to-clean und beruhe, im Gegenteil, auf extrem glatten Oberflächen. Der Lotus-Effekt hingegen würde durch Seifen kurzweilig aufgehoben. Für einen Moment hatte Wanda das wutverzerrte Gesicht ihrer Mutter vor Augen, die auf der Sandsteintreppe vor der Haustür mit dem Schrubber Schaumblasen in die Schmierseife schlug. „Superhydrophobie", gab der Referent als Stichwort, „ist keine Angststörung. Extreme Unbenetzbarkeit", übersetzte er den Begriff, „ist der Schlüssel für die wahrscheinlich wichtigste Funktion dieser Oberflächen in der Natur, die Selbstreinigung."

Wanda war unkonzentriert. Sie stellte sich vor, wie Sturm, mit der für ihn typischen Beredsamkeit, gerade Sabines Daten verkaufte, ein auf Hochglanz poliertes Produkt, von dem jeder Zweifel abperlte wie die Wassertropfen von einem Lotusblatt. Rasch griff sie in die Tasche ihrer Jacke. Hatte sie sich nicht bereithalten sollen? Zum Glück war ihr Handy eingeschaltet. Wanda seufzte leise. Die Sache entglitt ihr. Schließlich wusste sie, dass es nur die halbe Wahrheit war, die Sturm in Boston vorstellen würde. Es fehlten wichtige Informationen, die Sabines viel versprechende Ergebnisse entscheidend relativierten. Ihre Aufzeichnungen über das gestörte Verhalten der Tiere stellten den Effekt der Behandlung in ein ganz neues Licht. Aber Sturm wollte nichts davon wissen. Konnte immer behaupten, nicht informiert gewesen zu sein. Hatte er deshalb vor seiner Abreise nicht mehr mit ihr sprechen wollen?

Es war überall dasselbe. Vorgesetzte wollten in der Regel fertige Ergebnisse sehen, also Zahlen, mit denen sich Gedankengebäude aufbauen und wieder einreißen ließen. Sie interessierten sich nicht für die Statik. Es gab wahrhaft verlorene Architekten unter ihnen. Die ganz Schlauen ließen Experimente vor dem Zeitpunkt beenden, zu dem sich störende Abweichungen von den erhofften Befunden einstellen konnten. Diese Pfahlbauten ruhten bereits auf morschen Hölzern, bevor sie überhaupt errichtet waren. All dies begünstigte das unter Wissenschaftlern übliche Verfahren des Datenlesens, denn nicht jeder Messpunkt schien wert zu sein, in die Berechnungen mit aufgenommen zu werden. Zweifelhafte Zahlen wurden aus dem Datenkorb gepickt, mit der durchaus freundlichen Absicht, den Chef zufrieden zu stellen. Sie selbst hatte damals in Rochester ein paar Messpunkte aus ihrem Datenpool entfernt, damit der

Unterschied zwischen den Versuchsgruppen sich deutlicher zeigte. Eine homogene Datenlage bot Kritikern kaum Angriffsfläche und ließ sich leichter veröffentlichen. Schließlich durfte die Vermarktung des Forschungsproduktes nicht aus den Augen gelassen werden. Viele machten es so. Zumindest war das die allseits verwendete Losung, die diese Bereinigungsrituale zu legitimieren schien. Fasse dich kurz, hieß es in den Vorschriften der wissenschaftlichen Journale, was dazu führte, dass störende Informationen oftmals unter den Tisch fielen.

„Die Natur ist schlampig", hörte Wanda den Referenten nun sagen. Das Schwarzweißbild auf der Projektionswand über ihm zeigte die Oberseite eines Lotusblattes in elektronenmikroskopischer Auflösung. Ein vielgestaltiges Noppenmuster aus Wachsnasen zierte die Kutikula. Es gab so viele verschiedene Typen wie Nasen auf dieser Welt. Da waren Stupsnäschen, knubbelige Pappnasen, spitze Zinken, Spitzmausnasen und Airbusnasen. Nur Rüssel konnte sie nicht finden. Manche standen schief, andere hielten sich gerade. Ein Schmutzpartikel lag darauf wie ein Fakir auf dem Nagelbrett. Auch für einen Wassertropfen gab es auf dieser Hubbelpiste nur wenig Berührungspunkte. Sie kullerten wie Perlen darüber hinweg und spülten den Dreck mit sich fort. Das sei das Geheimnis der Unbenetzbarkeit, erklärte nun der Referent. Die Benetzung eines Festkörpers mit Wasser, sei nämlich abhängig von den Grenzflächenspannungen zwischen Wasser und Luft. Sie bestimmten den Kontaktwinkel eines Wassertropfens mit einer Oberfläche. Würde dieser Winkel 140° und mehr betragen, handele es sich um eine superhydrophobe Oberfläche. Die Wissenschaftler ließen sich diese Entdeckung als Lotus-Effekt in das große Buch der Patente schreiben.

„Als wir dieses Phänomen Ende der neunziger Jahre aufzeigten, wollte es uns zunächst niemand so recht glauben", gab der Referent zum Besten und kostete in gedehnten Sätzen sein Feixen aus. Mit den Worten „The so-called lotus effect only exists in the fantasy of the author" habe ein Gutachter des Wissenschaftsmagazins *Science* damals eine Veröffentlichung abgelehnt. Er lächelte. Der Erfolg seiner Forschung hatte ihn diese Kränkung längst überwinden lassen. Vielleicht war den Gutachtern die Metapher zu unbequem, überlegte Wanda. Ein bisschen mehr Lotus-Effekt in den Hirnen der Sachverständigen hätte wohl unlängst publizierte Fantasieprodukte aus der Stammzellforschung sogleich in den Gully gespült. Vielleicht fehlte ihm seinerzeit auch die nötige Rückendeckung aus der wissenschaftlichen Gemeinschaft. Er konnte gut vortragen und doch stellte er sich selbst in den Schatten seiner Forschung, lenkte die Aufmerksamkeit der Zuhörer stets auf das Thema seiner Rede. Ganz anders als es diese Hochglanztypen unter ihren Kollegen gerne taten, die man sich problemlos auch in anderen Branchen vorstellen konnte. Unter den Wissenschaftlern ging der Trend zum Staubsaugerverkäufer.

Wanda blickte zu Andreas hinüber. Aufmerksam lauschte er den Ausführungen des Redners, der jetzt Beispiele für praktische Umsetzungen des Lotus-Effekts anführte. Wie konnte Andreas sich nur für eine schmutzabweisende Krawatte begeistern? Ob mit oder ohne Ketchupflecken würde sie wohl kaum zum Stil seiner Garderobe passen. Der Palast von Dubai sowie das Nordtor der verbotenen Stadt in Peking seien mit einem nanostrukturierten Anstrich versehen, meinte der Referent abschließend. Und was ist mit dem Marburger Bahnhof? Man hätte den Bürgermeister zum Vortrag einladen sollen.

„Kommmst du noch mit auf ein Bier?“ fragte Andreas als sie nach der Ringvorlesung den Hörsaal verließen. „Ich lade dich ein.“

Die kleine Kneipe war gut besucht. Zwei Plätze waren noch frei.

„Dieser Nanolöffel ist klasse“, schwärmte Andreas. „Mensch, kein Zoff mehr wegen Spülen. Habt ihr so was im Labor?“

Wanda schüttelte den Kopf.

„Nee, gibt's leider noch nicht. Andererseits“, fügte sie nachdenklich hinzu, „irgendwie auch schade, keinen Honiglöffel mehr abschlotzen zu können, nur weil nichts mehr daran hängen bleibt.“

Andreas nickte einsichtig.

„Übrigens, dieser Kollege von dir, Thomas Weiland heißt er, glaube ich. Was macht der eigentlich?“

„Informatiker. Guter Mann.“

Andreas hob die Augenbrauen.

„'n echter Hardliner.“

„Wie meinst du das?“

„Na ja, er vertritt einen Technikoptimismus, der mich an Francis Bacon denken lässt. *Wissen ist Macht*. Sein Ansatz ist in gewisser Hinsicht neu und auch wieder nicht.“

Wanda tat, als würde sie nachdenken. Sie mochte nicht zugeben, dass sie keine Ahnung hatte, von was Andreas gerade redete. Sie war erleichtert, als er einfach weiter sprach.

„Der Mensch beherrscht die Natur im Sinne des Fortschritts. Eigentlich ist es *mein* Thema. Nur dass ich es von einer anderen Warte aus betrachte. Es ist wie eine Zeitreise in vergangene und künftige Epochen, in denen ich unterschiedlichsten Menschen begegne. Ich schaue mir an, welchen Einfluss ihr Selbstverständnis auf ihr wissenschaftliches Denken und Handeln hat."
„Und wem soll das nützen?"
Andreas zuckte die Achseln.
„Uns?" Er blickte sie fragend an. „Es gab eine Zeit, da erschien den meisten Menschen ein langes Leben wie ein Geschenk Gottes. Heute behandeln wir das Älterwerden wie eine Krankheit. Meinst du nicht, dass es an der Zeit ist, gründlich darüber nachzudenken?"
Wanda sah ihn argwöhnisch an.
„Du willst mir aber keine Bibel verkaufen?"
„Ich fürchte, das wären Perlen vor die Säue geworfen. Wahrscheinlich kannst du mit den Metaphern dieser Schrift gar nichts anfangen. Sie entsprechen nicht mehr dem Menschenbild, von dem du geprägt bist. Oder könntest du dir vorstellen, dich demütig und bedingungslos einem Gott zu ergeben?"
„Kommt darauf an", entgegnete Wanda. „Wenn er mich nicht allzu sehr einschränkt."
„Eben. Dir geht es um Freiheit und darum, dich selbst zu verwirklichen. Das ist der Zeitgeist. Im Konzept des Transhumanismus, das übrigens dieser Thomas vertritt, wird dieses Selbst schließlich aufgegeben zugunsten eines Besseren. Es gibt nur noch die Steigerung, den Zuwachs, die Optimierung. Wir stehen an der Schwelle. Manche haben sie bereits überschritten."
Wanda nickte.
„Ich glaube, Thomas ist ein Genie."
Andreas verzog das Gesicht, als bekäme er Bauchschmerzen. Wie im Reflex zog er seine Geldbörse hervor und klappte sie auf. Wanda erhaschte einen Blick auf seinen Personalausweis.
„Nettes Foto", frotzelte sie. „Konfirmation oder Jugendweihe?" Sie konnte gerade noch seinen Nachnahmen lesen, als Andreas das Portemonnaie schon zurück in die Hosentasche stopfte.
Hilberg, überlegte sie. Der Name kam ihr bekannt vor.
„Woher kommst du?"

„Aus München."
„Stimmt, jetzt weiß ich woher ich deinen Namen kenne. Es gibt dort einen Professor für Neurologie. Ich glaube er heißt ... Günther Hilberg."
Andreas holte tief Luft. „Hieß", sagte er kurz.
„Wie?"
Andreas spitzte die Lippen.
„Mein Vater. Er ist vor kurzem gestorben."
Am Nachbartisch kreischten ein paar Studentinnen und hielten sich den Mund zu, als sie die Blicke der anderen Gäste auf sich spürten. Der Zigarettenrauch brannte in Wandas Augen.
„Tut mir leid", sagte sie kleinlaut. Sie sah, wie die Schaumkrone in ihrem Bierglas langsam in sich zusammenfiel. Ein dumpfes Pochen drückte gegen ihre Schläfen und sie konnte nicht ausmachen, ob es von innen oder von außen kam. Am liebsten wäre sie aufgestanden und gegangen.
„Wir hatten nicht das beste Verhältnis", stammelte Andreas. „Es ging alles ein bisschen zu schnell." Wanda wusste nicht, was sie sagen sollte. Sie musste an ihre toten Eltern denken. Sie hatte ihren Bruder noch nicht angerufen. Diesmal würde *sie* den ersten Schritt tun müssen.
„Woher kanntest du ihn?" durchbrach er das Schweigen.
„Wir haben uns auf einem Workshop in New Mexiko kurz kennen gelernt. Ist mindestens zwei Jahre her. Rein beruflich." Wanda räusperte sich. „Ich glaube, er ist, ich meine, er war sehr gut auf seinem Gebiet."
Andreas nickte. Wanda mochte die Sprachlosigkeit nicht, die sich nun wie das heikle Gewebe von Bahngleisen zwischen ihnen ausbreitete. Sie hatte keine Idee, wie sie jetzt weiter machen sollten.
„Willst du darüber reden?" hörte sie sich schließlich fragen.
„Ein andermal", wehrte Andreas ab. Im Grunde genommen war sie froh darüber und doch hätte sie gerne mehr über das Schicksal von Günther Hilberg erfahren. Andererseits war es bestimmt besser so. Irgendwann hätte auch sie erzählen müssen. Aber sie fühlte sich einfach nicht in der Stimmung, Andreas die idyllische Variante ihrer Familiengeschichte aufzutischen, die sie sich während der Zeit in Amerika zusammen gesponnen hatte. Sie hatte sich ein paar lustige Episoden einfallen lassen, zugegeben, einige davon waren geklaut, andere hatte sie ein wenig ausgeschmückt. Es war einfach unterhaltsamer und die Amis

hatten ihr zugehört. Einmal wollte jemand wissen, ob sie mit dem Physiker *van der Waals* verwandt sei. Er hatte nicht begriffen, dass *Wanda* ihr Vorname war. Dies inspirierte sie zu einer kleinen Geschichte über ihren vermeintlichen Urgroßvater Johann, den Professor aus Leiden, der sich Geckos als Haustiere gehalten hatte. Für ihn sei es ein Faszinosum gewesen, wie diese Tierchen mit dem Kopf nach unten über Decken und Wände zu laufen vermochten. Einmal, so berichtete Wanda, sei es ihm gelungen, einen Gecko ein zu fangen. Als er ihn von der Wand ziehen wollte, soll er gesagt haben: *Da steckt Physik dahinter!*
„Geckos?“ hatte ihr Gesprächspartner ungläubig bemerkt. „Ich dachte immer, er hätte sich ausschließlich mit Gasen und Flüssigkeiten befasst.“ Es sei doch nur sein Hobby gewesen, hatte Wanda sich herauszureden bemüht. Außerdem habe man vor wenigen Jahren entdeckt, dass es tatsächlich van-der-Waals-Kräfte seien, die den Geckos erlaubten, auf ihren mit winzigen Hafthärchen versehenen Nanosohlen kopfüber zu laufen. Urgroßväterchen wäre entzückt! Auf Englisch fiel ihr das Lügen leichter, und ihr fehlte der Mut, Andreas mit der deutschen Fassung ihrer Anekdotensammlung aufzumuntern.
Die gute Stimmung war dahin und der Abend ging so oder so zu Ende. Als Wanda ihre Wohnung betrat, überkam sie das unbestimmte Gefühl, dass sie ihr nicht allein gehörte. Seit einer Woche klemmte sie Papierschnipsel zwischen Tür und Rahmen. Dieses Mal hatte sie vergessen, ihre Alarmanlage in Betrieb zu nehmen. Deshalb schaute sie in alle Zimmer, fand aber keinen konkreten Hinweis, der ihren Verdacht bestätigt hätte. Sie schüttelte den Kopf über sich selbst. Als sie im Bett lag und die Augen schloss, kam ihr der tote Hilberg in den Sinn. Die traurige Nachricht hatte sie tiefer berührt, als sie hatte zugeben wollen. Sie stellte sich sein Grab vor. Kränze darauf. Auf einmal verwandelte es sich in einen Teich. Ein Teppich aus rosa Lotusblüten deckte ihn zu. Dann schlief sie ein.

Teil Zwei

20
Der Zeuge

Jeden Mittag, wenn Ricardo Panzerotti die Kantine des NASA Johnson Space Centers im texanischen Houston betrat, wanderte sein Blick zu dem kleinen Tischchen, ganz hinten in der linken Ecke. Eigentlich war es nur eine Angewohnheit, völlig überflüssig, denn der kleine Tisch für nur eine Person war immer frei, wie für ihn reserviert. Aber er vergewisserte sich stets von neuem, einen Platz dort zu finden, ganz für sich allein, zu dem er immer denselben Weg außen herum nehmen würde, für seine Verhältnisse gefährlich nah an der Wand entlang, doch das volle Tablett beschäftigte seine sonst so eigenwilligen Hände.
Jenen Tag im April des Jahres 2005 würde er später in seinem Tageskalender vermerken. Doch zunächst erschrak er über den außergewöhnlichen Umstand, dass der Tisch besetzt war, und sein erster Impuls war, umzukehren und das Mittagessen ausfallen zu lassen. Früher hätten ihn solche Momente wütend gemacht und er hätte schleunigst den Ort verlassen müssen, um nicht in aller Öffentlichkeit aus der Haut zu fahren. Jetzt stand er vor der Theke mit den fertigen Gerichten, genau in der Mitte und im gleichen Abstand zu den beiden Metallstangen, an denen das Trennband hing, und starrte auf die Tafel mit dem Tagesmenü. Er hatte das Medikament vor Monaten abgesetzt, weil es ihn träge machte. Dieser schlurfende Typ war nicht er. Trotzdem hatte er seitdem keinen dieser heftigen Wutanfälle mehr erlebt. Ungläubig horchte er in sich hinein. Aber da war nichts von diesem unbändigen Gefühl, das ihn früher bis an den Rand der Ohnmacht treiben konnte. Offensichtlich brauchte er die Tabletten nicht mehr. Er konzentrierte sich auf den Speiseplan. Einmal. Wie oft sollte er ihn lesen? Drei, fünf oder sieben Male? Vorwärts und rückwärts, damit die Symmetrie auch stimmte. Wo waren nur die Zahlen geblieben, die ihm sagten, wie oft sein Blick über die Zeilen springen

musste, bis er sein Tablett füllen und sich an seinen Platz setzen konnte? Für gewöhnlich drängten sie aus den Tiefen seines Unterbewusstseins herauf und gaben ihm einen Takt vor wie ein Metronom, das seinen Rhythmus bestimmte. Aber solange er auch lauschte, die Zahlen wollten sich ihm nicht offenbaren, und auch sein Tisch war immer noch nicht frei. Er hatte gelernt, mit solchen Störungen umzugehen. Unterbrechungen, ob sie nun von außen oder aus seinem Innern kamen, bestimmten sein Dasein. Er war darauf vorbereitet. Er konnte in die Rolle eines Schauspielers schlüpfen, den Impulsen seiner Fantasie folgen, damit seine Hirnfunktionen nicht stockten. Er musste sich einfach neu definieren. Nur wen konnte er hier an diesem Ort darstellen? Welche Figur würde es ihm erlauben, seinen Tick einen Moment lang zu beherrschen, am besten zu vergessen bis er seine Mahlzeit eingenommen und die Tür seines Labors wieder hinter sich geschlossen hatte.

Panzerotti warf einen flüchtigen Blick zu den halben Grillhähnchen auf den Tellern in der Auslage. Er könnte sich eines davon nehmen und es fachgerecht zerlegen. Schließlich war er Pathologe. Wenn er sezierte, vergaß er, dass er krank war. Eigentlich war er nur anders, außergewöhnlich hyperdynamisch, sprunghaft und zuweilen extrem emotional. Mit vierzehn hatte es angefangen und alle hatten gehofft, dass es mit dem Ende der Pubertät wieder aufhören würde. Nach wenigen Jahren fielen die Anfälle tatsächlich milder aus, er heulte nicht mehr wie eine Eisenbahn in der Prärie, und das Verlangen nach außergewöhnlichen Wörtern, die in eigenwilliger Lyrik wieder aus ihm heraus quollen, ließ nach. Der moderne Rap-Gesang erinnerte ihn manchmal an das, was er damals zuweilen hervorgebracht hatte. Aber die Berührungs- und Zählzwänge und das starke Bedürfnis nach Symmetrie blieben. Niemand hatte eine Erklärung dafür. Erst durch sein Medizinstudium bekam dieses andere Wesen in ihm einen Namen. Als er eher zufällig über das Krankheitsbild des Touretteschen Syndroms stolperte, nahm er diese Erkenntnis an wie ein Geschenk, das das Leben für ihn in ein Lehrbuch der Neurologie gebunden hatte. Es war eine große Erleichterung, denn er fing an, seine Zwänge als einen Teil seines Wesens anzunehmen. Es gehörte zu ihm.

Ein junger Mann im Overall schlenderte an ihm vorbei, ein Hüne, mindestens eins neunzig groß und breitschultrig. Panzerotti hätte sich bequem hinter ihm verstecken können. Er hatte ihn noch nie zuvor in der Kantine gesehen. Vermutlich war es einer der Arbeiter von der Baustelle neben seinem Labor, wo seit wenigen Tagen Bagger lautstark ein Loch für das neue Fundament ins Erdreich fraßen. Wie der Fremde schob nun auch Panzerotti das Becken leicht vor und ließ seine Arme locker baumeln. Er kam sich ein wenig äffisch vor, schließlich schätzte er sich auf gut ein Viertel Jahrhundert älter als dieser Typ. Doch hatte er nach wenigen Schritten den schwingenden Rhythmus gefunden und folgte dem Großen wie eine stumme Parodie die Theke entlang, griff in die Auslagen, belud sein Tablett und lief seinem Vorbild mit ausholenden Schritten hinterher, bis sie die Tischgruppen erreichten. Panzerotti setzte sich an einen Platz, von dem aus er den Mann gut im Blick behalten konnte. Er zögerte einen Moment, wegen der beiden Frauen, die am anderen Tischende ihre Mahlzeit einnahmen und ihm freundlich zunickten. Sie waren bedrohlich nah und er war sich nicht sicher, ob er dem Reiz widerstand, ganz vorsichtig mit beiden Zeigefingern gleichzeitig an jede ihrer Nasenspitzen zu stupfen. Er stellte sich ihre verstörten Gesichter vor. Aber es passierte nichts. Seine Hände schwiegen. Er betrachtete die für ihn ungewöhnliche Auswahl an Speisen und Getränken auf seinem Tablett. Ein kurzer Blick zum Nachbartisch verriet ihm, dass er es dem Mann einfach nachgemacht hatte. Sonst nahm er sich von allem zwei wegen der Symmetrie. Schließlich hatte er zwei Hände. Normalerweise müssten seine beiden Zeigefinger längst die bunten Deckel der Joghurtbecher beklopfen, weil er das Trommelgeräusch so sehr mochte. Er würde die zwei Gabeln ergreifen, eine in jeder Hand, und beide gleichzeitig in das Essen auf seinem Teller versenken, das rechts und links identisch wie in einem Spiegelbild darauf verteilt sein sollte. Er genoss die sanfte Kraft, mit der sich die Gabeln in die Speisen drücken ließen. Aber er konnte noch so lange auf sein Tablett starren. Es half nichts. Nichts war doppelt. War das der Grund, weshalb er keine Lust verspürte, sein Essen anzurühren? Er betrachtete die beiden Frauen am anderen Ende des Tisches. Aber seine Hände lagen stumm in seinem Schoß, als hätte es ihnen die Sprache verschlagen. Genau aus diesem Grund hatte er Psychopharmaka immer abgelehnt. Aber er war sich sicher, er hatte nichts genommen. Der Lärm in seinem Kopf war weg und plötzlich überkam ihn Gewissheit. Sein Tourette hatte ihn verlassen und er konnte sich nicht einmal verabschieden.

Peter Snider schaute aus dem Fenster. Das einzig erfreuliche an diesem neuen Büro war der herrliche Blick auf den Ottawa River. Auch wenn er ein Naturfreak war und sein neues Leben dem Schutz der Umwelt verschrieben hatte, so wohnte er doch gern in dieser Stadt. Ottawa entsprach so gar nicht dem Klischee einer nordamerikanischen Metropole. Keine typische Skyline, sondern ruhige Parkanlagen und saubere Straßen. Vielleicht etwas zu beschaulich. Nur die Kälte im Winter setzte ihm zu, aber der war nun im April fast vorbei. Gerade waren sie in das neue Büro in die Nicholas Street umgezogen, aber schon jetzt war abzusehen, dass es ihren Bedürfnissen nicht lange genügen würde. Er stöberte in seinen Aufzeichnungen. Er schob den Haufen Papier beiseite und zog die Tastatur darunter hervor. An der Wand gegenüber stapelten sich ungeöffnete Umzugskartons. Hier wurde jeder Mist aufgehoben, nur er war so blöd gewesen, sämtliche Unterlagen zu vernichten, nachdem er seinem Forscherdasein endgültig den Rücken gekehrt hatte. Bis auf diese lückenhaften Aufzeichnungen, die ihm jetzt auch nicht weiterhalfen, war nichts mehr da.
Nicht einmal zwei Jahre war es her, dass er die Hightech-Labors der Universität gegen ein provisorisches Umweltbüro eingetauscht hatte. Allerdings sah es nicht danach aus, als könnte der Umzug etwas an diesem Übergangszustand ändern. Snider schnaufte leise. Es fiel ihm schwer, sich an früher zu erinnern. Vor fast genau zwei Jahren hatte er sein Stipendium sausen lassen und damit alle Prophezeiungen auf eine große Karriere als Kristallograf, um seiner neuen Bestimmung zu folgen. Er bereute es nicht. Vermutlich hatte er auch deshalb nie weiter darüber nachgedacht, und mittlerweile war er sogar davon überzeugt, dass dies schon immer sein heimlicher Wunsch gewesen war. Dennoch war es ein Fehler gewesen, die Brücken in die Vergangenheit so unwiederbringlich einzureißen. Jetzt holte sie ihn ein. Es war das neue Projekt, an dem er gerade arbeitete. So sehr er sich aber bemühte: Er konnte sich nicht an diesen Namen erinnern!
Damals hatten sie sich gut unterhalten. Zwei Jahre war das her, kurz bevor er seine Karriere aufgegeben hatte. Sie hatten gemeinsam einen Workshop in New Mexiko besucht. Das war im Mai 2003 gewesen. In jener Zeit hangelten sich seine Gedanken noch durch einen Dschungel künstlicher DNA-Gerüste, hingen an den klebrigen Enden von DNA-Strängen und träumten von dreidimensionalen DNA-Fabriken, die

sich selbst organisierten. Dieser andere Wissenschaftler hatte neben ihm im Bus gesessen und sich offenkundig für das interessiert, woran er forschte. Er stellte ihm ein paar kluge Fragen, sie unterhielten sich gut, der Mann war anders als die meisten. Dann erzählte er von sich und was ihn als Pathologe in ein Space Center der NASA nach Texas verschlagen hatte. Ja, das war es. Allmählich kam die Erinnerung zurück. Nervös, beinahe hektisch flogen seine Finger über die Tastatur. Die Suchmaschine brachte ihn mit einem Klick zur Homepage des texanischen Raumfahrtinstituts. Die Seite schien ihn zunächst nicht weiterzubringen, es gab Berichte über Raumfahrtmissionen, Astronauten wurden vorgestellt, aber dann las er plötzlich diesen Namen. Ricardo Panzerotti. Er stand über einem kurzen Artikel. Es ging darin um Strahlenschäden und den Einsatz nanopartikulärer Sensoren im Blutstrom von Astronauten. Sie sollten ein Warnsignal aussenden, sobald eine Körperzelle sich nicht normal verhielt, was immer das auch bedeuten mochte. Jedenfalls wusste er jetzt, wie er hieß. Panzerotti. Snider stieß einen freudigen Pfiff aus. Der Name klang wie eine italienische Speise und passte zu einem Clown. Etwas komisch war er ihm schon vorgekommen, so quirlig und voller Energie, fast ein wenig überdreht. Ganz ungewöhnlich für einen Wissenschaftler. Ständig fummelte er an seiner Brille herum und er imitierte die Leute im Bus. Sie hatten beide viel Spaß miteinander gehabt. Snider erinnerte sich noch daran, wie Panzerotti einmal die Arme ausgebreitet hatte, so wie es Kinder tun, wenn sie ein Flugzeug nachahmen. Dabei hatte er ununterbrochen zum Himmel geschaut. Ohne diese ausladende Geste seines Platznachbarn wäre er wohl niemals auf die beiden Flugzeuge aufmerksam geworden, die dort über ihnen kreisten. Er wäre auch nicht über diese angestaubte Meldung gestolpert, als er kürzlich beim Packen alte Papiere sortierte. Es war eine E mail, die ihnen ein umsichtiger Beobachter am 23. Mai 2003 hatte zukommen lassen.

Habe heute Vormittag Löschflugzeuge in der Nähe von Los Alamos gesehen. Aber keinen Brand. Es wurde etwas versprüht. Was? Vielleicht können Sie es herausfinden.

An diesem Tag fuhr eine bunte Tagungsgesellschaft mit Teilnehmern aus vielen Teilen der Erde in einem Bus von Santa Fe nach Los Alamos. Snider war einer der zwanzig Spezialisten, die dieses internationale Meeting über Nanowissenschaften besuchten.

Mit ein paar zügigen Mausklicks holte er die von ihm selbst zusammengestellte Liste der Teilnehmer auf den Bildschirm. Vor Dr. Anatol Propov setzte er eine Leerzeile und schrieb Dr. Ricardo Panzerotti. Er hatte endlich seinen bislang wichtigsten Zeugen gefunden. Weiter unten auf der Liste fand er seinen eigenen Namen. Sie war jetzt vollständig. Snider wusste, dass es nicht klug war, ein Projekt in eigener Sache zu führen, aber er wollte es trotzdem versuchen. In der nächsten Teamsitzung würde darüber entschieden. Er wollte vorschlagen, die Liste an kooperierende Aktionsgruppen in Europa, Afrika, Süd- und Nordamerika zu verschicken. Sie sollten Kontakt mit den Wissenschaftlern aufnehmen, sie vorsichtig befragen, denn er hoffte, vielleicht weitere Zeugen zu finden, die mehr gesehen hatten als er selbst. Irgendetwas an dieser Sache veranlasste ihn, nichts zu überstürzen, er wollte niemanden durch eine übertriebene Aktion kopfscheu machen. Er selbst plante eine Reise nach New Mexiko, um vor Ort zu recherchieren und Bodenproben zu nehmen.

Ihr arbeitet ja schneller als unsere Bundesbehörden, schrieb der Informand aus New Mexiko zurück, der ihnen die Ausbringung vor beinahe zwei Jahren gemeldet hatte, als Snider seinen Besuch bei ihm ankündigte. Auch diese Sache bereitete ihm Kopfzerbrechen. Wahrscheinlich kamen sie zu spät.

21
Nachrichten aus Übersee

Ein dumpfer Schlag holte Wanda aus ihrem Schlaf. Unten auf der Straße knallten Autotüren. Der Wagen fuhr mit quietschenden Reifen davon. Vor ihren Augen lag noch das weiß überstrahlte Traumbild. Nichts zu sehen, tasten, um sich irgendwo festzuhalten. Sie hört Männerstimmen wie durch eine Wand, Gelächter und Gläserklirren. Jemand spricht über sie, und auf der Glaskuppel, die sie gefangen hält wie ein Insekt, ruht das unergründliche Loch einer Pupille. Da beginnt die Fahrt. Labortüren klappen auf und wieder zu. Unter ihr holpert der Rolltisch über die Schwellen. Sie rutscht, fühlt sich mitgerissen und auf ein weißes Blatt gesetzt. „Das ist der Lotus-Effekt", sagt eine dunkle Stimme. „Sie hat zuviel geraucht." Auf einmal verschiebt sich der Himmel. Das Blatt neigt sich, kippt nach unten. Sie findet keinen Halt. Sie sieht den Wassertropfen, der auf sie zurollt wie eine schimmernde Perle. Sie taucht hinein und kullert ins Bodenlose.

Der Herbstwind heulte leise und zog die Vorhänge in das gekippte Fenster des Schlafzimmers. Der feine Stoff raschelte und schlug klatschend gegen das Glas. Wanda rutschte tiefer unter die Bettdecke. Ich muss den Traum unbedingt aufschreiben, ermahnte sie sich. Sonst vergesse ich ihn bis heute Abend. Doch sie war zu benommen, diesen Vorsatz sogleich in die Tat umzusetzen. Später erinnerte sie sich nur noch an dieses blendende Weiß und dass sie nackt war.

An diesem Morgen fuhr Wanda nicht gleich ins Institut. Sabines Mountainbike stand schon viel zu lange unten im Kellerverschlag. Wanda wollte es ihr endlich zurückbringen. Aber sie kam nicht weit. Ein Lastwagen blockierte die Ausfahrt vom Hof, ein einspuriges Nadelöhr zwischen der stark befahrenen Straße und dem Parkplatz hinterm Haus. Ein weißes Cabrio wollte hinaus und war ihm gefährlich nah auf die Pelle gerückt. Nun harrten die beiden Schnauze an Schnauze wie David und Goliath. Die Fahrerin des Pkw hupte. Als sich nichts rührte, wurde sie lauter, bis eine rundliche Frau regelrecht aus dem Auto sprang.

„Eine Unverschämtheit ist das", schrie sie.

Hinter der offenen Ladeklappe des Lasters kam ein junger Mann zum Vorschein. Auf jeder Schulter trug er einen Karton.

„Wenn Sie den Mund halten, bin ich hier in fünf Minuten weg." Dann verschwand er um die Hausecke. Die Augen der Fahrerin verengten sich bedrohlich. Sie drehte den Kopf, als suchte sie nach einem neuen Fixpunkt. Da entdeckte Wanda den schmalen Spalt zwischen Laster und verzogenem Geländer, das unbedachte Autofahrer davor bewahren sollte, aus der engen Hofeinfahrt in den angrenzenden Kanal zu rutschen. Beherzt hob sie das Fahrrad über den Zaun und schon schwebte Sabines Edeltrosse an ihren ausgestreckten Armen über dem Wasser, während Wanda sich zwischen rostigen Eisenstangen und dem Laster hindurch zu zwängen versuchte. Unten beäugten zwei Enten misstrauisch das riskante Manöver. Gerade noch rechtzeitig bemerkte sie den Mann, der am Ende der Mauer vor seiner leeren Mütze auf dem Gehweg saß. Mit offenem Mund sah er zu ihr hoch. Schwungvoll hievte sie das Rad über ihn hinweg. Sein verstörter Blick folgte dem fliegenden Drahtgestell, das unmittelbar vor ihm am Boden aufsetzte. Wanda zog den Kopf ein.

„Tschuldigung", murmelte sie verlegen, schwang sich auf den Sattel und flüchtete in den morgendlichen Verkehr.

Sabine bewohnte ein kleines Appartement in Weidenhausen, einem bei Studenten beliebten historischen Stadtteil mit kuschelig künstlerischem Flair, nicht weit von den Lahnwiesen und der Innenstadt entfernt. Wanda klingelte. Alles blieb ruhig. Es war erst kurz nach acht. Wanda hatte nicht damit gerechnet, dass Sabine so früh das Haus verlassen würde. Wenn ich nicht arbeiten müsste, überlegte sie, würde ich im Bett liegen bleiben. Ausschlafen. Lange frühstücken. Vermutlich wieder ins Bett gehen, um Heizkosten zu sparen. Was sollte sie jetzt tun? Sie konnte das teure Rad unmöglich draußen stehen lassen. Sie kannte den Ort, an dem Sabine den Wohnungsschlüssel versteckte. Vorsichtig löste sie den lockeren Ziegel aus der Wand neben der Treppe. Da lag das Stoffsäckchen mit dem Schlüssel.

Wanda schob das Rad in den schmalen Flur und stellte es an die Seite. Es roch nach Vanille. In dem Windlicht auf dem Garderobenschränkchen qualmte der Docht in den halberstarrten Wachsschlieren einer soeben ersoffenen Duftkerze. Eigentlich war Sabine nicht so leichtsinnig, Kerzen brennen zu lassen, wenn sie fort ging. Sie musste wohl in Eile gewesen sein. Wanda reckte sich in den Aufgang der schmalen Wendeltreppe, die linkerhand zu den beiden Zimmerchen ins Obergeschoss führte.
„Hallo", rief sie hinauf. Sie rechnete nicht mit einer Antwort. Sabines Anorak hing nicht an der Garderobe. Nur das schwarze Wolltuch mit der bunten Bordüre, in das sich Wanda gerne wickelte, wenn sie es sich bei Sabine gemütlich machen durfte, lag auf dem oberen Bord. Sie ging weiter ins Wohnzimmer, dort ruhte ein leuchtend roter Futon auf einem Sofagestell, das sich mit einem Griff in eine Liegewiese verwandeln ließ. Überhaupt glich die Wohnung einer Puppenstube nach fernöstlichem Stil. Zumindest im Wohnzimmer waren alle Sitzgelegenheiten um eine Etage tiefer gelegt, als es der westlichen Norm entsprach. In jedem der beiden Fenster baumelte ein Prisma aus Glas. Zwei Vasenzwillinge teilten sich die eine, zwei Kaktuszwillinge die andere Fensterbank. Es gab keine Bilder. Nichts lag herum. Das Durcheinander der mit Pailletten, Steinchen und Spiegelstückchen verzierten Sofakissen erschien Wanda nicht glaubwürdig. Selbst dahinter erkannte sie ein typisches Muster, das nur Sabines strukturierendem Geist entspringen konnte. Lediglich der Schreibtisch überragte diese Tiefebene wie ein einsamer Berg, auf dem sich einiges zu tummeln schien.
Wanda trat an die gläserne Arbeitsplatte heran. Kopien von Zeitschriftenartikeln lagen kreuz und quer darüber verteilt wie ein in Aufruhr geratenes Meer, in dem gerade eine Kaffeetasse und ein verkrümelter Frühstücksteller zu versinken drohten. Allein das Bild dieser Havarie weckte ihre Neugier. Sabine war ein Ordnungsfanatiker, und das hier passte so gar nicht zu ihr. Sie musste etwas in panischer Eile gesucht haben. Ganz oben auf lag ein Wissenschaftsmagazin, die letzte Seite eines Artikels war aufgeschlagen. Ein kleines Foto zeigte den Autor, einen Seebär mit Vollbart, der seinem Namen alle Ehre machte. Wanda hatte bereits von Nadrian Seeman gehört. Der Kristallograf war bekannt für seinen eigenwilligen Ansatz, aus Bausteinen der DNA komplexe Gitterstrukturen zu konstruieren. Wanda erinnerte sich an einen Vortrag von ihm.

Die Wissenschafts-Romane

Unsere Kultur ist zersplittert in viele Kulturfelder, die auf abstruse Weise von einander getrennt sind – durch mutmaßlich sinnvolles Spezialistentum, durch Ängste, durch Futterneid an den öffentlichen und privaten Fördertrögen; leider auch durch Engstirnigkeiten und schieres Desinteresse.

Zwischen den Bereichen Wissenschaft und Technologie einerseits und Literatur andererseits, zwischen Fact and Fiction ist der Graben derweilen eklatant. Der englische Wissenschaftler und Kulturpolitiker Charles Percy Snow wurde schon in den 50er Jahren nicht müde, auf die Kluft zwischen wissenschaftlicher Kultur und den anderen Kulturbereichen hinzuweisen:

In fact, the separation between the scientists and non-scientists is much less bridgeable among the young than it was even thirty years ago. Thirty years ago the cultures had long ceased to speak to each other: but at least hey managed kind of frozen smile across the gulf. Now the politeness has gone, and they just make faces … the young scientists now feel that they are part of a culture on the rise while the other is in retreat.

Daran ist zu arbeiten. Unsere neue Reihe »Die Wissenschafts-Romane« will dies tun!

Durch alle Natur- und Geisteswissenschaften bis in die Wirtschafts- und Ingenieurswissenschaften vermitteln diese Romane wissenschaftliches Denken und Arbeiten – aus dem Fundus der Ideengeschichte bis in aktuellste Untersuchungen und ambitionierteste Theoriebildungen. Es geht um Brückenschläge zwischen den beiden sehr separierten Kulturen Wissenschaft und Literatur. Die Bände unserer neuen Reihe erscheinen als fein gemachte Hard-Cover. Urs van der Leyn aus Basel hat die Bände gestaltet. Er hat dabei die künstlerisch verfremdeten Fotographien unserer Autorin und Fotographin Kornelia Boje (schauen Sie in unserem Gesamtverzeichnis nach ihrem beeindruckenden Roman-Erstling

ein und drückte die Nase in die Streu. Wanda schaute zurück zum Monitor und starrte in das offene Textfenster einer Nachricht. Sabine hatte vergessen, ihre elektronische Mailbox zu schließen. Wanda las die kurze Antwort auf eine Anfrage ihrer Freundin.
Bitte schicken Sie das Material direkt an mein Labor. Wir werden sehen, was wir tun können.
Der Absender hieß Nadrian Seeman.

Der Bus zockelte die Lahnberge hinauf und Wanda fühlte sich auf einmal müde und enttäuscht. Insgeheim ärgerte sie sich, dass sie nicht weiter gelesen hatte. Sie hatte plötzlich Skrupel bekommen. Scheiß Loyalität, verfluchte sie sich. Außerdem hätte Sabine jeden Moment zurückkommen können. Sie hielt es für besser, ihre Freundin direkt zu befragen. Nur wie sollte sie es anstellen, ohne einen Krach zu riskieren? Sabine wird ausrasten, wenn sie erfährt, dass ich bei ihr herumspioniere
Auf ihrem Anrufbeantworter piepste wieder die Stimme der Sprechstundenhilfe. Diesmal war es keine freundliche Einladung. Doktor Gläser müsse sie dringend sprechen, beharrte sie, und die Bitte um Rückruf klang eher wie die Aufforderung der Bundeskasse nach Rückzahlung des Bafög-Darlehens. Die Kosten bezahlte die Krankenkasse. Sie schuldete ihm nichts.
„Ich soll mich beim Arzt melden", schrieb Wanda in ihren Computer.
„Melden?"
„Ja, ich finde das gar nicht toll. Außerdem bin ich wütend auf Sabine."
„Nach dem Bundesseuchengesetz ist Tollwut eine meldepflichtige Erkrankung", stand nun auf dem Monitor.
„Vergiss es", zischte Wanda und unterbrach das Programm.
Sie las ihre E-mails. Der Herausgeber einer wissenschaftlichen Zeitschrift hatte geantwortet. Das Manuskript, das sie ihm vor acht Wochen geschickt hatte, war abgelehnt, aber man räumte ihr ein, es zu überarbeiten und noch einmal einzureichen. Eilig überflog sie die Gutachten, die im Anhang mitgeschickt waren. Der erste Gutachter fasste sich kurz und schlug nur geringfügige Korrekturen vor. Beim zweiten Gutachter stutzte sie. Er hatte ganze Textpassagen aus ihrem Manuskript wie ein Lektor verbessert, ihr Englisch als *german stile* bezeichnet und nach einer Korrektur durch einen *native speaker* verlangt. Außerdem bemängelte er die Statistik als unzureichend und verlangte nach statistischen

Verfahren, von denen Wanda noch nie etwas gehört hatte. Das alles kam ihr bekannt vor. Wenn sie sich nicht allzu sehr täuschte, hatte kein anderer als Anatol Propov hier seine Finger im Spiel. Sie hatten am Center of Nanoscience in Rochester miteinander zu tun gehabt. Gleich zu Beginn ihrer Posdoc-Zeit waren sie zusammen zu diesem Workshop nach New Mexiko geflogen. Propov war ein begnadeter Physiker und ein nervtötender Pedant. Ständig musste er Wandas Englisch korrigieren. Er war ein hageres Männlein mit klugen Augen. Mitte vierzig und bestimmt nicht der Schwarm der Frauen. Dennoch schien sich hinter dieser verklemmten Runzeligkeit einer Schildkröte, der man ihre Geilheit nicht ansah, noch etwas anderes zu verbergen. In Gegenwart dieser lebenslustigen Wissenschaftlerin aus Johannesburg, die sie auf ihrer gemeinsamen Tagungsreise kennen lernten, entschlüpfte Propov ganz unerwartet seinem Panzer und verwandelte sich in ein glänzendes Fröschlein mit schwingendem Kehlsack. Leider hielt Mary Kampbells Zauber nicht lange an und das Märchen endete zu Wandas Bedauern mit dem Rückflug nach Rochester. Dort kam sie bald in den Genuss ihrer ersten und wohl auch letzten gemeinsamen Publikation mit ihm. Es war pure Wortklauberei, auch wenn Wanda zugeben musste, dass diese Tortur ihr Englisch entschieden verbesserte. Propov war eigentlich nie zufrieden mit dem, was sie ablieferte und sie musste befürchten, dass diese Arbeit das Schicksal eines Ladenhüters ereilte. Als sie jetzt das zweite Gutachten zu ihrem jüngsten Manuskript noch einmal durchging, stieg der Ärger von damals wieder in ihr auf. Es konnte nur Propov sein. Sie musste sich etwas einfallen lassen, denn er würde erst Ruhe geben, wenn sie seine Vorschläge uneingeschränkt akzeptierte. Vielleicht konnte sie einen *native speaker* mit in die Autorenzeile nehmen. Das würde zumindest den Herausgeber der Zeitschrift besänftigen. Im Adressbuch ihres E-mail-Kontos fand sie die Anschrift von Mary Kampbell in Johannesburg. Wanda hatte sich in New Mexiko gut mit ihr verstanden. Ihr könnte es gelingen, Propovs zwanghafte Haarspalterei kurzzeitig außer Kraft zu setzen. Sie schrieb ihr ein paar Zeilen und fragte, ob sie ihr ein Manuskript zur Durchsicht schicken dürfte. Wanda würde ihr eine Co-Autorschaft anbieten und sie freute sich, nicht ohne ein Gefühl der Genugtuung, über ihren klugen Einfall. Dies würde Anatol Propovs kleinlichen Genius in Schach halten.

22
Der Chat

Bereits am späten Nachmittag kam eine Antwort aus Johannesburg. Mary Kampbell klang hoch erfreut über die Anfrage. Sie schlug Wanda noch für denselben Abend einen Treffpunkt im Internet vor. Wanda saß auf dem Fußboden in ihrem Wohnzimmer, die Beine übereinander geschlagen, und starrte gebannt auf den Bildschirm ihres Notebooks. Hoffentlich steigt die Kiste diesmal nicht aus. Sie zog sich die Wolldecke fester um die Schultern und presste die Hände an die Tasse mit dem Kräutertee. Ihre Wohnung war ziemlich ausgekühlt. Dennoch hatte sie es sich gemütlich gemacht, war in die alte Jogginghose mit den Löchern und den ausgebeulten Strickpulli geschlüpft und freute sich auf das Schwätzchen mit der Fachkollegin. Punkt neun Uhr loggte sie sich in den geschützten Chatroom ein, den Mary für das Treffen vorgeschlagen hatte. Dort, so meinte sie, würden sie unter sich sein können. Aber wer konnte sich da schon sicher sein. Wanda entschied sich für ein Pseudonym. Mary erwartete sie bereits.

<Rubin> hi

<Mary> oh, wie schön. ein vögelchen singt …

<Rubin> ich bleibe lieber inkognito, wenn es ihnen recht ist

<Mary> haben wir eine Erkennungsmelodie?

<Rubin> ganz unten wird' s allmählich eng

<Mary> Richard Feynman würde sich im grab herumdrehen

<Rubin> *rumpel* ich widme ihm mein paper, wenn's denn erscheinen sollte

<Mary> okay. das reicht mir. herzlich willkommen. von diesem ärgernis mit ihrem manuskript einmal abgesehen … wie geht es ihnen? :-)

<Rubin> wie es eben so geht, wenn sich die sonne verkriecht und einem die kerzen ausgehen ;-)

<Mary> bei uns schmelzen sie zurzeit …
<Mary> … die kerzen. :-(Rubin, was kann ich für sie tun?
Wanda war erleichtert. Mary Kampbell schien eine geübte Chatterin zu sein. Sie fasste sich kurz und konnte mit den üblichen Kürzeln umgehen. Wanda fühlte sich ermutigt, zur Sache zu kommen.
<Rubin> der zweite gutachter verlangt nach einer korrektur durch einen NATIVE SPEAKER. sein stil erinnert mich an … Propov >:-<
<Mary> Anatol???
<Rubin> ich fürchte …
<Mary> er hasst mich :-(
<Rubin> (@@)
<Mary> nein, das ist leider mein voller ernst. er beschimpft mich auf tagungen, lehnt meine manuskripte ab, wenn er die gelegenheit dazu bekommt. jetzt weiß ich, wie es ist, einen erzfeind zu haben. natürlich kann man überall ein haar in der suppe finden. es ist alles so emotional …
<Mary> … irgendetwas muss nach New Mexiko passiert sein. es war dort so nett zwischen uns. ich kann es mir nicht erklären. sie waren danach noch bei ihm in Rochester. ist ihnen nichts aufgefallen? ist ihm vielleicht etwas auf den kopf gefallen? 6\/)
<Rubin> 6\/) ?
<Mary> ja, ein Elefant … oder wurde er von einer schlange ====3:> gebissen?
<Rubin> habe dort weder 6\/) noch ====3:> gesehen …
<Rubin> … nur 8-) und ===XOo_|+
<Mary> ???
<Rubin> sonnenbrillenträger und skifahrer
<Mary> skifahrer?
<Rubin> er fährt und fährt und fährt, dann stürzt er, kullert den abhang hinunter und liegt am ende platt vor einer Wand. tot.
<Mary> rotfl…
<Mary> … auf jeden fall können wir auf Anatol nicht mehr zählen … ein weiteres opfer seiner zwangsneurosen … da fällt mir ein … können sie sich noch an Ricardo Panzerotti erinnern?
<Rubin> *<8-) ?
<Mary> ja, genau, den Clown. sein syndrom hat sich in Luft aufgelöst. stellen sie sich das mal vor. keine faxen mehr. jetzt fühlt er sich wie lahm gelegt. er hat es mir neulich geschrieben. eigentlich ging's ihm um die liste.

<Rubin> ich weiß von nichts … stecke hier wohl in einem empfangsloch :-|
<Mary> mompl
Wanda wartete. Die Angelegenheit verdüsterte sich. In Anbetracht dessen, was Mary über ihre Beziehung zu Propov gesagt hatte, machte es keinen Sinn, ihr eine Co-Autorschaft anzubieten. Es könnte Wandas Veröffentlichung endgültig kippen.
<Mary> wieder da! musste mal kurz meine nase spülen … ich weiß, es klingt verrückt, aber dieser permanente geruch nach veilchen. das kann einen ganz schön kirre machen … ach, das können sie nicht wissen … mein geruchssinn spielt seit geraumer zeit verrückt … zuerst konnte ich gar nichts mehr riechen, dann kam er zurück, aber alles roch gleich. im moment sind es veilchen … kaffee, tee … das geht ja noch … meine geliebten fischgerichte, der gute wein … es ist ein jammer … aber immer noch besser als katzenpisse … die phase ist hoffentlich für immer vorbei …
Wanda schwirrte der Kopf. War das wirklich die Mary Kampbell, die sie vor zwei ein halb Jahren in Santa Fe getroffen hatte? Sie tippte das Emoticon zum Ausdruck ihrer Verwirrtheit ein.
<Rubin> %-(
<Mary> ja, ich war auch ganz schön durcheinander. aber man gewöhnt sich … wo waren wir noch stehen geblieben?
<Rubin> Panzerotti
<Mary> ach, ja, die liste … kam eigentlich von Snider … Peter Snider … sie erinnern sich? so ein intelligenter junger mann. hat seine karriere einfach an den nagel gehängt und ist jetzt … umweltaktivist. biografien gibt es. haben sie nichts von ihm bekommen?
<Rubin> nein :-o
<Mary> eine namensliste der teilnehmer und einen fragebogen?
<Rubin> was für teilnehmer?
<Mary> merkwürdig …
<Mary> … egal. es ging um die busfahrt, diesen ausflug nach Los Alamos … er hat alle teilnehmer angeschrieben, ob man draußen etwas gesehen habe … komische fragen … aber ich hab nichts gesehen…hab doch die ganze zeit mit Anatol geschwatzt :-(
Mary klang konfus. Vielleicht liegt es daran, dass ich außer diesen Satzfetzen nichts von ihr mitbekomme, dachte Wanda. Wahrscheinlich

wäre es doch besser gewesen, zu telefonieren. Beim Chatten erlebte sie immer wieder Momente der Irritation, die im schnellen Strom der Konversation untergingen. Sie blieben als Informationslücken in ihrem Gedächtnis zurück und gaben der Fantasie Raum, sie zu füllen, was nicht unbedingt gut war. Deshalb entschloss sie sich, nachzufragen.

<Rubin> RUOK ?

<Mary> sie haben ja Recht. es klingt ziemlich verrückt. was müssen sie nur von mir denken? aber sonst geht's mir gut, ja wirklich. am besten sie wenden sich direkt an Snider. er wird ihnen alles erklären können. es ist so viel geschehen, seitdem wir uns das letzte mal gesehen haben … wo liegt eigentlich Marburg?

<Rubin> ganz weit draußen, hinter den sieben Bergen bei den sieben Zwergen …

<Mary> … das klingt märchenhaft. gibt es besondere ereignisse?

<Rubin> viele träume

<Mary> … und? erfüllen sie sich?

Wanda fiel der Traum aus ihrer letzten Nacht in Santa Fe wieder ein. Jemand wollte ihr etwas Wichtiges mitteilen, aber als er den Mund aufmachte, fielen nur einzelne Worte heraus. Sie ergaben keinen Sinn. Mitten in der Nacht war sie aufgewacht. Die Unruhe hatte sie aus dem Hotelbett getrieben. Sie hatte versucht, sich zu erinnern, aber die Worte waren weg gewesen.

<Rubin> ich weiß nicht, ob ich das wirklich will. es verfolgt mich manchmal.

<Mary> tauschen sie die rollen. verfolgen sie ihre träume.

Wanda verspürte keine Lust, dieses Thema zu vertiefen.

<Rubin> eine frage … steht Günther Hilberg auch auf dieser … liste?

<Mary> ja, alle, die dabei gewesen sind

<Rubin> er ist tot

Die letzte Textzeile stand wie ein Schweigegebot auf dem Monitor. Es brauchte eine Weile, bis Mary antwortete.

<Mary> das ist schrecklich

Wanda zählte den Takt des Cursors im Textfenster. Sie wartete.

<Mary> was ist passiert?

<Rubin> ich weiß es nicht

<Mary> Rubin, wir sollten telefonieren … ich muss erst einmal nachdenken … ich habe ein ganz komisches gefühl … diese ereignisse …

vielleicht gibt es doch einen zusammenhang … erinnern sie sich an die alte indianerin in der letzten nacht vor unserem hotel in Santa Fe … dieser gesang wie von einer schamanin … ich konnte kein auge zutun
<Rubin> vom magischen denken bin ich chemisch frei
<Mary> halten sie mich für verrückt?
<Rubin> nein. es ist mir nur ein bisschen zu…verworren. außerdem …
<Mary> … machen sie sich keine sorgen. ich will auch nicht weiter jammern. eigentlich wollten wir uns über ihr manuskript unterhalten …
<Rubin> ich weiß nicht, ob es Sinn macht, jetzt wo Propov und sie …
<Mary> … schicken sie es mir trotzdem. ich werde sehen, was ich für sie tun kann. wir finden da schon einen weg. vielleicht könnten sie derweil herausbekommen, woran Professor Hilberg gestorben ist. einverstanden?
<Rubin> danke … :-)
<Rubin> … wir telefonieren … wann?
<Mary> ich melde mich bald
<Rubin> n8
<Mary> cu
Die Verbindung brach ab. Wanda blieb allein zurück.
„Schamanin", hörte sie sich sagen und schüttelte den Kopf. Sie konnte sich an nichts erinnern. Dann verließ sie den virtuellen Raum, fuhr das Programm herunter und klappte den Computer zu.

23
Die Liste

Der Polizist schaute kritisch auf das Namensschildchen an ihrem Jackett.

„Ich darf sie nicht durchlassen“, sagte er bestimmt. Er schob Wanda zur Seite, während er eine Gruppe von Schülern durch den einen geöffneten Türflügel in den Sitzungssaal winkte. Eine Handvoll Ordnungshüter hatte sich um diese winzige Öffnung postiert, vor der inzwischen eine Menschentraube hing.

„Was stimmt denn nicht?“ rief Wanda über die Köpfe der Wartenden dem Polizisten am Saaleingang zu.

„Handgeschriebene Namensschilder macht ein anderer Kollege. Der kommt gleich.“ Die Leute drängelten, schoben sich aneinander vorbei, um einen schnellen Blick durch die Eingangslücke in den Saal zu erhaschen. Gab es überhaupt noch Plätze? Auch drinnen stand man schon fast bis zur Tür. Und das alles, weil heute der Ministerpräsident dabei sein sollte. Sie hatte sich am Mittag eine kleine Pause an der frischen Luft gegönnt. Als sie danach durch eine staatlich gesicherte Schneise in das Kongressgebäude zurück geleitet wurde, sah sie zwei dunkel verglaste Staatskarossen, die vor dem Haupteingang parkten. Demonstranten skandierten Protestrufe und belagerten den Eingang. Polizisten hatten alle Hände voll zu tun, sie außen vor zu halten, während die Besucher in das Gebäude strömten.

Wanda war verstimmt. Sie hatte sich von Andreas beschwatzen lassen. Früh am Morgen waren sie in den Zug nach Gießen gestiegen. *Nano – Hier liegt die Zukunft* hieß die Ausstellung, die dort stattfinden sollte. Im Labor blieb die Arbeit liegen. Andererseits musste sie mal raus. Diese Panne in der Versuchstiereinheit hatte das Fass zum Überlaufen gebracht. Es war einfach zuviel. Sie war ausgerastet. Nun stand sie in die-

ser hessischen Werbeveranstaltung und wusste nicht, was sie hier eigentlich verloren hatte. Die euphorische Betriebsamkeit der Industrieaussteller steckte sie nicht wirklich an. Die Mediziner taten so, als hielten sie bereits ein Allheilmittel in den Händen, und die Politiker sprachen von Marktchancen und neuen Arbeitsplätzen. Klang doch bestens. Sie war selbst schuld, wenn ihr das alles wie eine schlechte Show vorkam. Jetzt drängte sie mit den anderen Besuchern in den großen Sitzungssaal zur Podiumsdiskussion, um zur Krönung des Tages den Ministerpräsidenten zu hören. Sie erkannte sich selbst nicht wieder.
Der Polizist am Saaleingang gab Wanda ein Zeichen und wies auf einen kleinen Mann mit großer Brille, der sich durch die Wartenden zwängte. Der nickte nur kurz, und schon wurde Wanda hineingelassen. War das alles? Sie musste wohl etwas falsch verstanden haben. Offensichtlich ging es hier um Zuständigkeiten und nicht um Sicherheit.
Wanda entdeckte Andreas mitten im Zuschauerraum. Er stützte eine Hand auf den freien Stuhl neben sich und schaute sich suchend um. „Darf ich mal durch? Oh, das wollte ich nicht. Ihre Jacke … Tat es weh? Ihr Rucksack hängt an meinem Bein …“ Endlich.
„Tut mir leid“, versuchte er Abbitte zu leisten. „Die besten Plätze waren schon belegt.“
„Hier ist fliehen unmöglich“, winkte sie ab. „Egal wo man sitzt.“ Auf dem Kragen seines hellen Jacketts kringelte sich ein braunes Haar. Wanda zögerte. Die Stelle zog sie an wie ein Magnet. Ganz zart die Pinzette von Daumen und Zeigefinger ausstrecken, verlockte es sie. Ein Hauch von Berührung. Mehr nicht. Er lächelte.
„Und ich dachte schon, du würdest kneifen.“ Sie zupfte eine Fluse vom Ärmel ihrer Anzugjacke. Sie nickte.
„Ja, hätte passieren können“, seufzte sie. „Ich stehe mehr auf Xavier Naidoo. – Kann er wenigstens singen?“
„Wer?“
„Der Ministerpräsident.“
„Weiß nicht. Vielleicht kocht er ja gut.“
Immer noch drängten die Menschen in den bereits überfüllten Sitzungssaal. Allmählich wurde es ungemütlich. Männer in dunklen Anzügen streiften durch die Gänge zwischen den Reihen. Sie kamen ihr vor wie Zwittergestalten aus wachsamen Platzanweisern und hilfsbereiten Aufpassern.

Von draußen drangen die Rufe der Widerständler herein. Wanda fühlte sich nicht wohl so zwischen den Fronten. Die hinteren Bühnenränge waren ihr lieber. Beobachten und den Fluchtweg im Auge behalten, das konnte sie gut. Es war das erste Mal, dass sie mittendrin saß. So ungefähr musste es im stillen Auge eines Wirbelsturms sein. Sie duckte sich ein wenig. Auf dem Podium nahmen Vertreter aus Politik und Wirtschaft ihre Plätze ein. Über ihnen stand die Projektion eines vierblättrigen Kleeblatts. Das Publikum applaudierte. Hinten wurden die Saaltüren geschlossen. Die Faustschläge der Ausgesperrten trommelten dagegen wie Donnergrollen. Auf welcher Seite stehe ich eigentlich? fragte sie sich.

China habe inzwischen Deutschland auf den undankbaren vierten Platz der Nano-Olympiade verdrängt, hinter Japan und den USA, begann der Moderator die Diskussionsrunde, nachdem er die Teilnehmenden kurz vorgestellt hatte. Sie saßen in einem Halbkreis, sieben Männer, deren Mienen sich nun kämpferisch verdüsterten. Deutschland sei gut in der Forschung, aber das *time to market* zu langsam, da war man sich einig. Man müsse die Schlagkraft erhöhen. Hinten bebten die Saaltüren unter der Wucht der ausgeschlossenen Fäuste.

Bloß kein weiteres Szenario á la Biotechnologie, hieß es.

„Der Zug ist ohne uns abgefahren!" Deutschland habe den Anschluss verpasst, weil man zuviel nachgedacht, geprüft und auf die lange Bank geschoben habe. Wanda wurde unruhig. Die Sache mit den Ratten ging ihr nicht aus dem Kopf. Anschluss verpassen, schnaufte sie innerlich. Genau das ist mein Problem, wenn es mit den Versuchen so weiter geht. Und dann diese Tierpflegerinnen. Riefen doch gestern kackfrech bei ihr an, mit ihren Ratten stimme was nicht. Sie solle mal selbst nachsehen. Sie hatte einen Wutanfall bekommen, als sie die verendeten Tiere entdeckte.... *stimme was nicht!* So ein Schwachsinn. Konnten die kein deutsch? Zehn tote Ratten von heute auf morgen? Das alles ohne warnende Anzeichen? Einfach so? Sie konnte es nicht glauben. Drehten die Kollegen im Tierstall Däumchen, oder was? Auch die übrigen Tiere aus dem letzten Versuch sahen nicht gut aus. Irgendein Infekt, vermutete sie. Eine Rattenseuche. Wer weiß? Es blieb ihr keine andere Wahl. Sie musste sie töten. Auf einmal hatte Johannes neben ihr gestanden. „Ich mach's!" hatte er nur gesagt. Sie sah ihn verwundert an. Sabine habe mit ihm gesprochen. Es hätte da wohl ein Missverständnis zwischen ihnen gegeben.

Das Gespräch mit der Freundin im Havanna trug bereits Früchte, stellte Wanda zufrieden fest. Er war mit Sabine übereingekommen, von den verbliebenen Tieren aus der BIT-Studie Gewebeproben zu nehmen, bevor Sturm aus den USA zurückkehrte. Wenn er schon einmal dabei sei, käme es auf ein paar Ratten mehr oder weniger auch nicht mehr an.
„Der Chef gibt mir bestimmt eine Sonderzulage", hatte er zwinkernd hinzugefugt. Johannes wollte Petra dabei haben. Wanda hatte er fort geschickt. *Zu hibbelig* hatte er sie genannt. Das kränkte sie. Aber sie konnte es nicht leugnen, sie hatte zurzeit ihre Hände nicht im Griff. Sie zitterte. Wenn sie sich aufregte, wurde es stärker. Es machte sie nervös und wenn sie nervös war, zitterte sie noch mehr. Ob er etwas bemerkt hatte? Johannes war geschickt mit dem Seziermesser. Auch wenn sie momentan wie Hund und Katze umeinander schlichen, so hegte Wanda keinen Zweifel daran, dass diese Aufgabe bei ihm in den besten Händen war. Aus diesem Grund fragte sie nicht weiter nach. Er schlug vor, die entnommenen Organe zur Untersuchung an eine Tierpathologie zu schicken.
„Deutschland kann es sich nicht noch einmal leisten, die Führung bei einer Basistechnologie zu verlieren." Wandas Aufmerksamkeit kehrte wieder zum Podium zurück. Der Ministerpräsident hatte die Beine übereinander geschlagen und näselte seine Überzeugungen ins Mikrophon. Man brauche mehr Risikobereitschaft. Als hätte er das Stichwort gegeben, kam plötzlich Unruhe unter den Zuhörern auf. Einzelne Personen erhoben sich und begannen ihre Anoraks auszuziehen. Erst jetzt bemerkte Wanda, dass auch hinter ihnen einige Besucher aufstanden und sich ihrer Jacken entledigten. Darunter trugen sie schwarze Kleidung. Wanda kam sich vor wie in einem Theater, eine Inszenierung, dachte sie und wartete gespannt auf den Beginn der Handlung. Sie waren gerade damit beschäftigt, sich Sonnenbrillen aufzusetzen, da ertönte ein kurzer Pfiff und die Schar schwärmte aus, etwa drei Dutzend überwiegend junger Leute, die wie die Ameisen durch die Reihen huschten. Keiner von ihnen sprach. Sie schienen etwas auszuteilen. Die Stille ergriff jeden im Saal. Auch der Moderator wirkte wie eingefroren, er hielt das Mikrofon vor den halb geöffneten Mund und schluckte. Irgendetwas stimmte hier nicht. Aber niemand griff ein.
Die Ordnungskräfte waren damit beschäftigt, die Saaltüren gegen den Druck von außen zu blockieren. Die Leute blieben sitzen, schauten sich

fragend um und zuckten die Achseln. Einige räusperten sich nervös, andere kicherten. Dort, wo der Ministerpräsident gesessen hatte, stand jetzt ein leerer Stuhl. Das Kleeblatt über dem Podium war verschwunden. *Wir schlagen Alarm! Keine Macht dem technologischen Wahnsinn!* stand nun dort in fetten schwarzen Lettern. Das Ausrufezeichen markierte ein großer roter Punkt. Die Aufrührer hatten es also trotz der Kontrollen geschafft, in den Saal zu kommen. Aus allen Richtungen strömten die dunklen Gestalten zum Mittelgang des Saales. Höchstens zwei Minuten waren seit dem Beginn der Aktion vergangen, aber die Ruhe dehnte die Zeit wie ein Gummiband. Wieder ein Pfiff und die düstere Armee marschierte geschlossen nach hinten, teilte sich vor der Tribüne in zwei Hälften, die jeweils den beiden Ausgängen zustrebten. Vor den versperrten Türen stießen sie auf die Ordnungskräfte. Jemand rief: „Lasst euch nicht blenden!" Zwei Polizisten versuchten, den Verkünder aus der Gruppe zu ziehen. Er riss die Arme hoch und brüllte: „Fasst mich nicht an!" Die Menge der Aktivisten schob sich dichter zusammen und drängte wie eine dunkle Masse von innen gegen die Saaltüren. Wanda umklammerte immer noch den kleinen Gegenstand, den ihr jemand während der Aktion zugesteckt haben musste. Es war alles so schnell gegangen. Sie öffnete die rechte Hand. Ein glatter roter Knopf lag darin. Sie erkannte ihn sofort. Vor genau zehn Tagen nachts in der Pipeline hatte sie ihn gesehen. Es war das gleiche Modell.
„Klasse Aktion", hörte sie Andreas sagen. Seine Augen glänzten. „Allein dafür hat es sich gelohnt zu kommen." Wanda nickte und wies auf den Plastikknopf in ihrer Hand.
„Hast du den schon mal gesehen?"
Andreas schüttelte den Kopf. Inzwischen waren die Saaltüren weit geöffnet. Jemand hatte den Beamer ausgeschaltet. Die Podiumsdiskussion schien abgebrochen, und die Besucher schoben sich in diskutierenden Grüppchen langsam nach draußen.
„Lass uns noch einen Augenblick warten", schlug Andreas vor. Wanda nickte zustimmend. Sie sah die drängelnden Menschen am Ausgang. Sie hatte keine Lust auf ein Bad in der Menge.
„Und sonst?" fragte sie. „Hat dir die Tagung sonst was gebracht?"
„Interessant wie die jetzt vorgehen", meinte Andreas. „Im Mittelpunkt steht der informierte Bürger. So wie es in den Richtlinien der EU vorgeschlagen wird."

„Hältst du das wirklich für Information?“ Wanda fing an, sich aufzuregen. Die Anspannung der letzten Minuten steckte ihr noch in den Gliedern und suchte nach einem Ventil: „Das Ganze kommt mir so vor wie ein trickreiches Versteckspiel. Sag mir bitte, wo hier offen mit den Menschen diskutiert wird?“
„Immerhin sieht der europäische Ansatz einen gesellschaftlichen Diskurs überhaupt vor. Der NBIC-Bericht der amerikanischen National Science Foundation dagegen liest sich wie ein Science Fiction.“
„NBI-was?“
„Converging Technologies for Improving Human Performance. Darin wird das Panorama einer neuen Evolutionstheorie entworfen. Die Entwicklung des Individuums, der Menschheit, der Kultur und der Technik werden in ein Kontinuum gesetzt. Du musst nur Ray Kurzweil lesen, dann weiß du, wie sie denken. Oder deinem Thomas zuhören. Dem scheinst du ja alles zu glauben.“ Wanda überhörte den unterschwelligen Angriff.
„Trotzdem vermisse ich hier überzeugende Argumente“, entgegnete sie ruhiger. „Einerseits sollen die neuen Technologien Umwelt und Ressourcen schonen, andererseits ist das Wirtschaftswachstum immer noch die Nummer eins.“
„Und das bei sinkender Lebensqualität.“
„Eben. Wo also bleibt bei diesem Zynismus der Mensch, den man angeblich informieren will?“ Jetzt konnte sie sich nicht mehr bremsen. „Was ist schlimmer, Wirtschaftskrise oder Umweltverschmutzung? Wer kann das heute noch getrennt voneinander betrachten?“ gab sie sich selbst die Antwort. „Von mir werden schließlich auch Fakten verlangt, wenn ich eine Substanz für toxisch erkläre.“
Behutsam legte er seine Hand auf ihren Arm.
„Wenigstens du machst es richtig.“ Er lächelte beschwichtigend. Sein Dackelblick machte sie rasend. Machte er sich lustig über sie?
„Es ist immer wieder die gleiche Scheiße“, regte sie sich auf. Andreas zog die Hand zurück. „Die Leute sind doch nicht blöd“, ereiferte sie sich weiter. „Warum legt man die Karten nicht offen auf den Tisch, sagt den Menschen, dass wir völlig am Anfang stehen? Dieser zwanghafte Vermarktungsdruck. Gleichzeitig brauchen wir Technologien zur Einschätzung von Risiken. Da liegt unsere Zukunft. Stattdessen werden die Amerikaner nur schlecht imitiert.“

„Du meinst, dass wir immer schlechte Amerikaner sein werden?"
Wanda seufzte.
„Ich war eine Weile drüben. Vieles hat mir wirklich gut gefallen. Aber richtig angekommen bin ich dort nie." Eine Weile blieben sie noch auf der Tagung, liefen durch die Industrieausstellung und hörten in die eine oder andere Sitzung hinein. Aber Wanda war mit ihren Gedanken nicht ganz dabei. Wie es wohl Johannes und Petra mit den Sektionen ergangen war? Sie mussten inzwischen fertig sein.

Als sie und Andreas am Abend wieder in Marburg eintrafen, wollte Wanda sofort nach Hause. Dass sie Andreas dennoch begleitete, lag nicht am Yogi-Tee, den er ihr zubereiten wollte, um sie für den Frust des Tages zu entschädigen. Sie war vielmehr neugierig zu erfahren, wie er lebte. Außerdem suchte sie nach einer günstigen Gelegenheit, Mary Kampbells Wunsch zu entsprechen und ihn nach seinem Vater zu fragen.
Andreas wohnte im Südviertel. Sie stiegen das enge Treppenhaus des Altbaus hinauf, bis die Stufen aufhörten. Die Holzdielen stöhnten leise, als sie die Mansarde betraten. Eine angenehme Wärme empfing sie. Sie streifte ihren Mantel ab. Wanda schnüffelte. Ein würziger Duft stieg ihr in die Nase.
„Nag Champa", sagte er nur. „Original aus Indien."
Eilig lief er voraus und machte das Licht an. Alle Türen zum Flur standen offen. Bis auf eine. Ihr Blick fiel auf ein Poster von Pipilotti Rist. Zwei Frauenbeine baumelten fröhlich aus dem verschlungenen Blattwerk eines Baumes. Allein die Unschärfe verlieh der Fotografie etwas Erotisches. Das Bild leuchtete auf der rotbraunen Wand – Terrakotta war ihre Lieblingsfarbe. Unter dem Bild stand ein kaum kniehohes Tischchen. Kunstvolle Schnitzereien verzierten das Holz. Darauf erhob sich eine Skulptur aus Bronze, katzengroß, halb Frau, halb Jüngling, im Lotus-Sitz, eine Hand wie zum Gruß erhoben. Wanda winkte schüchtern zurück. Eine Göttin? Zu ihren Füßen stand ein Schälchen mit Sand, in dem noch der abgebrannte Stummel eines Räucherstäbchens steckte. Hier wohnt eine Frau, war ihr nächster Gedanke und ihre Neugier blieb an der verschlossenen Tür hängen. Warum habe ich nicht auf das Schild an der Klingel geschaut? Früher wäre mir das nicht passiert. Sie hatte keine Übung mehr in diesen Dingen. Aus dem Zimmer,

in das Andreas verschwunden war, drang jetzt eine weibliche Stimme. „... nicht erreichen. Ruf dich wieder an ... Küsse." Es klang ein wenig brüchig, aber jung und sympathisch. Dann ein Piepton. Der Anrufbeantworter, dachte Wanda erleichtert. Sie wartete. Irgendwann stand er in der Tür.

„Willst du hier Wurzeln schlagen?" Wanda wies mit dem Kinn auf die Skulptur.

„Das ist Sitatara", erklärte Andreas. „Die weiße Tara. Sie steht für ein langes Leben." Er verschwand wieder in seinem Zimmer. Wanda folgte ihm.

Trotz seiner Größe kam ihr der Raum ein wenig düster vor. Er besaß den verstaubten Charme einer Privatbibliothek. Die Wände waren mit voll gestopften Bücherregalen zugestellt. Sie erkannte bald, dass vieles davon Videobänder, DVDs und CDs waren. Eine bunte Baumwolldecke war hastig über das große Bett in einer Zimmerecke geworfen worden. Die Stereoanlage stand daneben. Wanda lauschte der süßlich schweren Melodie, die allmählich den Raum erfüllte. Sie schloss die Augen. Wie leichter Sommerregen fiel die helle Stimme der Sängerin auf ihre Haut, und ihre vertraute Klage drang Wanda bis ins Mark. Sie spürte die Wärme seines Körpers dicht hinter sich, zart strichen seine Finger über ihren Nacken.

„Wie Fernweh", flüsterte sie. „Was ist das?"

„Madredeus." Sie mochte das samtige Gurren in seiner Stimme.

Sie rührte sich nicht, genoss die sanfte Berührung. Eine Ewigkeit. Irgendwann öffnete sie die Augen. Sie spannte den Rücken und seufzte genüsslich. Sein Blick kam aus der Ferne, als sie ihn ansah.

„Und der Tee?" fragte sie. Er nickte entschuldigend.

„Es dauert ein bisschen. Mach's dir inzwischen gemütlich." Er verschwand in die Küche.

Wanda streifte an den Regalen entlang. Brecht, Dürrenmatt, Kästner, Kaschnitz hatten sie durch die Schulzeit begleitet. Mankell kam später. Sie hatte fast alle seine Krimis gelesen. An Details konnte sie sich nicht mehr erinnern. Immer fünf Seiten abends im Bett, bis ihr die Augen zufielen. Mehr schaffte sie nicht. Nadolny? Kam ihr bekannt vor. Pamuk. Sie zog den Kopf zwischen die Schultern. Eine Bildungslücke ... Sabine hatte Recht. Sie war eine Kulturbanausin. Literatur interessierte sie schon. Aber eher so wie ein Hobby, für das man Zeit haben musste und die hatte sie nicht, wenn sie ihre Arbeit vernünftig machen wollte. Vielleicht in ein paar Jahren. Auf einem Aktenschrank neben der Tür entdeckte sie eine Perlenkette aus Holz. Als sie sie aufnahm, segelte ein Blatt Papier zu Boden. Sie bückte sich und während sie sich wieder erhob, das Papier in der Hand, glitt ihr Blick über das Gedruckte. Hilberg, Kampbell, Panzerotti, Propov, Snider … Sie kannte sie alle. Ihre Augen blieben in der letzten Zeile hängen. Hitze schoss ihr in den Kopf. Sie las ihren eigenen Namen. Er wirkte ein wenig sperrig und weit weg. Eine seltsame Mischung aus Enttäuschung und Ärger machte sich in ihr breit. Es war immer dasselbe. Sie war mal wieder die Letzte.

24
Red Button

So lange sie denken konnte, war sie die Letzte gewesen. Das fing im Kindergarten an. Du musst Geduld haben, bis du dran bist. Wie sie diese Ermahnungen gehasst hatte. Sie starrte immer noch auf die Namensliste in ihrer Hand. Kein Zweifel: Die Liste, von der Mary gesprochen hatte. Peter Snider habe sie verschickt, an alle. Warum hatte sie keine bekommen? Schon wieder die Letzte, die davon erfuhr. Sogar Andreas hatte eine. Oder war diese hier zwar für Hilberg, aber für Günther Hilberg, bestimmt gewesen? Mary hatte von einem Fragebogen gesprochen. Wanda schaute noch einmal auf den Boden, dann auf den Aktenschrank. Es gab nur diese Liste. Was für Fragen hatte Mary erwähnt? Wanda erinnerte sich nicht. Sie sah das fette Kreuz hinter Hilbergs Namen. Grausig. Wer mochte es dorthin gesetzt haben? Aus der Küche drang ein Klappern. Der Duft von Zimt und Nelken wehte herüber. Auf einmal war ihr kalt. Ihre Hände zitterten. Vorsichtig legte sie die Perlenkette zurück auf den Schrank, die Liste behielt sie. Im Flur fand sie ihren Mantel. Sie steckte das gefaltete Papier in die Tasche und verließ die Wohnung. Hinter ihr fiel die Tür ins Schloss. An den Briefkästen drehte sie sich noch einmal um. Sie fand das Schild. Unter *Andreas Hilberg* las sie *Larissa Zacharias*.

„Künstlername“, entfuhr es ihr.

Irgendwann unterwegs klingelte ihr Handy. Sie stellte es ab.

Zuhause in ihrem Briefkasten steckte ein weißer Umschlag. Er trug den Stempel des Hausarztes. Später ließ sie ihn in der Küche liegen. Ungeöffnet. Neben der Liste. Das hatte Zeit bis morgen. Beim Einschlafen sah sie das fette Kreuz. Es sprang aus der Liste direkt auf ihre Stirn. Sie schreckte hoch. Verdammt. Ich habe vergessen, mich nach dem Tod von

Günther Hilberg zu erkundigen. Sie zog sich die Bettdecke über den Kopf. Was kümmert es *mich*. Sie schlief sofort.

Gleich am anderen Morgen streckte Johannes seinen Kopf zu ihrer Bürotür herein. Alles sei nach Plan verlaufen, sagte er, die Gewebeproben lagerten im flüssigen Stickstoff. Was sie damit machen wolle? Wanda wusste es noch nicht. Sie brauchte jemanden für die molekularbiologische Analytik. Er könne es versuchen, bot Johannes sich an. Nein. Auf keinen Fall in der eigenen Abteilung, wehrte Wanda entschieden ab. Es wäre doch besser, ein unabhängiges Labor damit zu beauftragen. Jemand, der nicht wusste, worum es dabei ging. Nach was suchten sie überhaupt? Das musste sorgfältig überlegt sein. Wanda wollte nichts überstürzen, erst einmal mit Sabine reden.

Stakkatoschritte hallten über den Korridor. Büntchen trug wieder Pumps. Der Chef war also pünktlich zurückgekehrt.

„Er weiß von nichts", zischelte Johannes mit verschwörerischer Miene.

„Dann bin ich im Vorteil", erwiderte Wanda bestimmt. Heute Morgen beim Zähneputzen hatte sie sich für Angriff entschieden. Sie war immer noch geladen über die Zustände in der Tierversuchseinheit. Es war jetzt an Sturm, etwas zu unternehmen.

„Mach mir Mut!"

„Was immer du willst, du schaffst es", sagte Johannes. „Mach ihn fertig!"

Ohne sich anzumelden, betrat Wanda das Vorzimmer zum Chefbüro. Frau Bünte telefonierte gerade und sah sie fragend an. Wanda zog die Lippen in die Breite und hoffte, dass es freundlich wirkte.

„Ich muss mal. Dringend", flüsterte sie und deutete in Richtung Chefzimmer. Sie lief einfach weiter. Die Tür war angelehnt.

Sturm starrte auf den Bildschirm seines Computers, als Wanda den Raum betrat.

„Stellen Sie den Tee bitte auf den Schreibtisch", sagte er ohne den Blick zu wenden. Wanda räusperte sich.

„Guten Morgen, Herr Sturm." Seinen Titel vermied sie mit Absicht.

Sturm blickte erschrocken über seine Schulter.

„Ach, Sie", sagte er. „Das passt gut. Setzen Sie sich."

Wanda glitt auf den Besucherstuhl. Die Takelage ihrer Wut begann zu flattern.

„Boston war ein großer Erfolg", brach Sturm sogleich in ihre zögerliche

Flaute. „Wir können die Befunde jetzt veröffentlichen. Ich möchte, dass Sie Ende Januar nach Berlin fahren. Die Jahrestagung. Wir sollten die Ergebnisse dort vorstellen."
„Aber die Frist für die Anmeldung …"
„… ist längst vorbei. Ich weiß", unterbrach er sie. „Ich habe das alles bereits in die Wege geleitet und *Sie* werden den Vortrag halten."
Wanda atmete tief durch.
„Ich finde, Sabine Mertens sollte das tun." Der feste Klang ihrer Stimme überraschte sie selbst. Sturm warf einen kurzen Blick auf den Monitor. Er blieb ihr die Antwort schuldig. Wandas Herz klopfte.
„In der Versuchstiereinheit gibt es Probleme", sagte sie etwas zu laut. Sturm sah sie fragend an.
„Die Ratten aus meiner letzten Versuchsserie sterben wie die Fliegen. Vielleicht eine Seuche."
„Was warten Sie dann noch?" fuhr er sie an. „Vernichten Sie sie. Verhängen Sie Quarantäne. Tun Sie etwas, bevor das Zeug sich ausbreitet. Es liegt in *Ihrer* Verantwortung."
„Gilt das auch für die Tiere aus der BIT-Studie?" Sie beobachtete ihn aufmerksam. Er starrte durch sie hindurch. „Dort fing es an", hörte sie sich sagen und wunderte sich sogleich über diesen Gedanken. Es war reine Spekulation. Sie ließ Sturm nicht aus den Augen.
„Darum werde *ich* mich kümmern", gab er entschieden zurück. Wanda nickte zustimmend.
„Alles schon erledigt. Die Kadaver wurden gestern verbrannt." Sturm lehnte sich in seinen Sessel zurück und ließ die Arme sinken. Er schaute sie nachdenklich an.
„Das haben Sie gut gemacht", sagte er tonlos. Wanda staunte. So einfach war das. Er glaubte ihr. Natürlich stimmte es. Zum Teil. Es war eben nur die halbe Wahrheit. Vielleicht war es sogar besser, sein Vertrauen zu gewinnen, als gegen ihn zu kämpfen. Auch wenn sie sich wie eine Verräterin vorkam, so konnte sie doch in seinem Windschatten besser manövrieren. Einem Kollisionskurs mit ihm würde sie jedenfalls nicht lange standhalten. Es reichte, dass Sabine draußen war.
„Was macht Ihr Nacken?" fragte er plötzlich.
Wanda drehte den Kopf.
„Bestens. Hat sich von selbst gelöst." Sie rang sich ein Lächeln ab und erhob sich. „Ach ja, der Vortrag in Berlin. Wann genau soll das sein?"

An ihren Schreibtisch zurückgekehrt, fand Wanda, trotz ihres Triumpfes, keine Ruhe.
„Bin ich eine Verräterin?“ fragte sie ihren Computer. Sie hatte beschlossen, ihn von nun an Rudi zu nennen, nach dem Kollegen, der ihr das interaktive Programm geschenkt hatte. Sie zog es vor, Rudi nicht allzu ernst zu nehmen. Das war einfacher, als sich ehrlich einzugestehen, dass er zurzeit der einzige war, dem sie uneingeschränkt vertraute. Dies mochte an seiner Einfältigkeit liegen, an der unzensierten Experimentierfreude, die er an den Tag legte, wenn sie ihn mit Informationen fütterte. Das leichte Unbehagen, das sich zuweilen angesichts dieser absonderlichen Unterhaltungen einstellte, schob sie eilig beiseite. Mit Rudi verband sie eine Komplizenschaft, die sie nicht einmal gegenüber ihren engsten Kollegen empfand. In der Sachlichkeit, mit der das Computerprogramm ihr begegnete, fühlte sie sich geborgen. Hier konnte sie es zulassen, sich frei und unbeschwert zu äußern. Natürlich war ihr bewusst, dass kein Datennetz absolut sicher war. Der Wunsch nach einem Verbündeten überwog jedoch ihre Bedenken.
Ihren Bericht über die Ereignisse der letzten Tage nahm Rudi wie immer kommentarlos auf. Wanda hielt sich an die Fakten. Die E-mail-Korrespondenz ihrer Freundin mit dem berühmten Kristallografen, die toten Ratten, die Namen auf der Liste, die sie bei Andreas gefunden hatte. Bei Panzerotti ergänzte sie „vom Tourettschen Syndrom geheilt“, bei Günther Hilberg „im Frühjahr 2005 verstorben“. Sie war nicht zufrieden. Ihre Eingaben waren ungenau. Sie musste sich besser informieren. Aber wie sollte sie Andreas ihre plötzliche Flucht gestern Abend erklären? Sie hatte sich selbst nicht verstanden: Es war wie ein Reflex gewesen. Ihr Blick fiel auf den roten Knopf aus Plastik, ihr Mitbringsel aus Gießen. Wie eine Ermahnung lag er neben dem Kreisel. Mit wenigen Mausklicks war sie im Internet und öffnete die Suchmaschine. Die ersten Suchbegriffe führten zu nichts. Unter „Roter Punkt“ boten sich unter anderem Links zu einem Aussteller von Schlafzimmermöbeln, einem Tierschutzverband im Zoofachhandel, zu roten Punkten nach dem Epilieren und zu Selbsthilfegruppen für durch Pickel und Insektenstiche geschädigte Zeitgenossen. Bei Wikipedia erfuhr sie, dass sich eine Aktion gegen Fahrpreiserhöhungen Ende der sechziger Jahre nach ihm benannte, sowie eine um Lichtjahre von der Erde entfernte Galaxie, die sich später als roter Fleck auf einer Auf-

nahme des Hubble Weltraumteleskops offenbarte. Wanda versuchte es mit „Roter Knopf" und geriet auf verschiedenste Seiten, die sie aufforderten oder auch nicht, interaktiv einen roten Notschalter zu betätigen, um den Weltuntergang auszulösen – oder auch nicht. Allerdings glich keiner dieser Alarmknöpfe dem, der neben ihrem Kreisel lag. Eine dieser Seiten war in englischer Sprache verfasst. Das brachte sie auf eine Idee. Der Begriff „Red Button" war mindestens ebenso beliebt wie sein deutscher Vetter und Wanda wollte schon aufgeben, da sah sie auf der dritten Seite den Link. Er verwies auf die Homepage einer Red Button Action-Group. Sie klickte darauf und auf ihrem Monitor erschien die Idylle eines Indian Summer, wunderbar gespiegelt in dem dunklen Auge eines fast kreisrunden Teichs. „*Walden ...*" schrieb eine unsichtbare Hand in weißen geschwungenen Buchstaben in das stimmungsvolle Bild. Wie ein Schiffchen glitt das Wort auf die Wasserfläche. Es markierte die Verbindung zur nächsten Seite, auf der sich die Gruppe kurz vorstellte. Sie nannte sich Walden Four und berief sich auf das Werk des amerikanischen Naturphilosophen Henry David Thoreau. Für weitere Informationen war eine persönliche Registrierung erforderlich. Wanda legte die Seite als Lesezeichen ab, was sie hier sah, reichte ihr fürs erste. Sie hielt den Plastikknopf an den Bildschirm. Der fette rote Punkt, der unter der Kurzdarstellung prangte, war ihm zum Verwechseln ähnlich.

25
Chilis und Glückskekse

Am Sonntagmorgen schien die Sonne auf die dick mit Raureif gepuderten Dächer. Der blassblaue Himmel versprach einen herrlichen Vormittag. Gegen zehn verließ Wanda die Wohnung. Sie lief über die Brücke am Rosenparkcafé zum Lahnufer hinunter und bog auf den Radweg ein, der unterhalb des Bahnhofs nach Süden führte. Alles sah anders aus, als sie es in Erinnerung hatte. Sie war das letzte Mal im Frühjahr hier gelaufen, bevor sie ihre Arbeit am Klinikum aufgenommen hatte. Ein halbes Jahr war seitdem vergangen. Sie musste an ihren kurzen Abstecher neulich in den Herbstwald denken. Die Bäume waren mittlerweile wie leergefegt. Rechts von ihr schmiegte sich der Fluss in eine weite Biegung. Im Ufergestrüpp hing noch das Treibgut des letzten Hochwassers wie steif gefrorene Wäschestücke. Weiter unten scheuchte Hundegebell ein paar Enten auf das fahle Wasser hinaus. Wanda beschloss, sich diesen Tag frei zu nehmen. Der erste seit Monaten. Es würde ihr gut tun. Seit einigen Wochen kämpfte sie gegen ein beständiges Gefühl der Erschöpfung an, sie konnte nicht ewig so weitermachen. Andere Leute hatten Familie, Freunde und Hobbies, sie ihren Beruf.

Gegen zwei erwartete sie einen Anruf von Mary Kampbell. Wanda hatte ihr die private Telefonnummer gegeben, zu Hause waren sie ungestört. Mary hatte ihr per E-mail den Fragebogen von Peter Snider geschickt. Auch Wanda konnte sich nicht an besondere Vorkommnisse während der Bustour nach Los Alamos erinnern. Es lag so weit zurück. Stattdessen ging ihr der rote Knopf nicht aus dem Sinn. Noch hielt sie etwas davon ab, sich auf der Homepage von Walden Four zu registrieren. Zwar machte die Gruppe einen friedlichen Eindruck, aber die Aktion in Gießen hatte ihre Vorsicht geweckt. Sie wollte auf keinen Fall in verfassungswidrige Kreise geraten und sich erst einmal aus anderen

Quellen informieren. Ihr Instinkt sagte ihr, dass Johannes mehr darüber wissen musste. Sie erinnerte sich noch gut an sein Gesicht, als sie ihm nach dem Überfall im Computerraum die rote Plakette gezeigt hatte. Er war so ungewöhnlich gleichgültig und, was sie jetzt stutzig machte, überhaupt nicht neugierig gewesen: Warum war sie nicht schon früher darauf gekommen? Johannes ein verkappter Umwelt-Aktivist? Aber er war doch selbst Opfer dieses ominösen Unbekannten gewesen. Weshalb dachte sie dabei immer nur an einen Mann? Trotzdem. Sie musste einen Weg finden, Johannes zu konfrontieren. Am besten, ihn vor Zeugen mit ihren bisherigen Erkenntnissen überraschen.

Aus Andreas hatte sie auch nicht viel herausbekommen. Er war immer noch sauer auf sie, weil sie ihn auf seinem Yogi-Tee hatte sitzen lassen. So ganz nahm er ihr die Geschichte mit dem Schock über die Liste nicht ab. Zögerlich hatte er ihr von den letzten Wochen in Günther Hilbergs Leben erzählt. Es klang beinahe so, als wäre der Verstand seines Vaters von einem bösen Geist besessen gewesen. Jedenfalls verdunkelte Andreas Hang zum Mystischen seine Schilderungen über den Verlauf der plötzlichen Hinfälligkeit Günther Hilbergs, so dass Wanda irgendwann aufhörte, weiter in ihn zu dringen – Andreas war noch nicht so weit. Er wirkte sehr gefangen in seiner Trauer. Außerdem stand der pathologische Befund immer noch aus. Es dauerte ein bisschen zu lang, fand Wanda und hatte Andreas schließlich geraten, in München mal nachzufassen.

Endlich lag das Bahnhofsviertel hinter ihr. Wanda war glücklich, dass, nach der mit Trümmern etlicher Bier- und Schnapsflaschen gepflasterten Strecke, nun der schöne Abschnitt ihres Spaziergangs begann. Der Weg begleitete das Ufer der Lahn in Richtung Süden, der feine Dunst ihrer Atemschwaden in der eisigen Luft gab der Aussicht auf die Brücken, die Altstadt, das Landgrafenschloss einen silbrig-kühlen Charme. In Weidenhausen ging sie über die alte Holzbrücke und nahm den Weg durch die Gutenbergstraße hinauf in die Oberstadt. Bei Klingelhöfer holte sie sich ein Stück Schwarzwälderkirschtorte und bummelte an den Schaufenstern vorbei zurück nach Hause.

Punkt zwei klingelte das Telefon. Mary begrüßte sie überschwänglich. Wanda ließ sich von ihrer Freude anstecken, und so plauderten sie eine Weile über das Wetter und tauschten sich über ihre neuen Forschungsprojekte aus.

Bis auf die Interferenzen war die Telefonverbindung erstaunlich gut, Wanda lauschte aufmerksam, um der älteren Kollegin nicht mit übereilten Erwiderungen ins Wort zu fallen.
„Haben Sie meine E-mail bekommen?“ lenkte Mary schließlich das Gespräch auf den eigentlichen Grund ihres Anrufs.
„Ja, danke. Aber ich musste alle Fragen negativ beantworten“, erwiderte Wanda. „Habe den Fragebogen an Peter Snider weitergeleitet.“
„Der Tod von Professor Hilberg“, begann Mary zögerlich: „Das war ein Schock. Ich muss ständig daran denken.“
„Ich habe seinen Sohn gefragt. Es muss sehr schnell gegangen sein. Anfang März fiel er plötzlich ins Koma. Er verstarb am 12. April.“
„Weiß man, wie es dazu kommen konnte?“
„Er starb an einer Sepsis. Aber da war noch etwas anderes. Eine neurologische Erkrankung. Die Ärzte scheinen noch keinen Namen dafür zu haben. Klingt alles ziemlich mysteriös. Der pathologische Befund lässt auf sich warten.“ Wanda seufzte. „Mehr kann ich im Moment nicht sagen. Der Sohn ist leider kein Mediziner.“
Es entstand eine kurze Pause.
„Erinnern Sie sich noch an den Abend vor unserer Abreise aus Santa Fe?“ nahm Mary das Gespräch wieder auf. „Wir waren zusammen essen, in diesem Chinarestaurant.“ Ja, Wanda erinnerte sich. Ihr war dieser Abend nicht gut bekommen.
„Sie, Anatol, Panzerotti, Snider, Hilberg und ich“, fuhr Mary fort. „Ich meine, vielleicht liegt dort der Schlüssel zu all diesen rätselhaften Ereignissen.“
„Ich verstehe nicht …“
„Ich weiß, es klingt absurd. Aber wissen Sie noch, welche Botschaft damals in Ihrem Glückskeks steckte?“ Wanda schwieg. Nicht schon wieder diese Voodoo-Hypothesen. Hatte sie sich wirklich so sehr in dieser Kollegin getäuscht?
„Nein“, gab sie kühl zurück. „Ich hab’ dafür ein schlechtes Gedächtnis.“
„*Nichts wird so bleiben wie es ist.* Das stand auf meinem Zettelchen.“
Wanda ärgerte sich. Eigentlich wollte sie nur ein paar hilfreiche Tipps für ihr Manuskript. Jetzt hatte sie ein neues Problem.
„Diese merkwürdigen Gerüche“, stammelte Wanda. „Ich stelle mir das ziemlich belastend vor.“

„Halten Sie mich bitte nicht für verrückt. Ich bin Wissenschaftlerin und eine weiße Südafrikanerin. Ich weiß, wovon ich rede."
„Worauf wollen Sie dann hinaus?"
„Panzerotti ist vom Tourettschen Syndrom geheilt und Anatol von seinen Zwängen beherrscht. Ich bin ein Opfer meiner olfaktorischen Verirrungen. Hilberg ... Sehen Sie denn nicht den Zusammenhang? Alles Fälle für den Neurologen ... oder Psychiater, wenn ich an Anatol denke."
„Was ist mit Snider und mir?"
„Warten wir es ab."
„... und mit all den anderen Namen auf der Liste?"
„Vergessen Sie die Liste. Nur wir sechs waren zusammen beim Chinesen."
Wanda seufzte. Erst war es die alte Schamanin und jetzt sind es die Glückskekse. Ich hätte mich vorher nach ihr erkundigen sollen.
„Und nun?" fragte sie resigniert.
„Nun kümmern wir uns erst einmal um Ihre Veröffentlichung." Da war sie wieder, die ihr so vertraute sachliche Mary, die mit pragmatischen Lösungsangeboten nicht geizte. „Ich habe einen amerikanischen Kollegen bei mir zu Gast. Richard Mansfield. Sie dürfen ihn in Ihrer Danksagung nennen. Damit haben Sie dem Anliegen des Gutachters entsprochen und Anatol kann sich nicht über mein schlechtes Englisch erdreisten. Es gibt ein paar wenige sprachliche Korrekturvorschläge unsererseits. Ich schicke Ihnen alles morgen."
Wanda bedankte sich. Sie war erleichtert. Dies war wieder die Mary Kampbell, die sie damals in New Mexiko so bewundert hatte. Diese Geruchsverwirrung musste ihr ziemlich zusetzen.
„Lassen Sie mich wissen, wie es bei Ihnen weitergeht?" fragte Mary zum Abschied. Sie klang verbindlich, wie Wanda es von ihr erwartet hatte. Jedoch verstand sie nicht, dass jemand so konfus und gleichzeitig so pragmatisch sein konnte. Aber jetzt, nach dem Telefonat mit ihr, fühlte Wanda sich erstaunlich ruhig. Mary war eine außergewöhnliche Frau. Sie war damals offen und warmherzig auf sie zugekommen, und Wanda erinnerte sich an ihr fröhliches Lachen, das jeden ansteckte. Mit ihrer verwuschelten Mähne und den selbst gestrickten Röcken ähnelte sie eher einer Zigeunerin als einer Wissenschaftlerin. Obendrein gab es noch einen Punkt, in dem Mary sich von ihren Kolleginnen deutlich

unterschied: Sie hatte keine Angst vor Männern. Mehr noch. Sie fuhr ihnen über den Mund und fiel ihnen ins Wort, wenn sie es für nötig hielt. Aber sie tat es mit Feinsinn und einem Schuss selbstironischer Mütterlichkeit. Obwohl sie auf einem schmalen Grad zu balancieren schien, musste man nicht um sie fürchten. Sie bewegte sich stets in einer Traube von Männern, die in ihrer Nähe plötzlich lebendig wurden, hinter ihrem Rücken jedoch schon mal über sie witzeln konnten. All das schien Mary nicht anzufechten, sie ignorierte es schlichtweg. Und Propov? Welche Laus war dem über die Leber gelaufen?

Die Antwort von Peter Snider erreichte Wanda noch am selben Abend. Es war eine außergewöhnlich lange E-mail.

Hallo Wanda, wie geht es dir? Ich hatte schon nicht mehr mit einer Antwort von dir gerechnet. Aus Rochester kam die Nachricht, dass du wieder nach Deutschland bist. Ich muss zugeben, ich habe nicht weiter nachgefragt. Es gab hier so viel zu tun. Wo liegt eigentlich Marburg? Ich habe darauf vertraut, dass die Leute von Walden Four dich finden. Sie hatte richtig gelesen. Da stand tatsächlich *Walden Four*. Peter Snider kannte also diese Gruppe. – Die haben mich gesucht. Weshalb? *Im Frühjahr haben wir ihnen die Liste geschickt. Sie sollten mit den deutschsprachigen Teilnehmern des New Mexiko Workshop Kontakt aufnehmen. Es war wohl nicht einfach, dich zu finden. Aber es ist ihnen offensichtlich doch noch gelungen. Inzwischen sind wir nämlich mit unseren Ermittlungen in dieser Sache einen guten Schritt weiter gekommen.* Klar. Sie hatte vergessen, sich im Marburger Stadtbüro anzumelden. Offiziell wohnte sie noch bei den Eltern. – Was war das für eine Sache, in der sie ermittelten?

Ich arbeite jetzt bei einer Umweltorganisation. Wie es dazu kam, weiß ich selbst nicht so genau. Es geschah kurz nach unserem Treffen in Santa Fe. (Vielleicht waren die Chilis zu scharf? Haha!) Jedenfalls lenkten mich meine Schritte eines Morgens nicht mehr in das Chemielabor des Forschungsgebäudes der Universität. Ich ging in das Büro der ETC-Group und blieb. Im Internet kannst du einiges über uns lesen. Wir engagieren uns überwiegend im landwirtschaftlichen Bereich, Biodiversität von Nutzpflanzen und so weiter. Außerdem bemühen wir uns um Aufklärung über neue technologische Verfahren bei der Züchtung und der Aufbereitung von Boden und

Wasser. Seit kurzem leite ich die Untergruppe >Nanotechnologie<. Sie wurde durch das Projekt, an dem ich gerade arbeite, ins Leben gerufen. Anfang des Jahres sind wir nämlich einem Hinweis nachgegangen ... Ach was, das würde jetzt zu weit führen. Lass mich gleich zum Ergebnis unserer Ermittlungen kommen. Erinnerst du dich noch an den 23. Mai 2003? (Ich geb's zu, ist 'ne Weile her.) An diesem Vormittag begab sich eine gutgelaunte Tagungsgesellschaft aus zwanzig internationalen Spezialisten auf dem Gebiet der Nanowissenschaften auf einen gemeinsamen Ausflug zu den berühmt-berüchtigten Laboratorien nach Los Alamos. Der Reisebus nahm von Santa Fe aus die Südroute über das Hochplateau. Wanda sah sich wieder am Busfenster sitzen und in eine sonnenbeschienene rotbraune Landschaft blicken. *Kurz vor halb zwölf erreichten wir die nördliche Grenze des Bandelier National Monument. Etwas westlich davon, aber auf gleicher Höhe wurde etwa zur selben Zeit aus einem Löschflugzeug ein Aerosol versprüht. Laut Bordbuch erhielt der Airtanker um elf Uhr vierundzwanzig das Kommando, seine Tanks zu öffnen. Eingetragen war die Bezeichnung Nanobact-NP2701. Das habe auf den Behältern gestanden, meinte der Pilot, der den Einsatz flog. Das alles wusste ich natürlich nicht, als ich damals aus dem Busfenster die beiden Flugzeuge entdeckte. Der Fragebogen sollte mir dabei helfen, weitere Zeugen zu finden. Fehlanzeige. Außer mir und Ricardo Panzerotti kann sich niemand mehr erinnern. Zum Glück bin ich rasch auf diesen Piloten gestoßen. Als Auftraggeber nannte er die California Woodlands Research Company in Eureka. Das liegt nördlich von San Francisco. Die Firma hält sich bedeckt. Angeblich handelte es sich um eine private Angelegenheit. Die Fläche, auf der das Aerosol ausgebracht wurde, sei schließlich privates Land, der Mitarbeiter, der den Einsatz angeordnet habe, sei inzwischen nicht mehr dabei. Ich bin gerade von meiner zweiten Reise nach New Mexiko zurück, habe ein paar Bodenproben in der Tasche, aber keine konkrete Idee, wonach wir suchen sollen.* Snider kam ihr recht aufgedreht vor, beinahe geschwätzig. Sie hatte ihn zurückhaltender in Erinnerung gehabt. Worauf wollte er hinaus? *Der Pilot spricht von Bodenentgiftung nach Mineralölkontamination. Wenn das stimmt, dann waren Dilettanten am Werk. Die Bezeichnung „Nanobact" lässt auf ein mikrobiologisches Verfahren schließen. Allerdings ist die Gegend dort für in situ-Verfahren ungeeignet. Zu trocken. Außerdem sollte der Boden nach einer solchen Behandlung bearbeitet werden, um die Mikroben gut mit Sauerstoff zu versorgen. Ein Wundermittel, das man einfach darauf kippen kann und basta, gibt es nicht. Was ich Vorort gefunden habe, war Brachland.*

Niemand hat sich in den letzten zwei Jahren darum gekümmert. Wir können nur spekulieren. Waren es Antibiotika, Dünger oder genetisch manipulierte Mikroorganismen? Es ist immer wieder dasselbe Spiel. Die anderen schummeln und wir müssen uns an die Regeln halten, um es ihnen nachzuweisen. Glücklicherweise kennen wir ein gutes Labor, das die gesamte Palette an mikro- und molekularbiologischer Analytik für uns macht. Kostenlos. Wanda rutschte unruhig auf ihrem Stuhl hin und her. Das ist es. Genau so ein Labor brauchen wir. Sie las weiter. *Du fragst dich sicherlich, weshalb wir diesen Aufwand betreiben. Es gibt da noch etwas, das der Sache eine ziemlich brisante Note verleiht. Wie immer stellen wir die Projekte, in denen wir ermitteln, ins Netz. Gestern kam ein Anruf vom US-amerikanischen State Department. Morgen wollen ein paar Jungs von denen zu uns ins Haus kommen. Kooperationsgesuch, hieß es. Wir können uns noch keinen Reim darauf machen. Aber wir sind alarmiert. Gut, dass wir alle Kinky Friedman gelesen haben … („Du darfst das State Department niemals belügen. Am besten man beantwortet jede ihrer Fragen mit einer Gegenfrage"). Die Bodenproben verstecken wir nach bewährter Kinkster-Manier im Katzenklo. Aber verrat's niemandem!*
Das fürs erste. Lass wieder von dir hören.
Peter

Wanda schwirrte der Kopf. Walden Four hatte sie also auf Anfrage von Peter Snider gesucht. Die US-amerikanische Bundespolizei suchte Kontakt zu einer Umweltorganisation wegen einer gut zwei Jahre zurückliegenden vermeintlichen Kollision einer undefinierbaren Nanosubstanz mit einer Gruppe von Nano-Experten, und das ausgerechnet auf dem Weg nach Los Alamos. Klang alles ziemlich abgeschmackt. Zwar hörte es sich nicht so an, als machte Peter Witze, aber er schien es locker zu nehmen. Dieses Labor, von dem er schrieb, interessierte sie mehr als alles andere. Kostenlose Kompetenz war genau das, was sie jetzt brauchte. Sie musste Peter unbedingt nach der Adresse fragen. Allerdings gab es da ein Problem. Wie bugsiert man einhundert Gewebeproben tiefgekühlt und unbemerkt durch den amerikanischen oder kanadischen Zoll? Doch diese geheimnisvolle Substanz, die die BIT in ihrem Labor toxikologisch prüfen ließ, müsste sich mit etwas Geschick hindurchmogeln lassen. Was war das für ein Stoff, über dessen Langzeiteffekte der Chef nichts wissen wollte? Sie brauchte unbedingt eine Probe davon. Ihr kam die E-mail in den Sinn, die sie auf Sabines Computer gefunden hatte. Was hatte Sabine bereits unternommen? Wanda seufzte. Hoffentlich gab es noch ausreichend Material, um es analysieren zu lassen. Es war höchste Zeit für eine Aussprache.

26
Die Aussprache

„Genauso machen wir es“, sagte Petra und leckte sich genüsslich über die geschminkten Lippen. Sie saßen im Havanna, jeder vor seiner Caipirinha, und nuckelten verhalten an ihren Strohhalmen. Sabine stocherte schweigsam in den Eisklümpchen herum und Johannes war mal wieder ziemlich rot im Gesicht. Aber für Petra schien die Sache absolut klar zu sein.

„Also, während Johannes den Schlüssel zum Giftschrank aus Michaels Schreibtischschublade holt, werde ich den lieben Michael ein wenig ablenken.“

„Ich weiß nicht“, unterbrach sie Sabine. „Mir geht das alles ein bisschen zu schnell.“

Wanda hielt sich eine Hand vor den Mund. Jetzt besser nichts sagen. Irgendwann würde Sabine die Katze schon aus dem Sack lassen.

„Aber wir haben doch alles besprochen. Der Plan ist genial“, gab Petra zurück. „Wie sollen wir sonst an den Rest der BIT-Substanz kommen? Hast du etwa eine bessere Idee?“ Sabine bewegte wieder das Treibeis in ihrem Glas. Sie antwortete nicht. Jetzt oder nie, dachte Wanda:

„Vielleicht gibt es noch etwas zu klären“, bemerkte sie vorsichtig. Während sie in ihre Hosentasche griff, ließ sie Johannes nicht aus den Augen. Er saß ihr gegenüber und schaute verdutzt, als sie den roten Knopf über den Tisch kullern ließ. Er blieb direkt vor ihm liegen.

„Du fängst an!“ sagte Wanda bestimmt. Johannes kniff die Augen zusammen. Dann ließ er plötzlich die Schultern sinken und lehnte sich zurück.

„Also gut“, seufzte er. „Wenn hier die Karten auf den Tisch kommen sollen, dann gilt das für alle.“ Wanda nickte. Sabine hatte den Kopf gehoben und schaute ihn voller Überraschung an. Petra hatte es offen-

sichtlich die Sprache verschlagen. Sie saß nur da, den Mund leicht geöffnet. Auf einem Schneidezahn klebte ein Rest Lippenstift.
„Du erinnerst dich an unsere gemeinsame Nacht in der Pipeline?" Wanda wollte es locker angehen, aber Johannes verzog keine Miene. „Neben dem Rechner lag ein roter Knopf wie dieser", fuhr Wanda fort. „Ich weiß inzwischen, was es damit auf sich hat. Aber die anderen möchten es sicher auch erfahren, und ich finde, *du* solltest es ihnen erklären." Johannes schluckte.
Während er sprach, umspielte ein Zucken seine schmal gewordenen Lippen, immer wenn er eine Pause machte, rutschten seine Mundwinkel leicht nach unten – dieses Jahr, dachte Wanda, muss schlimm für ihn gewesen sein. Seine Offenbarung erstaunte sie daher nicht sonderlich. Johannes hatte sich tatsächlich einer Gruppe zweifelhafter Umwelt-Aktivisten bedient. Er war auf der Suche nach Druckmitteln gegen den Chef. Sturm hatte ihn geraume Zeit über die Verlängerung seines Arbeitsvertrages im Unklaren gelassen, auch hatte er Johannes Drittmittelantrag für ein eigenes Forschungsvorhaben schlichtweg abgelehnt. Es sah so aus, als wollte der Chef ihn loswerden. Am Ende bekam er dann doch seine Stellenverlängerung, und niemand konnte verstehen, für was dieser Nervenkrieg gut gewesen sein sollte. Unter den Demütigungen jedenfalls hatten sich die feinen Linien, die von seinen Nasenflügeln bis hinunter in die Mundwinkel zogen, zu Furchen vertieft.
Als er von den Schwierigkeiten in der BIT-Studie Wind bekommen habe, sei er hellhörig geworden. Das sei im Frühjahr gewesen, er habe im Vorzimmer gestanden und ganz zufällig, das müssten sie ihm glauben, das Gespräch zwischen Sabine und Sturm belauscht. Da habe er angefangen, ihre Tiere heimlich zu beobachten, habe die Ausfälle protokolliert und schließlich Walden Four eingeschaltet, um an die Daten zu kommen.
„Waren die es etwa, die uns beide niedergeknüppelt und Sabines Datenkonto plattgemacht haben?" fuhr Wanda ihn an. „Absolute Dilettanten, auf die du dich da eingelassen hast!"
Johannes schüttelte den Kopf.
„Ich gebe zu, dass auch ich zunächst solche Gedanken hatte. Ich musste mich ein paar Tage gedulden, bis ich eine Antwort von Ihnen erhielt." Er schwieg. Alle sahen ihn neugierig an. Er genoss es, sie auf die Folter zu spannen. Wanda unterdrückte den Impuls, ihn anzufahren.

„Die Daten waren gelöscht, als ihr Mann bei uns auftauchte."
„Und dann hat er uns eins über die Rübe gezogen, weil wir ihn gestört haben und er inkognito bleiben wollte, oder was?"
„Nein. Sie vermuten, dass ihnen jemand zuvor gekommen ist."
„Und das soll ich glauben?"
„Ob du es glaubst oder nicht, es ist möglich. Es ist möglich. Außerdem, was hätten sie davon, gegen uns zu arbeiten?"
„Einmal angenommen, sie sagen die Wahrheit", schaltete Sabine sich ein, „dann muss zur gleichen Zeit noch jemand in der Abteilung gewesen sein, eine Person, die Zugang zum Institut hatte und sich für die BIT-Daten interessierte."
„Der Chef, zum Beispiel", warf Johannes sogleich ein.
Sabine schüttelte ungläubig den Kopf.
„Weshalb sollte Sturm so heimlich tun? Er kann doch jederzeit überall ran."
„Jeder aus der Abteilung kann es gewesen sein", gab Petra zu bedenken.
„Vergesst nicht die Kollegen aus dem Klinikum, die die Labore benutzen dürfen. Oder wie wär's zum Beispiel mit Bin Laden?"
„Jetzt bleib mal auf dem Teppich", winkte Wanda ab.
„Wieso nicht?" eiferte Johannes. „Ich hatte schon länger den Verdacht, dass es einen heimlichen arabischen Mäzen gibt."
„Du liest zu viele Politkrimis", stöhnte Wanda und rieb sich die Schläfen. Seit ein paar Stunden spürte sie wieder das vertraute Pochen im Kopf. „Wir sollten keine Zeit mit diesem Kinderkram verplempern." Sie schaute in die Runde. „Wer hat Zugang zur Pipeline und könnte sich für Sabines Daten interessieren?"
„Fangen wir doch bei uns an", schlug Petra vor. „Ich hab zwar 'nen Schlüssel, aber die Daten interessieren mich nicht die Bohne."
„Ich war oben, um Sabines Daten vom Computer zu holen", erklärte sich Wanda. „Das ist in Absprache mit Sabine geschehen. Ich wollte ihr helfen." Sie schaute Johannes an.
„Ich war neugierig. Ich ahnte, dass Walden Four in dieser Nacht zuschlagen würde. Deshalb bin ich im Institut geblieben."
„Wer war noch da?" wollte Wanda wissen.
„Michael verließ die Abteilung als Letzter. Das war so gegen acht. Sturm ging kurz vor ihm. Keiner von beiden hat mich bemerkt. Ich saß in meinem dunklen Kämmerlein und verhielt mich ganz ruhig. Ich

wartete. So gegen Viertel vor zwölf hörte ich den Türsummer. Durch den Türspalt meines Zimmers sah ich den Lichtkegel einer Taschenlampe vorbeihuschen. Der Mensch schien auf Katzenpfoten zu laufen. Ich hörte keine Schritte. Ich wartete einen Moment, dann ging ich ihm nach. Die Tür zum Computerraum war nur angelehnt. Drinnen war es dunkel. Im selben Moment, in dem ich das Licht anmachte, schlug von hinten etwas gegen meinen Kopf." Er schaute Wanda an. „Den Rest kennst du besser als ich."

„Du hast wirklich nichts gesehen?"

Johannes schüttelte den Kopf.

„Ich kapier's einfach nicht", stöhnte Wanda. „Ich kam nur wenige Minuten später. Kann mich leider nicht erinnern, ob der Computer eingeschaltet war. Angenommen dieser mysteriöse Fremde wollte tatsächlich auf Sabines Datenkonto zugreifen – dann habe ich ihn wohl gestört." Sie sah in die fragenden Gesichter am Tisch. „Weshalb klaut er mir den Zettel mit dem Kennwort?"

„Na, um an die Daten zu kommen", erwiderte Petra.

„Dann musste er mit mir gerechnet haben", sagte Wanda. „Wer außer Sabine konnte von meinem Plan gewusst haben?" Alle blickten Sabine an.

„Ich war den ganzen Abend mit Wolfgang zusammen", wehrte sie ab. „Bin ziemlich bald eingeschlafen. War auch kein Wunder nach diesem Tag."

„Und Wolfgang?" fragte Wanda. „Er hat unser Telefonat mitbekommen."

„Das ist doch Bullshit", regte Sabine sich auf. „Wolfgang macht sich schon ins Hemd, wenn er bei Rot über die Fußgängerampel gehen soll. Außerdem, wie sollte er ins Institut kommen? Schließlich hattest *du* meinen Transponder."

Wanda schwieg. Das war nicht der richtige Weg, Sabine zum Reden zu bringen. Seit sie diese E-mail auf Sabines Computer entdeckt hatte, war sich Wanda nicht mehr sicher, ob ihre Freundin nicht doch heimliche Pläne verfolgte. Was machte sie nur so verstockt?

„Wenn es nun doch dieser Umweltfuzzi war?" meinte Petra versöhnlich. „Er war ja wohl da in dieser Nacht."

„Ganz schön riskant ...", kommentierte Wanda, „... und unverantwortlich, uns einfach umzunieten und dann liegen zu lassen."

„Oder er kam, als wir schon weg waren", meinte Johannes. Wanda sah ihn fragend an. „Ich weiß es wirklich nicht", erwiderte er. „Ich habe niemals mit einem von denen gesprochen, geschweige denn jemanden zu Gesicht bekommen. Der Kontakt lief ausschließlich über E-mail. Kurz und knapp."
„Wer hat diesen Walden-Krieger denn reingelassen?" ließ Wanda nicht locker.
„Frag mich nicht. Irgendwie haben die sich in das Sicherheitssystem gehackt. Ich hab ihnen ein Wochenende lang meinen Transponder überlassen."
„Wie fand die Übergabe statt?"
„Mit Fleurop an ein Bordell in Hannover. Stichwort Valentinstag."
„Du riskierst Kopf und Kragen. Ist dir das soviel wert?"
Johannes Unterkiefer spannte sich bedrohlich. Er antwortete nicht. Sie saßen ein wenig hilflos voreinander. Die nächste Runde Caipis war fällig. Wanda bestellte. Petra befingerte den roten Plastikknopf.
„Komisch", murmelte sie nachdenklich. Dann schüttelte sie den Kopf.
„Was ist?" fragte Johannes.
„Ich hab mal 'nen Typen abgeschleppt. Der hatte 'ne ganze Tüte davon. Dachte, es seien Spielerchips." Sie warf den Knopf in die Mitte des Tisches. „Rien ne va plus!"
Für einen Augenblick starrten alle gebannt auf den roten Punkt.
„Es war nach der Disco. Am Sonntag vor zwei Wochen. Als ich am anderen Morgen aufwachte, war er weg. Schade eigentlich!"
„Verdammt", entfuhr es Wanda. „Am Montag vor zwei Wochen wurden Johannes und ich überfallen. Mensch, Petra. Das ist eine Spur."
„Wie hieß er? Wie sah er aus?" Johannes Gesicht hatte wieder Farbe bekommen. „Was hat er dir erzählt?"
„Nun mal langsam", wehrte Petra ab. „Wir haben nicht viel miteinander geredet." Sie schmunzelte. „Groß, muskulös, dunkel. Mir gefiel er. Hab' ihn hier noch nie gesehen. Auch danach nicht mehr.
Mike. So hat er sich zumindest genannt."
„Was noch?" drängte Wanda. „Versuch dich zu erinnern."
„Das ist jetzt wirklich zu viel verlangt. Er trug schwarze Klamotten. Ich weiß nicht mal, ob ich ihn bei Tageslicht wieder erkennen würde." Sie überlegte. „Am Geruch, ja, vielleicht. Er duftete nach frischem Waldboden."

„Was meint ihr?" Wanda blickte in die Runde. Sabine pustete einfallslos durch die Lippen. Johannes zuckte die Achseln.
„Kann sein, kann nicht sein. Die berühmte Stecknadel im Heuhaufen", bemerkte er. Dann schob er Petra den roten Knopf wieder zu. „Bist du sicher, dass sie genau so aussahen wie dieser hier?"
Petra hob die Augenbrauen. „Die Tüte rutschte ihm aus der Jackentasche und zerplatzte wie eine Friesenmütze mit Blähbauch. Na, ihr wisst schon." Sie kicherte. „Die Chips kullerten in alle Richtungen über den Fußboden. Ich hab ihm beim Einsammeln geholfen. Es war mühsam, denn, er bestand darauf, unter Schrank und Bett nachzusehen. Er wollte unbedingt alle finden." Sie nahm den Knopf wieder in die Hand. „Ja, doch, ich glaube, so sahen sie aus. Aber beschwören kann ich's nicht."
„Okay, Mädels." Wanda warf einen Seitenblick auf Johannes. „Lasst uns den Täterkreis umzingeln."
„Kann es auch eine Frau gewesen sein?" fragte Petra.
Komisch, dachte Wanda, diese Frage habe ich mir auch schon gestellt. Was macht mich nur so sicher, dass es ein Mann war? Petra entschied sich dafür, Michael im Auge zu behalten. Johannes wollte Astrid mal wieder zum Essen einladen und Sabine schlug vor, dass Wanda sich um Thomas kümmern sollte.
„Als Administrator kann er uns alle jederzeit anzapfen", widersprach Wanda. „Der kommt nun wirklich nicht in Frage."
„Vielleicht nicht als Täter", konterte Sabine und warf ihr einen Blick zu, den Wanda nicht deuten konnte. Und es störte sie, dass Johannes sie aufmerksam beobachtete.
„Wer behält den Chef im Auge?" fragte er erwartungsvoll.
„Auf deine Expertise in der Überwachung dieser Führungsspezies möchten wir nur ungern verzichten", erklärte Wanda spitz. Johannes grinste zufrieden.
„Außerdem werde ich noch einmal mein Glück bei Walden versuchen. Vielleicht lässt sich dieser Mike aus der Reserve locken", sagte er.
„Wenn es ihn dort gibt." Petra blieb skeptisch.
„Bevor ich's vergesse. Kurz nach dem Überfall war jemand heimlich an meinem Schreibtisch." Wanda sah Johannes an. Seine Lider flatterten kurz. Er nickte.
„Der USB-Stick. Ich war misstrauisch. Ich weiß, es war blöd."

„Saublöd. Aber, wie bist du in mein Zimmer gekommen?"
„Ich zeig's dir. Aber, wie hast du's bemerkt?"
Wanda antwortete nicht. Im Grunde genommen war sie erleichtert, dass es nicht Sturm gewesen war.
„In Zukunft sollten wir uns regelmäßig treffen, sozusagen als vertrauensbildende Maßnahme", schlug sie nun vor. „Wenn wir uns offen über alles austauschen, brauchen wir uns nicht gegenseitig auszuspionieren."
Sie einigten sich auf montags abends im Havanna.
„Was ist nun mit dem Giftschrank?" fragte Petra ungeduldig. Der Lippenstiftfleck auf ihren Zähnen war größer geworden.
„Mach mal so." Wanda fuhr sich mit der Zunge in den Spalt zwischen Oberlippe und Schneidezähnen. „Du hast da was am Zahn." Petra tat es ihr nach, nicht ohne die dunklen Kulleraugen auf ihre Nasenspitze zu richten, bis sie schielte, die wulstigen Lippen zu einem Kussmund zu schürzen und wie ein nuckelnder Säugling zu schmatzen. Wanda war sich nicht sicher, ob sie die Richtige war, Johannes bei ihrer Aktion, den Rücken frei zu halten. Aber sie hatten keine Wahl. Im Giftschrank lagerte, laut Sabine, noch ein Rest von der Substanz, die die BIT ihrem Labor für die Studien überlassen hatte. Sie hatte sparsamer damit arbeiten können als erwartet. Im Abkommen zwischen den Kooperationspartnern waren Untersuchungen an der Substanz zwar ausdrücklich untersagt, aber die Tatsache, dass Sturm die späten Folgen der toxikologischen Studie offensichtlich nicht wahr haben wollte, hatte selbst Sabine davon überzeugt, dass sie handeln mussten.
„Ihr wisst noch nicht einmal, wer die Analysen machen könnte", wandte sie ein. Sie wirkte nicht glücklich mit dem Plan.
„Ich habe von einem Fachmann in New York gehört." Wanda versuchte, beiläufig zu klingen. „Nadrian Seeman, ein Kristallograf. Soll eine gute Adresse sein." Sie sah, wie Sabine erstarrte. Dann holte die Freundin tief Luft.
„Daran habe ich auch schon gedacht", sagte sie leise. „Ich hab's sogar schon versucht." Sie machte eine kurze Pause. „Die Sendung wurde vom amerikanischen Zoll abgefangen", fuhr sie kleinlaut fort. „Es gibt ein Einfuhrverbot für organisches Material. Ich war zu ehrlich und hatte den Inhalt des Päckchens dummerweise als *biologisch aktiv* deklariert. Sie werden es vernichten. Dies hier ist unsere letzte Chance."
Endlich, dachte Wanda erleichtert. Sie war froh, dass sie ihre heimliche

Entdeckung in Sabines Wohnung nicht preisgeben musste. Sie wollte ihr keine Vorhaltungen mehr machen.
„Es gibt eventuell noch eine andere Adresse. Allerdings auch drüben in Amerika. Ich werde mal abklären, wie wir den Stoff diesmal über die Grenze kriegen können. Aber das ist Plan B. Wir müssen das Zeug erst einmal haben."
„Also morgen Mittag? Plan A?" drängte Petra wieder. „Dann sind die meisten in der Mensa."
Wanda erinnerte sich an das Sommerfest. Michaels verklärter Blick und Petras nackte Beine lässig auf seinen Knien ruhend. Sie war sich nicht sicher, ob der doch so pflichtschuldige Michael im Labor auch ansprechbar war.
„Das darf auf keinen Fall schief gehen", meldete sich nun Johannes zu Wort. „Sonst bin ich am Arsch."
„Neiiin, Jonny", gab Petra gedehnt zurück und tätschelte ihm freundschaftlich den Arm. „Lass mich nur machen. Das ist eine meiner leichtesten Übungen."
„Bitte, Petra, keine riskanten Manöver", warnte Wanda. „Wir hängen alle mit drin, wenn du es verpatzt."
Petra lächelte vielsagend und fuhr sich mit der Zungenspitze über den Mund. Diesmal schimmerten ihre beneidenswert ebenmäßigen Zähne wie kleine Perlen durch den schmalen Spalt zwischen den Lippen. „Ich locke ihn in die Damentoilette, wisst ihr, die separate, neben dem Putzraum", gluckste es aus ihr heraus. „Funktioniert. Garantiert." Ihre Augen leuchteten triumphierend. „Er hat eine Art Generalprobe bereits bestanden." Wanda sah sie fragend an.
„Das ergab sich mal so", sagte Petra und straffte ihren Rücken, so dass das hautenge Top sich wie ein Segel im Wind über ihren Brüsten spannte. „Ich bin mir sicher, dass er das Stück gerne wieder spielen wird." Nach einer kurzen Pause fuhr sie fort. „Du Johannes, du musst den Schlüssel zum Giftschrank holen und wieder dorthin zurücklegen. Soviel ich weiß, liegt er in Michaels Schreibtisch ganz oben links in dem Kästchen neben den Heftklammern. Tagsüber ist er nicht abgeschlossen. Ich gebe dir zehn Minuten für die gesamte Aktion. Nicht mehr und nicht weniger!"

Es war kurz nach elf, als Wanda ihren Hausflur betrat. Diesmal ging das Licht im Treppenhaus an. Im Briefkasten steckte ein weißer Umschlag. Er trug den Stempel des Notars. Sie erinnerte sich. Es war derselbe, der ihr nach Amerika geschrieben hatte. Beim Öffnen der Wohnung vermisste sie für einen Moment das Haar, das sie neuerdings in den Falz zwischen Wohnungstür und Rahmen klemmte, nachdem ihr der Trick mit dem Papierschnipsel zu auffällig erschienen war. Im Bad lagen genug Haare herum und sie fand immer ein besonders langes, dunkles Exemplar, das ihr geeignet erschien. Sie verwarf den Gedanken sogleich, denn sie war sich nicht sicher, ob sie in der Eile am Morgen überhaupt daran gedacht hatte, diese Alarmanlage einzuschalten. Irgendwo zwischen Flur und Küche plumpste ihre Schultertasche zu Boden. Wanda streifte die Daunenjacke ab und warf sie über die Stuhllehne an dem winzigen Esstisch unterm Küchenfenster. Sie kramte in der Schublade nach dem scharfen Messerchen. So machte sie es am liebsten. Der saubere Schnitt entlang der oberen Umschlagkante war ein wunderbar schnelles Erfolgserlebnis.
Das feste Briefpapier trug die Insignien einer Anwaltskanzlei in Gütersloh. Der Text war kurz und förmlich und enthielt die klare Aufforderung, sich binnen zwei Wochen zu melden. Es ging um das Familienerbe. In ihrer Brust stellte sich wieder dieser Stachel auf. Sie wollte nicht erben. Schon gar nicht von ihren Eltern. Konnte Robert das nicht alleine regeln? Vermutlich würde sie noch eine Unterschrift leisten müssen. Und wenn es Schulden gab? Robert wird mich niemals aus der Verantwortung lassen. So ist er nun einmal. Berechnend. Banker eben. Am besten, ich bringe die Sache bald hinter mich. Nur mit dem Zug wollte sie nicht fahren. Das machte sie abhängig von schlechten Verkehrsverbindungen in dieser ländlichen Gegend und vom Wohlwollen des Bruders. Sie verkrampfte sich bei dem Gedanken, von dort nicht schnell genug weg zu kommen. Vielleicht konnte Johannes ihr am Freitag sein Auto leihen. Ihr Blick fiel auf die Fensterbank. Dort lag neben Snider's Namensliste der ungeöffnete Brief des Hausarztes. Sie drehte ihn eine Weile nachdenklich in den Händen. Ihr war mulmig zumute. Erst die Anrufe, dann dieses Schreiben. Vielleicht doch nur eine Rechnung. Aber für was? In einem Zug schlitzte sie den Umschlag auf. Er öffnete sich leichter, als er sich las. Doktor Gläser bat sie, zu einer weiteren Untersuchung in seine Praxis zu kommen. Der *unklare Befund*, den er

erwähnte, beschäftigte sie noch, während sie vergeblich versuchte, einzuschlafen. Bilder bedrängten sie. Auf einmal waren da Günther Hilbergs Gesicht, bleich und fremd, tote weiße Ratten, die sich zu unübersichtlichen Haufen türmten und dazu Mary Kampbells aufgekratzte Stimme: „Warten wir es ab.“

27
Schneeluft

Am Dienstagmorgen hingen dicke graue Wolken am Himmel. Aber es war nicht dieses lichtlose Schiefergrau der regenschweren Novembertage. Der Ton war eindeutig heller. Wanda schnupperte und blickte hoffnungsvoll nach oben. Sie war auf dem Weg zur Bushaltestelle und wie meistens spät dran. Etwas Weiches lag in der Luft. Seit sie denken konnte, wartete sie jedes Jahr auf diesen Moment. An solchen Tagen schaute sie immer wieder aus dem Fenster. Sie wollte auf keinen Fall den Augenblick verpassen, wenn die ersten Schneeflocken fielen. Außerdem wollte sie endlich einmal die neuen Winterstiefel anziehen, die sie aus Amerika mitgebracht hatte.

Im Institut schrieb sie als erstes eine E-mail an Peter Snider. Sie schilderte ihm kurz ihr Anliegen, vermied jedoch die Herkunft der Substanz preiszugeben, die sie ihm zur Analyse schicken wollte. Außerdem bat sie ihn um einen Tipp, wie sie den kanadischen Zoll umgehen könnte. Alle halbe Stunde tauchte Johannes in ihrem Zimmer auf. Er setzte sich auf den kaputten Stuhl und stellte seinen Kaffeebecher auf ihrem Schreibtisch ab. Ungeduldig riss er am Hebel, der normalerweise die Sitzhöhe verstellte, und gab es schließlich schimpfend auf. Mit den Worten, sie solle das Ding endlich verschrotten lassen, sprang er auf, zog ein Buch aus dem Regal, blätterte ziellos darin herum und lief wieder hinaus. Er machte sie nervös. Ich muss ihn jetzt aushalten, versuchte sie sich zu besänftigen. Johannes besaß den besten Überblick über den *Taipan*, so nannten sie das Labormöbel, in dem sie besondere Gefahrstoffe unter Verschluss hielten sowie alles, was nicht jeder in die Finger bekommen sollte. Die BIT-Substanz fiel eher in die zweite Kategorie. Eigentlich war es ein mit Chemikalien voll gestopfter Kühlschrank, auf dem das Foto eines unscheinbaren Schlangenkopfes klebte. Er befand

sich im Labor für Molekularbiologie. Ein dickes Vorhängschloss zierte ihn wie ein schützendes Amulett. Bis vor kurzem war dieser Verschluss nicht mehr als ein Zugeständnis an die Vorschriften zur Aufbewahrung von Gefahrstoffen gewesen. Der Schlüssel hing für jeden zugänglich am allgemeinen Schlüsselbrett. Vermerke ins Giftbuch über die entnommenen Substanzen und Mengen unterlagen ausschließlich der Selbstkontrolle. Nachdem jedoch vor wenigen Wochen zwei Ampullen eines Narkotikums vermisst worden waren, oblag es Michael, den Giftumsatz zu überwachen.
Sabine hatte Johannes die Stelle genau beschrieben, an der sie die Schachtel mit den drei Plastikröhrchen zuletzt verstaut hatte. Die Substanz bestand aus drei Komponenten. Der Wirkstoff, das Lösungsmittel und eine dritte Substanz, in der sie eine Art Katalysator vermuteten. Sie brauchten alle drei. Sabine hatte sparsam damit gearbeitet, dieser Rest war alles, was ihnen für die Analysen noch zur Verfügung stand. Es gab noch etwas, das sie im Zeitbudget ihrer Aktion berücksichtigen mussten: Obwohl von Nutzen für die Allgemeinheit, oder gerade deswegen, war der Giftschrank keineswegs neutraler Boden. Wie ein Kühlschrank in einer Wohngemeinschaft, in der es angeblich keine, offensichtlich aber doch unüberwindbare Konflikte gab, kühlte er nicht nur Lebensnotweniges, sondern auch erhitzte Gemüter. Vielleicht hatte es sogar etwas mit seinem ungesunden Inhalt zu tun, denn auf ihn stürzte sich jegliche Form von negativer Energie, die sich in seinem Umfeld aufzustauen drohte. Territorialkonflikte waren die schlimmsten, denn sie verbannten die Materialien der gegnerischen Partei in hinterste Winkel und unterste Fächer. Abgesehen davon konnte so etwas auch unbedacht und ohne böse Absicht geschehen. Sie mussten also damit rechnen, dass die Kombipackung der BIT nicht mehr dort stand, wo Sabine sie zuletzt verstaut hatte. Wanda hoffte inständig, dass Johannes nicht lange suchen würde müssen. Sie selbst musste den Flur im Auge behalten und jeden in ein Gespräch verwickeln, der sich auch nur ansatzweise in Richtung Molekularbiologie bewegte, bis Johannes seine heikle Mission erfüllt hatte. Indessen tat Petra ihren Job. Wanda beneidete sie nicht darum. Michael war so gar nicht ihr Typ, im Gegenteil, seine schleichende Unterwürfigkeit machte sie aggressiv. Aber vielleicht entblößte er beim Sex völlig ungeahnte Seiten. Wanda war nicht scharf darauf, es zu erfahren. Hauptsache sie kamen an den Stoff, ohne dass es jemand bemerkte.

Gegen Mittag verließen die Mitarbeiter in kleinen Grüppchen die Abteilung. Wanda hatte ihre Zimmertür offen gelassen und lauschte gespannt dem An- und Abfluten von Schritten und Stimmen auf dem Korridor. Immer wenn sie glaubte, dass jetzt alle gegangen waren, klackte irgendwo noch ein Türschloss, trabte jemand eilig über den Flur hinter den anderen her. Dann tauchte Johannes hochroter Kopf im Türrahmen auf.

„Wir können."

„Hast du dein Blutdruckmittel vergessen?" frotzelte sie und folgte ihm auf den Flur.

Johannes nahm einen tiefen Atemzug. Vor Michaels Arbeitszimmer schaute er sich kurz um und drückte die Klinke. Die Tür gab nach. Petra hatte ganze Arbeit geleistet. Der gewissenhafte Michael hatte alle Vorsicht fallen lassen und seine Tür nicht abgeschlossen, er musste es ziemlich eilig gehabt haben. Die beiden Doktoranden, mit denen er das Zimmer teilte, waren wie die meisten gerade auf dem Weg zur Mensa. Johannes huschte hinein und zog schnell die Tür hinter sich zu. Wanda lauschte und erschrak: Aus dem Sekretariat drang das Rauschen eines Laserdruckers. War die Bünte etwa noch da? Zwischen Frau Büntchens Büro und Michaels Zimmer gab es nur noch zwei Räume. Wanda linste durch die halb geöffnete Sekretariatstür. Sie durfte den Flur nicht aus den Augen lassen. Büntchen stand neben dem Faxgerät und las die soeben eingegangene Nachricht. Der Webpelzmantel hing locker über ihren Schultern. Der spitze Mund verriet, dass sie es eilig hatte.

„Ich muss hier gleich abschließen." Wanda nickte und schaute kurz zu ihrem Postfach hinüber.

„Die kommt nur einmal am Tag", bemerkte die Bünte schnippisch. Sie schaute Wanda prüfend an. „Das sollte Ihnen inzwischen bekannt sein."

„Ich dachte, ich hätte was übersehen." Entschuldigend zog Wanda den Kopf in den Nacken und warf einen flüchtigen Blick über den Flur. Nichts rührte sich. Noch einen Augenblick, bettelte Wanda innerlich. Sie darf nicht mitkriegen, wenn Johannes herauskommt.

„Ist da noch jemand?" fragte die Sekretärin und wandte sich zur Tür. In dem Moment glitt Johannes aus Michaels Zimmer hinaus. Das Schloss schmatzte leise, als er es behutsam zuzog. Er grinste zu Wanda hinüber. Triumphierend wirbelte er den Schlüssel an seinem Bändel. Wanda sah noch wie das rote Band sich löste. Dann flog etwas Silbriges

im hohen Bogen durch die Luft und landete ein paar Meter von ihm entfernt auf dem Boden. Es war der Moment, in dem die Bünte Wanda in den Flur hinaus schob. Johannes reagierte schnell. Blitzartig stopfte die eine Hand das auffällige Band in die Kitteltasche, während die andere nach dem Schlüssel griff.
„Mahlzeit", trällerte er und verschwand im Labor der Molekularbiologie – Büntchen schloss derweil das Sekretariat ab. Die gepolsterte Tür hing schwer in den Angeln. Sie musste fest an der Klinke ziehen, um den Riegel umzulegen. Sie drehte den Schlüssel zweimal herum. Der Vorgang hatte ihre volle Aufmerksamkeit. Wanda atmete erleichtert auf. Sie hatte nichts bemerkt.
„Wenn mich jemand sucht. Ich bin rüber in die Bibliothek." Wanda nickte. Auch keine schlechte Bezeichnung für den Chef. *Jemand* will Sie sprechen. *Jemand* muss unbedingt mit auf die Veröffentlichung, auch wenn er nichts dazu beigetragen hat. *Jemand* hat mir neulich im Personalgespräch gesagt, dass ich als Frau es doch ziemlich weit gebracht hätte. Dennoch kann *Jemand* mit meiner Arbeit nicht viel anfangen. Nein, *Jemand* interessiert sich gar nicht dafür. *Niemand*, entschied Wanda, kann so wichtig sein.
Frau Bünte steuerte nun zielsicher auf die kleine Toilette zu, die sich neben dem Putzraum befand. Wanda hielt die Luft an. Hatte Petra daran gedacht, abzuschließen? Energisch rüttelte Büntchen an der Tür.
„Zu", entfuhr es Wanda erleichtert.
Die Sekretärin schaute sich um.
„Wie?" wunderte sie sich lautstark. „Ist die Toilette schon wieder defekt?" Kopfschüttelnd ließ sie von der Tür ab und eilte weiter zum Ausgang. Wanda legte die Hände vors Gesicht.
„Bitte gib ihm eine robuste Erektion", stammelte sie.
Der Türsummer ließ sie wieder aufblicken. Die Bünte war gerade um die Ecke gebogen, da erschien Astrid Dobermann im Eingang. Die Schaftstiefel über der engen Jeans näherten sich bedrohlich schnell. Wanda zählte noch wie hypnotisiert die weit ausholenden Schritte, als die Kollegin schon vor ihr stand. Kühl schaute sie auf Wanda herab.
„Weißt du, wo Johannes steckt?" fragte sie ohne eine Spur von Kurzatmigkeit.
Wanda erstarrte. Was sage ich jetzt? Bestimmt wird sie in den Laboren nach ihm suchen. Bloß jetzt nicht zur Molekularbiologie hinüber sehen.

Wanda zählte im Stillen die Schritte bis dorthin. Das Flattern in ihrem Bauch rutschte ihr in die Füße. Astrid, die Traberstute, würde sie um Längen schlagen.
„Der Hausmeister hat gerade angerufen“, fiel ihr ein. „An deinem Auto brennt Licht.“
Astrid verdrehte die Augen.
„Sicher? Hat er ein Kennzeichen genannt?“
„Er hat Frau Doktor Dobermann gesagt. Nicht Münsterländer.“
Astrid machte eine säuerliche Miene.
„Seit wann kennt *der* mein Auto?“ murmelte sie gereizt, drehte eine Pirouette und lief zurück zum Aufzug.
Die nächsten drei Minuten blieben ruhig. Gespenstisch ruhig. Wanda schaute auf ihre Uhr. Die Hälfte der Zeit, die Petra ihnen zugestanden hatte, war verstrichen. Sie trat von einem Bein aufs andere. Wo Johannes nur blieb? Sie wollte gerade im Labor nach ihm sehen, da tauchte Ulrike im Flur auf. Sie rannte an Wanda vorbei und steuerte geradewegs auf die Molekularbiologie zu.
„Hey“, rief Wanda und lief hinter ihr her. „Hast du einen Moment Zeit?“
„Nein, ich muss …“
„Bitte.“
Die Doktorandin schüttelte den Kopf.
„Die Inkubation“, stammelte sie atemlos. „Hab’ sie vergessen.“ Dann stürmte sie ins Labor. Johannes kam ihr entgegen.
„Bingo“, raunte er Wanda zu. Er klopfte auf die Brusttasche seines Kittels. „Was machen die Vögelchen?“
„Beeil dich“, zischte Wanda und flüchtete in ihr Arbeitszimmer. Eine Minute später war Johannes bei ihr.
„Wolltest du da drinnen Wurzeln schlagen?“ fauchte Wanda ihn an.
„Was soll das“, bläffte er zurück. „Schließlich habe ich meinen Kopf riskiert. Dieses blöde Bändel … ich musste es doch wieder an den Schlüssel knoten.“
„Ohne deine Extratouren hätten wir weniger Probleme.“
Johannes schleuderte das erbeutete Päckchen auf Wandas Schreibtisch. Es war weiß, ohne jegliche Aufschrift. „Leck mich“, schnaubte er.
Er wollte gerade das Zimmer verlassen, als Petra in der Tür auftauchte. Sie sah die Schachtel und strahlte.

„Das habt ihr gut gemacht."
Der Besucherstuhl knarrte bedrohlich, als Johannes sich darauf plumpsen ließ.
„Wie geht's dem Prinzregenten?"
Petra zupfte sich eine Fussel vom Pullover.
„Er ist speisen gegangen. Das hat er sich redlich verdient." Dann klopfte es. Erschrocken sahen sie sich an. Herr Weidenreich, der Hausmeister, streckte seinen kahlen Kopf herein.
„Sagen Sie Ihrer Sekretärin, dass mit der Toilette alles in Ordnung ist", brummelte er.
„Herr Weidenreich?" Strenge Schritte näherten sich auf dem Korridor. Der Hausmeister zog seinen Kopf aus der Tür. Astrids schrille Stimme war jetzt ganz nah. „Mein Kennzeichen ist MR-AD 327. Merken Sie sich das bitte!" Dann trabte sie davon.
„Hier war die Hölle los", flüsterte Wanda, als sie in Johannes und Petras fragende Gesichter sah. Sie berichtete in wenigen Sätzen, dann ging jeder an seine gewohnte Arbeit.
„Wir sind ein gutes Team!" schrieb Wanda an Rudi und ergänzte ihre Eintragungen. Er schluckte es wie immer. Der Rest des Tages verstrich mit schwungvoller Leichtigkeit wie auf einer Kinderschaukel. Die Schachtel mit der Nanosubstanz wollte Wanda am Abend mit nach Hause nehmen. Sicher war sicher.

Am nächsten Morgen suchte sie nach neuen Nachrichten auf ihrer E-mailbox. Peter Snider ließ sie nicht lange warten.
Er bot ihr an, die Analysen machen zu lassen und wollte noch ein paar Informationen zur Substanz. Ob nicht jemand aus ihrem Bekanntenkreis demnächst nach Kanada reiste? Mitbringen sei besser als schicken Toronto, Montreal, Ontario, der Flughafen spiele keine Rolle. Überall seien Mitarbeiter, die es entgegennehmen könnten.
Wanda überlegte. Wollte der Chef nicht nächste Woche zu einer Tagung nach Toronto fliegen? Sie las weiter.

Übrigens, ich hab dir doch von dem Besuch des State Department geschrieben. Das war sehr aufschlussreich. Wir haben dabei erfahren, dass ein Bestandteil dieser Substanz aus New Mexiko in den Labors des US-amerikanischen Weapons Directorate entwickelt wurde. Es scheint sich dabei um ein

Transportpartikel zu handeln, eine Art Nanosonde, für den Transfer von etwas, das wir noch nicht kennen. Unter der Bezeichnung NP2701 wurde es später an die Industrie verkauft. Die US-Waffenschmiede ist jetzt wohl scharf auf jeden Hinweis darüber, was aus ihrem Baby geworden ist. Wir haben noch nicht verstanden weshalb. Sie wollten mir sogar die Bodenproben abkaufen. Da sie sich hier auf kanadischem Boden befinden, halten sie sich noch zurück. Aber ich fürchte, sie werden alles daran setzen, das Material zu konfiszieren, sollten wir nicht mit ihnen kooperieren. Die Industrie jedenfalls hält sich weiterhin bedeckt. Wir versuchen derzeit einen Deal mit dem State Department zu machen. Mal sehen, ob sie noch mehr Informationen herausrücken. Es würde unsere Analytik enorm erleichtern. Die CRWC, also diese kalifornische Firma, war nur einer der Kunden, die das Material vor etwa drei Jahren legal von den Bundesbehörden erworben haben. Die Vertriebsdaten sind inzwischen öffentlich zugänglich. Du findest die Namen der Käufer auf unserer Seite im Internet. Dort kannst du auch weitere Details über unsere Nachforschungen lesen.
Schreib mir kurz, wann wir mit deiner Sendung rechnen können. Ich freue mich immer, wenn ich helfen kann. Peter

Einen Augenblick durchzuckte es Wanda. Könnte ihre Korrespondenz mit Peter nicht überwacht werden? Schließlich waren Emails bekanntermaßen nicht sicher. Sie benutzte kein Verschlüsselungsprogramm. Doch Peter hatte sie neugierig gemacht, und was sie da eben gelesen hatte, drängte diese Bedenken sogleich wieder ins Abseits. Sie zögerte nicht weiter und klickte sich auf die Homepage der kanadischen Umweltorganisation. Unter *Top News* wurde sie fündig. Die Liste der privaten Käufer von NP2701 umfasste nicht weniger als zehn Firmennamen, die in alphabetischer Folge aufgeführt waren. In einem entlegenen Winkel ihres Bewusstseins hatte sie damit gerechnet und es doch nicht wahr haben wollen. So traf sie die Erkenntnis wie ein Blitz, dessen Donnergrollen sie geflissentlich überhört hatte. Über der von Peter ins Visier genommenen California Woodlands Research Company stand tatsächlich BIT – Boston Innovative Therapeutics.

28
Der erste Schnee

Aschgrau war die Landschaft, durch die sie den Wagen lenkte. Inzwischen fuhr sie nach Westen, aber der Tag wollte nicht heller werden. Gegen halb neun war sie losgefahren. Der Notar in Gütersloh hatte ihr kurzfristig einen Termin eingeräumt und Wanda hatte sich frei genommen. Nur einen Tag, mehr wollte Wanda nicht darauf verwenden, schließlich hatte Robert sie nicht gebeten, über Nacht zu bleiben. Vermutlich hätte sie ein solches Angebot auch gar nicht angenommen.
Am Freitagmorgen war auf den Straßen viel los. Auf der windigen Kuppe bei Haiger Burbach hielt sie das Lenkrad fest. Johannes war nicht wohl dabei gewesen, als er ihr gestern Abend die Autoschlüssel vorbei gebracht hatte.
„Dein Arbeitsvertrag läuft ja noch eine Weile. Genug Zeit fürs Abzahlen, solltest du mir die Karre verhunzen."
Ihre Fahrpraxis ließ zwar zu wünschen übrig, aber das Autofahren machte ihr Spaß. Sie kam sich vor wie einem Käfig entsprungen. Die eigenen Bewegungen unmittelbar zu lenken, wann habe ich das zuletzt erlebt? Bei ihrer Arbeit fühlte sie sich zunehmend fremd gesteuert, und die jüngsten Informationen von Peter Snider trugen nicht gerade dazu bei, dass sich der Sachverhalt eingrenzen ließ. Aber NP2701 war vielleicht der Schlüssel zu dieser geheimnisvollen Nanosubstanz, die nun neben den Eiern in ihrem Kühlschrank bis auf weiteres geparkt war. Sie überlegte ernsthaft Snider ins Vertrauen ziehen. Nächsten Montag mussten sie unbedingt eine Entscheidung treffen wie es weiter gehen sollte. Flüchtig schaute Wanda auf den Beifahrersitz. Dort lag der Ausdruck des Routenplans, den sie sich gestern noch schnell aus dem Netz geholt hatte. Der erste Teil der Strecke war ihr fremd, ab Brilon hatte sie das Gefühl, das alles schon einmal erlebt zu haben, und nach zwei

Stunden Fahrt erkannte sie die Landschaft ihrer Kindheit wieder. Plattes Land. „Du kannst morgens schon sehen, wo du am Abend schlafen gehst", hatte ein Freund einmal zu ihr gesagt. Die letzten dreißig Kilometer spielte sie Brieftaube und überließ sich ihrem Instinkt.

Nachdem sie von der Hauptverkehrsstraße in die Wohnsiedlung eingebogen war, hielt sie den Wagen kurz an. Hier an dieser Stelle hatte immer ein Marienhäuschen gestanden. Wanda ließ das Fenster herunter und schaute auf die alte Ulme. Zwölf Jahre war es her. In ihren Tagträumen führte der Weg zum Haus ihrer Eltern zwischen alter Ulme und Marienhäuschen hindurch, wie durch ein Tor. Wo war das weiß getünchte Häuschen mit der Madonna und dem Jesuskind, der Vase aus zerbeultem Blech, in die sie Astern hatte stellen dürfen? Astern aus dem Garten. Sie las das neue Straßenschild. Birkenallee. Junge Birken mit Stämmen wie viel zu schnell gewachsene Kinderbeine, säumten rechts und links den asphaltierten Weg.

Immer wieder hatte Wanda den Besuch bei ihren Eltern hinaus geschoben. Nun waren sie tot. Sie fasste in ihre Tasche. Da war der Brief des Notars. Ob Robert wohl schon auf sie wartete? Diesmal blieb ihr keine Ausrede. Sie musste an diesen Ort zurückkehren. Feine Schneekristalle wirbelten ihr ins Gesicht. Wanda schaute sich um. Ausgerechnet jetzt muss es zu schneien anfangen. Sie schloss das Wagenfenster und fuhr langsam weiter.

Nach nur wenigen Metern bog sie links von der Straße ab in die Einfahrt zum Haus. Klok, klok machte es in ihrem Kopf. Ihr Puls beschleunigte sich bedrohlich. Klok, klok hatte die lockere Steinplatte unter den Rädern von Vaters Wagen gemacht, wenn er von der Arbeit kam. Die Platten jetzt neu verlegt. Festgeklopft. Zum Schweigen gebracht.

Das Haus lag still, durch Rollläden verdunkelt. Aus einem Kübel neben der Treppe reckten sich die Gerippe vertrockneter Geranien. Wer hatte die denn gepflanzt? Die Eltern waren jetzt seit über einem Jahr tot. Sie konnten es unmöglich gewesen sein. Hatte nicht an der Straße neben der Auffahrt ein Auto gestanden? Wanda stellte den Motor ab. Alles ruhig.

Es war das erste Haus in dieser Gegend gewesen. Anfangs lebten sie gegen das Wasser. Es drängte aus sumpfigen Wiesen gegen Fundamente aus Stahlbeton, suchte haarfeine Risse, aber fand sie nicht. Die

Landschaft wehrte sich vergeblich gegen Kellerwände wie Festungsmauern. Der Vater war stolz darauf gewesen. Dann die ersten Nachbarn, Häuser wurden gebaut, Gärten angelegt. Das Drängen des Wassers ließ nach, gebändigt, wie bei einem Kind, das den Windeln entwächst. So hatten es ihre Eltern erzählt.

Wanda wickelte sich ihren Schal um den Hals und stieg aus, der eisige Wind stach ihr in die Nase. Sie eilte die Stufen aus Buntsandstein hinauf. Die Haustür war angelehnt, im Flur roch es nach ungelüfteten Schuhen.

„Robert, bist du es?“ Sie bekam keine Antwort. Sie fand den Weg durch die Küche in das kleine Esszimmer. Es war wie in ihrem Traum. Der Holztisch mit den fünf Stühlen drum herum. Warum eigentlich fünf? Das Tischchen mit dem alten Telefon. Grau mit weißer Hörmuschel, so wie es ihr im Traum erschienen war. Dann sah sie ihn. Er saß in einem Sessel mit dem Rücken zu ihr und schaute aus dem Fenster in den Garten hinaus. Er hatte den linken Arm auf die Lehne gestützt. Eine Zigarette glimmte zwischen seinen Fingern. Linkshänder. Robert war Linkshänder. Sie erinnerte sich.

„Hallo“, sagte sie leise. „Da bin ich.“

„Vater hat hier immer gesessen, kurz bevor er sich zu Tode stürzte.“ Er sprach langsam. Verdammt, kann er nicht einmal normal mit mir reden? Lass dir jetzt bloß kein schlechtes Gewissen machen.

„Ich bin jetzt da. Meinetwegen können wir es auch kurz machen.“

„Ja, kurz. Es kam ganz kurz und unerwartet.“ Wie seine Stimme zittert und wie er an der Zigarette saugt. Vaters Sucht. Er hat Vaters Sucht geerbt wie fressende Glut, die dich am Ende verbrennt.

„Erst Mutter, *nach kurzer Krankheit* haben wir in die Todesanzeige geschrieben“, fuhr Robert fort. „… und dann er *nach kurzer Trauer* … oder hätte ich besser *nach langem Suff* schreiben sollen?“

Könnt ihr mich nicht endlich mit eurem Elend verschonen? Sie sind tot. Lass es gut sein. Ich will mir keine Gedanken mehr darüber machen. Will meine Ruhe haben.

„Ich bin nicht gekommen, um alte Geschichten aufzuwärmen.“

„Ich will aber darüber reden“, entgegnete er trotzig. „Ich will, dass du dich endlich kümmerst. Schließlich ist es auch deine Familie.“

Ich kann es nicht. Nicht für ihn. Warum denke ich ausgerechnet jetzt daran? Eine Woche bin ich mit dicker Lippe herum gelaufen und habe etwas vom Zahnarzt gefaselt. Dabei war es der Alte im Vollrausch, nachdem ihm mein nettes Brüderlein einen Schwachsinn über mich erzählt hat. Du kleiner Schleimer. Du warst schon immer gut im Jammern. Deine Prügel habe *ich* bezogen. Und das nicht nur einmal.

„Ich musste auch alleine damit fertig werden."

„Abgehauen bist du, hast dir ein schönes Leben in Amerika gemacht. Bist nicht mal zur Beerdigung gekommen. Aber jetzt, wo es was zu holen gibt …"

„Deswegen bin ich nicht hier." Weshalb überhaupt? Mit ihm reden? Frieden schließen? Habe ich das wirklich geglaubt?

„Weshalb denn sonst?" Robert wendete ihr so schnell das Gesicht zu, dass sie erschrak. Er kniff die Augen zusammen und starrte sie feindselig an. Sie kannte diesen Blick. Vaters Blick. Ich verstehe ihn nicht. Habe ihn niemals verstanden. Er will nicht, dass ich es weiß. Aber was? Und warum?

„Was könnte es sein?" fragte sie unsicher. Er schwieg. Wie ein waidwundes Tier zog er sich zurück, kroch immer tiefer in das Dickicht seiner Verletztheiten. Sie sah die Stöße der Schluchzer, die in seinem schwammigen Körper erstickten, das Gesicht hinter wurstigen Fingern verborgen. Nur die Glut des Zigarettenstummels blickte sie unentwegt an. Auf seine Hose aus Tuch rieselte Asche. Fett ist er geworden. Weshalb empfinde ich nichts? Nicht einmal Abscheu? Robert ließ die Hände sinken.

„Ich weiß es nicht", sagte er tonlos. Sie sah in seine rotgeränderten Augen.

„Willst du wirklich hier bleiben?"

„Einer muss es doch tun."

„Komm, lass uns gehen."

„Aber hier kenne ich mich aus." Auskennen nennst du das? Du steckst doch nur fest im Schlamm deiner Vergangenheit. Unserer Vergangenheit. Ich kann dich nicht rausziehen. Ich habe genug am Bein.

„Haben die Eltern Schulden gehabt?"

„Ja, Schuld", rief er plötzlich. „Du bist an allem Schuld!"

„Reiß dich zusammen!" Nicht mit mir. Mit mir machst du das nicht. Nicht noch einmal. Wanda stand bereits an der Tür zum Flur. Sie hörte, dass er ihr folgte.

„Wir müssen das Haus verkaufen." Seine Stimme klang auf einmal

sachlich. „Du musst unterschreiben. Es wird nicht viel übrig bleiben für uns. Aber es wird reichen, die Schulden zu bezahlen.“ Selbst beim Reden fiel er ihr in den Rücken. Wie immer. Ich habe nichts anderes erwartet. Für dich ist es bitter. Du ewig zu kurz Gekommener. Du minder Bemittelter. Meinetwegen kannst du den Rest behalten. Sie machte einen Schritt auf die Haustür zu. „Dann bringen wir es hinter uns.“
Später gingen sie noch einmal durch das Haus. Die Eltern hatten Wandas Zimmer aufgelöst, ihre Möbel verkauft, ihr Spielzeug verschenkt. Sie fand keine Spur mehr, die sie zu ihnen zurückbringen konnte. Was sollte sie ihnen noch vorwerfen? Schließlich hatten sie nur das zu Ende gebracht, was sie selbst mit ihrem Weggehen begonnen hatte. In ihrem ehemaligen Zimmer stand jetzt Vaters antiker Sekretär. Angeblich war es ein Erbstück. Von wem, wusste sie nicht. Der zierliche Tisch stand wie ein junges Fohlen auf staksigen Beinchen. Es hätte, mit Parfümfläschchen und Puderdosen bestückt, besser zu einer Frau gepasst als zu einem alternden Schlucker. Wanda setzte sich auf den Stuhl davor und blickte in den ovalen Spiegel, der oberhalb der Schubfächer im Aufbau des Möbels angebracht war.
„Hat er hier gesessen?“ Im Spiegel sah sie, wie Robert vor seinem fetten Bauch die Hände ahnungslos öffnete und wieder schloss. Sie versuchte sich das Gesicht ihres Vaters in diesem Spiegel vorzustellen, suchte es hinter ihren dunklen Augen, im Profil ihrer Nase, in der Partie um den kleinen Mund. Sie war ihrer Mutter einfach zu ähnlich. Unter ihren Händen spürte sie die kühle Platte aus Marmor. Ihre Finger zogen eine Rinne in die feine Staubschicht auf dem fuchsbraun gemaserten Stein. Der Farbton schmeichelte dem rötlichen Holz, das, mit rankenden Schnitzereien verziert, Tischplatte und Spiegel umrahmte. Vermutlich war es aus der Gründerzeit. Vielleicht schon Jugendstil? Sie kannte sich nicht so gut aus. Es gab zwei kleine Schubfächer im Aufbau. Wanda fasste den Griff der großen Lade, die unter dem Tisch angebracht war. Sie ließ sich nicht öffnen.
„Gibt es Schlüssel?“
Robert zuckte mit den Schultern.
„Du kannst ihn haben. Bei mir ist kein Platz dafür.“
Am Abend fuhr sie über die Autobahn zurück. Bei dem Wetter über die Käffer, hatte Robert gemeint. Das sei doch lebensmüde. Sie weinte den ganzen Rückweg. Sie konnte sich nicht erinnern, jemals so viel Wasser

aus den Augen verloren zu haben. Sie stellte den Scheibenwischer an. Die Lichter der entgegenkommenden Autos tanzten im nächtlichen Schneegestöber. Was war nur los mit ihr? Der Kaufvertrag mit der Bank war unterzeichnet. Roberts Bank. Er wird es verkraften. Der böse Traum war zu Ende. Für sie zumindest. War es Erleichterung? Das Marienhäuschen fiel ihr wieder ein. Trocken würgte sie an dem Kloß in ihrer Kehle. Nichts war mehr so wie am Anfang. Wie hatte es überhaupt angefangen? Der Pkw hinter ihr drängte sie von der Überholspur hinter einen Laster zurück. Der Toyota schlingerte leicht. Ein schmuddeliger Schneematschfladen klatschte auf ihre Windschutzscheibe. Ihr Kopf wich instinktiv zurück. Sie musste jetzt nach vorne schauen.

Nach vier Stunden, die ihr wie ein halbes Leben vorkamen, erreichte sie Marburg. Wanda war todmüde, als sie die Treppen zu ihrer Wohnung hinaufstieg. Die Bierkisten vom Nachbarn hatten Nachwuchs bekommen. Wanda vermisste das Haar im Türfalz. Im Kühlschrank fehlten drei Eier. Erleichtert ertastete sie die Schachtel mit der Nanosubstanz in der hintersten Ecke des Eierfachs. Ungläubig schüttelte sie den Kopf. Werde ich jetzt senil? Oder habe ich mich nur verzählt? Wachsam strich sie durch die Wohnung. Alles war so, wie sie es verlassen hatte. In der Unordnung erkannte sie Vertrautes. Sie mochte nichts daran ändern. Wie es wohl aussah, das Phantom ihrer Abwesenheit? Sie musste wieder an den Film denken. Ein heimlicher Mitbewohner? Der Papierkorb war voll. Niemand hatte versucht, den Wäscheberg abzutragen und die Stapel mit Gedrucktem auf ihrem Schreibtisch musste sie wohl selbst abarbeiten. Sie überlegte kurz, zu Sabine zu fahren. Aber ihr war eher nach Verkriechen zumute. Sie schloss die Wohnungstür ab. Zweimal. Sie ging bald zu Bett. Es dauerte eine Weile, bis sie zur Ruhe kam.

29
Das Care-Paket

Mit der nächsten Woche kam die Kälte. Die Schuhe bekamen weiße Ränder und unter den Sohlen knirschte der Splitt. Auf den nicht geräumten Nebenwegen verwandelte die Sonne am Tag die krustigen Schneeflächen in sulzigen Matsch. Im Licht der Straßenlaternen glänzten Zungen aus blankem Eis.
Es war Zeit für den Weihnachtsmarkt. Sie hatten sich auf neunzehn Uhr an der Elisabethkirche verabredet. Dort war der Glühwein billiger als in der Oberstadt. Wanda wartete am Hauptportal. Sie erkannte Sabine an der Norwegermütze. Ihre Mutter hatte sie ihr gestrickt. Die beiden dünnen Bändel, die von den breiten Lappenstücken an jeder Seite herunter baumelten, wippten keck mit jedem ihrer weit ausholenden Schritte. Sie wollte alleine kommen. Temperaturen unter Null waren nichts für Josy.
„Wow." Sabine schien ehrlich beeindruckt. „Echt prähistorisch. Damit machst du Spuren wie ein Mammut." Wanda betrachtete stolz das üppige Zottelfell ihrer Boots, eine der wenigen Trophäen, die sie aus der Neuen Welt nach Deutschland herübergerettet hatte.
„Es sind eher Stehschuhe. Genau das Richtige für den Weihnachtsmarkt."
„Mal sehen, wie viel Glühwein sie verkraften." Sabine hatte bereits eine eindeutige Richtung eingeschlagen. Wanda schloss sich ihr an.
„Du weißt, wohin du willst?"
„Van Elkan. Machten bisher den besten." Sie wies mit dem Kinn zu den Verkaufsbuden hinüber. „Den Klunkerkram dort kannst du vergessen."
Kurze Zeit später drückten sie ihre steif gefrorenen Finger gegen die warmen Pfandbecher.
„Ob er's schon hat?" fragte Sabine und schlürfte vorsichtig an ihrem

Glühwein. Wanda zog ihr Handy aus der Jackentasche. Wenn alles glatt gegangen war, müsste Sturm vor einer Stunde in Toronto gelandet sein. „Snider wollte gleich nach der Päckchenübergabe simsen. Hier ist nichts."
„Wenn Sturm es unterwegs doch geöffnet hat. Oder bei der Sicherheitskontrolle …"
„… und wenn es inzwischen im Atlantik treibt. Du kannst dir sonst was ausmalen. Uns bleibt nichts anderes übrig, als abzuwarten."
„Vielleicht hält er sich daran fest." Sabine schmunzelte.
„Wer? Sturm, mitten im Atlantik?" Wanda musste bei der Vorstellung grinsen. „Wird ihm nichts nützen."
„Überleg doch mal", widersprach ihr Sabine: „Unsere Aktion könnte Sturm vor einer großen Dummheit bewahren. Auch wenn er es im Moment noch abstreiten würde, so klären wir die Sache doch für ihn auf. Sollte die Substanz tatsächlich so problematisch sein, wie wir vermuten, dann kann er uns nur dankbar sein."
„So habe ich das bisher noch gar nicht gesehen. Du hast vollkommen recht. Wir retten ihm womöglich den Kopf."
Sabine machte ein ernstes Gesicht. „Das nennt man *die Führungskompetenzen des Chefs stärken*." Das Personaltraining, das ihr das Jobcenter angedeihen ließ, tat ihr augenscheinlich gut. Zumindest hatte es ihren Wortschatz bereichert, was ihr inzwischen einen leicht schrägen Blickwinkel auf die Dinge ermöglichte. Wanda hatte Sturm gebeten, ein Päckchen mit nach Kanada zu nehmen. Ein zerbrechliches Weihnachtsgeschenk für einen guten Freund. Sie war dabei rot geworden. Sturm hatte es falsch verstanden. Oder auch richtig. Schließlich sollte er ihr dieses Märchen von der Romanze über den großen Teich hinweg abkaufen. Sie hatte Peter Snider in ihre List eingeweiht. Er wollte das Päckchen mit der Nanosubstanz persönlich in Toronto entgegen nehmen. Die Sache sei zu wichtig und er hielt sich für einen guten Schauspieler, die Rolle des beglückten Lovers zu mimen, sei ihm eine Ehre. Dass er sich immer noch nicht meldete, machte Wanda unruhig.
Im Havanna hatten sie am Montagabend lange darüber diskutiert und waren einstimmig zu dem Ergebnis gekommen, dass sie diesen Baustein in ihrem Puzzle unbedingt brauchten. Sie mussten wissen, nach was sie in den Gewebeproben aus den erkrankten Tieren suchen sollten. Peter

Snider war ihre Adresse. Er besaß alle Informationen über NP2701. Mit seiner Hilfe konnten sie herausfinden, ob die Substanz, die sie von der BIT bekommen hatten, tatsächlich mit den Nanopartikeln aus den US-Waffenlaboren übereinstimmte. Seit Wanda ihm von Günther Hilbergs mysteriösem Tod berichtet hatte, fragte er ständig nach den Autopsiebefunden. Aber auf offiziellem Weg kamen sie nicht weiter. Ein früherer Studienkollege von Andreas arbeitete mittlerweile als Assistenzarzt in der Pathologie des Münchner Großklinikums, in dem Günther Hilberg verstorben war. Er wollte ihnen helfen, aber Hilbergs Akten waren unter Verschluss. Sie mussten sich etwas anderes einfallen lassen.

„Dieser Andreas, kann man ihm trauen?“ fragte Sabine auf einmal, als könnte sie Wandas Gedanken lesen.

„Ich glaube, er ist in mich verliebt.“

„Das ist gut und auch wieder nicht. Was ist mit dir?“

„Er könnte mein kleiner Bruder sein.“

„Ich mach mir langsam Sorgen um dich, Wanda. Du läufst allmählich Gefahr, sexuell zu atrophieren.“

„Atro*was*?“

„Auszutrocknen.“

„Keine Sorge. Ich fühle mich wie eine Milchkuh in den besten Jahren. Wie läuft es denn so mit Wolfgang? Macht er dich glücklich?“

„Er macht mir wenigstens keinen Stress. Allerdings ...“, Sabine spitzte die Lippen, „... jetzt, wo ich keinen Job mehr habe, könnte er ruhig ein bisschen spritziger sein.“

„Der Arme. Ich stelle mir das nicht leicht vor.“

„Was?“

„Eine verhinderte Karrieristin zu befriedigen.“ Wanda leerte ihren Glühweinbecher. „Dann lieber keinen Sex als ständig nur Blümchen in der Vase.“

„So schlimm ist es auch wieder nicht.“ Sabine wirkte eingeschnappt.

„Andreas ist ihm ähnlich“, fuhr Wanda fort. „Ich glaube, er packt die Frauen lieber in Watte, als dass er sich an ihren Kanten stößt. Ein kleines Weichei.“ Wanda deutete einen Abstand zwischen Daumen und Zeigefinger an. „Ein Wachtelweichei.“

„Du magst ihn.“

„Ja, schon. Aber eher so als Minnesänger.“

„Willst du ihm deshalb helfen, den Tod seines Vaters aufzuklären?“

Wanda zuckte mit den Schultern. Nur Snider und Andreas wussten von der Liste der Tagungsteilnehmer, auf der auch ihr Name stand. Soll ich ihr sagen, dass ich selbst damals in New Mexiko war? Dass ich persönlich betroffen bin? Das wäre nur fair. – Aber ich kenne sie. Sie wird nicht locker lassen und lästige Fragen stellen. So ist sie nun einmal.
„Und Thomas?“ Sabine war wieder bei ihrem Lieblingsthema angekommen. Wanda seufzte.
„Der steckt immer noch voller Geheimnisse.“
„Wie spannend.“ Sabine grinste verkniffen. „Bestimmt keiner, der die Windeln wechselt, die Meerschweinchen füttert und das Klo putzt.“
„Ausgerechnet jetzt denkst du ans Kinderkriegen?“
„Vielleicht habe ich momentan wirklich zu viel Zeit zum Nachdenken. Aber Wolfgang ist Pädagoge und später mal halbtags zu Hause. Etwas Besseres kann mir gar nicht passieren. Schließlich will ich weitermachen. Ein geheimnisvoller Erotikknaller ist mir da schlichtweg zu anstrengend.“
„Aha“, bemerkte Wanda und grinste. „Ich verstehe. Hinter einer erfolgreichen Frau steht ein Hausmann ohne Leidenschaften!“
„Sieh’s doch mal so. Ich fange wieder an, mein Leben zu ordnen.“
„Such dir erst einmal eine anständige Arbeit.“
Sabines Blick verfinsterte sich.
„Ich möchte noch einmal ins Ausland. So schnell wie möglich. Wenn die Sache hier rauskommt, wird uns niemand mehr einen Job geben.“ Sie hatte recht. Sie alle riskierten Kopf und Kragen. Und ich? Ich benutze sie auch noch.
„Es muss doch noch so etwas wie Gerechtigkeit geben.“ Wanda merkte, dass es jämmerlich klang. Sabine zog die Mundwinkel nach unten.
„Es wird ausgehen wie das Hornberger Schießen.“
„Noch ist es nicht so weit. Außerdem müssen wir das Ergebnis unserer Recherchen nicht an die große Glocke hängen. Wir könnten Sturm damit unter Druck setzen. Er müsste dich wieder einstellen.“
„Pah, du glaubst doch nicht wirklich, dass ich für den noch einen Finger krumm mache.“
„Zumindest bis du einen neuen Job hast.“
Wanda sah über die Köpfe der Herumstehenden hinweg. Ihr Blick folgte den Lichterketten bis zu den Verkaufsbuden. Das warme Licht der Lämpchen und die bunten Auslagen lockten sie. Ihre Augen blieben an

einem Häuschen mit Holzspielzeug hängen. Dort stand ein Mann mit zwei Kindern. Erst als er sein Profil weiter in ihre Richtung drehte, war sie sich sicher: Gläsers riesige Nase stand in einem unauflösbaren Widerspruch zur übrigen Feingliedrigkeit seiner Erscheinung. Wanda drehte ihrem Hausarzt eilig den Rücken zu und schloss den Klettstreifen am Kragenwulst der Daunenjacke.
„Ist dir etwa kalt?" fragte Sabine. „Ich kenne da eine gute Medizin." Sie schnappte sich Wandas Pfandbecher und schlängelte sich an den Leuten vorbei zum Glühweinstand. Du bist ein Feigling! meldete sich eine Stimme in ihr. Du versteckst dich, weichst aus. Du spielst ein heimliches Spiel. Aber ich muss unbedingt Sniders Vermutungen widerlegen. Sein ständiges Nachfragen ist schier nicht auszuhalten. Und wenn seine Befürchtungen sich bestätigen? Wenn Günther Hilbergs tödliche Erkrankung in New Mexiko ihren Anfang nahm? Ich werde ihm beweisen, dass es nicht so ist.
Sabine kehrte zurück und drückte ihr den heißen Becher in die Hand. „Wie war's eigentlich bei deinem Brüderlein?"
Wanda erzählte ihr, dass sie das Haus ihrer Eltern verkaufen mussten. Zum ersten Mal sprach sie über ihren Verdacht, dass der Bruder etwas verheimlichte. Ein Wissen oder eine Ahnung von etwas, das die Eltern mit in ihr Grab genommen hatten.
„Du klingst traurig."
„Ich werde es wohl nie erfahren. Vielleicht ist es auch besser so. Trotzdem lässt es mir keine Ruhe. Besonders nachts nicht."
„Ich kenne da ein Rezept." Sabine bekam wieder diesen Gouvernantenblick. „Du legst dich einfach verkehrt herum ins Bett, mit dem Kopf ans Fußende. Dann liegen die Füße auf dem Kissen und müssen denken. „Aber", sie tippte sich an die Stirn, „darin sind sie ganz schlecht."
Wandas Handy vibrierte. Eine Nachricht von Peter Snider. Das Päckchen war da!
Nur noch ein paar Tage, dann würden sie wissen, ob ihre Rechnung aufging.

30
Die Hypothese

Nach einer langen Woche des Wartens kamen endlich die ersten Befunde aus Ottawa. Das Material, das die BIT in Marburg testen ließ, stammte eindeutig aus der US-Waffenschmiede. Es seien dieselben Partikel. Der Bericht, der zwölf Stunden später eintraf, war etwas ausführlicher.

Er bestätigte noch einmal die erste Meldung, allerdings mit einer Einschränkung: Es hieß, dass die Partikel nicht vollkommen identisch seien. Obwohl sie sich auf den elektronenmikroskopischen Aufnahmen wie ein Ei dem anderen glichen, verhielten sie sich unterschiedlich. Die kanadischen Labortechniker hatten die Teilchen aus der Probe mit Quantenpunkten beladen, um ihr Bewegungsmuster im Fluoreszenzmikroskop besser beobachten zu können.

Am Abend, kurz bevor Wanda nach Hause gehen wollte, rief Snider sie an. Er klang aufgeregt:

„Stell dir vor, du bist in einem Spielcasino und stehst zwischen zwei Billardtischen. Auf jedem Tisch liegen zwanzig Kugeln. Sie sehen alle gleich aus. Jedenfalls kannst du keinen Unterschied ausmachen. Du sollst dich entscheiden, an welchem der Tische du dein Spiel machen willst. Also gehst du herum und kickst jeweils eine Kugel durchs Feld. Die Kugeln geraten in Bewegung, stoßen sich an. An dem Tisch links von dir bleiben sie jedoch bald aneinander hängen. Es entstehen mehr oder weniger große Haufen. Nichts geht mehr. Du wendest dich nach rechts. Dort ist inzwischen alles in Bewegung geraten. Die Kugeln rollen aufeinander zu, stoßen sich ab. Dein erster Impuls hält das Spiel immer noch im Gang. Deine Entscheidung liegt auf der Hand.“

„Ich würde nirgendwo spielen“, entgegnete Wanda entschieden.

„Ich gebe zu, dass das Modell verdammt mechanistisch ist. Aber so denken wir nun einmal."
„Das meine ich nicht. Nur solange ich diese Wunderkugeln aus Boston nicht wirklich verstehe, würde ich kein Spiel mit ihnen wagen. Die Kugeln, die sich abstoßen, sind doch die von der BIT. Hab' ich recht?"
„Ja und nein. Du erinnerst dich noch, dass das Päckchen, das wir von euch bekommen haben, drei Ampullen enthielt? In einer waren die Nanopartikel. Die zweite enthielt ein Konzentrat des Lösungsmittels. Wenn wir die Substanz darin in Lösung bringen, verhalten sich die Teilchen tatsächlich so wie die Kugeln auf dem Tisch rechts. Später haben wir den Inhalt der dritten Ampulle aus eurem Päckchen dazugegeben. Die Partikel verklumpten sofort miteinander, genauso wie es die Nanopartikel aus der Probe tun, die uns das State Department überlassen hat. Es muss etwas mit ihrer Oberflächen zu tun haben. Wir warten noch auf die Ergebnisse der Molekularbiologie und der Röntgenstrukturanalyse."
Wanda überlegte. Es sah ganz danach aus, als hätte die BIT das Rohmaterial aus der Waffenschmiede der USA zu einem Stoff mit außergewöhnlichen Eigenschaften veredelt. Nanopartikel, die nicht sofort verklumpten und sich in den Atemwegen fein verteilen ließen, das hatte es bisher noch nicht gegeben. Dies könnte tatsächlich der technische Durchbruch für völlig neue Therapieformen sein.
Wanda informierte rasch per E-mail Sabine und Johannes. Beide antworteten umgehend. Sie waren wie sie davon überzeugt, dass es diese unbändigen Nanobilliardkugeln gewesen sein mussten, die Sabines Ratten krank gemacht hatten.
In dieser Woche trafen sie sich öfter, mal bei Wanda, mal bei Sabine zu Hause, und diskutierten ihre Arbeitshypothese. Gleichzeitig wuchs Sniders Interesse an Günther Hilbergs Fall. Wanda wunderte sich nicht darüber. Der Pilot hatte von einer Substanz mit der Bezeichnung Nanobact-NP2701 gesprochen. Das Material, das BIT und CRWC vom US-amerikanischen Militär erworben hatten, besaß sozusagen den gleichen Nachnamen. Das konnte kein Zufall sein. Hier lag der Dreh- und Angelpunkt, an dem ihre Ermittlungen zusammenliefen. Allerdings ließ sie der Gedanke nicht los, es könnte eine Verbindung zwischen Sniders Ermittlungen in New Mexiko und Hilbergs Tod geben. Schlimme Bilder verfolgten sie. Sie wälzte sich in den Schlaf vorbei an

Ratten in tödlichem Krampf, einem lachenden Hilberg, dem plötzlich der Kopf abfiel und Doktor Gläsers bohrenden Augen. Sie wollte nicht enden wie Günther Hilberg. Nein, versuchte sie Ruhe zu bewahren. Ihre Befürchtungen waren völlig grundlos. Sie würde allen beweisen, dass die Ereignisse in New Mexiko und der Tod des Münchner Neurologen nichts miteinander zu tun hatten. Keine Kontamination. Sie beruhigte sich damit, dass ihre Kopfschmerzen seltener auftraten. Was das Zittern anging, so gewöhnte sie sich an, in Gesellschaft die Hände zu falten und in den Schoss zu legen. Dann konnten die anderen nichts davon sehen, und solange die nichts bemerkten, konnte sie es beiseite schieben.

Es fiel Wanda nicht schwer, den Kollegen ihr Interesse an Sniders Ermittlungen zu verkaufen. Diese Erkenntlichkeit seien sie ihm schuldig. So begründete sie bei einem ihrer Treffen ihren Entschluss, den „Fall Günther Hilberg" selbst in die Hand zu nehmen.

Das Material lagerte in der Pathologie des Münchner Großklinikums. Andreas Ex-Studienkollege wollte behilflich sein, daran zu kommen. Der offizielle Weg war einfach zu riskant, schließlich waren die Verbindungen zwischen den Instituten unergründlich. Sturm durfte nichts von ihren Ermittlungen erfahren. Sie standen kurz vor ihrem Ziel, das Geheimnis der BIT-Substanz zu lüften. Wenn er Verdacht schöpfte, würde er ihre Aktion sofort unterbinden und sie alle vor die Tür setzen. Alles wäre umsonst gewesen.

„Es gibt kein Zurück", erklärte sie den Kollegen. „Wir stecken inzwischen so tief drin, dass wir weiter machen *müssen*."

„Tatsächlich?" Sabine wirkte auf einmal zögerlich.

„Wenn's schief geht, war ich nicht dabei", warnte Petra. „Das ist euch allen hoffentlich klar." Johannes biss die Zähne zusammen. Er wollte nicht aufhören. Sabine schaute Wanda prüfend an.

„Was treibt *dich*?"

Wanda zuckte die Achseln. Ihr wurde auf einmal flau.

„Ich kann die Sache auch fallen lassen." Sie bemühte sich, so gleichgültig wie möglich zu klingen.

„So?" Sabine sah sie prüfend an.

„Was willst du?" Wanda konnte ihre Gereiztheit nicht verbergen. „Schließlich habe ich jetzt den Schlamassel am Hals, den du verzapft hast."

„Es reicht", mischte sich nun Petra ein. „Natürlich müssen wir weiter machen. Wir können jetzt nicht entscheiden, wie wir das alles verwenden sollen. Wir wissen einfach noch zu wenig."
„Eines möchte ich hier klar stellen." Sabine ließ nicht locker. „Ich habe euch um nichts gebeten. Jeder von euch hat seine ganz persönlichen Gründe, hier mitzumachen." Wanda spürte ihren durchdringenden Blick.
„Ich will die Wahrheit herausfinden", sagte sie deshalb.
„Welche?"
Wanda blieb ihr die Antwort schuldig.

Bereits am Freitagnachmittag saßen sie und Andreas im ICE nach München. Andreas wirkte immer noch verstockt. Drei Wochen war es her, dass sie sich gesehen hatten. Wanda war an jenem Abend still und heimlich aus seiner Wohnung geschlichen, nachdem sie die Liste gefunden hatte. Am Telefon neulich war er sehr wortkarg geblieben. Wanda hatte mehr über den Tod seines Vaters erfahren wollen. Warum er sich trotzdem zu dieser Aktion in München anstiften ließ, war ihr ein Rätsel. Sniders Idee, bei Hilberg nach Nanopartikeln zu suchen, musste ihn wohl überzeugt haben. Anders konnte sie sich keinen Reim darauf machen, dass er ihrem Plan für diese Reise ohne Vorbehalte zugestimmt hatte. Die Sache mit der BIT behielt Wanda für sich. Andreas zählte nicht zum Team der Ermittler.
Ab Stuttgart saßen sie allein im Abteil.
„Ich werde ein paar Proben aus seinem Gehirn nehmen müssen", sagte sie, als wollte sie sich dafür entschuldigen. Andreas drehte den Kopf zum Fenster. Er antwortete nicht. Wanda seufzte leise. Ich kann es ihm nicht verdenken. Der Plan ist gut, aber das ist auch schon alles. Von Hilbergs Gehirn lagerte noch die linke Hälfte in Formalin fixiert im Kühlraum der Klinikspathologie. Das wussten sie von Raimund, Andreas Bekanntem aus alten Medizinstudientagen, der sich darüber wunderte, dass es nach einem halben Jahr immer noch dort war. Normalerweise wurde beim Zuschnitt das gesamte Organ verarbeitet. Um so besser für uns, dachte Wanda, sollten sie es tatsächlich vergessen haben. Sie blätterte in dem Atlas für Anatomie, der auf ihrem Schoss lag. Werde ich die Strukturen überhaupt erkennen? Die Regionen des Limbischen Systems, aus dem sie Gewebeproben nehmen wollte, waren

in den Zeichnungen farbig hinterlegt. Sie kamen ihr vor wie die bunten Bildvorlagen in einem Malbuch für Kinder. Bunt und ordentlich zerlegbar war auch das Kunststoffmodell eines menschlichen Gehirns gewesen, an dem Johannes ihr gezeigt hatte, wie sie von unten über den Uncus und den Gyrus parahippocampalis Teile der Riechbahnen und des Hypothalamus entfernen konnte. Dort vermutete Snider die Nanopartikel. Er spekulierte, dass die aus dem Flugzeug versprühten Teilchen über die Klimaanlage in den Bus gelangt sein mussten. Die Insassen hatten sie vermutlich eingeatmet. Wanda lief es kalt über den Rücken. Womöglich hatten sie wie die Versuchskaninchen in diesem fahrenden Käfig gesessen. Nach Snider war in dem in New Mexiko versprühten Cocktail NP2701 gewesen, die Substanz, die ihm das US-Waffenlabor für eine Vergleichsanalytik überlassen hatte und die sie ebenfalls in NanoSniff nachweisen konnten. Den Amerikanern musste er im Gegenzug lückenlose Aufklärung über die Ergebnisse versprechen. Snider war klug genug zu wissen, dass der verlängerte Arm der nachbarlichen Staatsmacht das gesamte Probenmaterial beschlagnahmt hätte, wäre er nicht auf das Kooperationsgesuch der Amerikaner eingegangen. Mit einer Weigerung hätte er sich längst ins Aus befördert. Er selbst war zu tief in dieses Projekt verstrickt, als dass er riskieren konnte, nichts mehr über NP2701 zu erfahren. Snider vertrat die Ansicht, dass die Nanopartikel über Hilbergs Riechbahnen in sein Gehirn gelangt sein mussten und dort ein ähnlich schädigendes Potenzial entwickelt hatten wie NanoSniff bei den Marburger Ratten. Snider stützte sich bei seinen Überlegungen auf die neurologischen Symptome, wie das Zittern und die Bewegungsstörungen, die sowohl bei Hilberg als auch bei den Versuchstieren beobachtet worden waren. Eine äußerst kühne Hypothese, fand Wanda, alldieweil sich die Analyse der Bodenproben aus New Mexiko als schwierig erwies. Sie tappten im Dunkeln. Vielleicht war es einfach zu lange her. Wurden Hypothesen nicht aufgestellt, um sie zu widerlegen? Genau das wollte sie tun.

Johannes hatte ihr aufgetragen, unbedingt auf Nekrosen und Atrophien zu achten. Na, klasse. Ich kenne ja nicht einmal den Normalzustand im Original. Am liebsten hätte sie ihren Kollegen gebeten, mitzukommen. Aber er hatte ihr gleich zu verstehen gegeben, dass fremdes Territorium für ihn tabu sei. Er wollte ihr telefonisch beistehen. Das Headset für ihr Handy steckte im Rucksack.

Andreas schaute immer noch aus dem Fenster des Abteils. „Was weißt du über diese Partikel?“ Er schien seine Sprache wieder gefunden zu haben.
„Im Elektronenmikroskop sind es winzige Kristalle mit einem zarten zauseligen Flaum drumherum. Es gibt Viren, die fast genauso aussehen.“
„Wie könnt ihr wissen, dass es keine Viren sind?“
„Gute Frage. Wie viele Virionen sind sie tatsächlich kubisch.“
„Virionen?“
„Das ist der Körper eines Virus. Das, was du vorfindest, wenn du eine dreidimensionale Rekonstruktion mit Hilfe der Röntgenstrukturanalyse machst. Unsere Partikel bestehen aus zwanzig gleichseitigen Dreiecken. Es sind Ikosaeder.“
„Ein platonischer Körper.“
„Was?“
„Egal. Wie kannst du so sicher sein, dass es keine Viren sind?“
„Ihre Hülle, nein, ich muss sagen, das Kapsid, also diese kubische Kapsel, ist tatsächlich die perfekte Nachbildung eines Poliovirus, mit einem Durchmesser von zwanzig Nanometern nur ein bisschen kleiner, und es ist leer.“
Andreas runzelte die Stirn.
„Es trägt kein Genom“, erklärte Wanda. „Man könnte meinen, es ist ein Poliovirus ohne Hirn …“, sie zuckte die Achseln, „… oder Geist?“
Seit gestern wussten sie es. Snider hatte die Ergebnisse der molekularbiologischen Analyse geschickt. NP2701 war sozusagen ein Plagiat. Wissenschaftler in den Labors der US-Waffenschmiede hatten einen Weg gefunden, das Poliomyelitisvirus quasi im Reagenzglas nachzubauen. Sie taten es mit der gleichen Selbstverständlichkeit wie die Chinesen Autos aus dem Westen kopierten. Im Unterschied zu denen durften sie sich ihre Imitate jedoch patentieren lassen. Die BIT hatte diesem Prototypus ein paar Finessen beigefügt und ihn mit einem Gen ausgestattet. Davon wollte sie Andreas jedoch nicht berichten. Sie musste sich selbst erst Klarheit darüber verschaffen, was diese jüngsten Erkenntnisse für sie bedeuteten.
In Aschaffenburg nahm ein junges Pärchen Platz in ihrem Abteil. Hinter ihnen drängelte eine dicke Frau mit schwerem Gepäck. Andreas bot seine Hilfe an, aber sie wollte den großen Koffer partout im Gang

stehen lassen. Als der Zug anfuhr, drückte sie sich ein Taschentuch auf die Stirn. Der Geruch von Kölnisch Wasser verteilte sich in der Luft, und Wanda wurde übel. Sie atmete zu flach. Auf der Toilette müffelte es anders, aber auch nicht besser. Es gab kein Entrinnen, am Freitagnachmittag war der Zug so gut wie ausgebucht.

Raimund Haller holte sie am Bahnhof ab und nahm sie mit in seine Wohnung, ein bescheidenes Loch in einer dunklen Gegend. Wanda kannte sich nicht in München aus. Sie hatte auf dem Weg dorthin bald die Orientierung verloren. Haller redete ohne Punkt und Komma. Als er Andreas die Schlüssel zu den Sektionsräumen der Pathologie übergab, glänzten Schweißtröpfchen auf seiner Nasenwurzel. Hilbergs halbes Hirn lagerte in einem weißen Eimer mit der Sektionsnummer einhundertdreiundsiebzig Schrägstrich null fünf. Das sollten sie sich merken. Er reichte ihnen einen Lageplan, zwei Einwegkittel, zwei Kartons mit Latexhandschuhen und einen grauen Müllsack. Auf dem einen Karton stand ein fettes **M**, auf dem anderen eine **7**. Er wandte sich an Andreas.

„Recht so?" fragte er. Andreas nickte. Sie sollten sie anziehen, bevor sie das Gebäude der Pathologie betraten und wechseln, wenn nötig, aber unbedingt immer Handschuhe tragen. Den Abfall in die Plastiktüte und am besten erst entsorgen, wenn sie wieder in Marburg seien. Er hatte an alles gedacht. Seine Hand lag auf Andreas Schulter bevor sie gingen. Zwischen ihnen gab es eine Vertrautheit, von der Wanda sich ausgeschlossen fühlte. Andreas war ihr fremd, wenn er ins Bayerische fiel.

Gegen zehn saßen sie in der U-Bahn nach Großhadern.

„Weshalb hilft er uns?" wollte Wanda wissen.

„Wir war'n halt gute Kameraden." Andreas lächelte verkrampft. Immerhin lächelte er wieder.

Als sie die Marchioninistraße hinunterliefen, trieb ihnen ein eisiger Wind Tränen in die Augen. Der Weg zum Institut für Pathologie war eine schnurgerade Schneise mitten durch ein riesiges Parkplatzareal. Mit den freien Stellplätzen zwischen den vereinzelten Autos wirkte die Gegend ausgestorben wie nach einer Evakuierung. Auf den Randstreifen lag eine dünne Schneedecke, die Überreste des ersten Wintereinbruchs, den plötzlich ansteigende Temperaturen in Marburg bereits wieder verscheucht hatten. Links leuchteten die Fenster des Hauptgebäudes. Hier war der mächtige Steinquader aus Odyssee 2001 mitten in die Pampa geplumpst. Jedoch war ihm das Mystische dabei abhanden gekommen. Die Pathologie lag rechterhand. Durch die Glasfront schimmerte die Notbeleuchtung im Eingangsbereich. Freitags nachts sei das Institut quasi verwaist, hatte Raimund gemeint, das Risiko, gesehen zu werden, dann äußerst gering. Wanda fröstelte. Sie musste an den Überfall im Forschungszentrum denken. Der Schreck steckte doch tiefer, als sie es sich eingestehen mochte. Sie war froh, nicht allein zu sein. Wie selbstverständlich schloss Andreas die Eingangstür auf, nicht ohne ihr zuvor die Handschuhe und eine Taschenlampe gereicht zu haben. Zielstrebig bewegte er sich durch dämmerige Korridore. Sie folgte. Vor einer Doppeltür blieben sie stehen. Hinter den kreisrunden Sichtfenstern war es dunkel. Andreas ging voraus. Der Atlas für Anatomie in Wandas Rucksack wog schwer. Außerdem drückte ihr der sperrige Fuß der Tischlampe auf die Wirbelsäule. Oder war es der Griff des Seziermessers? Nein, sie hatte das Präparationsbesteck dick mit Zellstoff umwickelt und auch die Plastikdose für die Gewebeproben steckte in einem gepolsterten Kühlbeutel. Dieses Ding in ihrem Rücken lenkte sie kurz ab, sie stolperte, knickte ein, fiel nach hinten. Das Licht der Taschenlampe schnellte zur Decke. Der Rucksack wog schwer, sie torkelte rückwärts. Himmel, das Messer. Sie torkelte ohne Ende. Ich will nicht sterben. Nicht hier. Sie fiel, hörte den Laut. Kein Halten mehr. Nichts zu machen. Dann der feste Griff einer Hand von hinten, packte sie am Unterarm. Eine andere Hand legte sich auf ihren Mund. Zwischen ihren Körpern klemmte der Rucksack wie ein Buckel voller Unrat.

„Psst“, raunte Andreas ihr ins Ohr. „Du weckst hier alle auf.“

Wanda beugte sich leicht nach vorne. Sie schwitzte.

„Was war das?“

Er leuchtete auf den Boden. An einer Stelle wölbte sich der Belag ein wenig nach oben. Andreas schob sie sanft weiter in den Raum hinein, es klackte leise, als er die Tür hinter ihnen ins Schloss zog. Wanda holte tief Luft.

„Los, weiter“, sagte sie. Sie spürte Gummi in den Knien. Andreas leuchtete ihr ins Gesicht. Ein fahler Widerschein spiegelte sich in seinen Augen.

„Sicher?" fragte er besorgt. Wanda schluckte. Dann nickte sie. Er gab ihr ein Zeichen zu bleiben und verschwand durch eine Tür auf der gegenüber liegenden Seite.
Es roch nach Formalin. Wanda ließ die Taschenlampe kreisen. Der Raum wirkte kahl. Tische aus blank geputztem Edelstahl schimmerten kurz auf. Keine Leichen, keine Särge. Auf einem der Sektionstische entdeckte sie eine erhöhte Arbeitsplatte. An der Seitenwand fand sie eine Steckdosenleiste für das Verlängerungskabel, das sich ebenfalls in ihrem Rucksack befand. Sie ließ ihn von den Schultern auf einen der Sektionstische gleiten und öffnete ihn. Das Präparationsbesteck mit den Messern war aus der Verpackung gerutscht und hatte sich im Beutel verteilt. Im Licht der Tischlampe fand sie alles wieder. Sie legte das Sektionsmesser mit der langen doppelschneidigen Klinge an den rechten Rand der weißen Kunststoffplatte, auf der sie präparieren wollte, daneben das Skalpel und die chirurgische Pinzette. Sie schlüpfte in einen der Wegwerfkittel, stellte Handschuhkarton und Probengefäß auf, legte den Müllsack daneben, alles zum Greifen nah, und schob sich das Headset auf den Kopf. Der Kontakt mit dem Handy funktionierte. Johannes Nummer leuchtete bereits im Anwahlspeicher. Wanda wartete. Sie hielt die Hände in das Licht der Lampe. Sie zitterten leicht. Mit jedem ihrer Atemzüge hoben und senkten sie sich. Allmählich wurde sie ruhiger.
Andreas kam mit einem weißen Eimer zurück. Jemand hatte die Sektionsnummer mit schwarzen Filzstiftstrichen auf den Deckel geschrieben. Wortlos reichte er Wanda den Behälter. Dann bezog er Posten vor dem Bullauge am Eingang, so wie sie es ausgemacht hatten.

31
Altersgraue Schokolade

Sie schätzte es auf knapp siebenhundert Gramm. Hilbergs halbes Hirn wog nicht mehr als der Blumenkohl, den sie neulich auf dem Wochenmarkt in der Frankfurter Straße erstanden hatte. Also eineinhalb Kilo für das gesamte Gehirn. Zwei mittelgroße Kohlköpfe. War das normal? Behutsam drehte Wanda die linke Hemisphäre in den Händen. Das Organ war elfenbeinfarben und fühlte sich fest an, aber keineswegs so hart wie das versteinerte Skelett einer Hirnkoralle. Noch nie zuvor hatte sie ein Menschenhirn berührt. Innerlich trat sie einen Schritt zurück. Sie wollte jetzt nicht an Hilberg denken. Er verschwand hinter den kunstvoll dauergewellten Hirnwindungen, den Gyri, und zwischen den Furchen, den Sulci, dem Frontal- und dem Schläfenlappen und der Sachlichkeit, mit der sie die Anatomie zu erfassen versuchte. Nur die Kälte, die ihr über die Finger die Arme hinauf kroch, ließ sie schaudern. Das Formalin stach ihr bereits in die Nase. Sie würde schnell arbeiten müssen. Auf der Unterseite erkannte sie die Riechbahnen, ein weißer etwa fünf Zentimeter langer Strang, der vorne in einem Köpfchen, dem Bulbus olfactorius, seinen Anfang nahm. Mit der Pinzette löste sie vorsichtig das Faserbündel ab und legte es auf den Deckel des Plastikgefäßes. Kleinhirn und Pons, die Brücke zum verlängerten Rückenmark, waren abgetrennt. Wanda schaute in den Plastikeimer. Sie fehlten. Die kompakte Hirnmasse ruhte in ihrer Linken, während sie die Innenseite in Augenschein nahm. Ein gekonnter Schnitt durch den Interhemisphärenspalt hatte sie freigelegt. Wanda dachte an eine Skulptur, deren Sinn sich ihr erst noch erschließen musste. Der Anschnitt des winzigen Knöpfchens war gerade noch auszumachen. Es war blass wie eine Sojabohne, aber deutlich kleiner. Das musste der linke Mamillarkörper sein. Mit dem Zeigefinger fuhr sie von dort in

einem leichten Bogen nach hinten um ein graubraunes Areal herum, das wie ein Bergsee in mitten der zerklüfteten Auffaltungen schlummerte. Sie fand den schmalen hellsandigen Uferweg entlang der Nordseite dieses unergründlichen Flecks. Sie war ein wenig stolz, dass sie Thalamus und Fornix auch ohne Johannes Hilfe ausgemacht hatte. Der Thalamus galt als Tor zum Bewusstsein. Die Fornix verknüpfte die Mamillarkörper mit den Ammonshörnern, in denen Wahrnehmungen und Erlebnisse ihren Eingangsstempel erhielten. Nur so ließen sie sich später unter dem richtigen Datum wieder abrufen, konnte der Blick in die Vergangenheit einem roten Faden folgen. Für einen Moment stand sie wieder im Wohnzimmer ihres Elternhauses und fühlte sich hilflos wie in diesem stets wiederkehrenden Traum. Sie schluckte gegen das Kratzen im Hals. Erst jetzt bemerkte Wanda, dass sie durch den Mund atmete. Ihre Nase war dicht wie ein verstopfter Siphon. Auch die Augen brannten im Formalindunst. Sie riss einen Streifen Papier von dem Spender an der Wand und schnäuzte sich. Viel half es nicht. Sie hielt die Quelle des Übels unter die Tischlampe und betrachtete noch einmal die soeben entdeckten Strukturen. Hier im Limbischen System verbarg sich unsere wilde Natur. Die vier großen Fs, kamen ihr in den Sinn. *Fleeing, feeding, fighting and fucking.* In dieser Region hatte Sabines Nanotherapie bei den Ratten die größte Wirkung gezeigt. Hier hatte Johannes bei der Sektion der Rattenhirne weiträumige Läsionen entdeckt. Wanda kniff die vom ungewohnten Reiz triefenden Augen zusammen. Ein paar Tränen kullerten ihr übers Gesicht. Sie konnte nichts entdecken, das ihr abnorm erschien. Aber sie war auch keine Expertin für Neuropathologie. Es war an der Zeit, Johannes anzurufen.
Er meldete sich sofort. Wanda beschrieb ihm, was sie sah.
„Erkennst du die Substantia nigra?“ wollte er wissen. Wanda musterte den durchtrennten halben Stumpf des Hirnstamms unterhalb des Mamillarkörpers.
„Sie hat ihren Namen nicht verdient. Ein grauer Schatten, wenn überhaupt.“
„Depigmentiert“, kommentierte Johannes knapp. Er führte das Protokoll. „Hatte Hilberg nicht gezittert?“
„Wie?“ Wanda schaute zu Andreas hinüber, der wie angewurzelt neben dem Türfenster stand und den Flur beäugte.
„Ich meine Parkinson. Hatte er nicht?“

„Können wir das vielleicht später klären?" Sie spürte wie sie nervös wurde. „Sag mir lieber, wie es jetzt weiter geht."
„Siehst du den Wulst unterhalb des Mamillarkörpers? Der Uncus, ein Hügel am Rande des Hypothalamus. Schau genau hin. Von dort aus zieht sich ein länglicher Wulst nach hinten, der Gyrus parahippocampalis. Den musst du dir merken. Hier liegt die Regio entorhinalis, ein Zentrum für alles, was uns in die Nase kommt. Wenn Nanopartikel eingewandert sind, dann müssen wir sie hier finden. Aber vorher sollten wir wissen, wie es weiter drinnen aussieht. Du machst jetzt einen Frontalschnitt und zwar genau auf der Höhe des Mamillarkörpers."
Dieser Ton gefiel ihr ganz und gar nicht und das, was Johannes von ihr verlangte, ging Wanda erst recht gegen den Strich.
„Gestern hieß es, nur ein bisschen Gewebe entnehmen. Das würde niemandem auffallen. Jetzt soll ich das Ding auf einmal vierteln? Da sieht doch jeder Sektionsgehilfe, dass da was faul ist." Wanda schnaufte lautstark ins Papier.
„Muss ich dich trösten oder brauchst du was Schleimlösendes?" Konnte er nicht einmal sachlich bleiben? Wanda grunzte. Er sollte hören, dass sie sich ärgerte.
„Sabines tote Ratten zeigten deutliche Symptome einer vorzeitigen Demenz", fuhr Johannes nun ernster fort. „Deine Tiere übrigens auch, wenn ich dich daran erinnern darf. Sollte es deinem Alzheimer tatsächlich entgangen sein, dass wir nach Parallelen suchen?" Halt einfach die Klappe, dachte Wanda und setzte das Messer an.
Es war einer dieser seltenen Momente von Gleichzeitigkeit, die ihr sonst so angenehm in Erinnerung blieben. Diesmal jedoch traf er sie wie ein Schock. Das Seziermesser steckte mitten in Hilbergs Gehirnhälfte als plötzlich das Licht ausging. Unmittelbar vor ihr zischte Andreas etwas. Sie verstand ihn nicht, weil Johannes unablässiges Gequatsche ihr die Ohren verstopfte. Wanda hielt die Luft an und stockte. Mist. Ich werde alles vermasseln. Dieser Idiot. Weshalb nur? Weitermachen! Wer sagt das? Blind? Zieh es durch! Mit einem dumpfen Klock setzte das Messer auf der Unterlage auf. Wanda spürte wie der Gewebsblock auseinander fiel. Im fahlen Lichtschein, der durch das Bullauge der Tür in den Raum fiel, sah sie Andreas. Angespannt schaute er hinaus auf den Flur. Seine erhobene Hand wies sie an, still zu sein.
„Was ist?" Johannes klang ungeduldig.

„Psst. Ich fürchte, wir bekommen Besuch“, flüsterte Wanda.
„Scheiße!“
Es kam ihr wie eine Ewigkeit vor. Langsam ließ Andreas den Arm sinken.
„Du kannst weitermachen“, sagte er schließlich.
Was meinst du, was ich die ganze Zeit tue? Sie sprach den Gedanken nicht aus. Sie war nicht aufmerksam gewesen, hatte Andreas Warnzeichen nicht bemerkt, nicht mitbekommen, dass er seinen Posten verlassen und die Tischlampe für sie gelöscht hatte.
„Danke“, gab sie leise zurück.
„Oh, keine Ursache“, tönte es aus dem Kopfhörer. „Wie weit bist du?“
Im Licht begutachtete sie das Ergebnis ihres Blindversuchs. Es war gar nicht so schlecht.
„Ich glaube, ich weiß jetzt, was ein *blinded pathologist* ist.“ Es war dieser Terminus, den sie oft in wissenschaftlichen Publikationen lesen konnte und mit dem der Autor darauf verwies, dass die Studie unter objektiven Maßgaben erfolgt war. So ließ derjenige, der die Auswertungen machte, die Präparate mit einem ihm unbekannten Nummernschlüssel versehen, so dass er nicht wusste, aus welcher Versuchsgruppe sie stammten und seine Erwartungen das Ergebnis nicht beeinflussen konnten.
„Es ist nichts Physisches, sondern so eine Art geistige Verblendung“, kommentierte Johannes sogleich. „Er soll nicht wissen, was er sieht.“
„Tja“, seufzte Wanda. In jeder Hand hielt sie nun ein Viertel des Gehirns und schaute auf die glatten Schnittflächen. Mutlos schüttelte sie den Kopf. Mit Regenwürmern hätte sie sich ausgekannt.
„Ein Strickleiternervensystem wäre mir jetzt lieber. Selbst ein Körnerbrot ist übersichtlicher.“
„Hat es große Hohlräume?“
„Hohlräume?“
„Ja, so ähnlich wie ein Schweizer Käse?“
„Nein, es sieht eher wie eine riesige Praline aus. Innen Nougat und außen ein altersgrauer Schokoüberzug. Die Rinde ist ein bisschen fleckig. Löcher? Die Blutgefäße sind schön weit und rund. Offen.“
„Das passt zur Sepsis, aber nicht zu einer Demenz“, murmelte Johannes. „Wir brauchen unbedingt Fotos.“

Nach einer halben Stunde waren sie fertig. Nur widerwillig hatte Andreas mit seiner Digitalkamera Johannes Wunsch entsprochen und ein paar Aufnahmen geschossen. Wanda packte die Gewebeproben in den Behälter aus Plastik, in den sie zuvor etwas Formalin aus dem weißen Eimer gefüllt hatte. Andreas stellte den Eimer wieder an seinen Platz zurück, während sie Lampe, Kabel, Präparationsbesteck und die Gewebeproben im Rucksack verstaute. Dieses Mal achtete sie darauf, dass die Messer sicher verpackt waren. Sie verließen die Pathologie auf demselben Weg, den sie gekommen waren.

Andreas ging voraus. Mit dem Müllsack unter seinem Arm sah er wie ein Putzmann aus. Draußen empfing sie eine sternenklare Nacht. Die frische Luft tat gut. Nur der rote Mars behielt sie im Visier.

„Warum ist er so rot?“ wollte Wanda wissen. Andreas legte den Kopf in den Nacken.

„Er schämt sich für uns.“

„Hast du ein schlechtes Gewissen?“

Andreas zuckte die Achseln. Schweigsam liefen sie den Weg zurück zur U-Bahnstation. Raimund hatte ihnen Nachquartier angeboten.

Andreas Frage kam zögerlich, als wollte er sie gar nicht stellen. „Kannst du schon etwas sagen?“ Wanda schüttelte den Kopf. Eigentlich konnte sie zufrieden sein. Wenn sie Johannes richtig verstand, ließen sich die makroskopischen Befunde aus den Tierversuchen bei Günther Hilberg nicht bestätigen.

„Ich fürchte, es ist komplizierter als wir denken.“ Sie wunderte sich über die eigenen Worte.

32
VIP

Die Vorbereitungen liefen bereits auf Hochtouren, als Wanda am Montag ins Institut kam. Petra übernahm sofort die Versorgung der Proben. Johannes wollte unbedingt mit ihr über die Fotos sprechen, die Wanda ihm gleich am nächsten Tag aus München geschickt hatte.

In ihrem Postfach lag eine Nachricht aus der Virologie. Ein gelber Zettel klebte darauf. Die Schrift war krakelig und ließ auf einen umerzogenen Linkshänder schließen. Der Kollege entschuldigte sich, dass es solange gedauert habe, der Befund sei wohl ein bisschen kurios. Sie könne ja selbst lesen. Ansonsten ein nicht seltenes Rattenvirus, sicherlich unangenehm aber nicht problematisch.

Auf dem Flur lief sie dem Chef in die Arme. Sie solle sich bitte den Abend frei halten. Er schickte die Einladung über die rechte Schulter, nachdem er bereits an ihr vorbei gesaust war, seine Sohlen kreischten auf dem künstlichen Bodenbelag. Der Gastreferent sei heute aus Rochester. Ganz wichtig. Sie hätten sich sicherlich viel zu erzählen. „Sie waren doch dort?"

Wanda nickte. Das Institutskolloquium am Nachmittag hatte sie völlig vergessen.

„Also um acht im Alten Ritter", rief Sturm, bevor er im Sekretariat verschwand.

Ausgerechnet heute Abend waren sie im Havanna verabredet. Es gab so viel zu besprechen! Außerdem war ihr nicht wohl bei der Vorstellung, jemandem aus Rochester zu begegnen. Sie kannte den Referenten nur flüchtig, ein wichtiger Mann und womöglich ein Freund von ihrem ehemaligen Boss. Sie verspürte wenig Lust, alte Geschichten aufzuwärmen.

„Betrachte es als Feindobservation", versuchte Johannes sie zu trösten.

„Und egal, was es ist, du nimmst dir natürlich das teuerste Menu.“ Das überzeugte Wanda nicht wirklich.
Inzwischen gab es eine Menge neuer Erkenntnisse, die erst einmal sortiert werden mussten. Sie zählte dabei auf Rudi, ihren Computer.
„Guten Morgen, du Schöne“, begrüßte er sie diesmal und Wanda war stolz, dass es ihr gelungen war, ihn auf diese neue Begrüßungsformel zu programmieren. „Wieder einer, der mich einwickeln will“, murmelte sie lächelnd und tippte eilig die jüngsten Erkenntnisse ihrer Ermittlungen ein.
Snider ließ sie nicht lange auf Neuigkeiten über NP2701 warten. Erst gestern hatte er ihr eine E-mail geschickt, in der weitere Einzelheiten über die virusähnliche Kapsel der BIT-Substanz erläutert waren. Sabine hatte tatsächlich richtig vermutet. Die Nanopartikel trugen an ihrer Oberfläche spezifische Rezeptoren für die Zellen des Riechepithels. Wanda stellte sie sich wie winzige Seeigel vor, die mit diesen Eiweißmolekülen rundum gespickt waren. So erhöhten sie ihre Chancen, erfolgreich an der Nasenschleimhaut anzudocken.
Das besondere Verhalten der Nanopartikel bereite ihm jedoch noch Kopfzerbrechen, schrieb Snider in seiner Nachricht. Der Puffer, mit dem die Partikel nach den Vorgaben der BIT verabreicht werden sollten, habe sich als eine langweilige Kalziumlösung entpuppt, allerdings hochkonzentriert. Somit beruhe das wundersame Phänomen der Abstoßung, das er mit seinem Billiardkugel-Modell zu erläutern versucht hatte, womöglich auf dem schlichten Prinzip „Gleich-und-gleich-verträgt-sich-nicht“. Wanda rief sofort Sabine an, um sich mit ihr zu beraten.
„Freie Nanopartikel in einer wässrigen, hochmolaren Kalziumlösung. Wie soll ich mir das vorstellen?“
„Die Idee ist nicht schlecht“, meinte Sabine. Sie schien zu verstehen, worauf Snider hinaus wollte. „Dazu müsste die Oberfläche der Partikel negativ geladen sein, durch einen Mantel aus Phosphationen zum Beispiel. Die negativen Ladungen stoßen sich gegenseitig ab, und umgeben von einem flüssigen Film aus positiven Ladungsträgern wie Kalziumionen müssten sie sich wunderbar als Aerosole versprühen lassen.“
„Du meinst, es ist wie am Meer, wenn die Gischt Salz in der Luft verspritzt und du es dann auf der Zunge schmeckst?“
„Ja, die feinen Salzkrusten, die auf den Lippen kleben und einem die

Küsse versüßen, sind nichts anderes als auskristallisierte Nanoteilchen", bestätigte Sabine. „Hast du's schon mal am Strand gemacht?"
„Eine eher sandige als salzige Angelegenheit." Wanda lachte.
„Es könnte durchaus so funktionieren. Die Teilchen kristallisieren in der Nase aus, weil der Flüssigkeitsfilm verdunstet." Sabine konnte das Thema wechseln wie ein Chamäleon seine Farbe. „Aber sie fließen nicht zusammen wie es Aerosole normalerweise tun, denn die Partikel stoßen sich immer noch gegenseitig ab. Sie gelangen zum Riechepithel, bleiben mit ihren Rezeptoren dort hängen …"
„… und werden von den Zellen aufgenommen", führte Wanda den Gedanken zu Ende.
„Halt. Das funktioniert nur, wenn die Teilchen neutral sind, also keine Ladung tragen." Sabine stockte. „Die dritte Komponente", flüsterte sie. Wanda erinnerte sich, dass die Schachtel drei Substanzen enthalten hatte, von denen zwei erst in der Nase zusammenkommen durften.
„Was ist damit?"
„Es könnte ein Enzym sein. Eine Phosphatase vielleicht, die die negativen Ionen von den Nanoteilchen unmittelbar vor den Toren der Zellen abknipst und sie neutralisiert."
„Das werden wir nicht mehr beweisen können." Wanda klang enttäuscht. „Die Substanzvorräte sind verbraucht."
„Warum bin ich nicht selbst darauf gekommen." Es war nicht zu überhören, dass Sabine sich ärgerte.
„Ich verstehe dich ja. Es könnte so sein, aber wir spekulieren. Was bringt es, zu wissen, wie NP2701 im Detail funktioniert? Sag mir lieber, mit was für einem Fahrgast wir es zu tun haben. Welches VIP wurde in diesem Nanomobil mit Virus-Outfit in die Hirne der Ratten geblasen?"
„VIP?"
„Very important particle."
Sabine seufzte.
„Immerhin wissen wir, dass es ein genetischer Code war."

Professor Hartmut Webeling, Wandas Tutor aus Erstsemestertagen, hätte von einer Minimalinformation gesprochen. Im Unterschied zur Maximalinformation, der oberen Grenze an Fakten, die sich aus einem Experiment ableiten ließen. Mehr ging nicht. Nicht selten lagen die beiden dicht beieinander. Als Forscher müsse man lernen, sich mit wenig

zufrieden zu geben, war seine pädagogische Botschaft an den wissenschaftlichen Nachwuchs gewesen. Das Englische würde ihren beruflichen Auftrag am besten vermitteln. Was bedeute *research* anderes als die Ermunterung, immer wieder von neuem zu suchen?
Es war Rudi, der noch an diesem Morgen Wanda auf eine interessante Spur führte. Der Datenspeicher des Computers erwies sich als Schatztruhe und das Programm kombinierte besser denn je. Wandas Vorgänger an diesem Rechner oder neudeutsch „User", sein Ex jedenfalls, hatte sich mit der toxikologischen Wirkung von Bilobalid beschäftigt, einem Bestandteil des Gingko, das als Wundermittel gegen vergessliche sowie lebensmüde Nervenzellen hoch im Kurs stand. So war es nicht erstaunlich, dass Suchbegriffe wie *neuronale Gentherapie* und *Regeneration* wahre Leuchtfeuer bei Rudi auslösten. Die Art, wie ganze Abhandlungen über Demenz im Alter, Zelltod und Neuroprotektion auf den Bildschirm sprangen, hatte etwas Konvulsives. Das hektische Flimmern machte Wanda nervös. Auch wenn ihr Verstand sie zügelte, so blieb doch die unterschwellige Sorge, Rudi könne sich an dem Thema verbrauchen. Ein digitales Burnout sozusagen. Dann hielt der Bildschirm plötzlich an. Langsam ging sie von hinten nach vorne durch den Text, schob Seite für Seite über den Monitor, überflog eilig zusammengefasste Passagen, bis sie auf den Auszug eines Zeitungsartikels stieß. „Forever young – Epigenetische Mechanismen lassen uns altern – Wie wir unsere Gene aktiv halten können". Sie konnte es nicht begründen. Aber sie verspürte die Erkenntnis wie einen sanften elektrischen Stoß, der ihr den Rücken straffte und die Augen weitete. Beinahe hätte sie vor Freude gequietscht, so sicher war sie sich, dass dies der Hinweis war, nach dem sie die ganze Zeit gesucht hatte.

33
Meißen und dünner

Kurz nach acht stand Wanda vor dem Alten Ritter. Im Sommer hatte sie sich ein paar Mal mit Sabine in der Gartenlaube gleich nebenan getroffen und die Leute beobachtet, die in dem feinen Nachbarlokal verkehrten. Jetzt kam sie aus dem Labor, hatte sich weder umgezogen noch frisch gemacht, war einfach in den grauen Blazer geschlüpft, der immer im Institut hing. Neuerdings ließ er sich zuknöpfen, ohne dass der Stoff am Bauch spannte. Als sie im unteren Steinweg stand und geistesabwesend auf die Menukarte im Schaukasten des Nobelrestaurants starrte, fiel ihr der Befund aus der Virologie wieder ein. Ein harmloses Rattenvirus, hatte der Virologe geschrieben. Sie war erleichtert darüber gewesen und doch hieß das, dass sie weiter nach der Ursache für das Tiersterben würde suchen müssen. Morgen, dachte sie. Sie wollte den Bericht am nächsten Tag noch einmal genau durchsehen. Vielleicht kam ihr dabei eine Idee, wie sie weitermachen könnte.

Die Herren saßen bereits am Tisch. Sturm sprang auf, als er sie sah und zerrte an ihrem Daunenparka. Eine schüttere Tolle fiel ihm vor lauter Eifer in sein gerötetes Gesicht. Er legte ihr jovial eine Hand auf die Schulter und wies mit der anderen zu dem freien Stuhl auf der Seite gegenüber, neben Timmy, wie er den Gastreferenten augenzwinkernd nannte. Sie waren also schon beim *Du*, zumindest in diesem Zustand des *Freundemachens*, wie es die Amerikaner gerne beschrieben und den nur sie selbst wohl richtig verstanden. Dies war also eine Gratisvorstellung für Tim Baker, der ihr sein breitestes Grinsen schenkte. Kein Wunder: Sturm bot ihm schließlich seine Mitarbeiterin als Tischdame. Auch Rituale verrieten etwas über die Gesinnung.

Wanda zog die Oberlippe hoch. War das Grinsen ursprünglich nicht ein Zähnefletschen gewesen? Denk an was Nettes, damit es echt wirkt! Ihr fiel nichts ein. Neben Sturm saß Michael Wallach. Mit Babyspeck und Pomade in den Haaren und blass wie ein Studienstiftler, besaß er das Charisma eines strebsamen Pennälers. Er nickte beflissen. Seine Augen hingen gleich zwei Etagen zu tief auf ihrem Jackenknopf, der diesmal ganz sicher nicht spannte. Würden Sie diesem Mann einen Toiletten-Quickie zutrauen? Endlich konnte sie lächeln. Die anderen vier Tischherren wurden ihr nicht vorgestellt. Schließlich sollte sie sich nur um den einen kümmern. Sie hatte schon richtig verstanden.

Woran sie jetzt forsche, wollte Tim Baker wissen.

Der übliche Einstieg. Ihr stand nicht der Sinn nach schicklichen Antworten, die Speisekarte verschaffte ihr Zeit. Der Springbockrücken auf Preiselbeeren war das mit Abstand teuerste Gericht. Johannes hätte darauf bestanden, aber Wanda mochte kein Wild. Schon gar nicht irgend so ein Zootier. Bestimmt mussten sie es töten, weil es sich bei der Flucht über den Wassergraben in die vermeintliche Freiheit ein Bein gebrochen hatte. Sie sah Springböcke lieber im Film bei Heinz Sielmann. Sie zählte sich zu den Fans von Schwaiger und Arendt. Nein, Afrika kommt mir nicht auf den Teller. Sie entschied sich für die hausgemachten Cannelloni mit Ricotta-Frischkäsefüllung und verschob die Wahl des Desserts auf später.

Es war bestimmt nicht der Wein, denn sie trank nur ein Glas. Auch nicht die euphorisierende Wirkung vergoldeter Weihnachtskugeln auf amputierten Blautannenspitzen. Sie konnte sich später nicht mehr erklären, welcher Teufel sie ritt, als sie anfing, über das Thema zu sprechen, das sie im Moment am meisten beschäftigte.

„Es ist an der Zeit, dass sich die Toxikologie emanzipiert. Finden Sie nicht?“ Wanda hob das Glas und schickte ein vielsagendes Lächeln zu ihrem Tischherrn hinüber.

„Oh ja, ich finde auch, dass wir mehr Frauen für dieses Fach gewinnen müssen.“

„Da stimme ich Ihnen zu. Aber ich meine etwas anderes.“

Der Amerikaner sah sie aufmerksam an.

„Ich denke an unsere Aufgaben, die Fragen, mit denen wir uns befassen. Die Epigenetik zum Beispiel ist so ein Thema.“ Aus den Augenwinkeln konnte sie sehen, wie Sturm sich versteifte. Seine Reaktion nährte ihren Verdacht, dass ihre Intuition sie diesmal nicht täuschte. NP2701 besaß ein weitaus größeres Potenzial als sie zu denken gewagt hatten. Womöglich hatte das eingeschleuste Gen in den Gehirnen der Ratten einen Schalter betätigt oder gleich mehrere. Die Therapie wirkte weiträumig wie eine sich ausbreitende Infektion und schien nicht besonders spezifisch zu sein. Die Manipulation erfolgte mit einem universellen Steuerelement, das sich überall einfügte, ähnlich einer EC-Karte, die in unterschiedlichste Bankautomaten und Lesegeräte passte. Dort veränderte ein Nummerncode irgendwo im Datensystem einen Zustand und bahnte den Zugriff auf das Bankkonto. Der Nummerncode entsprach der Information auf dem eingeschleusten Gen. Die Zelle war das System, das ihn übersetzte, in ein Enzym zum Beispiel, das ihr Genom, das Konto, öffnete und wieder verschloss. Angenommen das Guthaben auf diesem Bankkonto würde sich wie eine DNA im Prinzip niemals erschöpfen – eine wunderbare Vorstellung –, dann könnte es nur von außen gesperrt werden. Ein integriertes Alterungsmodul verhinderte außerdem, dass das Depot seinen Inhaber überlebte. Denn mit dem Geldkonto war ein Zeitkonto verknüpft, das den Brennstoff für das System lieferte. Jede Geldbuchung verbrauchte etwas vom Zeitbudget. Mit den Jahren wurden Buchungen eingestellt. Erst betraf es nur kleinere Summen. Bald ließen sich auch größere Transaktionen nicht mehr machen. Sie waren blockiert. Das System alterte. Nicht nur weil mit den Jahren die Münzen Kratzer und die Scheine Risse bekamen, das Geld erfüllte durchaus noch seinen Zweck. Aber der Zugriff auf die Ressourcen wurde zunehmend verwehrt. Bei dem einen passierte es früher, beim anderen später. Der eine war flott ausgepowert, krank oder insolvent, der andere machte das große Geschäft bis zum Schluss. Weshalb diese Ungleichheit?

„In diesem Augenblick werden die Drehbücher für die Krankheitsgeschichten der Zukunft geschrieben", fuhr Wanda fort. „Was sich jetzt in den Keimzellen der jüngsten Generation abspielt, wird die Lebensqualität ihrer Kinder und Kindeskinder bestimmen. Liegt es nicht auch in unserer Verantwortung, das zu ergründen?"

„Sie sprechen von der These, dass wir an den Ernährungssünden unserer Großväter erkranken." Tim Baker hörte ihr tatsächlich zu.

„Ich denke allerdings eher in die Zukunft: an die Vielzahl von Umweltschadstoffen, an die Fülle von Kohlehydraten und an die Sprösslinge der überfütterten Stammhalter von morgen. Abgesehen davon ist es nicht nur eine These. Es gibt doch diese Studie aus Schweden …"

„... dass großväterliche Fettsucht das Risiko für Diabetes und Herz-Kreislauferkrankungen den Enkeln mit in die Wiege legen soll?" Der Amerikaner schaute skeptisch. „Der Kollege ist vermutlich bei der Ahnenforschung in seiner Gemeinde über ein paar historische Erntebücher gestolpert und hat daraus seine Schlüsse gezogen. – Es gibt dafür keinen experimentellen Nachweis."

„Es ist schon ein Jammer", mischte sich einer der anderen Herren in das Gespräch. Seine Stirn wölbte sich tadellos in ein kahles Hochplateau hinein. Aus dem rotblonden Haarkranz kringelten sich Strähnchen über Ohren und Anzugkragen. „Jetzt haben wir dem Darwin endlich das Fundament betoniert und glaubten den alten Lamarck sicher unter der Erde, da rumpelt der Kerl schon wieder in seiner Kiste." Sein Gesicht lächelte aus zahllosen Fältchen. Aus seinen Augen strahlte der Schalk. „Ja, nimmt das denn niemals ein Ende?" Er tat empört und klopfte zum Nachdruck mit einer Hand auf den Tisch.

„Kein Wunder", gab sein Nachbar zum Besten. Er war ein dunkler Typ mit dichtem, kurz geschnittenem Haar. Zwei steile Falten stürzten von der Nase zu den Mundwinkeln hinab und drohten sie mit in die Tiefe zu reißen. Er blickte aus engen, stechenden Augen. „Man hat ihn schlecht behandelt, den stets um die Wahrheit bemühten Jean-Baptiste." Dabei zog er das **i** über die Länge eines original französischen Baguette. „In unseren Lehrbüchern steht nicht viel Gutes über ihn. Schlimmer noch. Wir haben ihn zu lange belächelt. Das rächt sich irgendwann." Er legte seine Hände rechts und links neben den Teller. Die weißen Halbmonde auf den Fingernägeln leuchteten. „Es sind diese verschütteten Geister, die ganze Familiensysteme in Atem halten, wenn es uns nicht gelingt, sie endlich zu würdigen."

„Ihr Psychotherapeuten habt wohl für alles eine Erklärung", murrte der dritte Unbekannte, der auf der anderen Seite des Amerikaners saß und Wanda nicht anschaute.

„So ist es", gab der Adressat mit leichtem Nicken zurück. Die Halbmonde rutschten unter den Tisch. Die Suppe kam und verschaffte ihm mildernde Umstände. Tim Baker studierte das Porzellan. Er hielt es für Meißen. Der vierte Fremde schüttelte den Kopf. Er war der Dekan und schien sich auf dünnes Geschirr zu verstehen.

„Wussten Sie, dass Philip Rosenthal Walter Gropius dazu brachte, zwei Porzellanfabriken bauen zu lassen?"

„Interessant“, ereiferte sich nun Sturm. Ein Brotkrümel wippte verloren in seinem Mundwinkel. „Kennen Sie Foro? Bauhaus goes Italy. Abenteuerlich stapelbar. Mit den Tassen können Sie Türme bauen.“
„Auch den von Pisa?“ fragte sein spaßiger Nachbar mit dem fuchsfarbenen Haarkranz. Er entpuppte sich als Lehrstuhlinhaber der Geschichte der Medizin. Schon ging es um Pädagogengejammer, Nachwuchsprobleme und Bildungsbeschleunigungspläne. Zum Hauptgang wählten die meisten in alter Jägermanier das afrikanische Wild. War es nun besser als Hai oder gar Krokodil? Wanda schlug Napfschnecke vor. Aber für Weichtiere interessierten die Herren sich nicht. Nach welchen Gesetzen verliefen Konversationen? fragte sie sich. Sie hatte ihr Thema gerade mal eingefädelt und überlegte schon seit einer Weile, wie sie den Gesprächsfaden geschickt wiederaufnehmen konnte.
„Ob Springbock, Hai oder Krokodil im Bauch. Es wird uns alles nichts nützen.“ Sie machte ein bedauerndes Gesicht. „Wir sind nun einmal was unsere Mütter gegessen haben!“
„Eine Kartoffel?“ Es war der rotblonde Geschichtsmediziner, der konterte.
„Sehen Sie genau hin.“ Der Mann neben Tim Baker, der Wanda nicht ansah, fuhr einen Zeigefinger aus. „Der Kollege ist der Beweis, dass es eine Lamarcksche Evolution nicht gibt. Wenn Sie's jetzt abstreiten, ist er beleidigt.“
„Aber eine Art Lamarckscher Vererbung ist seit Dollys jugendlicher Arthritis wohl nicht von der Hand zu weisen.“ Mit diesen Worten verteilte der Dekan den restlichen Wein. „Obwohl genetisch identisch, war ihre Mama völlig gesund.“
„Das Klonschaf ist ein Kunstprodukt“, widersprach ihm sein Nachbar. „Es wurde aus einer Euterzelle gezogen, die natürlich ihren epigenetischen Rucksack trägt. In der nächsten Generation haben die Keimzellen ihn bereits wieder abgeworfen. Tabula rasa. Ein neuer Anfang.“
„So ist das mit der Kunst.“ Der Medizingeschichtler nickte einsichtig. „Ich finde, jeder verstorbene Künstler ist ein unwiederbringlicher Verlust. Ich plädiere für eine rote Liste. Erst letzte Woche war ich in Hamburg. Die Brücke. Kirchner sollte auf die Liste und auch Rohlfs.“
„…und was die Keimbahn betrifft“, Tim Baker zog die Schultern hoch. „leben wir in unsicheren Zeiten. Ich würde sagen, anything goes.“
„So ist es!“ Der Historiker drückte sich die Serviette auf den Mund.

„Sind die Darwinisten von heute nicht in Wirklichkeit heimliche Lamarckisten? Aber wer will das schon gerne zugeben. Nur was praktizieren wir denn anderes als Lamarckismus, wenn wir in die Erbgutkiste greifen?"
Auf einmal bewegten sich alle Köpfe gleichzeitig. Vom zustimmenden Nicken, zaudernden Hin und Her bis zum Kopfschütteln war alles dabei, begleitet von Stimmengewirr und Gelächter, ein kleines Orchester, das erst die Dessertkarte wieder zu synchronisieren vermochte. Wanda bestellte Maronen-Nougat-Mousse an Kumqatkompott.
„Apropos Kunst." Der Psychiater ließ den Löffel zwischen seinen leuchtenden Halbmonden über der Nachspeise schweben. „Haben Sie die Debatte um Gerhard Richters *Ersten Blick* verfolgt?" Er schaute fragend in die Runde. „Es ist schon eine Weile her. Ich finde, dass dieses Werk gerade uns Wissenschaftler dazu anregt, über das Sehen und die Sprache nachzudenken, mit der wir unsere visuellen Wirklichkeiten vermitteln."
„Sie meinen diese Aufnahme mit dem Rasterkraftmikroskop von einem Siliziumatom? Erschien sie nicht vor einigen Jahren in *Science*?" Sturm schien zu wissen, wovon er sprach. „Wenn ich mich recht erinnere, hieß der Autor Gießibl. Die *FAZ* titelte damals *Der erste Blick in das innere eines Atoms.*"
„Ja, und Richter hat diese Aufnahme in einen Offsetdruck umgesetzt", ergänzte der Psychiater. „Die Physiker sehen darauf die Elektronenwolken eines Siliziumatoms. Der Künstler spricht von einem liegenden Pilz mit Hut und Stiel. Dabei ist es ein Messresultat, das wir deuten, indem wir auf Bilder zurückgreifen, die uns vertraut sind. Der eine spricht von einem *Pilz*, der andere von einer *Wolke*. Die Analogien sollen uns dabei helfen, diese neuen Phänomene zu begreifen. Aber verstehen können wir sie letztendlich nicht."
„Wir können sie mathematisch erfassen", meldete sich nun sein Gegenüber zu Wort. Diesmal drehte er den Kopf ein wenig in Wandas Richtung, so dass sie sein Gesicht erkannte. Sie erinnerte sich, sie hatte ihn vor einiger Zeit auf einem internen Kolloquium der Klinik gesehen. Er war der Chef der Neurologie.
„Aber unsere Beziehung zur Welt gestaltet sich über unsere Sinne und Emotionen", widersprach ihm der Psychiater. „Wir möchten sehen,

hören, berühren, fühlen. Diese Abbildungen von Atomen sind jedoch keine Vergrößerungen. Es sind Artefakte. Wir können sie nur deuten. Wir werden dazu, wohl oder übel, die Krücken unserer makroskopischen Erfahrungen und unseres mechanistischen Denkens bemühen müssen. Das scheint mir der einzige Weg, mit ihnen in Beziehung zu treten. Dennoch machen wir uns dabei etwas vor. Die Bilder, die wir darüber stülpen, kommen aus uns selbst. Wir interpretieren. Die Phänomene des Nanokosmos lassen sich nicht so wahrnehmen, wie sie tatsächlich sind."

„Irgendwie muss man die Atome doch anfassen, um sie zu vermessen. Oder?" warf der Medizingeschichtler ein.

„Es ist ein Mordsaufwand und trotzdem ein äußerst elegantes Verfahren", gab ihm der Neurologe zur Antwort. „Die Rasterkraftmikroskopie ist meines Erachtens *die* technische Erfindung der neunziger Jahre. Einer der Schweizer Entwickler soll gesagt haben: *Es ist wie wenn man das Matterhorn auf die Spitze stellt, um damit Sandkörner abzutasten.* Das Matterhorn ist in diesem Fall ein beweglich aufgehängter Hebelarm aus Siliziumatomen. Zwischen seinen Atomen und denen des Untergrundes gibt es eine Reihe von Wechselwirkungen. Gemäß der Anziehung oder Abstoßung zwischen den Atomen hebt oder senkt sich der Abtastarm. Das Ganze ist über Laserstrahldetektion und Computertechnik so miteinander verbunden, dass sich am Ende ein Oberflächenprofil berechnen lässt, das als Bild ausgegeben wird."

„Also sind es genau genommen Kräfte, die wir auf diesen Bildern sehen", bemerkte der Dekan. Der Psychiater lachte.

Es musste etwas mit der Nachspeise zu tun gehabt haben, mit dem nahenden Ende des Abends. Eine bleierne Schwere legte sich auf die satten Gemüter. Der Psychiater sprach jetzt von moderner Kunst aus Knochen und abgeschlagenen Köpfen.

„Der Tod provoziert den intimsten Moment des Selbst. Werden wir uns am Ende selbst ablösen?" Es klang nach einer rhetorischen Frage. Seine Mundwinkel spannten sich nach unten, während er vom einen zum anderen blickte. Er erntete Schnaufen, Kopfwackeln und betretenes Hüsteln. Warum eigentlich müssen ältere Menschen immer in Depressionen verfallen, wenn der Magen voll ist und der Abend zu Ende geht? fragte sich Wanda. War es das Symptom eines Völlegefühls? War es epigenetisches Programm?

„Lässt sich mit Gentherapie gegen Altersdemenz auch das Alter für morbide Gedanken heraufsetzen?“ Wanda war die Frage so herausgerutscht. Sie entwickelte sich zum Kalauer des restlichen Abends. Ein guter Messparameter, meinte jemand. Er wollte sich sogar als Versuchsperson zur Verfügung stellen.

Tim Baker gab ihr zum Abschied die Hand: „Ich soll Sie übrigens von Rick grüßen.“ Wie meinte er das? Was hatte Rick ihm erzählt? Sie erwiderte den Gruß und versuchte fröhlich zu klingen, fühlte sich aber mickrig.

34
Self assembly

Als sie am anderen Morgen aufwachte, wusste sie im ersten Moment nicht, wo sie war. Es dauerte eine Weile, bis sie begriff, dass sie verkehrt herum, mit den Füßen auf dem Kopfkissen, lag.
Eine Stunde später zog sie den Bericht des Virologen aus der abschließbaren Schublade in ihrem Schreibtisch. Müde schaute sie aus dem Fenster. Der Schnee war weg, und die Tage schienen darüber Trübsal zu blasen. Bald war Weihnachten, und sie hatte sich noch nicht überlegt, wie sie die Zeit *zwischen den Jahren*, wie viele sie nannten, verbringen wollte. Eigentlich mochte sie diese Endzeitstimmung. Seitdem sie Weihnachten nicht mehr feierte, konnte sie die Tage sogar genießen. Der Jahreswechsel kam ihr wie die kurze Pause nach dem Ausatmen vor. Es war einer der seltenen Momente, in denen sie wirklich zur Ruhe kam. Sie könnte in den Süden fliegen, sich die steife Nordseebrise um die Nase wehen lassen oder einfach hier bleiben, arbeiten und ausschlafen. Vermutlich würde es darauf hinauslaufen. Und endlich mal die Wohnung aufräumen.
In der Abteilung war das Ende des Jahres bereits spürbar. Alle waren gut gelaunt, beinahe ein bisschen überdreht, wie Kinder, die an den Weihnachtsmann glaubten. Weihnachten war Ausnahmezustand. Die Obrigkeiten stellten sich gegenüber Missbrauch von Dienstzimmern taub. Vielleicht war es auch nur ein Anflug von Reumütigkeit gegenüber einer Mitarbeiterschaft, der man bei der Planung des Gebäudes keine Sozialräume zugestanden hatte. Genau genommen hatte man es schlichtweg vergessen. Jedenfalls stand im Besprechungszimmer jetzt ein Teller mit Keksen, um den sich in den Pausen kleine Grüppchen verschwörerisch scharten. Über ihren Köpfen blinkte eine bunte Lichterkette, denn Kerzen waren selbstverständlich verboten. An den

Tagen, an denen Sturm außer Haus war, zog ein heimeliger Duft nach Glühweingewürz und Wachs durch den Flur. Selbst Frau Bünte spendierte Selbstgebackenes. Was jetzt nicht erledigt war, wurde entweder beendet oder auf Eis gelegt, was noch nicht angefangen war, ins nächste Jahr vertagt.

Auf einmal war das Private wichtiger als die Arbeit, die meisten Kollegen gingen am Abend pünktlich nach Hause. Dies war die beste Zeit für Heimlichkeiten. Wenn Wanda und ihre konspirative Clique die Analysen der BIT-Proben selbst durchführen wollten, dann musste es jetzt geschehen.

Am Freitag fand wie jedes Jahr die Weihnachtsfeier der Abteilung statt. Diesmal hatte Sturm nicht wie üblich in ein Marburger Speiselokal geladen, das Fest sollte vielmehr bei ihm zu Hause stattfinden, eine Premiere, der alle mit gemischten Gefühlen entgegen sahen. Danach würden die Studenten zu ihren Familien fahren und viele der Kollegen, insbesondere die aus dem Ausland, in den Weihnachtsurlaub gehen.

Wanda beschloss, die ruhige Zeit zu nutzen, ihre Projekte für das kommende Jahr vorzubereiten, Anträge zu schreiben und die Gutachten abzuschließen, die Sturm ihr untergeschoben hatte. Außerdem musste sie neue Tiere bestellen, um die verpfuschten Experimente zu wiederholen. Der Gedanke daran nahm ihr jeglichen Schwung. Sie würde alles noch einmal machen müssen, die Infektion im Tierstall kostete sie mindestens drei Monate, wenn nicht vier. Sie rechnete nach. Das waren rund zehn Prozent ihrer Vertragsdauer.

Wanda nahm den Bericht des Virologen zur Hand und begann zu lesen. Die Bezeichnung des Virus sagte ihr nichts. Ein relativ weit verbreitetes Rattenvirus, hieß es. Nicht pathogen. Allerdings handele es sich um eine genetische Variante. Zur genauen Charakterisierung sei eine weitere Sequenzanalyse der DNA erforderlich. Ob die Veränderung im Genom einen Einfluss auf die Pathogenität des Erregers habe, sei noch zu prüfen. Wanda blätterte zur nächsten Seite. Was sie sah, verschlug ihr den Atem. Es war eine fluoreszenzmikroskopische Aufnahme. Sie erkannte das grüne Leuchten sofort. Der Virologe hatte sogar den Nachweis erbracht. Es bestand kein Zweifel. In diesem Gewebe leuchtete Grün fluoreszierendes Protein, der Marker aus der BIT-Studie. Das konnte nur eine Verwechslung sein. Das waren niemals ihre Tiere. Petra musste die falschen Proben herausgesucht haben. Wanda las nicht weiter. Sie lief hinüber ins Labor. Sie fand Petra zusammen mit ein paar Kolleginnen vor einem ziemlich geplünderten Keksteller im zweckentfremdeten Besprechungsraum. „… Friede und Freude überall …“, schräbbelte es aus dem Lautsprecher des Handys, das neben dem Teller lag. Wanda blieb in der Tür stehen und gab ihr ein Zeichen, dass es wichtig sei. Dann lief sie zurück ins Büro und blätterte ungeduldig in dem Befund.

Petra ließ sie nicht lange warten. „Was ist passiert? Du bist blass wie ein Wachsengel.“

„Ich habe keine frohe Botschaft, wenn das stimmt, was hier drin steht.“ Wanda tippte mit dem Zeigefinger auf den Bericht.

Nein, sie habe die Proben bestimmt nicht verwechselt – Petra war außer sich, wohl mehr über diesen Verdacht als über den alarmierenden Befund. Wieder und wieder ging Wanda die Probennummern durch. Sie las sie laut vor, während Petra neben ihr knurrte.

„Begreifst du eigentlich, worum es hier geht?“ hielt Wanda ihrer gekränkten Kollegin entgegen. „Wir haben vermutlich die Pest am Hals.“ Das schlimme war, dass sie sie womöglich selbst fabriziert hatten. Diesmal wäre Wanda richtig glücklich gewesen, wenn Petra die Proben verwechselt hätte.

Aber sie hatte wie immer alles richtig gemacht. Eigentlich hätte Wanda es gleich wissen können: Der Virologe schrieb von einem Rattenvirus, in Sabines Proben waren Nanopartikel, die den Leuten aus der Virologie im Elektronenmikroskop bestimmt aufgefallen wären. Zumindest hätte es bei der Proteinanalyse einen Hinweis auf fremde Strukturen gegeben. Die Schlussfolgerung, die übrig blieb, machte ihr Angst. Das hieß nichts Gutes. Wenn sich ein weit verbreitetes Rattenvirus tatsächlich das Gen aus der Nanopartikelfähre einverleibt hatte, dann war es höchste Zeit, etwas dagegen zu unternehmen. Mit dem Gen war eine Information in einen Organismus gelangt, der sich vermehren und die fremde Botschaft vervielfältigen konnte. Zum Glück befand sich die Tierversuchseinheit der Toxikologie in einem eigenen Trakt. Wenn die Desinfektionsbarrieren funktionierten und die Tierpfleger sich an die Vorschriften hielten, sollte eine Übertragung auf den gesamten Tierbestand zu vermeiden sein. Sie hatte bislang auch nichts von Krankheitsfällen in der Nachbareinheit gehört. Aber das musste nichts heißen. Wer gab schon gerne zu, dass in seinen Beständen der Wurm steckte?

Sturm hatte schließlich auch nichts von dem mysteriösen Rattensterben in der BIT-Studie wissen wollen. – Wanda konnte es drehen und wenden wie sie wollte, sie musste den Chef informieren.

„Der schlummert gerade friedlich in der Business-Klasse zehntausend Meter hoch über dem Pazifik.“ Ein rosiger Schimmer lag auf Büntchens Wangen. Sie lächelte: „Frau Doktor Waals, ihr Nusskuchen ist ein Gedicht.“ Dabei verdrehte sie die Augen, als würde aus der oberen linken Ecke der Zimmerdecke eine Kamera auf sie gerichtet.

„Verraten Sie mir das Rezept?“ Hatte sie richtig gehört? Frau Doktor Waals? Weihnachten konnte tatsächlich Eisberge versetzen. Das muss der Klimawandel sein. Soll ich ihr sagen, dass mein Backwerk das Ergebnis schlafwandlerischer Tätigkeit ist? Wanda zwang sich ein Grinsen ab und nickte.

„Klar kriegen Sie das!“ Sie hatte jetzt wirklich andere Probleme. Sturm saß in einer Maschine, die gerade aus Tokio kam, und war in den nächsten Stunden nicht zu erreichen. Sollte sie so lange tatenlos herumsitzen? Jemand musste Quarantäne über den Tierstall verhängen.

Johannes war mal wieder unauffindbar. Sabine hatte hier nichts mehr zu sagen. Was sollte sie tun? Sie überflog noch einmal den Bericht aus der Virologie. Mit einer weiteren Sequenzanalyse der DNA, wie es die Virologen für die genaue Charakterisierung des Virus vorschlugen, wäre auch der BIT-Code in Nullkommanichts geknackt. Damit könnten sie sich selbst viel Arbeit ersparen. Außerdem würden sie erfahren, ob dieses fremde Gen tatsächlich in Hilbergs Gehirn herumgespukt hatte.

Sie überlegte. Eine einmalige Chance. Ich muss es wissen.

Sie rief Petra zu sich und gemeinsam stellten sie die Gewebeproben zusammen. Diesmal war von allem etwas dabei, von ihren und Sabines Tieren und von Hilberg. Sie legten einen neuen Nummernschlüssel an, ohne dessen Kenntnis eine Zuordnung der Proben unmöglich war. Wanda verschloss das Blatt mit der Auflösung in ihrem Schreibtisch. Doktor Kanterat, so hieß der zuständige Kollege aus der Virologie, war sofort am Apparat. Eine wichtige Nachbestimmung, bat Wanda. Das gesamte Programm noch einmal einschließlich der kompletten Sequenzanalyse der DNA. Es sei sehr dringend. Er versprach ihr das Ergebnis der Analyse als Weihnachtsgeschenk. Sie sah es ihm nach, er

hatte es nett gemeint. Er konnte nicht wissen, wie makaber es in ihren Ohren klang.
Rudi riet ihr zu besonnener Zurückhaltung. Sie solle ihre Kompetenzen nicht überschreiten. Sind ja ganz neue Töne, wunderte sich Wanda. Ein Computerprogramm, das über Benimmregeln verfügte. *Sie* hatte ihm das nicht beigebracht.
Als es klopfte, löschte sie schnell die Spuren ihres konspirativen Schriftwechsels auf dem Monitor.
Neugierig streckte Thomas den Kopf zur Tür herein.
„Alles klar?“ fragte er und blinzelte schelmisch. Wanda lachte erleichtert.
„Dann bist du also nicht mehr sauer?“ Er tat ahnungslos. Auf einmal wünschte sie sich, mit jemandem über alles zu reden. Sie brauchte jetzt einen guten Rat. Durfte sie ihn einweihen? Thomas gehörte zwar zur Abteilung, war aber nicht unmittelbar von der Sache betroffen. Sie hatte ihn niemals schlecht über Kollegen oder den Chef reden hören, ihn stets als loyal erlebt, und er konnte einen kühlen Kopf bewahren. Außerdem schien er sie zu mögen. Und Thomas hörte ihr aufmerksam zu, während sie ihm von Sabines Therapieversuchen mit NP2701 berichtete.
Sie ließ auch das Rattensterben nicht aus, vom dem Sturm nichts hatte wissen wollen. Schließlich verriet sie ihm ihre jüngste Entdeckung, den unabsichtlichen Gentransfer von der Nanosonde auf das Rattenvirus. Sie mache sich Sorgen um die Tierbestände, ob er bemerkte, dass ihre Stimme bebte? Bleib sachlich, ermahnte sie sich. Panik untergräbt die Glaubwürdigkeit. Emotionalität ist geschäftsschädigend. Thomas saß auf dem kaputten Stuhl neben ihrem Schreibtisch. Nachdenklich betrachtete er den Kreisel aus Holz, ihre Alarmanlage.
„Es geht tatsächlich viel einfacher, als man glaubt.“
„Wovon sprichst du?“
„Ich meine die Verpaarung eines Roboters mit einem Lebewesen, wenn man Viren überhaupt als solche bezeichnen darf. Im Nanokosmos ist die Grenze zwischen Technik und Biologie ziemlich durchlässig.“
„Thomas, es geht hier nicht um Philosophisches. Ich habe eher ein praktisches Problem.“
„Ich weiß. Ich frage mich nur, ob diese Nanoroboter oder Nanobots wirklich so vollkommen sind. Viruspopulationen sind auch nicht per fekt. Es ist ein so großes Unterfangen, das Virusgenom in die Kapsel zu

packen, dass ein Großteil der Virionen leer ausgeht. Es sind nur Hüllen, nicht infektiös und dennoch wichtige Helfer, die das Immunsystem provozieren und ihren parasitären Brüdern den Boden bereiten."

„Es gibt keine Entzündungsreaktion bei NANOSNIFF, wenn du das meinst."

„Nein, ich denke eher, dass die Therapie nur deshalb einen tödlichen Ausgang nahm, weil die Ratten mit einem Virus infiziert waren. Wenn es diese Genübertragung auf das Virus gegeben haben soll, wie du sagst, müssen auch Sabines Tiere infiziert gewesen sein."

Wanda wurde unsicher. Worauf wollte er hinaus?

„Thomas, wir haben ein pathogenes Virus gezüchtet. Es breitet sich im Tierstall aus. Ich verstehe nicht …"

„Ich will nur sagen, dass NANOSNIFF an sich nicht gefährlich sein muss. Vielmehr werden es die Umstände sein. Es kann sich doch nicht selbst vermehren. Oder?"

„Nein, nicht dass ich wüsste. Ich vermute, dass die Nanopartikel in vitro hergestellt werden. Vielleicht mit Hilfe von Bakterien oder Zellkulturen oder auch rein synthetisch. Die Hülle sollte sich selbst organisieren können, ähnlich wie es bei Viren funktioniert."

„Selbstorganisation ist eine wunderbare Sache." Ein leichter Glanz lag in seinen Augen. Hörte er ihr überhaupt zu?

Thomas machte eine pantomimische Bewegung, als würde er mit dem Zeigefinger Pulver aus einem Röhrchen klopfen. „Ein wenig Eiweiß für die Viruskapsel ins Reagenzglas. Das ist der Mörtel." Dann legte er die Handflächen zusammen und drehte sie gegeneinander, als formte er Kugeln. „Das sind die Förmchen. Proteine, die das Baugerüst stellen. Und dann noch das Gen." Er zupfte eine Fluse von seinem Pullover und ließ sie aus spitzen Fingern zu Boden fallen. „Abrakadabra. Wenn du es nicht verstehst, muss es dir wie Zauberei vorkommen. Aber Selbstorganisation ist kein Trick. Es ist das schlichte Ergebnis rasanter Zufallsbewegungen von winzigen Teilchen in einem unermüdlichen Experiment. Nur, woher kennen sie ihre Bestimmung?"

Es sei wie ein Puzzle, hatte einmal ein Tutor versucht, ihr die Grundidee zu erklären. Wanda erinnerte sich. Die Information für das fertige Bild steckte in den Teilchen selbst.

„Sie sind ihre Bestimmung." Ihre Antwort kam ein wenig verzögert. „Ich meine, die Blaupause für das Ergebnis liegt in der Natur der einzelnen Teilchen. Es verhält sich so wie bei einem Puzzle, bei dem jedes Teil nur an eine einzige Stelle passt."

„Der Vergleich ist verlockend und doch ...", Thomas hob mahnend die Hände, „ist er missverständlich. Bei einem Puzzleteil haben wir eher die Form vor Augen, seine Ausstülpungen und Einbuchtungen, seine Nasen und Münder. Das ist sehr mechanistisch gedacht. Im Nanokosmos jedoch spielt das kaum eine Rolle. Hier wirken die Kräfte der Anziehung und Abstoßung. Stell dir einfach vor, die Oberfläche der Teilchen ist mehr oder weniger klebrig. Wenn du so willst, betasten sie sich mit Honigfingern, bleiben aneinander hängen, lösen sich wieder ab und so weiter, bis alles so eingerichtet ist, dass sich für einen Augenblick etwas Neues ergibt, wie ein Gedankenblitz oder eine Information."

„... für einen Augenblick", wiederholte Wanda nachdenklich. „Was meinst du? Haben wir eine Chance, dass das fremde Gen aus dem Rattenvirus wieder verschwindet?"

„Es ist ein bekanntes Phänomen, dass Mikroorganismen eingeschleuste Genfragmente leicht verlieren. Ich denke, es bewahrt uns jeden Tag vor mindestens einer neuen Katastrophe. Andererseits ..." Er zögerte.

„Andrerseits?"

„Da ist diese Brownsche Molekularbewegung, die alles aufmischt und an den pappigen Kontaktzonen zwischen den Molekülen zerrt. Wie gut ihr das gelingt, hängt davon ab, ob es Honig oder eher Pattex ist, das sie zusammenhält." Ein blubberndes Aquarium tat sich vor Wandas Augen auf, lauter Kleinstlebewesen wuselten darin wild umeinander, verklebten und sanken zu Boden, wo sie in einer schleimigen Masse untergingen. „Es ist eine Frage der Balance zwischen Ordnung und Chaos", hörte sie wieder Thomas feste Stimme: „Chaotische Systeme tragen keine Information. Sie sind dumm, wenn du so willst, aber quasseln dich zu. Absolute Ordnung hingegen ist wie ein verbohrtes Genie, das nichts von sich preisgibt. Nur die Synthese, die Mittellage macht Sinn. Die Selbstorganisation ist ein Phänomen, das zwischen Chaos und Ordnung vermittelt. Deshalb ist sie so mächtig."

Wanda seufzte. „Es würde mir sehr helfen, wenn sie auch in der Tiereinheit dafür sorgen könnte, dass das Chaos nicht die Oberhand gewinnt?"

„Ja, das Wasserglas ist umgekippt. Der zweite Hauptsatz der Thermodynamik ..."

„Bitte, verschone mich jetzt mit physikalischen Katastrophentheorien", unterbrach Wanda ihn schroff. „Momentan entspannt es mich nicht gerade, mir vorzustellen, dass die Unordnung des Universums kontinuierlich zunimmt." Thomas schüttelte missbilligend den Kopf.

„Das ist genau das Problem. Der Satz von der Erhaltung der Entropie wird immer falsch verstanden, weil wir die Vorgänge nicht statistisch betrachten. Moleküle in einem Wasserglas können eine ungeheure Zahl unterschiedlichster Zustände einnehmen, die sich unserem Auge jedoch in dem wohl geordneten Anblick eines mit Wasser gefüllten Behälters auf unserem Schreibtisch präsentieren."

„Da hast du es", ereiferte sich Wanda. „Es brodelt im Verborgenen und wir glauben, dass alles in Ordnung sei, weil wir uns mit Äußerlichkeiten zufrieden geben."

„Nein, das ist zu einfach. Nimm deinen Kleiderschrank", fuhr er unbeirrt fort. „Oben liegen die Pullover, im Fach darunter die T-Shirts. Irgendwann kommt das Fach mit den Socken." Wanda bemerkte, dass er das Fach mit der Unterwäsche ausgelassen hatte. „Beim Einräumen hast du alles nach Farben sortiert. Irgendwann suchst du einen Pullover. Weil du ihn nicht sofort findest, durchwühlst deine Sachen. Die Ordnung nach Farben gibt es am Ende nicht mehr. Du stopfst die Klamotten einfach zurück in den Schrank und schließt die Tür. Der Grad der Unordnung in deinem Schrank hat zugenommen und trotzdem siehst du es nicht, weil der äußere Zustand unverändert ist. Erst wenn du zuviel hineinpackst und sich die Schranktüren nicht mehr schließen lassen …"

„Und wenn ich Motten im Schrank habe, die mir die Pullover zerfressen?" unterbrach ihn Wanda.

„Das ist im Prinzip das Gleiche. Mit dem Beispiel will ich nur klar machen, dass Systeme natürlicherweise dazu neigen, sich auf einen Zustand maximaler Unordnung hin zu bewegen."

„Aber das meinte ich doch."

„So wie du es gesagt hast, würde hier alles über kurz oder lang im Chaos versinken. Das gilt für isolierte Systeme, die es so aber nicht gibt. Der Satz von der Erhaltung der Entropie besagt viel mehr! Es ist eines unserer wichtigsten Handelsgesetze. Wasser erstarrt zu Eis und gibt dabei Wärme an die Umgebung ab, wodurch Luftmoleküle in Bewegung geraten. So nimmt an der einen Stelle die Entropie auf Kosten der

Ordnung an der anderen ab. Wenn du deinen Kleiderschrank aufräumst, wirst du dein Wissen um Farben und Sorten verwenden. Diese Information begrenzt das Chaos."
„Deshalb will ich auch wissen, was die Ratten getötet hat. Ich brauche diese Information, damit im Tierstall wieder Ordnung einkehrt." Und, dachte sie, in meinem Kopf.
„Sicher", bemerkte er ruhig. „Du solltest dabei nur bedenken, dass es seinen Preis hat." Wanda sah ihn verständnislos an.
„Sabine hat nicht sauber gearbeitet." Er sagte das ohne jeden Vorwurf. „Sie hat ihre Versuche an infizierten Tieren gemacht. Sturm wird das nicht akzeptieren. Die BIT übrigens auch nicht."
„Man kann doch Biene nicht …" Sie brach ab. „Was schlägst du vor?"
„Keine überstürzten Aktionen. Wenn du willst, rede ich mit dem Chef, sobald er zurück ist."
„Ich weiß nicht …" Wanda war nicht überzeugt.
„Kannst du einen kühlen Kopf bewahren, wenn er ausrastet und Sabine beschuldigt?" Der Stuhl knarrte bedrohlich, als er sich nach hinten lehnte. Thomas hatte recht.
„Vermutlich nicht. Es geht mir nur darum, dass er Bescheid weiß." Thomas nickte zustimmend.
„Ich kann das nur für dich tun, wenn du mir versprichst, die Sache auf sich beruhen zu lassen. Keine weiteren Analysen mehr. Ich werde dem Chef schon verklickern, dass es ein Zufallsbefund war. Ich werde sagen, die grüne Fluoreszenz habe dich darauf gebracht. Alles Weitere solltest du ihm überlassen."
Wanda schluckte. Sie dachte an das Blatt mit dem Nummernschlüssel in ihrem Schreibtisch. Sie hatte Thomas nicht von Hilberg erzählt. Ahnte er etwas? Er sah sie so aufmerksam an.
„Ich stelle *noch* eine Bedingung." Jetzt schmunzelte er.
„Du musst mir versprechen, zu meiner Silvesterparty zu kommen."
Wanda war erleichtert. Deshalb ist er also zu mir gekommen. Unter anderen Umständen hätte sie ihre Freude darüber deutlicher zum Ausdruck gebracht.
„Ich komme gerne", sagte sie lächelnd. „Ich bin nur …"
„… etwas durcheinander", beendete Thomas ihren Satz. „Es tut mir leid, dass ich dich so vollgequatscht habe. Die Pferde sind mal wieder mit mir durchgegangen. Das Thema fasziniert mich einfach, auch wenn

sich Puzzle und Kleiderschränke nur begrenzt dafür eignen, die Komplexität der Vorgänge zu veranschaulichen. Wir übersehen dabei, dass Strukturen, die sich selbst organisieren können, weich sind. Das heißt, sie wuseln herum, zittern, schwingen vor und zurück, sind ständig in Bewegung und nirgendwo fest verankert. Im Grunde genommen sind sie extrem robust, denn sie können sich selbst wiederherstellen." Er machte ein schuldbewusstes Gesicht. „Du siehst, ich kann's nicht lassen." Dann lachte er kurz auf und sah sie mit einer Leidenschaft an, die Wanda zu gern auf sich bezogen hätte. Zum Abschied legte er seine Hand auf ihre Schulter. „Ich bin mir sicher, dass sich der Schaden eingrenzen lässt."

35
Ruhe in Frieden

Wanda saß an ihrem Schreibtisch im Institut und konnte sich nur schlecht auf die Doktorarbeit konzentrieren, die Sturm ihr vor seiner Abreise ins Fach gelegt hatte. Sie sollte ein Gutachten darüber schreiben und quälte sich durch das gestelzte Medizinerdeutsch eines Anfängers, der offenbar noch nie zuvor einen wissenschaftlichen Text verfasste hatte. Es war nichts als mühsam und sie ärgerte sich darüber, dass sie letztendlich die mangelhafte Betreuung des Kandidaten ausbaden musste. Weshalb war es eigentlich nicht möglich, das Versäumnis des Doktorvaters offen zu bewerten, ohne dabei dem Studenten zu schaden?
Immer wieder wanderte ihr Blick aus dem Fenster hinaus, verloren sich ihre Gedanken in der graubraunen Landschaft. Das Gespräch mit Thomas ging ihr nicht aus dem Kopf. Sie hatte sich ihm gegenüber wie ein hilfloses kleines Mädchen aufgeführt und den rettenden Arm des Kollegen ergriffen, der zufällig vorbeikam. Trotz der Erleichterung über diese glückliche Wendung war sie unzufrieden. Weshalb nur? Du bist selbst schuld, warf sie sich vor. Hast vorhin überstürzt gehandelt. Auch eigenmächtig. Nicht einmal mit Sabine hatte sie sich beraten. Sie war es gewohnt, Entscheidungen allein zu treffen. Sie hatte eben ihren eigenen Kopf. Das zeichnete sie als Wissenschaftlerin aus. Jetzt wollte Thomas ihr aus der Klemme helfen. Sie beneidete ihn um die dabei an den Tag gelegte Klarheit. Er hat mir gezeigt, wie ich aus der Sache herauskomme. Es stimmt. Am liebsten würde ich aussteigen: Warum gelingt mir das nicht? Sie sah das Telefon an und weshalb rufe ich nicht einfach in der Virologie an und blase alles ab? Noch haben sie bestimmt nicht angefangen. Sabine hat unsauber gearbeitet. Aber das kann jedem passieren. Vielleicht waren die Tiere schon infiziert, als sie vom Züchter kamen. Gut. Sie hätte es prüfen können. Aber wer macht das schon? Ich

habe es auch nicht getan. Astrid wird natürlich zum Chef rennen, wenn sie davon erfährt. Rudi hat Recht. Ich muss aufpassen, dass ich den Bogen nicht überspanne. Was will ich mir nur beweisen? Dass ich durchaus loyal sein kann, wenn es darauf ankommt? Dass ich pflichtbewusst und ehrlich bin? Nein, ich lasse mich eben nicht gern überraschen. Deshalb zog sie es vor, auf kritische Situationen vorbereitet zu sein und malte sich aus, was im Falle X zu tun sei. Jetzt gab es erstmalig ein schwerwiegendes Problem, und sie war darüber in Panik geraten.

Der Stuhl stand noch so da, wie Thomas ihn verlassen hatte. Der Abdruck seines Gewichts, die Wärme oder der Geruch seines Körpers, der Nachklang seiner Stimme, etwas von ihm war noch im Raum. Sie spürte wieder diese Lebendigkeit, die er in ihr weckte, als würde sich eine verborgene Knospe in ihr öffnen. Ihre Trägheit blieb wie ein abgelegter Kokon am Boden zurück. Trotzdem zweifelte sie an der Stabilität dieses Zustandes. Sich Thomas in diesem Raum nur vorzustellen, war ihr fast angenehmer als der Moment, in dem er tatsächlich dort gesessen und sie mit seinen Bemerkungen und Fragen durcheinander gebracht hatte. Seinem Phantom konnte sie jedenfalls sagen, wie sehr sie sich auf Silvester freute.

Gegen fünf verließ Wanda das Institut. Sie hatte weder den Virologen angerufen, noch versucht, Sabine oder Johannes zu erreichen. Sie verspürte den dringenden Wunsch, für einen Moment alles abzugeben. Morgen wird Thomas mit Sturm reden. Dann sehen wir weiter.

Auf dem Weg zur Haltestelle winkte sie dem Bus, der mit einem verhöhnenden Tssszuspät gerade seine Türen verschloss. Der Fahrer sah sie nicht oder wollte sie nicht sehen. Sie nahm den nächsten Bus, der kurz darauf kam und den weiteren Weg durch die Innenstadt fuhr. Dort stieg sie aus, kaufte Butter, Käse, Eier, Mehl, fand einen roten Chianti im Angebot und ging den restlichen Weg zu Fuß nach Hause. In der Auffahrt zu ihrem Wohnhaus parkte ein Kleintransporter. Als sie sich zwischen Wand und Karosse hindurch zwängte, riss die Einkaufstüte. Die Flasche mit Waschmittel polterte zu Boden. Sie war aus Plastik und nahm keinen Schaden. Den Wein fing sie gerade noch auf.

Im oberen Hausflur stieg ihr der Dunst von schalem Bier in die Nase. Die Zahl der Kisten vor der Tür des Nachbarn schien unverändert.

Eine doppelte Bügelfalte zierte das dunkle Haar im Falz ihrer Wohnungstür. So ähnelte es dem letzten Buchstaben des Alphabets. Zahnpasta. Sie hatte vergessen, Zahnpasta zu kaufen. Wanda fühlte sich erschöpft. Gleichzeitig erfüllte ein starkes Wärmegefühl ihren Unterleib. Für einen Moment überlegte sie, sich auszuziehen, ins Bett zu legen und sich so lange ihren sicheren Fingerspielen hinzugeben, bis die Anspannung mit einem einzigen salzigen Schwall sich löste, wieder anschwoll und in sanften Wogen schließlich verebben würde. Aber sie überlegte zu lange. Die unerträgliche Stille ihrer Wohnung warf sich wie eine Beschwerde auf sie. Du bist kaum hier, du tust nichts für mich, für uns. Du willst doch nicht in diesem Saustall einen Gast empfangen? Wie Thomas wohl lebt? Sie hatte gerade eine CD eingelegt und war noch dabei, die Eier im Kühlschrank zu verstauen, da klingelte es. Durch die Sprechanlage dröhnte eine Männerstimme. Sie hätten einen Tisch abzugeben. Der Kleintransporter, erinnerte sich Wanda. Er hatte auf *sie* gewartet.
„Sie wollten doch erst morgen kommen!" entfuhr es ihr übellaunig. „Wir sind aber schon heute da." Wanda ließ die Männer ins Treppenhaus. Sie trugen den Sekretär bis in ihr Wohnzimmer. Der Dicke mit der Pudelmütze schnaufte und wollte das Geld gleich bar auf die Hand, während ein trockener Husten seinem schmächtigen Kumpel die Stimme verschlug. Sie zahlte und war froh, als die Männer gingen. Ihre Duftmarken ließen sie in ihrer Wohnung zurück, Wanda musste die Fenster öffnen.
Ein kalter Luftzug blies Schweiß und Nikotin in den Abend hinaus. Sie strich um das Tischchen herum, zweifelnd, ob sie es bei sich aufnehmen sollte. Wo könnte es stehen? Sie fasste an den Spiegel. Er ließ sich schwenken. Vorsichtig schob sie den Sekretär an die Wand neben das Bücherregal. Er wackelte, wenn sie die Hand auf die kühle Tischplatte legte. Sie faltete einen Bogen Papier und stopfte ihn in den Spalt zwischen Boden und Humpelbein. Habe ich jemals Vater an diesem Tisch sitzen sehen? Kein Erinnern. Ihr Vater konnte so plötzlich ausrasten, dass sie sich später gar nicht mehr in sein Zimmerchen auf dem Dachboden wagte. Jetzt stand sein Tisch hier bei ihr.
Die Schublade war nach wie vor verschlossen. „I can't help myself. I've got to see you again." Norah Jones' laszive Stimme legte sich bleiern auf Wandas innere Unruhe und erstickte jeden übereilten Impuls. „You can

almost dream.“ Bei dieser Zeile wiegte sie sich bereits im Rhythmus der Musik und lauschte dem Kopfschmerz, der sich langsam und haargenau wie eine Totalrasur über ihre linke Gesichtshälfte stülpte. Kommt er immer, wenn ich mich entspanne oder nehme ich ihn dann nur wahr? Manchmal half es, etwas zu essen. Die Spaghetti waren in wenigen Minuten fertig und das Pesto kam aus dem Glas. Nach dem Essen ließ der Druck im Kopf ein wenig nach. Aber sie traute der zögerlichen Flaute nicht. Vor dem Schlafengehen nahm sie zwei Schmerztabletten.

Sie läuft durch fremde Straßen hinter Thomas her. Sie bleiben von einem mehrstöckigen Haus stehen. Es kommt ihr bekannt vor. Die Wohnung im Parterre ist hell und leer. Sie gefällt ihnen beiden. Sie weiß, dass in der Wohnung ganz oben noch Möbel von ihr stehen, aber sie traut sich nicht hinauf. Das Appartement ist in den Händen der Mafia. Sie kennt die Männer, sie warten auf sie. Sie wollen, dass sie zurückkommt, sie würden sie nicht wieder fort lassen. Thomas nickt, als ob er verstünde. Sie sieht ihn von hinten. Dann dreht er sich plötzlich um, sein Gesicht trägt die Züge ihres Vaters. Als Wanda erwachte, war es nur noch eine Maske, die mit zunehmendem Bewusstwerden verblasste. Es war ihr nicht möglich, das Bild festzuhalten.

Am anderen Morgen fand sie drei neue Nachrichten auf ihrem Computer im Institut. Die erste, die Wanda öffnete, kam aus Rochester. Rick bat sie um die Rohdaten zu ihren Untersuchungen. Er habe ein paar weiterführende Experimente gemacht und brauche sie für einen statistischen Abgleich mit den neuen Messwerten. Auch das noch! Ein leises Pochen kroch ihr in die Kehle. Sie würde sich etwas einfallen lassen müssen. Sie konnte das unmöglich auf die Schnelle beantworten. Wanda verschob die Anfrage in den Ordner für Unerledigtes. Die zweite E-mail war von jemandem, den sie nicht kannte. Unterzeichnet hatte Peter Snider. Es klang ein wenig verworren, fast so als wollte er sie warnen, ohne richtig zu erklären vor was. Das State Department habe Wind davon bekommen, dass sie geheimes Nanomaterial von der BIT prüften. Es habe eine Hausdurchsuchung gegeben, aber ohne Erfolg. Deshalb auch die geborgte Adresse, soviel verstand sie. Dann berichtete er von einer verdeckten Fahndung nach möglichen Kooperationspartnern in Europa, wegen Patentmissbrauch und Vertragsbruch und von einer undichten Stelle in den eigenen Reihen. Bis auf weiteres solle sie ihn nur über diese Adresse anschreiben, zur eigenen Sicherheit. Wovon redete er bloß? Sie kam sich vor wie Elizabeth Swann, die von Captain Jack Sparrow gerade mit fadenscheinigen Argumenten in die Kajüte bugsiert wird. Vielleicht lag es auch nur daran, dass sie nicht wirklich verstand, was eigentlich los war. Im Absender der dritten E-mail stand ihr eigener Name. Da sie zu Hause arbeitete, schickte sie sich manchmal selbst eine Nachricht, um Dateien zwischen dem Computer im Institut und ihrem Notebook auszutauschen. Mit dieser Nachricht öffnete sich jedoch sogleich eine Internetseite. Kreise in poppigen Farben trieben wie Luftballons über den Bildschirm. Aus dem Hintergrund schien eine Figur zwischen ihnen hindurch zu schlüpfen. Der Mensch lief unnatürlich eckig, wurde größer und stand schließlich im Vordergrund des animierten Computerbildes. Es war nur eine Skulptur ohne Gesicht wie ein dreidimensionales menschliches Modell mit Mulden für die Augen und Vorsprüngen dort, wo Stirn, Nase und Ohren sich normalerweise wölbten. Der Körper trug eindeutig weibliche Rundungen. Aber es gab kein Detail. Es war ein Rohling, dem ein Bildhauer noch Individualität aufprägen musste. Auf einmal füllte das blicklose Gesicht den gesamten Monitor aus. Zuerst öffnete sich ein Auge und nach und nach zerfiel das unbehauene Antlitz in kleine Quadrate, die sich drehten wie die Klötzchen in einem Puzzle für Kinder, bis sie sich für eine Position entschieden hatten und Wanda schließlich begriff. Sie sah in ihr eigenes Gesicht, nur dass die Haut metallisch glänzte. Das zweite Auge blieb unter einer silbrigen Klappe verborgen. Sie lachte kurz auf. Doch als die Augenklappe plötzlich davonflog, überkam sie das Gruseln. Die Augenhöhle darunter war leer. Wanda starrte in den Krater, sah wie die Haut in ihrem Gesicht riss, aufplatzte und sich Schicht um Schicht Muskeln, Nerven und Blutgefäße freilegten, abfielen wie bei einer anatomischen Präparation, allerdings im Zeitraffer. Am Ende blickte sie auf den knöchernen Schädel, der schließlich wie ein Ball aus dem Blickfeld in die Ferne rotierte. Die Szene wechselte schlagartig. Zunächst sah sie nur Grün. Wanda erkannte Bäume und Sträucher, dazwischen ein paar farbige Blütentupfer wie in einem Park. Erst dann sah sie die Steine. Der Bildausschnitt vergrößerte sich von selbst, bis der schwarze Stein aus geschliffenem Marmor zum Greifen nah war und sie die Inschrift lesen konnte. Wanda riss die Augen auf. Das ist unglaublich!

Für einen Moment schloss sie die Lider. Vorsichtig blinzelte sie durch die Wimpern. Der Text blieb derselbe.

Dr. Wanda Waals
1973-2006
Ruhe in Frieden.

Ein hysterisches Lachen klebte an ihrem Kehlkopf und wollte sich nicht davon lösen. Sie hustete. Ihr Geburtsjahr war richtig. Es war nur ein Reflex, ein flüchtiger Mausklick. Sie löschte die Nachricht und wusste sogleich, dass es falsch war. Im elektronischen Papierkorb fand sie sie wieder. Sie holte sie nochmals auf den Monitor. Diese Parklandschaft war unwirklich und sie empfand sie doch als real. Wer konnte sich so etwas ausdenken? Sie las den eigenen Namen in der Adresszeile. Jemand hatte ihren Absender benutzt. Kam es nicht vor, dass sich fremde Botschaften an gewöhnliche E-mails angedockten, so wie es Computerviren taten? Bei Google suchte sie unter *virtuelle Friedhöfe* und fand zahlreiche Internetseiten, die sie letztendlich nicht weiter brachten. Bestimmt war es nur ein Zufall. Ein böser Scherz. Tausendmal versandt. Eine perfide Methode, Menschen zu terrorisieren. Aber wie war ihr Gesicht in diese geschmacklose Animation geraten. Jemand konnte sich auf der Homepage ihrer Abteilung bedient haben. Und was sollte diese blöde Jahreszahl *2006*? Gedankenverloren hatte sie die Ziffern auf einen Zettel gekritzelt. In ihre Angst mischte sich Ärger. Sie schaute auf den Kalender an der Wand. Es war der dreizehnte Dezember 2005.
„Unsinn!" sagte sie und knüllte das Papier zu einer Kugel. Sie traf den Papierkorb auf Anhieb ... den echten, rechts neben ihrem Schreibtisch.

36
Easy to clean

Der Regen trommelte auf den altersschwachen Schirm, während Wanda über schmale Stufen stieg und durch dunkle Gässchen und Fußwege lief. Sie war spät dran und suchte nach der Hausnummer. Sturms Domizil lag am Fuße des Dammelsberg, in guter Nachbarschaft zum Landgrafenschloss und zur Marburger Professorenmeile. Einige Male war sie bereits umgekehrt, dann noch einmal zurückgegangen. War sie überhaupt in der richtigen Straße. Der Regen verdichtete sich zu einem Vorhang, den das Licht der Straßenlampen nur spärlich durchdrang. Als sie das Gefühl überkam, sich total verlaufen zu haben, stand sie plötzlich vor einem weißen Briefkasten. Eine Laterne leuchtete auf die Hausnummer daneben. Siebenundfünfzig. Sie hatte es tatsächlich gefunden. Die Treppe führte zu einem kleinen Gartentor oberhalb der Straße. Als sie hindurch trat, ging am Haus eine Lampe an. Wanda klingelte. Eine hagere Frau machte ihr auf, das graue Haar rahmte ein müdes Gesicht mit wachen hellblauen Augen. Als Wanda sich vorstellte, blitzten sie wissend auf.

„Da sind sie ja“, sagte sie freundlich und bat sie einzutreten. „Mein Mann hat sie schon vermisst.“ Sie hätte seine Schwiegermutter sein können. Frau Sturm nahm ihr den Schirm aus der Hand. Wanda folgte der neuen Schirmherrin und der Spur aus Wassertropfen, die lautlos aus den Falten des Stoffs auf die hell glänzenden Marmorfliesen fielen. Sie stellte ihre durchnässten Schuhe neben den vielen anderen Paaren im Hausflur ab. Die Nägel ihrer großen Zehen grinsten gemein durch die abgewetzten Baumwollstrümpfe.

„Haben Sie den Wichtel?“ fragte die Frau des Chefs. Einige Kollegen hatten sich zur Weihnachtsfeier eine Tombola gewünscht. Jeder sollte dafür ein *Greuli* mitbringen, etwas Scheußliches oder ein nichtsnutziges

Stehrumchen, das man loswerden wollte. Frau Sturm spielte die Glücksfee und versah jedes Geschenk mit einer Nummer, denn die Präsente sollten später verlost werden. Wanda lief zur Garderobe zurück und griff in die Tasche ihrer Jacke. Sie überreichte ihr das in Alufolie gewickelte Päckchen und durfte dafür aus einer Lostrommel eine Glücksnummer ziehen. Die Gastgeberin schmunzelte geheimnisvoll. Sie wirkte jünger, wenn sie lächelte.

Die Weihnachtsfeier war schon im vollen Gange. Aus einem Zimmer drang gedämpfte Musik und Stimmengewirr. Es duftete nach Sauerbraten. Ihr lief das Wasser im Mund zusammen, sie hatte seit dem Morgen nichts mehr gegessen. Hoffentlich ist noch was übrig, dachte Wanda besorgt. Immerhin hatte der Chef rund vierzig Mitarbeiter zu bewirten, und seine Knauserigkeit war ein offenes Geheimnis. Die Kollegen munkelten sogar, dass das diesjährige Heimspiel eine Maßnahme für die Verbesserung der Haushaltslage sei. Die saftige Getränkerechnung, die sie ihm im vergangenen Jahr oben in den Hansen-Häusern beschert hatten, sei bestimmt der Grund für seinen Rückzug ins Private gewesen. Dabei hätten die Tütchen mit den Zahnstochern, die auf jedem Tisch herum lagen, für ein Mittel gegen Sodbrennen geworben und das Logo eines großen Pharmakonzerns getragen. Vermutlich hatten sie das firmengesponserte Budget gesprengt, so dass er hatte drauflegen müssen.

Das Wohnzimmer der Sturms glich einer modernen Kunsthalle zwischen zwei Ausstellungen. So war für Wanda auf den ersten Blick nicht auszumachen, was die zahlreichen Wolldecken, die auf dem empfindlich hellen Bodenflor ausgebreitet waren, darstellen sollten. Sie konnten sowohl Exponate als auch Überreste von Umbaumaßnahmen sein. Jedenfalls fügten sie sich zu einem bunten Flickenteppich zusammen und standen in einem angenehmen Kontrast zu der unterkühlten Strenge des Einrichtungsstils. Die Leute saßen auf Kissen, hockten oder standen in Grüppchen herum wie ein Nomadenvolk, das die teure Couchgarnitur aus hellem Leder an der Wand in der hintersten Ecke des Raumes beflissen übersah, nicht aus Mangel an Zivilisation, sondern ganz im Gegenteil, weil der Gedanke an peinliche Fettspritzer, Rotweinflecken und Papis Haftpflichtversicherung eine Benutzung nicht in Betracht kommen ließ. Es war das beste Ambiente, ein aufkommendes Bedürfnis nach Kontrollverlust im Keim zu ersticken.

Johannes saß zusammen mit Petra vor der breiten Fensterfront zum Garten hin und winkte ihr zu. Draußen, unmittelbar hinter ihnen, rüttelte der Wind in den lichterumkränzten Zweigen eines Tannenbaums. Wanda schlängelte sich an den Kollegen vorbei, die mit verknoteten Beinen und den Tellern im Schoß an Hähnchenschlegeln knabberten oder Kartoffelklöße und Rotkohl in sich hinein stopften. Der Chef saß mit ausgestreckten Beinen auf dem Boden zwischen Michael Wallach und jemandem, den sie nicht kannte. Er kaute an seinem Fleisch und lachte mit offenem Mund. Seine Socken sahen neu aus. Gestern hatte Thomas mit ihm gesprochen und ihr kurz bedeutet, dass alles in Ordnung sei. Wanda hatte erwartet, dass Sturm danach das Gespräch mit ihr suchen würde, aber er war nicht mehr auf sie zugekommen. Er grüßte sie wie immer, und doch lag darin eine Zurückhaltung, die sie beunruhigte. Jedenfalls wurde seit seiner Rückkehr aus Japan in den Tierställen kräftig desinfiziert. Die Tierpfleger sprachen von Weihnachtsputz.
„Übrigens, ich weiß jetzt, dass er ihnen einen Maulkorb verpasst hat." Johannes tippte auf die abgewetzte Stelle an ihrer Socke. „Die Tierpflegerinnen sind ziemlich sauer, dass ihnen so kurz vor den Feiertagen der Arbeitsplan durcheinander gewirbelt wird." Er hatte etwas von einem Rotzbengel, wie er so frech grinsend zu ihr aufschaute. Wanda kniete sich neben ihn auf den Boden, klappte die Füße nach hinten und setzte sich auf die Fußsohlen. Der Platz lag ein wenig abseits am Rand des Geschehens und bot einen guten Überblick. Frau Sturm unterhielt sich gerade mit Astrid und Thomas flirtete tatsächlich mit der neuen Doktorandin.
„Hörst du mir überhaupt zu?" fragte Johannes. Es klang eher nach einer Beschwerde.
„Ich sterbe vor Hunger."
„Bleib sitzen. Ich hol dir was." Johannes machte einen federnden Satz auf seine Füße und verzog das Gesicht zu einer strengen Miene: „Auf diesen Socken kann ich dich unmöglich in die Küche gehen lassen." Manchmal konnte er richtig nett sein. Nein, korrigierte sie sich: Eigentlich war er von Natur aus hilfsbereit. Aber es half ihm nichts. Fürsorge passte nicht in das Erfolgskonzept einer wissenschaftlichen Karriere.
Nach wenigen Minuten kam Johannes mit einem Teller voller duftender Köstlichkeiten zurück.

„Wenigstens hat er einen guten Partyservice. Die Auswahl ist zwar bescheiden, aber dafür schmeckt es umso besser."

Wanda lächelte. Es war einfach schön, so bedient zu werden, und es tat gut, etwas in den Bauch zu bekommen. Johannes hatte sich hinter sie gestellt, als sie ihm und Sabine neulich ihren Alleingang beichtete. Er meinte, dass sie Zeit und Geld sparen würden, wenn die Virologen die Gewebeproben analysierten. Außerdem ginge das Risiko, erwischt zu werden, gegen Null. Es wären keine heimlichen Aktionen zu später Stunde im Labor mehr erforderlich. Sie mussten einfach nur auf die Befunde warten.

Sabine war mit dieser Lösung einverstanden gewesen, allerdings war sie nicht glücklich darüber, dass Wanda Thomas eingeweiht hatte, und Wanda musste ihr versprechen, ihn nicht weiter einzubeziehen. Wanda fühlte sich mies. Schließlich hatte sie trotz seiner dringlichen Bitte den Auftrag an die Virologie nicht zurückgezogen. Sie bediente sich schamlos seiner Hilfsbereitschaft. Ich bin schlecht. Auf einmal fühlte sie sich schuldig. Es war wie damals, wenn sie ausrastete, weil ihr Vater mal wieder betrunken nach Hause kam. *Das bildest du dir ein*, hörte sie wieder die Stimme der Mutter. Sie vernahm ihre Worte heute wie damals, Worte, die sie jetzt noch in die hinterste Kammer ihres Wesens verweisen konnten. Von dort aus schaute sie zu, ohne betroffen zu sein. Habe ich deshalb diesen Beruf gewählt? Bei ihrer Arbeit war diese Distanz erwünscht. Sie erlaubte ihr, die Ereignisse unter Kontrolle zu halten. Dort lief eben alles nach Plan, den sie bestimmte, den sie überwachte, den sie zu Ende führte. Sie drehte den Zellen die Luft ab, stellte den Inkubator aus, schaltete das Mikroskop ab. Sie konnte bestimmen, wie weit sie ging, welches der nächste Vorhang war, den sie lüften wollte, sie selbst. Niemand machte mehr eine Bemerkung über ihren Geisteszustand. Ganz im Gegenteil, man lobte sie für ihre strukturierte Arbeitsweise. Jetzt war ihr der Plan jedoch entglitten. Sie hatte den Endpunkt ihres Experiments aus den Augen verloren. Sie wollte Sniders Hypothese widerlegen, und dabei stand sie vor einem völlig neuen Problem. Das Ganze lief aus dem Ruder. Sie fühlte sich abseits des Geschehens, und der Rotwein schmeckte mit jedem Schluck besser. Ein wohliges Sättigungsgefühl zog sie immer tiefer auf die Kamelhaardecke. Sie hätte viel dafür gegeben, sich am Boden ausstrecken und die Augen für einen Moment schließen zu können.

„Ich muss mal groß." Petras Offenbarung riss sie aus ihrer Schwerfälligkeit. Wanda musste unweigerlich kichern. Johannes verdrehte die Augen.
„Geht's noch etwas genauer?"
„Später", gab Petra zurück und machte sich auf die Suche nach dem geeigneten Ort. Wanda schaute sich im Zimmer um. Thomas lächelte, als sich ihre Blicke trafen. Er unterhielt sich inzwischen mit Ali. Allmählich wich die Steifheit der Leute. Das Lachen wurde lauter und der Geräuschpegel der Stimmen übertönte zunehmend die jazzigen Klänge im Hintergrund. Wandas Augen suchten vergeblich nach der Stereoanlage. Johannes war sich ziemlich sicher, dass sie sich in der massiven Schrankwand gegenüber befinden müsse, er tippte auf italienisches Design. Molteni. Wengéholz aus dem Kongo. Er konnte sogar den beiden Lautsprechern einen Markennamen geben. Wie zwei auf die Spitze gestellte Bleistifte standen Bang & Olufsen beiderseits eines überdimensionalen Flachbildschirms. Wanda kam sich vor wie bei einer Führung durch ein exquisites Möbelhaus. Das Ledersofa sei unverkennbar Cor, nur das hochformatige Bild mit den großzügigen abstrakten Pinselstrichen an der Stirnseite des Raumes sagte ihm nichts. Sturms Frau könnte es gemalt haben. Professorengattinnen hätten zuweilen eine künstlerische Ader. Johannes Zynismus begann, sich warm zu laufen. Wanda versuchte, das Thema zu wechseln.
„Hast du eigentlich etwas über diesen Mike herausbekommen?"
„Bis jetzt noch nicht. Aber ich bleibe dran." Mehr sagte er nicht, weil Petra, die von der Toilette zurückkehrte, Georg hinter sich herschleppte. Sie zog eine lange Schnute.
„Es hat nicht funktioniert."
„Das tut mir aber leid."
Johannes wandte sich ab, sichtlich angewidert.
„Nein, nicht so wie du meinst. Natürlich konnte ich ihm in sein blitzblankes Designerklo mit photovoltaisch gesteuerter Spülung und der randlosen Brille für das zahnlose Lächeln in seinem Arschgesicht kakken. Es war ein wunderbarer Moment." Wanda staunte.
„Das Gästeklo …?"
„Quatsch, Gästeklo", fuhr Petra dazwischen. „Ich war oben im Bad. Es war wie in einer Ausstellung. Ich saß auf dem Pott und dachte, jetzt schauen dir alle zu."

„Aber es kuckte mal wieder kein Schwein." Johannes lachte. „Bist du deshalb enttäuscht?"
„Nein. Ich wollte ihm einen Stinker platzieren. Aber dabei wurde wohl über eine Lichtschranke die Spülung eingeschaltet. Das Ding flutschte wie 'ne Eins ins Loch. Keine Schleifspuren. Nicht einmal gemüffelt hat's."
„Verstehe", murmelte Johannes. „Das Loch ist der Grundpfeiler unserer Gesellschaft und so ist sie auch."
„Das ist Tucholski", bemerkte Georg.
„Du verstehst gar nichts", entgegnete Petra beleidigt. „Ich wette, die Kloschüssel hat den Lotus-Effekt."
„Easy to clean", verbesserte Wanda.
„Garantiert."
„Nein, das Verfahren heißt so. Die Oberfläche ist glatt wie ein Kinderpopo. Beim Lotus-Effekt ist es genau anders herum."
„Runzelig wie Großmamas Lederhaut", ergänzte Johannes mit angewiderter Miene. Petra kuckte ein wenig blöd von einem zum anderen.
Jemand klatschte in die Hände. Sturm. Er stand vor einem Tisch mit einer bunten Ansammlung von Scheußlichkeiten und eröffnete die Tombola. Er lachte ein wenig zu laut über seine eigenen Scherze, aber das Publikum zollte ihm interessierte Aufmerksamkeit bis zum Schluss, er moderierte gut. Wanda verlor die Schneekugel mit dem Landgrafenschloss an Li Wang, die sich über das Andenken an Marburg sichtlich freute. Ihr eigenes Los machte sie zur Besitzerin eines Wetterhäuschens mit Vorgarten und giftgrünem Kunstrasen.
„Wenn sich das Klima wandelt, braucht man ein zuverlässiges Barometer", sagte Sturm, als er ihr den Gewinn überreichte. Wanda wurde kalt. Wie meinte er das? Klang irgendwie bedrohlich.
Nach der Tombola entgleiste die Party zu einem Kindergeburtstag. Alles drehte sich um das neue Spielzeug, die meisten Kollegen hockten am Boden, bestaunten, tauschten, feilschten und versteckten. Wanda stand nicht der Sinn nach Spielen. Sie hätte jetzt gerne mit Thomas geredet, konnte ihn aber nirgends entdecken. Sie stellte die ihr zugefallene Trophäe vor sich auf die Decke. Die Frau mit Sonnenhut und der Mann im Regenmantel wackelten vor und zurück. Sie hörten nicht auf, sich darüber zu streiten, wer von ihnen draußen bleiben durfte. Sie waren ihr keine Hilfe, sie musste jetzt selbst eine Entscheidung treffen. Niemand bemerkte, als Wanda schließlich aufstand und ging.

Es war gegen elf, als sie aus der Haustür trat. Der Regen hatte aufgehört, aber die schwere Luft klatschte ihr wie ein nasskalter Waschlappen ins Gesicht. Nach kurzem Fußmarsch schien das Sträßchen leicht anzusteigen. Da sie keine Lust verspürte, sich noch einmal zu verlaufen, blieb sie auf dem Weg. Im Zweifelsfall würde sie über das Schloss hinunter in die Stadt finden. Sie sah die Gestalt, die auf sie zukam. Sofort wechselte sie auf die andere Seite des schmalen Pfades. Vielleicht wäre ich doch besser in die Calvinstraße eingebogen. Ihre Hand umklammerte ihr Pfefferspray. Erst als der Mann fast auf ihrer Höhe war, erkannte sie ihn.

„Was machst *du* denn hier?" Sie war erleichtert und sprach viel zu laut. Andreas zuckte zusammen. Er lächelte verlegen.

„Ich wollte dich abholen." Für einen Moment sah sie ihn verständnislos an.

„Komm", sagte er, „lass uns reden." Sie liefen nebeneinander her.

Vor der großen Kurve, die vom Schloss hinunter in die Oberstadt führte, blieben sie kurz stehen. Im Licht der Straßenlaterne glänzte der Asphalt wie blankes Metall. Der Knall zerteilt die Stille wie einen Körper, der sein erschrockenes Maul wieder schließt. Der Schreck ist ein zeitloser Moment und das Erstarren ein Schutzreflex. Wanda hielt das später für den Grund, weshalb sie sich nicht mehr erinnerte, wann genau der zweite Schuss fiel. Mit ihm zerplatzte irgendwo über ihnen Glas. Schlagartig wurde es dunkel. Wanda fühlte sich um die Schulter gepackt und nach vorne gerissen. Tief geduckt zog Andreas sie mit sich, fort von der Straße, in den Schatten eines Seitenwegs. Der dritte Schuss zischte mit scharfem Pfiff über sie hinweg. Sie flohen. Aber wohin? Die Gegend war ihr fremd. Sie liefen in die Dunkelheit hinein, irgendwann ging es eine Treppe hinauf, Andreas nahm zwei Stufen auf einmal, Wanda im festen Griff seiner Hand. Sie hätte am liebsten geschrieen, aber die Finsternis verschlug ihr die Stimme. Sie liefen durch einen Raum mit dunklen Wänden, durch die sie sich blindlings stürzte. Nur Andreas rannte sicher und zielstrebig. Weitere Stufen aufwärts. Nach der Treppe begann er zu spurten, der vom Regen aufgeweichte Boden pitschte unter jedem ihrer Sprünge. Nirgendwo Licht. Nicht einmal am Himmel. Endlich sah sie einen Schimmer ganz hinten, davor die mächtigen Stämme der Bäume wie trabende Elefantenbeine. Sie mussten im Schlosspark sein. An der Freilichtbühne leuchtete eine Laterne. Nach

der nächsten Treppe blieb Andreas plötzlich stehen. Sie prallte gegen ihn. Sie rang nach Luft und spürte Stiche in der linken Seite. Sie standen hinter einem Baum und konnten in die helle Einfahrt zum Schlosshof sehen. Mehrere Autos parkten dort auf einem kleinen Vorplatz. Alles war still. Sie begriff nicht, weshalb Andreas zögerte. Sie mussten ihn doch längst abgehängt haben. Wen überhaupt? Wanda hielt sich die Seite und versuchte tief auszuatmen. Und wenn er doch nicht … Ein kurzer Schwindel erfasste sie. Wenn er auf kürzestem Weg zum Schloss gelaufen war … und genau hier auf sie wartete? Sie drückte Andreas Hand. Aber er sah sie nicht an. Sein bleiches Gesicht war gespannt auf den Schlosshof gerichtet. Er schien ihr in diesem Moment unendlich weit weg. Das Seitenstechen hörte nicht auf. Mist. Eine Falle. Weshalb sind wir bloß hier?
„Ist nicht mehr weit." Er flüsterte es, ohne den Platz aus den Augen zu lassen. Mit jedem seiner Atemstöße löste sich Nebel aus seinem Mund. Ein kurzer Druck seiner Hand, dann lief er los. Sie stolperte hinter ihm her, denn er hielt sie immer noch fest. Er ließ auch nicht locker, während sie um die parkenden Autos herum schlingerte. Immer wieder duckte er sich und zog sie nach unten. Dann sprang er auf und sie hasteten auf einen Torbogen zu. Sie huschten hindurch in die Dunkelheit. Dieses Mal knallte es von hinten, zweimal kurz hintereinander. Andreas zog sie weiter. Abwärts. Sie rutschte über grobes Pflaster, dann glitschige Stufen hinab, weiter nach unten. Er zerrte sie um eine scharfe Kurve herum, lief weiter. Sie glitt aus. Ich hasse es. Ich will nicht mehr! Wanda riss sich mit einem Ruck von seiner Hand los. Erst jetzt sah sie den Lichtkegel, der auf das Schloss eines Metallgitters fiel. Hastig schob er einen Schlüssel hinein. Das Tor sprang auf und er drängte sie in ein finsteres Loch.

37
Im Verlies

Wanda stolperte und stieß gegen eine harte Kante. In ihrem Schienbein brannte ein Schmerz. Sie hörte ein Schlüsselbund klappern und blickte dem Lichtkegel nach, der an ihr vorbei von Stufe zu Stufe steil nach oben sprang, wieder zurückkehrte und schließlich auf ihren Füßen verharrte. Erst jetzt erkannte sie, dass sie am Anfang einer ziemlich steilen Treppe standen.

„Sorry, ich hätte dich warnen sollen", flüsterte er. „Aber ich will hier kein Licht machen. Die Taschenlampe muss reichen." Wanda sah auf die kleine Stablampe.

„Woher hast du *die*?"

„Erklär ich dir später." Andreas fasste ihre Hand und schickte sich an, die Treppe hinaufzusteigen. „Komm jetzt!" Wanda blieb stehen.

„Wo sind wir?"

„In den Kasematten des Landgrafenschlosses." Er beleuchtete den nächsten Absatz. „Komm weiter. Bitte. Ich weiß hier einen sicheren Ort."

Die Stufen waren ungewöhnlich hoch und die Treppe schien kein Ende zu nehmen. Wanda schaute über die Schulter nach unten. Ein bläulicher Schimmer fiel durch das Gitter, das Andreas hinter ihnen verschlossen hatte. So Hand in Hand im Schein der Taschenlampe gaben sie eine wunderbare Zielscheibe ab. Sie ging schneller. Am Ende der Treppe machte der Gang eine scharfe Biegung nach links. Dann ein paar weitere Stufen hinauf und nach wenigen Schritten wieder hinunter. Sie war so sehr damit beschäftigt, ihre Füße auf dem feuchten Stein richtig zu setzen, dass sie die Öffnung rechts gar nicht bemerkte. Erst als sie hindurch traten und Andreas den Schein seiner Lampe die Treppe hinab hüpfen ließ, spürte sie die Veränderung. Mit ein paar Lichtschwenks nach links und rechts erschloss sich ihr ein beinahe kreisrunder Raum.

„Hier sind wir absolut sicher", sagte er und führte sie über die letzten Stufen hinunter. Dort blieben sie stehen.
„Dieser Ort ist anders." Die Bemerkung war ihr so herausgerutscht und sie wunderte sich über die Ruhe, die sie auf einmal empfand. Sie machte ein paar vorsichtige Schritte. Der Boden knirschte unter ihren Sohlen. Ihr zitterten die Knie, sie sackte. Schon war Andreas neben ihr und fing sie auf.
„Ist alles in Ordnung?" Das Licht schien ihr ins Gesicht. Sie kniff die Augen zusammen und nickte.
„Wer war das?"
„Keine Ahnung." Andreas war immer noch ein wenig atemlos. „Ein Verrückter? Ich habe so etwas noch nie erlebt."
„Und ich dachte, Marburg sei ein idyllischer Ort." Wanda drehte den Kopf. Aber der Raum verschluckte das Licht der Lampe. Es ruhte am Boden vor ihren Fußen. Keine Wände zu sehen. Sie kam sich vor wie in einem Bunker. „Was sollen wir jetzt tun?"
„Hast du ein Handy?"
Sie schüttelte bedauernd ihren Kopf, aber diesmal hatte er den Lichtschein auf ihre Hände gerichtet. „Nein." Sie seufzte. „Es hängt gerade am Netz."
„Dann müssen wir warten, bis es hell wird."
Dann warten wir eben. Es war ihr auf einmal egal. Ihre Beine wollten keinen Schritt mehr tun. Andreas hatte sich hinter ihr auf den Boden gesetzt und seinen Rücken gegen ihren gelehnt. Ihr Kopf glitt langsam zurück bis er schwer auf seiner Schulter lag.
„Was meintest du eigentlich vorhin mit *anders*?" Das Beben seiner Stimme strich ihr wohlig die Wirbelsäule hinab. Wanda überlegte.
„Hier riecht es richtig kalt. Nach ewiger Kälte."
„Stimmt. Trockene konstante Kälte. Kein Frost. Im Sommer ist es einer von Marburgs kältesten Orten. An sehr heißen Tagen, komme ich manchmal hierher. Ich kann hier gut nachdenken." Er machte eine kurze Pause. „Im übrigen hast du Recht. Es ist tatsächlich ein anderer Ort." In seiner Stimme schwang Anerkennung. „Die Treppen, über die wir hinaufgestiegen sind, führten früher in die Kasematten auf der Nordseite. Es gibt sie nicht mehr. Mit ihrem Bau im siebzehnten Jahrhundert wurde der Zugang zu diesem Raum komplett versperrt. Wir befinden uns nämlich im untersten Geschoss eines viel älteren Bauwerks."

„Wo genau?"
„Im Verlies des Hexenturms."
„Und du bist der Kerkermeister mit dem Schlüsselbund."
Andreas lachte kurz auf.
„Ich bin nur ein langweiliger Stadtführer. Daher übrigens die Taschenlampe. Sie ist, neben den Schlüsseln, mein wichtigstes Hilfsmittel."
Irgendetwas an seinem Ton ärgerte sie. Ins Gefängnis hatte er sie also geschleppt.
„Ich hatte keine Führung bei dir gebucht."
„Ich habe auch keinen Auftragskiller bestellt."
„Glaubst du, dass es Absicht war? Ich kann mir nicht vorstellen, dass jemand …" Sie brach ab. Und wenn doch? Dieser Überfall im Institut …
„Ich habe Angst", sagte sie leise.
„Das war auch ziemlich knapp. Aber hier unten kann uns nichts passieren."
„Sicher?"
„Es ist das unterste Geschoss des Weißen Turms. So hieß er, als man ihn 1478 fertigstellte. Ursprünglich war es ein Wehrturm." Er ließ den Lichtkegel langsam kreisen. In der Wand befanden sich Öffnungen. Sie sahen aus wie Fenster unterschiedlicher Größe. „Das sind Schießscharten. Aber der Weiße Turm war ein wehrtechnischer Spätzünder. Bereits Mitte des sechzehnten Jahrhunderts entsprach er nicht mehr dem erforderlichen Standard einer Verteidigungsanlage. Die Schießscharten wurden vermauert und sein Erdgeschoß, in dem wir uns hier befinden, später verschüttet. Man baute den gesamten Turm zu einem Gefängnis um."
„Für Hexen?"
„Nicht speziell. Hexenprozesse wurden sehr schnell abgewickelt. Männer und Frauen, die der Hexerei bezichtigt waren, saßen, wenn überhaupt, nur kurz hier ein."
„Darf ich mal?" Wanda nahm Andreas die Taschenlampe aus der Hand und ließ das Licht durch den Raum wandern. Er war nicht groß, vielleicht fünf bis sechs Meter im Durchmesser. Die Decke war uhrglasförmig gewölbt und schuppig wie die Haut eines Drachen. Sie schätzte die Höhe auf etwa vier Meter. Erst bei genauem Hinsehen erkannte sie die zarten Spitzen von Stalaktiten. Sie richtete den Lichtkegel auf die Mitte der Decke. Dort war ein Loch.

„Was ist das?"
„Zuerst war es die Öffnung eines Kamins, über den der Rauch aus den Kanonen abziehen konnte. Später wurden darüber die Gefangenen ins Verlies geworfen." Für einen Moment spürte sie den Sturz wie am eigenen Leib. Sie knipste das Licht aus. Es war stockfinster. Als Andreas zu reden anfing, war seine Stimme ganz nah:
„Der Gefangene will nicht springen. Da gibt ihm der Kerkermeister einen Tritt. Er fällt in die Tiefe. Ein dumpfer Aufprall. Ein stechender Schmerz im Bein. Hoch über ihm rumpelt es. Er weiß, jetzt schiebt der Wärter einen mächtigen Stein über das Loch, durch das er soeben gefallen ist. Es ist zwecklos. Wie soll er von hier entkommen? Plötzlich ist es finster und still. Ein Grab. Lebendig begraben. Er schreit und weiß sogleich, dass es sinnlos ist. Ein beißender Geruch lässt ihn würgen. Seine Hose ist feucht. Das ist vom Schreck, sagt er sich, als müsse er sich dafür entschuldigen. Bei wem? Er ist allein. Das Hemd klebt an den offenen Striemen der Folter auf seinem Rücken. Es brennt höllisch. Er horcht. Er hört ein Rascheln und leises Fiepen. Ratten, denkt er noch bevor die Erschöpfung sein Bewusstsein umnebelt.
Irgendwann wacht er auf. Noch hält er die Augen geschlossen. Hinter seinen Lidern steht ein großer Mond. Im weichen Schimmer einer Dämmerung verblassen die Sterne. Ist es Morgen? Etwas streift seinen Fuß. Er zuckt in Panik, stöhnt, reißt die Augen auf. Aber sie sehen nur Finsternis. Wie lange schon? Seine steifen Glieder und der trockene Mund sind verlässliche Zeugen einer langen Weile. Er erinnert sich nur undeutlich, vermutet, dass er sehr tief gefallen sein muss."
„Wie lange wurde er hier fest gehalten?" fragte Wanda. Es klang besorgt und ängstlich zugleich.
„Zwei, drei Tage schätze ich. Länger hätte das wohl kaum einer überlebt. Den Ärger mit der Leiche wollte bestimmt niemand haben, obwohl ich mir vorstellen kann, dass der eine oder andere hier verreckt ist." Wanda fröstelte.
„Was hat er getan?"
„Was weiß ich? Ich erfinde solche Geschichten. Die Besucher hören es gern. Er könnte jemanden umgebracht haben. Man brauchte sein Gestandnis."
„Vielleicht war er ein Betrüger", überlegte Wanda. Ich habe auch jemanden betrogen. Bin ich deshalb jetzt hier?

„Vielleicht war er unschuldig und nur jemandem im Weg." Andreas Hände tasteten nach der Lampe. Aber Wanda hielt sie noch fest.
„Ich habe Daten gefälscht." Jetzt war es raus. Sie lauschte gespannt auf seine Reaktion.
„Ich habe meinen Vater enttäuscht."
„Das ist etwas anderes."
„Findest du?"
„Ich habe etwas falsch gemacht. Verfälscht. Verstehst du?"
„Mein Vater hätte auch gesagt: Da hast du etwas falsch gemacht. Du hast den Plan, den ich mir für dich ausgedacht habe, verfälscht."
Wanda schüttelte den Kopf.
„Das ist etwas *völlig* anderes."
„Was hast du verfälscht?"
Sie erzählte ihm von der Studie in Rochester. Er hörte ihr aufmerksam zu.
„Ich habe Daten manipuliert, um auf ein gutes Paper zu kommen."
„Und wo liegt das Problem?"
„Rick will die Originaldaten haben."
„Was kann dir passieren, wenn er es merkt?"
„Er wird das Paper nicht widerrufen. Der Gesichtsverlust wäre zu groß. Aber er wird enttäuscht von mir sein."
„Siehst du. Es ist doch dasselbe." Eine Weile sprachen sie nicht. Wanda wurde unruhig. Wir müssen zur Polizei gehen. Es gibt bestimmt Spuren.
Sie dachte an die zerschossene Straßenlampe und an den letzten Schuss auf dem Parkplatz. Sie war hundemüde. Sie schob die Erinnerung an die jüngsten Ereignisse in eine andere Zeit. Deshalb glaubte sie auch, dass es ein Kanonenschuss war, der sie irgendwann hochschrecken ließ. Es war wohl nur ein Traum gewesen, denn als sie erwachte, hing ihr Oberkörper tief nach vorne gebeugt. Sie fror. Ihr linker Fuß fühlte sich taub an. Andreas schnaufte, als sie sich bewegte. Wanda knipste die Taschenlampe an. Inzwischen war es vier Uhr. Sie versuchte aufzustehen, aber ihr Hintern war wie steif gefroren. Als sie sich unsicher erhob, kippte Andreas zur Seite und rollte sich wie eine Katze zusammen. Wanda machte ein paar Schritte. Das Kribbeln in ihrem Fuß löste sich auf und das Gefühl kehrte zurück. Auf ihrem kurzen Rundgang entdeckte sie zwei Schmetterlinge, die mit gefalteten Flügeln am Gewölbe

hingen. Flüchtlinge, dachte sie, wie wir. Hier glauben sie sich sicher. In der Nische einer Schießscharte klebte der Kokon einer Spinne.
„Mir ist kalt“, sagte sie unvermittelt und hüpfte auf der Stelle. „Wie lange willst du noch hier bleiben?“
„Bis es hell wird.“ Andreas gähnte laut. Sie leuchtete in die Richtung, aus der seine Stimme gekommen war. Er saß nun mit dem Rücken an die Wand gelehnt und rieb sich die Augen.
„Das sind noch mindestens drei Stunden.“ Wanda fing an, im Kreis zu gehen. Der feine Kies knarschte unter ihren Sohlen. „Bis dahin bin ich erfroren.“
„Du bist schneller erschossen, als erfroren – außerdem mussten die Gefangenen früher hier mehrere Tage lang aushalten – sie hatten keine Daunenjacke.“ Andreas klopfte auf den Platz neben sich. „Komm. Wärme fließt immer von warm nach kalt. Erstes Gesetz der Thermodynamik.“
„Wärme ist eine chaotische, unvorhersagbare Bewegung von Elementarteilchen …“ Wanda lachte über die eigenen Worte. „Wenn man nicht acht gibt, führt sie zur Unordnung. Zweites Gesetz der Thermodynamik.“
„Aber doch nur in einem geschlossenen System.“
Mit der Taschenlampe zog sie einen flüchtigen Lichtkreis durch den Raum: „Was ist das hier anderes?“
„Gehst du mir deshalb aus dem Weg?“ Sie antwortete nicht, spürte nur wie die Kälte Risse in die Wände ihres inneren Widerstands fräste. Sie setzte sich an seine Seite. Der Duft seines After-Shaves flog sie an, als Andreas den Arm um sie legte. Seine Hände waren erstaunlich warm. Es dauerte eine Weile, bis sie zu reden begann. Zunächst stotterte sie wie ein kalter Motor, etwas von einem unklaren Arztbefund und ihrer Angst vor einer tödlichen Krankheit, womöglich wie sein Vater zu sterben. Vielleicht, stammelte sie, seien sie alle in New Mexiko kontaminiert worden oder hätten sich mit etwas angesteckt, etwas neuem, Bösartigem, das der Medizin noch völlig unbekannt sei. Vermutlich sei es nur Einbildung, nahm sie ihren Verdacht wieder zurück. Ihre Hysterie war ihr peinlich. Aber Andreas zog sie nur fester an sich, und so erzählte sie weiter über die Sucht ihres Vaters, an der sie sich schuldig fühlte, ohne zu wissen warum. Sie ließ die Erinnerungen sprechen wie Gedankenblitze in einem Brainstorming, berichtete vom Überfall im

Institut, dem virtuell animierten Grabstein, der ihren Namen und ein Todesjahr trug. Er hält dich bestimmt für verrückt. Aber die Flut der Sätze war mächtiger als jede Kritik an sich selbst. Wie ein wütendes Kind warf sie ihm schließlich die Puzzleteilchen ihrer Erkenntnisse über die BIT-Studie vor die Füße, mit der sich ihr Chef zu profilieren versuchte. Sie hatte keine Lust mehr, sich vor seinen Karren spannen zu lassen. Sollte der sich doch selbst um NanoSniff kümmern. Bis dahin hatte Andreas ihr zugehört, spürbar berührt, wenn sie weinte.

„Vielleicht hast du doch einen Feind. Wer könnte nicht wollen, dass du das alles publik machst?"

„Ich weiß es wirklich nicht. Ich träume manchmal davon. Aber er zeigt sich mir nicht. Manchmal denke ich, dass ich mir das alles nur einbilde."

Statt darauf einzugehen, fragte er weiter:

„Dieses veränderte Virus betrifft doch nur Ratten. Was ist daran so gefährlich?"

„Hast du eine Ahnung. Sie können ihren Wirt wechseln wie du dein Hemd. Eine Mutation in einem Enzym, das auf der Oberfläche sitzt, und schwupp …", Wanda schnippte mit den Fingern, „… gehen sie auf eine andere Spezies über. Es gibt auch tierpathogene Viren, die gelegentlich auf den Menschen gehen. SARS, Ebola, das Marburg-Virus … Aber das ist im Moment nicht unser Problem. Bei unseren Experimenten ist ein neuer Organismus entstanden. Oder soll ich sagen, ein kleiner autarker Roboter? Das klingt wie Science Fiction – und ist doch nicht ganz von der Hand zu weisen. Ich hoffe, dass wir ihn vernichtet haben, bevor er uns entkommen konnte. Aber ich halte es für falsch, darüber zu schweigen."

„Wie konnte das passieren?"

„Der Grund dafür war eine Unsauberkeit, ein Versäumnis in der Versuchsplanung. Ein Unfall, wenn du so willst. Die Ratten waren mit einem Virus infiziert, das sich das eingeschleuste Gen geborgt hat. Solche Übertragungen sind nicht unbedingt stabil. Aber in unserem Fall, fürchte ich, ist es zu einer Dauerleihgabe geworden. Dabei hat sich ein harmloser Erreger in einen tödlichen verwandelt."

„Was willst du tun?"

„Es ist nicht üblich, über solche Fehler zu sprechen. Damit kannst du keine Lorbeeren gewinnen. Es stellt dich in der Wissenschaftswelt eher in ein schlechtes Licht. Dass die Pharmaindustrie mit drin hängt, macht die Sache nicht leichter. Ich wette, die Firma lässt das Projekt sofort fallen, wenn sie davon erfährt."

„Das wäre doch eine Lösung. Weshalb hast du sie nicht längst informiert?"

„Damit kehre ich das Problem nur unter den Tisch. Die Angelegenheit wird vergessen. Niemand wird davon erfahren. Außerdem – ich habe Angst, meinen Job zu verlieren."

„Wem nützt es, wenn es bekannt wird? Ich meine, willst du dich rächen oder dir ein Denkmal setzen?" Wanda überlegte. Den Chef einmal richtig schwitzen zu sehen, allein dafür würde es sich lohnen.

„Wenn ich ehrlich bin, ist von beidem etwas dabei. Nicht zuletzt, würde ich gerne einmal öffentlich aussprechen können, was ich darüber denke. Ich habe es nämlich satt, ständig eine Show abzuziehen, Erwartungen zu bestätigen, falsche Hoffnungen zu wecken. Es liegt in der Natur der Toxikologie, kritisch zu sein. Aber du musst mit den Wölfen heulen, wenn sie dir von ihrer Beute abgeben sollen. Es ist eine Frage des Überlebens. Du musst dich anpassen, und es wird dich verändern. Wenn du dir selbst das Mogeln erlaubst, drückst du irgendwann auch bei den anderen ein Auge zu. Schließlich könnten sie deine künftigen Gutachter sein." Ein Tropfen lief ihr aus der Nase. Sie fasste sich in die Jackentasche, zog ein Papiertuch hervor und schnäuzte sich. „Erst wenn wir unsere Fehler und Schwachstellen offen legen", fuhr sie fort, „können wir etwas erreichen, werden wir glaubwürdig. Ich will mehr Aufgeschlossenheit und weniger Augenwischerei."

„Du willst also der Wissenschaftswelt etwas vorstellen, was sie längst weiß, aber nicht wahr haben will. Das ist echt preisverdächtig."

„Du machst dich lustig über mich."

„Nein, ganz und gar nicht. Da gibt es doch diesen Whistleblowerpreis. Du meldest einen Betrug oder eine unbequeme Erkenntnis und wirst dafür geehrt."

„Ganz so einfach ist das nicht. Dieser Preis, von dem du sprichst, ist eine ziemlich hochkarätige Auszeichnung. Er schützt Wissenschaftler vor dem wirtschaftlichen Ruin, wenn die Veröffentlichung ihrer erwiesenermaßen überzeugenden Arbeiten sie den Job kosten könnten. Dafür bin ich ein viel zu kleines Licht. Den bekommen nur gestandene Leute."

„Und wer kümmert sich um die vielen Abhängigen, die so genannte Elite von morgen?"

„Die muss sich eben erst noch beweisen. Auch Einstein hat zunächst das amerikanische Atomprogramm unterstützt. Aber er hat sich später davon distanziert. Am Ende seiner Karriere. Als er es sich leisten konnte, kritisch zu sein."
Andreas Nasenspitze stupste sanft gegen ihr Ohr. Sie fühlte sich kalt an. Aber sein Atem wärmte ihre Haut.
„Es war übrigens kein Zufall, dass ich zu dir ins Institut gekommen bin."
„Wie?"
„Ich hab' dich damals im Zug gesehen. Ich kam von der Beerdigung meines Vaters."
„Stimmt!" sagte Wanda. „Der Dirigent."
„Wer?"
„Zufälle gibt's!" Sie lächelte.
„Ich sagte doch schon, dass ich absichtlich zu dir gekommen bin", erwiderte Andreas. Wanda schwieg. Zu der Dunkelheit kam wieder die Stille. Sie musste sich eingestehen, dass sie seine Nähe genoss. Aber ich werde ihn nicht küssen. Nicht jetzt.
„Wer ist eigentlich Larissa Zacharias?" Die Frage kam ihr nicht ganz so locker über die Lippen, wie sie es wollte. Andreas antwortete nicht gleich.
„Sie ist ziemlich weit weg."
„Das ist keine Antwort."
„Wir sind seit zwei Jahren zusammen." Er zögerte. „Sie ist gerade in Nicaragua."

Sie erwachten mit dem ersten Glockenschlag der Elisabethkirche um sieben. Draußen war es noch dunkel. Aber Wanda wimmerte so lange vor Kälte, bis Andreas sich erbarmte und ihrem Wunsch, das Versteck zu verlassen, nachgab. Sie gingen auf demselben Weg, den sie gekommen waren. Durch die stählernen Stützbögen der Festungsruine, die sich über ihnen spannten als sie nach draußen traten, leuchtete ein abnehmender Mond. Manchmal verschleierten Wolkenfetzen sein fahles Licht. Über Nacht hatte es aufgeklart und die Temperatur war spürbar gesunken. Sie gingen nicht über den Schlosshof zurück, eilten hastig die Treppen zum Renthof hinunter. Sie schauten sich nicht um, liefen so schnell es ihre kaltsteifen Beine erlaubten. Diesmal rührte sich nichts

hinter ihnen. Andreas bestand darauf, sie bis nach Hause zu begleiten. Wenige Autos waren unterwegs. Nur beim Bäcker die samstäglich verschlafene Betriebsamkeit. Vor ihrer Haustür trennten sie sich.
Die Wohnung war kalt, Wanda klapperten die Zähne, als sie die Kleider auszog. Das Wasser rauschte schon in die Badewanne. Es stach sie mit heißen Nadeln und löste bald die Steifheit aus ihren Gliedern. Aber sie spürte, dass es die Erkältung nicht aufhalten konnte, die ihr längst tief in den Knochen steckte.

38
SLAM

Das Klingeln erlöste sie aus ihrem Traum. Vor wenigen Sekunden hatte Wanda im finsteren Keller ihres Elternhauses gestanden und sich gefürchtet. Ein unbekannter Verfolger lauerte irgendwo, hinter einer Tür, in einem versteckten Winkel. Es war derselbe Traum gewesen. Sie war froh, über den jähen Wechsel in die Wirklichkeit, tappte aber wie ferngesteuert in Richtung Klingelton. Auf dem Garderobenschränkchen im Flur fand sie das Handy. Es hing noch am Netz.

Sie verstand nur Polizeiwache Marburg. Der Anrufer fragte nach Frau Doktor Waals. Sie räusperte sich und merkte erst jetzt, wie heiser sie klang.

„Das bin ich", krächzte sie. In ihrer Kehle brannte ein ungutes Feuer, durch die Nase ging nichts mehr und ihr brummte der Schädel. Sie sei als Zeugin von einem gewissen Andreas Hilberg genannt worden, fuhr der Mann fort. Er habe heute früh Anzeige gegen Unbekannt erstattet. Sie hätten einen Ortstermin am Schloss auf dreizehn Uhr vereinbart, in genau einer Stunde. Es wäre gut, wenn sie dabei sein könnte. Als Treffpunkt gab er die Bushaltestelle nach der Kurve am unteren Gisonenweg an.

Die beiden Polizisten, ein Mann und eine Frau, warteten schon, als Wanda eintraf. Die Polizistin machte sich Notizen. Unter der zerschossenen Straßenlampe bückte sich ihr Kollege nach den Glassplittern am Boden. Er hielt einen Metallstab in der Hand. Auf einem Ende der Stange steckte eine kleine Scheibe, ebenfalls Metall. Andreas kam gerade aus einem Seitenweg. Das musste der Pfad gewesen sein, in den sie in der Nacht geflüchtet waren. Der Polizist begrüßte Wanda knapp und lustlos. Er stellte sich mit Trampert vor. Seine Kollegin hieß Wasa. Er sprach sie mit Lidia an. Sie war sehr jung und blond wie schwedisches Knäckebrot.

„Am Boden werden wir keine Spuren mehr finden. Der Regen hat alles weggespült.“ Sein Unterton entsprach eher einer Aufforderung zum Gehen als einer sachlichen Feststellung. „Wenn Sie uns sagen können, aus welcher Richtung die Schüsse kamen, hätten wir eine Chance, die Projektile zu finden.“ Andreas stellte sich genau dorthin, wo sie am Abend zuvor gestanden hatten, als der erste Schuss gefallen war. Er schaute sich suchend um. Es war ziemlich dunkel gewesen, es konnte sowohl aus einer Deckung als auch aus einem finsteren Winkel heraus auf sie geschossen worden sein. Erst jetzt wurde Wanda bewusst, wie übersichtlich der Ort war. Hatte dieser ominöse Angreifer überhaupt richtig gezielt? Sie hatten hier gestanden wie die Marzipanschweinchen auf der Theke einer Konditorei. Der Gedanke ließ sie schaudern. Jedes Kind hätte sie mit einer Schleuder locker erwischt. Es musste ein sauschlechter Schütze gewesen sein. Ein Betrunkener vielleicht? Andreas machte eine zögerliche Geste in eine unbestimmte Richtung

„Wann fiel denn der zweite Schuss?“ wollte der Polizist nun wissen. Wanda konnte es nicht genau sagen. Sie schaute zu dem asphaltierten Pfad hinüber, in den sie geflüchtet waren.

„War es ein Doppelknall?“ fragte die Polizistin. „Das könnte uns etwas über die Entfernung des Schützen sagen.“ Wanda blickte sich Hilfe suchend nach Andreas um. Der zuckte die Achseln und fing nun an, von einem dritten, vierten und fünften Schuss zu reden, als hätten sie mitten in einem Gewehrfeuer gestanden. Wanda hatte die Situation ganz anders erlebt. Aber sie hatte Tramperts leichtes Kopfschütteln in Richtung seiner Kollegin bemerkt und hielt sich zurück, um seinen aufkeimenden Argwohn nicht weiter zu nähren. Er glaubte ihnen nicht. Am Ende würde man sie noch für die kaputte Straßenlampe verantwortlich machen. Kurzerhand marschierte sie auf die rechte Böschung zu.

„Hier irgendwo muss das Geschoss eingeschlagen sein“, sagte sie. Trampert kam zu ihr herüber. Er bewegte den Metalldetektor, den Stab mit der Scheibe, über die Stelle, auf die Wanda gezeigt hatte, aber er fand nichts.

„Vielleicht haben wir oben am Schloss mehr Glück“, schlug Wanda nach einer Weile vergeblichen Suchens vor. „Der letzte Schuss könnte gegen die Mauer des Torbogens zum Nordflügel geprallt sein. Der Ort ist übersichtlicher als dieser hier.“

Die Polizisten erklärten sich einverstanden, und so fuhren sie in ihrem Wagen bis zum Parkplatz im Schlosshof. Wanda blinzelte in die milde Wintersonne. Die frische Luft öffnete ihre Nase. Die Mauer neben dem Torbogen erwies sich als unversehrt. Am Boden davor fanden sie nichts als einen zerknüllten Pappbecher, einen Kaugummi und ein paar Zigarettenkippen. Sie standen ein wenig ratlos herum. Nur die Polizistin saß dicht vor der Mauer und studierte das Gestein, als suchte sie nach einer besonderen Inschrift. Es fehlte lediglich, dass sie nach einer Lupe verlangte. Tramperts Gesichtsausdruck wechselte von gelangweilt zu genervt.

„Sind Sie sich sicher, dass Sie einen Kugelschlag gehört haben?" Wanda sah, dass auch Andreas nicht verstand, was er meinte. „Na, den Aufprall des Geschosses auf die Mauer?" erklärte Trampert. Aber er wartete ihre Antwort nicht ab, sondern folgte dem Zeichen seiner Kollegin, die ihn zu sich heranwinkte. Wanda konnte nicht sehen, was sie ihm zeigte, denn die beiden verdeckten die Stelle. Sie sprach leise, während sie ihm etwas zu erklären schien. Er nickte. Dann stand sie auf und ging zum Auto.

„Was ist?" rief Wanda hinter ihr her.

„Einen Moment noch." Die Polizistin blieb nicht lange fort. Als sie zurückkam, hielt sie ein Plastikröhrchen in der Hand. Wanda und Andreas folgten ihr zur Mauer. In dem Röhrchen steckte ein kleiner Spatel, den sie herauszog. Das Ganze sah aus wie ein Behälter für Kotproben. Lidia Wasa begann, mit dem Spatel an der Mauer zu kratzen. Erst jetzt erkannte Wanda die dunkle Schramme etwas oberhalb des Mauersockels. Sie war nicht dicker als ein fetter Bleistiftstrich. Trampert stand daneben und beobachtete die Probennahme mit unverhohlener Skepsis. Er rieb sich den Mund.

„Ich bin mir nicht sicher." Die Polizistin schaute Wanda aus großen blauen Augen an, als sie zu sprechen begann. Sie war hübsch. Die glatte Haut unter den von der Kälte rosigen Wangen ließ sie frisch und, im Unterschied zu Wanda, ausgeruht erscheinen. Sie fuhr mit ihren schlanken Fingern über den dunklen Streifen.

„Dies hier sieht aus wie eine SLAM-Spur. Aber ich kann mich auch irren. Wir haben keine Erfahrung damit." Wanda sah sie fragend an.

„Es ist etwas Neues. SLAM steht für *Selbst auflösende Abwehr Munition.* Vielleicht ist das auch der Grund, weshalb wir keine Projektile gefunden haben. Bei SLAM bleibt nämlich nichts zurück oder besser gesagt, nichts, das man mit dem bloßen Auge erkennen könnte. Es sei denn, das Geschoss prallt gegen etwas Hartes wie auf diese Mauer hier."

„Und was ist es genau?" fragte Wanda.

„Es sind Nanopartikel", erwiderte Lidia Wasa. „Das SLAM-Projektil zerfällt zu unsichtbarem Feinststaub und verteilt sich. Es hinterlässt Spuren von Kohlenstoffverbindungen, die nur mit besonderen Methoden nachzuweisen sind. Wenn es SLAM war, wird man sie in dieser Kratzprobe finden."

„Suchen Sie etwa nach Fulleren?" Wanda war hellhörig geworden. Neben Graphit und Diamant bildeten Fullerene die dritte natürliche Kohlenstoffverbindung. Bereits Ende der sechziger Jahre hatten Wissenschaftler vermutet, dass es sie geben musste, lange bevor man sie Mitte der achtziger eher durch Zufall entdeckt hatte.

„Ja, genau." Sie sah Wanda aufmerksam an. „Kennen Sie sich aus?"

„It pays me bread and butter." Wanda lächelte. „Ich arbeite in der Toxikologie. Aber ich hätte nie gedacht, dass man mit Buckyballs jemanden erschießen könnte." Mit einem Durchmesser von knapp einem Nanometer waren Buckyballs nämlich die kleinsten Fullerene. Der Architekt Richard Buckminster „Bucky" Fuller hatte ihnen Pate gestanden, weil sie an seine geodätischen Kugeldome erinnerten. Mit ihren sechzig Kohlenstoffatomen wurden sie als die Fußbälle des Nanokosmos bezeichnet. Wie diese waren sie aus zwölf Fünfecken und zwanzig Sechsecken zusammengesetzt, was ihnen ihre regelmäßig runde Form garantierte. Es waren die neuen Babies der Chipindustrie. Ihre langen Schwestern, die Nanoröhrchen, erreichten eine Zugfestigkeit, dass sich die kommende Generation von Tennisspielern jetzt schon auf diese Wunderschläger freuen konnte. Weshalb also sollten diese Zwerge nicht auch die Waffentechnologie erobern?

„Und wer schießt mit so etwas?" wollte Andreas wissen.

„Die Munition ist noch nicht auf dem Markt", sagte die Polizistin. „Sie wird für kleinkalibrige Schusswaffen entwickelt und ist ausschließlich den Militärs und Geheimdiensten vorbehalten. Ich weiß auch nur davon, weil ich gerade auf einer Fortbildung war." Trampert schnaufte ungeduldig. Seine Kollegin blickte ihn gelassen an. „Vermutlich liege ich völlig daneben. Mein Kollege meint aber auch, dass eine Analyse des Rückstandes kein Fehler ist. Wenn wir Glück haben, wird sich das

Speziallabor in Karlsruhe dafür interessieren." Lidia Wasa schob das Röhrchen mit der Probe in ihre Tasche.
„So, das hätten wir!" Sie wandte sich zum Gehen. Trampert stand bereits am Auto.
„Danke für Ihre Mühe", sagte Andreas.
„Sie hören von uns." Sie gab ihnen beiden zum Abschied die Hand. „Aber machen Sie sich nicht allzu große Hoffnungen."

39
Koryphäen und Knallfrösche

Kurz vor Weihnachten fiel wieder Schnee. Es schneite ununterbrochen bis in den nächsten Tag hinein. Über Nacht waren die düsteren Farbtöne der umliegenden Hügel unter einer weißen Decke verschwunden. Die Busse rutschten die Lahnberge hinunter und kamen nicht wieder hinauf. Das öffentliche Verkehrsnetz brach für kurze Zeit völlig zusammen. Zum ersten Mal nahm Wanda den Fußweg durch den Wald über den Ortenberg hinauf zum Klinikum. Immer noch hingen dicke, grauweiße Wolken am Himmel, aus denen auch an den darauf folgenden Tagen dichte Schneeflocken fielen. Es wurde stiller in der Stadt. Wanda fragte sich, ob es nur daran lag, dass Marburg allmählich entvölkerte, weil die Studenten in die Weihnachtsferien gingen, oder ob auch der Schnee den Lärmpegel dämpfte. Als sie am ersten Weihnachtsfeiertag die Vorhänge öffnete, blickte sie in einen hellblauen, wolkenlosen Himmel. Das Thermometer zeigte minus zehn Grad. Gegen Mittag machte sich Wanda auf den Weg, folgte, immer dem Fluss entlang, den sonnenhungrigen Fußgängern, die neue Mäntel, Pelze, Schals und Mützen oder den alten Hund spazieren führten. Die dick verschneiten Wiesen am Ufer der Lahn glitzerten in der Sonne. Jeden Tag wählte sie eine andere Strecke und erschloss sich den Ort, an dem sie lebte. Die Vormittage widmete sie ihrer Wohnung, putzte, sortierte, ordnete und entsorgte. Sie musste an Thomas' Ausführungen über die Handelsbeziehung zwischen Ordnung und Chaos denken und fragte sich, welchen Preis sie für die Beseitigung des Chaos in ihrer Wohnung gerade bezahlte. Sie rieb das Holz des väterlichen Sekretärs mit Öl ein, bis es rötlich schimmerte. Sie hatte noch immer keine Idee, wie sie das Schloss der Schublade öffnen sollte. Zum ersten Mal empfand sie Zufriedenheit, wenn sie von ihren Spaziergängen in ihre Wohnung zurückkehrte.

Dann begutachtete sie zunächst, was sie am Morgen geschafft hatte. Es war ein wunderbar ausgewogener Tagesablauf, den niemand störte. So vergingen die Feiertage viel zu schnell, auch ohne dass sie jemanden traf. Sabine war zu ihrer Familie an die Küste gefahren, Johannes wedelte gerade über die Pisten von Aspen, wo Petra steckte, wusste der Himmel und Andreas verbrachte die Feiertage bei seiner Mutter in München. Ganz allein war Wanda jedoch nicht. Sabine hatte Josy bei ihr einquartiert. Mit der Ratte teilte sie sich die Weihnachtsplätzchen, die Wanda schnell noch am Heiligen Abend gebacken hatte. Zusammen verbrachten sie kuschelige Stunden vor mittelmäßigen Fernsehfilmen. Es war ihr tatsächlich gelungen, ihren LCD-Fernseher anzuschließen, die Lautstärke am Satellitenreceiver einzustellen und einen von siebzig Sendern auszuwählen, von dem sie ein klares Bild empfing. Aber weiter kam sie nicht. Andreas hatte ihr ein paar DVDs ausgeliehen. Dazu hätte sie ihr Notebook anschließen müssen. Es kostete sie mehrere Stunden, die Ein- und Ausgänge zu suchen und nicht zu finden. Sie war sich sicher, dass die Bedienungsanleitung kein ordentliches Peer-Review-Verfahren überstanden hätte. So musste sie sich mit dem begnügen, was die Öffentlich Rechtlichen und die Privaten für ihre Kunden bereithielten. Für Josy kein Problem. Nachdem sie ihren Keks verputzt hatte, krabbelte die Ratte in die tiefe Spalte zwischen Wandas Brüsten und wollte nicht mehr gestört werden.

Das Lotterleben mit ihrem schnurrigen Gast vor dem Fernseher war die Belohnung für die Aufräumarbeiten, die sie sich Tag um Tag auferlegte. Mit diesem Rhythmus kehrte ihre innere Ruhe zurück, und allmählich verblasste die Erinnerung an die bedrohlichen Ereignisse der vergangenen Wochen. Den Überfall am Schloss hielt sie inzwischen für die Tat eines Verrückten, dem sie zufällig in die Quere gekommen waren. Ihr virtuelles Grab empfand sie als den makabren Scherz eines Unbekannten. Sie konnte sich niemanden vorstellen, der sie so sehr hasste, dass er ihr den Tod wünschte. Sie hatte sich überlegt, im Rechenzentrum der Uni mal nachzufragen, aber dann doch davon Abstand genommen. Es war ihr zu lästig.

Eine Sache allerdings empfand sie als Ärgernis. Der Befund des Virologen lag immer noch nicht vor. Kurz vor Weihnachten rief Doktor Kanterat, der Kollege aus der Virologie, bei ihr an und erklärte kleinlaut, dass er es leider nicht mehr geschafft habe, die Analysen für sie zu machen. Auf ihre dringliche Nachfrage hin druckste er ein wenig herum, und versprach schließlich, sich gleich im neuen Jahr wieder bei ihr zu melden.

Weshalb hatte sie sich bloß darauf eingelassen? Statt an den ungebundenen Tagen zwischen den Jahren durch die Stadt zu stromern, um in Antiquitätenläden zu erkunden, wie sich alte Schlösser unbeschadet öffnen ließen, hätte sie jetzt Daten zusammenstellen, Diagramme entwerfen und die nächsten Schritte planen können. Auch ihre ganz persönlichen. Mittlerweile war sie fest entschlossen, sich untersuchen zu lassen. Vorher wollte sie jedoch wissen, was mit Günther Hilberg los gewesen war. Sie hoffte, dieses Wissen für sich nutzen zu können. Sie hatte keine Lust auf langwierige Untersuchungen im Blindschussverfahren, die in der Regel zu keinen neuen Erkenntnissen führten, sondern nur die Nerven strapazierten. Sie brauchte den Befund aus den Gewebeproben von Günther Hilberg, um einen Anhaltspunkt für die medizinischen Untersuchungen bei sich selbst zu haben.

Der Wetterbericht hatte es angekündigt, aber das Tauwetter kam dann doch überraschend schnell. In der Nacht zum einunddreißigsten Dezember drehte der Wind. Am anderen Morgen waren die Straßen nass vom Schmelzwasser. Es tropfte von Dächern und Bäumen. Die Parkplätze am Lahnufer waren leer, die Uferböschung und einige Radwege bereits überflutet. Aber der plötzliche Wetterwechsel änderte nichts an Wandas freudiger Erregung, die immer über sie kam, wenn sie an Silvester dachte. Allerdings hatte sie noch nichts Passendes zum Anziehen für die Party bei Thomas. Viel würde sie nicht ausgeben können. Ein Teil der Rechnungen für den Umzug und die Einrichtung ihrer Wohnung war noch nicht abbezahlt. Den Luxus-Fernseher hatte ihr ein attraktiver Verkäufer im Kaufpark aufgeschwatzt. Für ihren geringen Jahresdurchschnittskonsum hätte die schlichte Mittelklasseversion vollkommen gereicht. Zwar verdiente sie jetzt mehr als während ihrer Postdoc-Zeit in Amerika, jedoch immer noch deutlich weniger als ihre amerikanischen Kollegen. Aber ich liebe meinen Beruf, sagte sie sich jedes Mal, wenn sie ihre Kontoauszüge prüfte. Für eine neue Jeans und ein schickes Top würde es gerade noch reichen.

Am Silvesterabend nahm sie ein Taxi. Thomas' Wohnung lag, ganz in der Nähe von Sturms Villa, im zweiten Stock eines modernen Mehrfamilienhauses.

„Bin ich zu früh?“ Wanda wunderte sich, dass es bei ihm noch so ruhig war.

Thomas trug eine schwarze Schürze. Kreidestrichmännchen tanzten darauf herum. Auch wenn sie nicht viel von Kunst verstand, so erkannte sie doch in dem Druck die unverwechselbare Handschrift von Keith Haring. Der Kollege lächelte ein wenig verkrampft und half ihr aus dem Daunenparka. Dann verschwand er eilig durch eine Tür, vermutlich zur Küche. Sie hörte es brutzeln und rauschen. Prüfend blickte sie in den hohen Wandspiegel im Flur. Das hautenge Top mit der Strassbordüre und den Spitzen an den Ärmeln saß perfekt und doch fühlte sie sich nackt. Sie war es nicht gewohnt, sich so zu zeigen. Zumindest vom Scheitel bis zum Hals war sie mit sich einverstanden. Das kurze Haar, das sie sich erst gestern hatte schneiden lassen, ließ sie zarter erscheinen. Die dunklen Augen funkelten. Wanda schwitzte unter den Achseln, aber ihre Hände waren eiskalt. Als sie die Küche betrat, löschte Thomas gerade das Fleisch in der Pfanne ab. Auf einem hohen Bistrotisch an der Wand flackerte eine Kerze. Sie schien auf zwei Gedecke.

„Du kommst genau richtig. Setz dich!“ Thomas drückte ihr ein Glas Rotwein in die Hand. „Koste mal!“ Sein Gesicht glänzte. Dann war er schon wieder am Herd. Wanda schob sich auf einen der Hocker.

„Nur wir zwei?“ Sie nahm einen Schluck. Der Rotwein war weich und trocken. Sehr nach ihrem Geschmack.

„Wart's nur ab. Du wirst es mit niemandem sonst teilen wollen.“ Dabei zwinkerte er ihr zu. Weshalb machten Männer nur immer soviel Wirbel, wenn sie kochten? Hatte sie ihn falsch verstanden? Egal, dann waren sie eben unter sich. Sie spürte, wie die Anspannung der letzten Stunden von ihr abfiel. Der Papaya mit Parmaschinken folgte ein Putenschnitzel in köstlicher Kokos-Pilz-Sauce. Dazu servierte er Basmati-Reis. Woher kannte Thomas ihre Vorlieben? Im Hintergrund gurrte eine brasilianische Stimme jazzige Melodien. Wanda schwebte. Sie genoss den Kitzel der tiefen Blicke. Thomas redete über Kunst und Musik, aber sie hörte oft nicht genau hin, sondern lächelte ihn an, damit er weiter sprach. Es war wunderbar, sich nichts Kluges aus den Rippen leiern zu müssen, um ihn bei Laune zu halten. Das Schnarren seiner tiefen Stimme berührte ihren Nacken, und eine wohlige Wärme durchströmte ihren Körper. Sie fing an, sich weich und kaum merklich zur Musik zu wiegen.

„Gleich den Nachtisch oder lieber einen Espresso?"
Wanda stöhnte genießerisch. Sie entschied sich für den Kaffee.
Er stand auf und ging zur Küchenzeile hinüber. Sein weites Flanellhemd fiel locker über die Jeans. Eitel ist er also auch. Was hast du anderes erwartet?
„Ich habe meinen Fernseher übrigens ganz allein in Betrieb genommen", verkündete Wanda stolz.
„Schade", hörte sie ihn sagen. Er stand mit dem Rücken zu ihr. „Ein Grund weniger, dich zu besuchen."
„Na ja. Ich besitze zwar eine hoch gezüchtete Hightech-Maschine, kann aber außer Fernsehen nichts damit anfangen. Keine DVDs, keine Aufzeichnungen."
„Das ist bitter."
„Um die Bedienungsanleitung zu verstehen, bräuchte ich vermutlich einen Sprachkurs", fuhr Wanda fort. „Ob sie auf Koreanisch auch so schlecht sind wie in der Übersetzung?"
„Das Problem liegt meines Erachtens woanders." Er goss den Kaffee in zwei kleine Tassen. „Ich würde behaupten, dass der Durchschnittsasiat technisch versierter ist als der Durchschnittseuropäer."
Wandas Blick fiel auf die Digitalkamera. Sie lag auf der Fensterbank.
„Stimmt. Ich hatte völlig vergessen, dass sie über einen integrierten Fotoapparat das Licht der Welt erblicken." Sie legte den Zeigefinger unter ein Auge und zog leicht die Haut nach unten: „Während wir unser Geburtsdatum immer noch *extrakorporal* auf Papier festschreiben, blinkt es unter ihrem rechten unteren Augenlid als winzige Leuchtanzeige." Während sie redete, rutschte sie von ihrem Hocker und ging zum Fenster hinüber. Vorsichtig nahm sie die Kamera in die Hände. Es war das gleiche Fabrikat, das sie seit ein paar Wochen im Mikroskopierraum vermissten. „Du hast die Gleiche?" staunte sie und ärgerte sich im selben Moment über ihre unbedachte Frage.
„Was?" Thomas drehte sich um und schaute auf ihre Hände. „Die hat mir mein Vater geliehen." Seine Antwort kam ganz ruhig. Wanda hätte sich am liebsten auf die Finger geschlagen. Weshalb musst du auch immer alles anfassen? Sie legte die Kamera zurück auf den Sims.
„Komm", sagte er. „Lass uns den Kaffee im Wohnzimmer trinken."
Der Raum endete mit einer breiten Fensterfront. Vermutlich wirkte er so riesig, weil nur wenige, aber offenbar ausgesuchte Möbelstücke darin

standen. Wieder ein Mann mit einer Couchgarnitur aus schwarzem Leder! Oder war sie dunkelblau?

Thomas stellte die Tassen auf die Schreibtischplatte aus Glas. Darüber hing ein Regal, das mit Büchern voll gestopft war. Der Computer war eingeschaltet. Wanda betrachtete aufmerksam den großen Kunstdruck über dem Sofa.

„Weißt du, was Kandinsky einmal über die Farbe Blau gesagt hat?" hörte sie Thomas fragen. Er wartete nicht auf eine Antwort. *„Je tiefer, desto mehr ruft es den Menschen ins Unendliche, weckt in ihm die Sehnsucht nach Reinem und schließlich nach Übersinnlichem."* Wanda schwieg. Es war wie der Augenblick in einem Konzert, in dem die Musik kurz aussetzt, aber das Stück noch nicht zu Ende ist. An diesen Stellen applaudierten nur die Unbedarften. Auch ihr passierte das bisweilen. Deshalb hatte sie sich angewöhnt, erst dann zu klatschen, wenn die Stärke des einsetzenden Applauses davon zeugte, dass der Zeitpunkt dafür gekommen war. Sie lauschte Thomas künstlerischer Pause. Aber er sprach nicht weiter.

„Ich verstehe nicht viel von Kunst", sagte sie schließlich. „Manchmal denke ich, dass es am Elternhaus liegt – was machen deine Eltern?"

„Mein Vater ist Kunsthändler."

„Echt?"

„Nee." Sie hörte sein kehliges Lachen. „Er ist ein bankrotter Autohändler. Heute sagt man insolvent. Da liegt noch Hoffnung drin. Man bekommt eine Insolvenzberatung. Bankrott klingt wie Schrott. Mein Vater ist ein hoffnungsloser Fall." Er warf einen langen Blick auf den Druck an der Wand. „Das einzige, was uns noch verbindet, ist die Vorliebe für blau." Wanda sah ihn fragend an.

„Mein Vater ist jetzt so etwas wie ein blauer Reiter. Man hat ihm den Führerschein entzogen. Ein Autohändler ohne Fahrerlaubnis. Das ist lächerlich. Seitdem wettet er auf Pferde."

„Und deine Mutter?"

„Nach meinem Abitur ist sie abgehauen. Ich glaube, sie ist jetzt ein Freak. Ab und zu bekomme ich eine Postkarte von ihr. Spanien. Frankreich. Malta. Italien. Sie töpfert, betreibt Tantra und bietet irgendwelchen Leuten irgendwelche Kurse an." Sein Lachen klang bitter: „Nackt Töpfern in der Toskana."

„Hast du Geschwister?"

Thomas schüttelte den Kopf. Er zog einen zweiten Stuhl vor den Schreibtisch und deutete Wanda mit einem Schlenker der Hand an, sich neben ihn zu setzen. Auf einem Regalbrett stapelte sich eine Sammlung von Computermäusen. Es waren Modelle älteren Datums, schmuddelig abgegriffen und mit aufgerollten Kabelschwänzen.

„Meine Haustiere", erklärte Thomas, als er ihren Blick bemerkte. „Sie vermehren sich etwas unkontrolliert, aber dafür sind sie äußerst genügsam." Er pustete und wirbelte dabei eine Staubwolke auf. „Ich glaube, ich muss mal ausmisten."

„Ich hätte Josy mitbringen sollen."

„Deine Katze?"

Wanda musste lachen. „Josy ist Sabines Ratte." Er drehte den Kopf schnell zur Seite.

In seinem Profil lag auf einmal eine verbissene Strenge, und ein flüchtiges Muskelspiel spannte seinen Kiefer, als müsste er sich zügeln. Dann sah er sie an und lächelte schief:

„Die anderen Gäste sind jetzt da. Ich möchte dich mit ihnen bekannt machen."

Wanda hatte bisher nicht auf den Computermonitor geachtet. Über den großen Flachbildschirm hutschen eilig geschriebene Textzeilen, wie Wanda sie aus Chatrooms kannte. Es waren überwiegend Ausdrücke des Entzückens über die Kokos-Pilz-Sauce und ein Chatter namens Basti wollte unbedingt wissen, wann es den Nachtisch gab. Im Hintergrund stritten Knallfrosch und Punsch über den Sinn und Unsinn von Silvesterkrachern, die angeblich zur Ausschüttung von Endorphinen und Dividenden führten sowie unterbezahlte Notärzte beschäftigten. Der Anstieg des Bruttosozialproduktes verlange eben Opfer, meinte Knallfrosch, was Punsch, der nicht mehr in der Lage schien, ganze Wörter zu schreiben, mit einem entschlossenen *Brrrrrubumm 2006!* quittierte. Daneben gab es eine Choriphäe, die sich, von einer ganzen Horde angeblich männlicher Chatter bedrängt, gegen eine andere Schreibweise sträubte: *Koryphäe* hieße es richtig. Sie benutze es aber als Name, war ihre störrische Antwort, und sei somit von jeglichem Rechtschreibungszwang befreit. Außerdem seien Choriphäen immer weiblich und Wasserhähne immer männlich. Dies löste einen lebhaften Austausch über unangenehme Tropfgeräusche und übliche Behandlungsformen aus. Man fachsimpelte über Schwimmer, Siphons, Reduzierstücke und Nippelhalter, was dazu führte, dass auf einmal alle aufgeregt durcheinander redeten oder schrieben. Hansi stand auf SM und erklärte seine Vorliebe für erstickte Schreie. Er bot sich an, einem Teilnehmer namens Truthahn ganz langsam den Hals umzudrehen. Cleopatra hatte ihre Peitsche beim Reiten verloren und Madonna suchte ihre Nippelklemme. Knallfrosch und Punsch klinkten sich wieder ein, nur die Choriphäe verabschiedete sich und Basti quengelte wiederholt wegen des Desserts. Thomas tippte eine Begrüßung in die Tastatur. Der Bildschirm scrollte unter der nun folgenden Flut von Antworten schnell nach oben. Es reichte von einem schlichten *Hallo, Tom* über *Dankeschön* bis hin zu weiteren Lobeshymnen auf die gute Auswahl der Rezepte. Dreizehn Leute hatten sich im Silvester-Chat angemeldet und Thomas war offensichtlich der Gastgeber. Die Party war in vollem Gang.

„Sie warten auf den Algorithmus für den Nachtisch." Thomas schien es zu genießen, seine Gäste ein wenig zappeln zu lassen.

„Auf was?"

„Die Handlungsvorschrift, das Rezept, wenn du so willst, für das Kakipüree mit Marzipan."

Auf die Idee, dass sie zur Hälfte auf eine virtuelle Party eingeladen sein könnte, wäre Wanda niemals gekommen und hätte sich wohl kaum darauf eingelassen. Nachdem sie einige Chatrooms besucht hatte, war sie zu dem Schluss gelangt, dass diese Form der Kommunikation nichts für sie war. Der rasante Wechsel der Themen, die Anzüglichkeiten, sie mochte das nicht. Die üblichen Emoticons waren ihr durchaus geläufig, sie amüsierten sie, aber im Grunde genommen waren sie nichts anderes als Schriftzeichen. Sie formalisierten Gefühle. Wanda konnte sie erkennen und interpretieren, jedoch nicht empfinden. Es fehlte das Unmittelbare, in einer veränderten Tonlage, einem Mienenspiel oder einer Geste. Deshalb beschränkte sie ihre Chatkontakte auf den Informationsaustausch mit nicht mehr als zwei weiteren Personen gleichzeitig. Alles darüber hinaus unterlag sowieso dem Clubraumeffekt. Denn jede Chatgemeinschaft zerfiel nach kurzer Zeit in kleine Grüppchen. Es störte Wanda ungemein, dass jeder im virtuellen Club die Gespräche an den Nachbartischen so nebenbei mitverfolgen und sich nach Belieben einmischen konnte. Nur eine klare Führungsinstanz, die alle Teilnehmer auf eine Sache fokussierte, war in der Lage, diese Vereinzelung aufzuheben. So wie jetzt Thomas, der sich endlich anschickte, das

Rezept für den Nachtisch preiszugeben. Er ließ sie die Kakifrüchte schälen und eine davon mit Vanillezucker, Marzipan und Piment fein pürieren, in feine Streifen geschnittene Trockenpflaumen darunter mischen und die Masse in Dessertschälchen füllen. Dann sollten sie die zweite Kakifrucht gewürfelt darüber verteilen, mit steif geschlagener Sahne dekorieren und gehackten Pistazien bestreuen. Fertig. Thomas verschwand in die Küche. Auch der Monitor schwieg. Als er den Becher mit dem Dessert vor sie stellte, fragte sie sich, ob Basti jetzt zufrieden war. Vielleicht gab es ihn gar nicht. Vielleicht war er nur eine Idee, der die Illusion eines Desserts völlig genügte. Auf einmal kam ihr das alles wie eine Inszenierung vor. Ein interaktives Theaterstück. Hat er mich etwa eingeladen, weil er einen realen Zuschauer brauchte? Ihr war die Lust auf den Nachtisch vergangen.

„Was machen sie jetzt?“ fragte sie vorsichtig. Thomas sah sie verständnislos an. „Ich meine deine Gäste.“

„Vermutlich essen sie ihren Nachtisch.“

„Woher kennst du sie?“

„Ich habe die Einladung mit den Zutaten für die Rezepte in ein bestimmtes Forum gestellt. Ich treffe sie heute zum ersten Mal.“

„Ich muss zugeben, ich hatte eher an eine echte Party gedacht.“

„Meinst du etwa mit Leuten, die deinen Teppich mit Rotwein und Ketchup bekleckern, deine Bude vollquarzen, Aschenbecher umkippen und schmutziges Geschirr hinterlassen?“ Thomas machte ein angewidertes Gesicht. „Du kennst Marburg nicht. Wenn hier irgendwo 'ne Party steigt, dann hast du die Zecken am Hals. Spätestens gegen Mitternacht kommst du dir in deiner eigenen Bude vor wie in einer Kneipe, in der du wildfremden Menschen Freibier spendierst.“

„Mit ein paar wenigen Freunden …“

„Du meinst die, die dich mit lästigen Telefonaten und unerwünschten Besuchen bedrängen?“ Eine steile Falte legte sich zwischen seine buschigen Brauen. „Ich habe immer jemanden zum Reden, wenn mir danach ist.“

„Eines verstehe ich nicht.“ Sie schwenkte ihren Rotweinkelch. Der hellbeige Teppich zu ihren Füßen sah nicht billig aus. „Weshalb hast du *mich* dann eingeladen?“

„Wenn du willst, können wir auch gehen.“ Thomas griff nach der Computermaus. „Sie haben alles, was sie brauchen. Wir können die Party verlassen und …“ Er zögerte.

„… und was …?“ Wanda sah ihn neugierig an.
Statt zu antworten, zog er den Mauspfeil mit einigen Klicks über den Bildschirm und schloss die Verbindungsfenster. Das geübte Fingerspiel gab ihm etwas von seiner alten Souveränität zurück. So gefiel er ihr eindeutig besser. Die Uhr im Computer sprang auf *23:00*. Thomas legte eine neue CD ins Laufwerk. *Easy listening*. Wanda kannte die Gruppe nicht. Für eine Weile saßen sie schweigend nebeneinander vor ihrem Dessert. Wanda überlegte fieberhaft. Er machte es ihr nicht leicht, aber sie konnte hartnäckig sein, wenn sie sich etwas in den Kopf gesetzt hatte. Sie griff nach dem kleinen gelben Block, mit den selbstklebenden Zetteln und schrieb etwas darauf. Dann riss sie das Blatt ab und drückte es auf den Bildschirm. Er lachte erleichtert, als er die Notiz las und sprang auf.
„In Wirklichkeit bin ich ein lausiger Gastgeber.“ Während er wieder in der Küche klapperte, sinnierte sie über ihre eigenen Worte. *Ich habe Durst*, stand da geschrieben. Wonach denn? Lebensdurst? Durst nach Liebe? Er hatte es wörtlich verstanden. Genauso gut hätte ich *Lust* schreiben können. Unmissverständlich. Aber da steht *Durst*. Du bist ein Feigling, Wanda. Als Thomas zurückkehrte, hielt er zwei Sektkelche in den Händen.
„Champagner?“ fragte er. Sie nickte und erkundigte sich nach der Toilette.
Später fingen sie an zu tanzen. Zunächst bewegten sie sich wie zwei einzelne Wesen auf einem fernen Kometen. Es war unmöglich, sich zu verpassen. Er umarmte sie zart. Ihre Knie berührten sich. Sein Atem streifte ihr Ohr. Es dauerte eine halbe Ewigkeit. Irgendwann schlang sie die Arme um seinen Hals, schmiegte sich an ihn. Fester! begehrte es in ihr auf. Er war doch da, greifbar nah wie niemals zuvor. Sie ließ ihn nicht los, suchte nach einem Widerstand, einem Halt, um sich fallen zu lassen. Doch sie stieß nur auf Treibsand. Sie hatte das Klingeln gar nicht gehört, aber sie spürte, wie Thomas ihre Arme sachte von seinen Schultern schob. Benommen stand sie da, allein im Zimmer, mit hängenden Armen wie nach einer verlorenen Schlacht. Ihre Wangen glühten. Dennoch war ihr kalt. Ihr Blick fiel auf die Fotos an der Wand gegenüber. Sie erkannte Linien und Streifen, Dreiecke, Quadrate und konzentrische Ringe, die Grenzen zwischen Hell und Dunkel wie scharfe Kanten. Trotz der Schatten besaßen die Bilder kaum Tiefe. Es war ein

Licht wie an einem Mittag im Hochsommer, wenn in der Hitze alles erstarrt, selbst die Zeit anhält und jedes Gefühl erstickt. Gleichmut ohne Trost, weil das Dumpfe nicht leidet. Sie hörte Männerstimmen im Flur. Ein lästiger Freund? Dann erschien sein Gesicht in der Wohnzimmertür:

„Komm bitte mit", sagte Andreas. „Es ist dringend!"

40
Prost Neujahr

Wanda war wütend.

„Konnte das nicht bis morgen warten?“ schimpfte sie. „Außerdem. Wer hat dir gesagt, wo ich bin?“ Sie lief, rannte beinahe. Es ging abwärts zur Oberstadt hinunter.

„Du hast es selbst irgendwann mal erwähnt“, erwiderte Andreas. Wanda konnte sich nicht erinnern, ihm von ihren Silvesterplänen erzählt zu haben.

„Die Polizei hat vorgestern bei mir angerufen“, begann er vorsichtig. „Ich bin deshalb früher nach Marburg zurückgekommen. Ich wollte es dir nicht am Telefon sagen, um dich nicht zu beunruhigen. Die Spuren an der Mauer im Schlosshof stammen tatsächlich von SLAM. Vielleicht gibt es doch einen Zusammenhang …“

„Quatsch!“ unterbrach sie ihn. Wanda war fassungslos. Nur weil die Polizei herausgefunden hat, dass es tatsächlich SLAM-Spuren waren, die die Knäckebrotblondine mit dem Schiffsnamen von der Mauer gekratzt hatte, muss er mir den Abend verderben?

„Ich finde durchaus, dass es eine wichtige Information ist.“ Er klang enttäuscht. „Schließlich ist SLAM keine Munition für den Ottonormalverbraucher.“

„Was soll es mir denn sagen? Dass mir oder dir der Geheimdienst auf den Fersen ist? Mach dich nicht lächerlich!“ Hatte Snider nicht von Aktionen der amerikanischen Bundesbehörden in Europa geschrieben? Aber weshalb sollten sie auf uns schießen? Wanda schüttelte den Kopf.

„Das war ein volltrunkener Idiot“, sagte sie mit einer Bestimmtheit, die keinen Widerspruch zuließ. „Ich würde mich nicht wundern, wenn es das Zeug bereits auf dem Schwarzmarkt gibt.“

Wanda wollte nach Hause. Sie lief voraus. Bald erreichten sie die

Fußgängerzone der Altstadt. Bis dahin hatten sie nur gestritten. Kurz vor Mitternacht waren viele Leute auf der Straße. Das fröhliche Treiben ließ Wanda verstummen, obwohl es in ihr immer noch brodelte. Was fiel diesem Grünschnabel bloß ein? Die Geschichten mit ihrem Bruder kamen ihr in den Sinn, wie er sie heimlich zu ihren ersten Partys verfolgt hatte. Einmal hatte er ganz unerwartet vor der Tür ihres algerischen Nachhilfelehrers gestanden. Sie war fünfzehn und Djamil dreiundzwanzig. Er sollte ihr Französisch beibringen. Sein Unterrichtsstil war lebensnah und praxisorientiert, er schmeckte nach Knoblauch und nach einem fremden Gewürz. Dass es Kardamom war, erfuhr sie erst viel später beim afghanischen Schnellimbiss, der, nicht weit von ihrer Studentenbude entfernt, ihr in Prüfungszeiten das Überleben sicherte. Mit dem Geschmack war die Erinnerung an Djamil zurückgekehrt so wie jetzt, sinnlich und leidenschaftlich. Damals entbrannte in ihr eine Glut, die stärker war als Hunger und das Bedürfnis nach Schlaf, und dann hatte dieser Knirps vor der Tür gestanden, etwas unbeholfen war er von einem Bein auf das andere getreten, denn er war bereits alt genug und kapierte sofort, was los war. Sie fluchte und tobte und hielt es für möglich, dass die Eltern dahinter steckten. Sie bekam vier Wochen Hausarrest und sah Djamil nicht wieder.

Ob Thomas gerade ihren Nachtisch aß? Er hatte sie einfach gehen lassen. Ohne Widerrede. Nicht das geringste Anzeichen von Enttäuschung hatte sie an ihm entdecken können. Im Flur war er hinter ihr geblieben. Sie hatte sein Gesicht im Spiegel gesehen. Nichts regte sich darin. Sie war enttäuscht gewesen. Bin ich deshalb mit Andreas gegangen?

Sie zuckte zusammen, als unmittelbar neben ihr ein Knallfrosch explodierte. Auf dem Marktplatz vor dem alten Rathaus standen die Menschen in lockeren Grüppchen. Wanda beschleunigte ihren Schritt. Sie schlängelte sich um die Wartenden herum, achtete nicht darauf, ob Andreas hinter ihr herkam, sondern eilte zielstrebig weiter. Sie wollte ihn loswerden, aber er ließ sich nicht abschütteln.

Unter ihren Füßen spritzte der Matsch, als sie die Stufen der Gasse hinunter sprang. In dem Moment, in dem sie den Pilgrimstein überquerte, ging das Getöse los. Überall knallte und heulte es, und die Glocken läuteten. Über ihrem Kopf sprühten die Funken. Sie lief immer noch, eilte mit Riesenschritten in das neue Jahr hinein. Sie hatte sich den Wechsel anders vorgestellt. In den Armen eines Mannes? Wie konnte ich nur so blöd sein? Er will mich doch gar nicht. Sie erschrak, als Andreas sie plötzlich am Arm fasste. Die Verwirrung lähmte ihren Protest und sie folgte ihm eine dunkle Treppe hinunter auf einen schlammigen Pfad. Die Baumriesen im alten botanischen Garten kamen ihr mächtiger vor als bei Tag. Mit jedem Knall flatterten einzelne Krähen auf und fielen bald träge auf die Äste ihres Schlafbaums zurück. Andreas zog zwei Piccolos aus der Tasche und schraubte sie auf. Reumütig lächelnd reichte er ihr eine Flasche.

„Prost Neujahr", sagte er leise und stieß das Glas aneinander. Wanda trank, dann wischte sie sich den Mund. Der alte Ärger stieß ihr wieder auf.

„Übrigens, Feuerwerke sind wahre Partikelschleudern. An Silvester ist die Belastung mit nanopartikulären Feinstäuben enorm hoch."

Andreas schaute in den Nachthimmel, wo ein Lichtregen den anderen ablöste.

„Aber bevor es dich umbringt, hast du ihre Schönheit erlebt."

Wanda betrachtete ihn, wie er mit offenem Mund neben ihr stand. Ein großer Junge. Er hatte den Kopf in den Nacken gelegt und über die Gläser seiner Brille huschten bunte Lichtreflexe.

„Dieser Tod kommt schleichend", sagte sie kühl. „Es beginnt mit Husten und Atemnot, dann rast das Herz und die Lungen lösen sich auf oder sie wuchern zu. Am Ende ist es das Gleiche. Meinst du wirklich, du erinnerst dich noch an dieses Feuerwerk, während du erstickst?"

Andreas sah sie besorgt an.

„Warst du beim Arzt?"

Wanda schüttelte den Kopf.

„Wie lange willst du noch damit warten?"

„Bis ich Gewissheit habe."

„Die kann dir nur ein Arzt geben."

„Hast *du* eine Ahnung ..." Sie nahm einen weiteren Schluck Sekt. „Manchmal glaube ich", sie zögerte, „dass es alles nur noch schlimmer macht. Wusstest du, dass der Anteil an Kleinstpartikeln in der Luft zugenommen hat, seit die Dieselmotoren mit Russfiltern ausgestattet sind?" Nach einer kurzen Pause fuhr sie fort. „Vorher haben nämlich die größeren Teilchen die kleinen in Schach gehalten. Sie haben sie gebunden und damit unschädlich gemacht. Jetzt, wo die großen weg sind, haben die kleinen die Arena für sich allein."

Andreas breitete die Arme aus und tänzelte auf der Stelle. „Wenn die Unterdrücker verschwinden, tanzt das Volk.“ Er taumelte leicht. War er betrunken?

„Ich meine etwas anderes“, sagte sie schroff. „Überall werden bloß die Symptome behandelt. Jeder Eingriff schafft ein neues Problem: Rußfilter führen zu einer Verschiebung auf der Größenskala der Schadstoffimmissionen, Medikamente schaffen Unverträglichkeiten und Krankheiten, gegen die nur Medikamente helfen, ein angeblich Heil bringendes Gen verwandelt sich in eine tödliche Waffe.“ Sie stutzte. Was habe ich gerade gesagt? … eine tödliche Waffe? Unsinn! „Auf jeden Fall überblicken wir die Folgen unseres Handelns nicht. Wir machen uns nur etwas vor. Unter den isolierten Bedingungen und in den idealen Systemen unserer Modelle, funktioniert es. Aber wehe, wenn sie losgelassen. Dann müssen wir reagieren und fangen an, Phänomenen hinterher zu jagen.“

„Plato meinte, dass der Entdecker einer Kunst nicht notwendigerweise am besten geeignet ist, um das Gute oder das Schlechte zu beurteilen, das denen entsteht, die seine Kunst ausüben.“

„… und sie müssen nicht wissen, was sie tun.“ Die Häme in ihrem Ton war nicht zu überhören. „Es ist ein Freibrief, der nicht einmal zeitgemäß ist. Der moderne Wissenschaftsbetrieb ist ein Zwitterwesen, in dem der Macher dem Entdecker vorschreibt, was er zu tun hat. Es kommt vor, dass eine Person von beiden Rollen besessen …“, mit einem schmalen Lächeln stockte sie über den Versprecher, „ich meine, beide Rollen von ein und derselben Person besetzt sind. Wer übernimmt dann die Verantwortung?“

„Jeder Versuch eines Einzelnen, für sich zu lösen, was alle angeht, muss scheitern. Friedrich Dürrenmatt. Die Physiker.“ Wanda erinnerte sich. Auch Thomas hatte ein Zitat benutzt. War diese Zitiererei das Merkmal, an dem man Weicheier erkannte?

„Plapperst du immer alles nach?“ fragte sie gereizt. „Außerdem, was heißt hier *scheitern*? Wenn sich eine Gesellschaft für die Befriedigung der Egomanie ausspricht, dann wird sie Erfolg damit haben. Es wird einen Grund geben, weshalb man sie fördert. Andrerseits, wo soll Veranderung anfangen, wenn nicht beim Einzelnen? Ist unsere Arbeit nicht Allgemeingut und jeder von uns Wissenschaftlern allein deshalb verpflichtet, seine Motive zu prüfen? Ich würde sogar soweit gehen, zu

behaupten, dass wir nur handeln, um unsere ganz persönlichen Fragen zu lösen."
Andreas schmunzelte.
„Willst du etwa, dass sich deine Kollegen auf die Couch legen?"
Wanda zuckte mit den Schultern.
„Ich möchte nur, dass wir aufhören, uns selbst etwas vorzumachen."
Andreas nickte.
„Darüber habe ich mit meinem Vater gestritten, kurz bevor er ins Koma fiel: Ich nehme es ihm immer noch übel, dass er mir nicht die Wahrheit gesagt hat. Er wusste doch, dass er krank war."
„Vielleicht", Wandas Zorn ließ etwas nach, „hatte er Angst."
„Ja, sicher." Andreas seufzte. „Aber wo kommen wir denn hin, wenn wir uns ängstlich verkriechen hinter unserem Status, unseren Titeln, Bankkonten, Fonds, Aktien, Impact-Faktoren …"
Oder vor uns selbst? fragte sich Wanda. Sie sprach es nicht aus. Andreas Anblick rührte sie an. Ein kleiner Junge, der ein Gedicht deklamierte.
„Ach, übrigens", sagte sie mit gespielter Beiläufigkeit. „Kann es sein, dass du eifersüchtig bist?"
„Hätte ich einen Grund dazu?" Vor wenigen Stunden hätte sie *ja* gesagt. Jetzt war sie sich nicht mehr so sicher. Ein paar Schritte entfernt stand ein Abfalleimer. Er war voll. Sie stellte die leere Flasche daneben am Boden ab.
„Und?" rief sie über die Schulter. „Hast du Larissa schon einen Neujahrsgruß geschickt?"
Andreas spitze die Lippen. „Später", erwiderte er knapp. „Die Zeitverschiebung. Dort fängt die Party jetzt erst an." Irgendwo knallte ein einsamer Silvesterkracher. In der Ferne tönte ein Martinshorn. Wanda hatte gar nicht bemerkt, wie ruhig es inzwischen geworden war. Ihr war kalt. Sie wollte nach Hause. Sie lief voraus. Sie redeten nicht miteinander. Andreas brachte sie bis zur Haustür. Zum Abschied drehte sie sich noch einmal um.
„Sag ihr einen schönen Gruß von mir!" Dann wünschte sie ihm eine gute Nacht.

Im Treppenhaus war schon wieder das Licht kaputt. Gegen eins schloss sie endlich die Wohnungstür auf. Sie fror. Sie war über eine Stunde draußen gewesen. Auch drinnen blieb es dunkel, als sie auf den Lichtschalter drückte. Die Tür zur Küche stand wie immer offen. Der blaugraue Schimmer der nächtlichen Stadt füllte den Türrahmen wie ein mit Blei überzogenes Bild. Sie konnte den Moment jedes Mal spüren, wenn sich ihre Augen auf das Sehen bei Nacht einstellten, ein natürlicher physiologischer Vorgang, bei dem die Sinneszellen aktiv wurden, die für das Schwarzweiß-Sehen zuständig waren. Als würde ihr ein dunkler Schleier vom Gesicht gezogen, bekam ihre Umgebung plötzlich wieder Konturen. Der Kontrast zwischen Hell und Dunkel verschärfte sich und sie erahnte so etwas wie eine räumliche Tiefe, in die sie sich vorwagen konnte. Ihr Fuß stieß gegen etwas Weiches. Sie stolperte und erkannte den Wäschesack, den sie mit in den Keller hatte nehmen wollen, aber liegen lassen müssen, als der Taxifahrer klingelte. Im Küchenschrank fand sie ihre Taschenlampe. Sie warf einen schwindsüchtigen Lichtkreis in den Raum. Wanda fluchte innerlich. Ausgerechnet jetzt. Wenn ich das nicht hinkriege, kann ich morgen im Bett bleiben. *An Neujahr kein Hausmeisterdienst* hatte unten am Memobrett gestanden. Allein der Gedanke an den Ausfall der Heizung ließ sie frieren. Auf dem Weg zurück in den Flur bekam der Wäschesack einen wütenden Tritt. Das Bild über dem Sicherungskasten hing schief. Sie nahm es von der Wand und wollte es auf das Schränkchen vor sich legen, dabei stieß sie gegen die Blumenvase, die sonst nicht dort stand. Sie fing den Blumenschmuck, mit dem sie sich selbst eine Freude hatte machen wollen, gerade noch rechtzeitig auf. Im Licht der Taschenlampe konnte sie sehen, dass die Hauptsicherung herausgesprungen war. Als sie die Hand danach ausstreckte, vernahm sie den Geruch. Sie drehte sich um. Da sah sie den Mann. Sein Kopf steckte in einem Strumpf. Er packte sie an der Schulter. Sofort klatschte ihr der beißende Gestank wie ein großer, stickiger Lappen ins Gesicht. Sie schrie, aber es kam nur ein belegtes Krächzen. Sie spürte den Druck seines Arms auf ihrer Brust. Mit einem Ruck wurde sie herumgedreht. Er presste sie gegen seinen Körper. Sie würgte, als der Äther ihren Rachen hinunterquoll und ihr das Bewusstsein nahm. Dann ließ der Krampf nach. Zuletzt sah sie ein Feuerwerk, wie fotografiert, weiße Punkte auf Karton, schwarz.

Eine riesige Zehe kommt auf sie zu. Das Gesicht. Ich kenne es. Der Nachbar. Helfen Sie mir! Was hält er in der Hand? Einen Eierkarton? Ich habe Durst. Warum hört er mich nicht?

Als Wanda zu sich kam, brannte in der Küche Licht. Ihr Kinn drückte hart in den Rücken der eigenen Hand. Sie lag auf dem Bauch unter einer Decke. Ihr Kopf dröhnte wie nach einer durchzechten Nacht. Sie blinzelte. War da nicht eben der Nachbar gewesen? Auf einmal wurde ihr übel. Sie würgte, erbrach Putenstückchen und Schleim. Mit viel Mühe kroch sie ins Badezimmer. Dort raffte sie sich auf, warf einen Blick in den Spiegel. Sie sah aus wie ein Zombie. Die Haut war kreidebleich und die Augäpfel leuchteten rosa. Mitten in der Nacht wachte sie wieder auf. Sie kauerte unter der Decke auf der Badezimmermatte. Zuerst war es nur ein Schauer. Dann löste sich der Krampf in Stößen aus ihrer Brust und sie heulte wie eine Silvesterrakete ins Morgengrauen.

41
Jagdfieber

Das neue Jahr zeigte sich von seiner sonnigsten Seite. Die Temperaturen fielen deutlich unter Null. Raureif lag auf den Dächern der Häuser und Autos. Zu kalt für Schnee.

Mit Beginn der zweiten Woche kehrten die meisten Kollegen aus den Weihnachtsferien zurück, der Chef blieb noch ein paar Tage im Skiurlaub, kurzfristig verlängert, und so fiel, genauso kurzfristig, die Montagsbesprechung aus. Niemand hatte etwas dagegen.

Wanda war enttäuscht, weil aus der Virologie immer noch kein Befund bei ihr eingegangen war. Am Telefon erhielt sie die Auskunft, dass der Kollege auf einer Vortragsreise in den USA sei und erst Anfang nächster Woche zurück erwartet würde. Irgendetwas störte sie daran. Sie hatte Kanterat für verbindlicher gehalten. Hatte sie sich so sehr in ihm verschätzt?

Am frühen Abend des 9. Januar ging sie ins Café Jornal, um sich mit Sabine zu treffen. Wanda hatte diesen Ort vorgeschlagen, denn das Bistrocafé lag ganz in der Nähe ihrer Wohnung. Sabine wollte später Josy bei ihr abholen. Seit ein paar Tagen verhielt sich die Ratte anders als sonst. Nervös turnte sie in ihrem Käfig herum und kuschelte kaum noch mit ihr. Ratten waren sensible Tiere. Vermutlich ging es ihr wie Wanda, die plötzlich losheulen und dann wieder in hysterische Betriebsamkeit verfallen konnte. Am Abend würde sie jedenfalls nicht allein sein, wenn sie die Wohnungstür aufschloss. Der Gedanke beruhigte sie. Nach dem Überfall in der Neujahrsnacht ging sie abends ungern nach Hause. Erstaunlicherweise hatte nichts gefehlt. Aber genau das war ihr unheimlich. So merkwürdig es auch klang, sie wäre erleichtert darüber gewesen, wenn der Einbrecher den neuen LCD-Bildschirm und das Notebook mitgenommen hätte. Er hatte keine Lücke hinterlassen, in die sie ein Motiv für seine Tat hätte hineindeuten können. So blieb nur Beklemmung über das schreckliche Erlebnis. Gleich in der ersten Woche ließ sie die Schließanlage auswechseln und eine Kette anbringen. Dies änderte jedoch nichts an der Unruhe, die sie jedes Mal überfiel, wenn sie ihre Wohnung betrat. Neulich hatte sie den Hausmeister überredet, mit ihr nach oben zu kommen. Sie hatte einfach behauptet, der alte Riss in der Badezimmerwand wäre länger geworden. Während er missmutig den Zollstock auspackte, schaute sie schnell hinter die Türen und unter das Bett. Vage fiel ihr das Gesicht ihres Nachbarn ein, das sie gesehen hatte, als sie am Boden gelegen hatte und sich nicht hatte rühren können. Eine Halluzination? Oder war er tatsächlich in ihrer Wohnung gewesen? Der Hausmeister zuckte nur mit den Schultern und machte ein angewidertes Gesicht, als sie sich bei ihm nach dem Nachbarn erkundigte.

Wanda betrat das Jornal eine Viertelstunde zu früh. Im Lokal saßen nur wenige Gäste. Sie zog die TAZ aus dem Zeitungsständer und setzte sich an einen Tisch gleich nebenan. Von hier aus hatte sie alles im Blick. Die Bedienung war neu. Wie alle ihre Kolleginnen in diesem Lokal gehörte sie zur Familie der langhaarigen Blondinen. Wanda musste an die Polizistin, Lidia Wasa, denken. Ob die Knäckebrotschönheit wohl auch einmal hier gekellnert hatte? Die Polizistin war ihr sympathisch gewesen. Wanda überflog die Titelseite der Zeitung. *Fahrverbot reicht nicht* stand über einer Meldung. Es ging um Feinstaubbelastung in Ballungszentren, die trotz Fahrverbots immer noch zu hoch war. Gedankenverloren blätterte sie weiter.

Sabine und Johannes bedrängten sie unablässig, den Überfall in ihrer Wohnung endlich anzuzeigen. Was sollte sie denen erzählen? Sie hatte weder Schrammen noch Schläge abbekommen. Er hatte sie auch nicht vergewaltigt. In ihrer Wohnung fehlte nichts. Bis auf lästigen Papierkram und fremde Menschen, die in ihren Sachen wühlten, versprach Wanda sich nicht viel davon. Immerhin hatte sie aufgeräumt. Dann war ihr die Idee gekommen, die Polizistin ins Vertrauen zu ziehen. Aber es fiel ihr schwer, sich zu irgendetwas durchzuringen. Sie fühlte sich wie in einer Warteschleife. Sie wusste, dass es verrückt klang, aber sie brauchte das Ergebnis der Gewebeanalyse, damit sie weiter machen konnte. Für sie war es der Schlüssel zur nächsten Geheimtür, hinter der sich die neue Aufgabe verbarg. Sie konnte die ein-

zelnen Schritte nur nacheinander gehen. Sie war nicht frei, eigene Regeln zu brechen.
Als Wanda hoch schaute, erblickte sie Sabine. Sie zog sich gerade die Norwegermütze vom Kopf. Ihre Finger durchwühlten das platt gedrückte Haar. Sie sah erholt aus. Sie umarmten sich kurz. Sabine roch nach frischem Wind. Sie fing an, von ihren Ferien zu erzählen, dem winterlichen Nordseestrand, den vielen Freunden von früher, die sie wieder gesehen hatte, und von dem guten Essen bei den Eltern.
„Weshalb bist du nicht gleich dort geblieben?“ Wandas bitterer Unterton entging Sabine nicht. Sie verzog das Gesicht.
„Du vergisst, dass ich eine Anwesenheitspflicht habe“, erwiderte Sabine spitz: „Morgen darf ich mich wieder beim Arbeitsamt melden. Eine neue Maßnahme.“ Sie senkte die Stimme: „Außerdem habe ich hier noch etwas zu erledigen.“ Wanda lauschte gebannt. Sie besaß ein starkes Gespür für kostbare Momente und dieser hier versprach ihr eine Offenbarung, mit der sie schon nicht mehr gerechnet hatte. Sabine kam ihr jetzt verändert vor. Sie wirkte entschlossener als in den trostlos dunklen Wochen des vergangenen Jahres, der Klimawechsel hatte ihr offensichtlich gut getan. Auf einmal stand Petra an ihrem Tisch. Ihr Gesicht war gerötet. Sie wickelte ihren Maxischal vom Hals, bestellte laut hörbar zweimal Glühwein und ließ sich auf einen Stuhl fallen.
„Ich hab's schon immer gewusst.“ Sabine fand als Erste zu ihrer Sprache zurück. „Inhaber von Planstellen können den Hals nicht voll kriegen.“ Petra schlüpfte aus ihrer Jacke und schob die Ärmel hoch.
„Ihr Mädels seid richtig schlau. Aber es hilft euch nichts.“ Abschatzig musterte sie die beiden Wissenschaftlerinnen. „Ich frage mich, ob ich euch wirklich erzählen soll, was wir heute erlebt haben? Johannes sucht noch einen Parkplatz. Wir sollten auf ihn warten.“

Als Johannes das Lokal betrat, hoben einige Gäste die Köpfe. In seinem Mantel aus dunkelgrauem Kaschmir, dem kornblumenblauen Schal und der Hochgebirgsbräune im Gesicht sah er aus wie ein betuchter Vater, dessen Jaguar im Parkverbot warten musste, bis er sein pubertierendes Töchterlein eingefangen hatte. Wenigstens trägt er keine Krawatte, dachte Wanda erleichtert, als er seinen Mantel aufknöpfte und ihn lässig auf die Sitzbank warf. Johannes begrüßte sie geschäftsmäßig kühl, als gehörten sie nicht wirklich in seine Welt.

Ein Streifen weißer Haut blitzte zwischen Kinn und der Kante des hohen Rollkragens, was seinem dunklen Gesicht etwas Maskenhaftes gab. Hinter den Lachfältchen wirkte er angespannt. Die neue Blondine brachte die beiden Glühweine. Petra schob eines der Gläser an seinen Platz.

„*Windlichter*", platzte es aus Sabine heraus. „So hieß doch der Film." Sie schaute sich Hilfe suchend nach Wanda um. „Das ist die Filmszene, wo sie ihrem Vater gesteht, dass sie schwanger ist." Wie ein kleines Mädchen, das Bestätigung heischt, strahlte sie in Petras und Johannes' Gesichter. „Hab' ich richtig geraten?" Petra schüttelte den Kopf.

„Es war aufregender." Sie schloss ihre Hände um das heiße Glas und nippte an ihrem Getränk. „Ich habe ihn heute gesehen. Am Kröpke in Hannover." Sie stellte das Glas wieder ab. „Nach dem Workshop hatten wir noch eine Stunde Zeit, bis unser Zug fuhr. Wir sitzen also im Café Kröpke. Johannes erzählt mir schon zum dritten Mal seine Stories von den verrückten Amis auf Skiern. Ich schaue also aus dem Fenster auf den großen Platz. Da sehe ich ihn."

„Wen?" fragte Wanda, die nichts verstand. Sabines Hand auf ihrem Arm gebot ihr, zuzuhören.

„Er sah genauso aus wie damals in der Disco." Petra seufzte. „Ich rede vom schönen Mike, dem mit den roten Knöpfen. Ich also raus, rüber zum Kiosk, wo er gerade eine Zeitung bezahlt." Sie stockte. „Ich war blöd, hätte nicht so rennen sollen. Vermutlich hat er mich nur deshalb bemerkt. Jedenfalls schaut er plötzlich in meine Richtung, dreht sich um und läuft davon, einfach davon. So ein Idiot!" Sie schnaufte ärgerlich. „Ich natürlich hinterher. Aber da war dieser dämliche Kleinbus. Irgend so ein Veranstaltungsteam mit seinem Laster mitten auf dem Platz. Mike verschwindet also hinter dem Bus. Weg ist er. Dann sehe ich Johannes auf mich zukommen. Da sehe ich, wie der Typ plötzlich die Treppen zur Einkaufspassage hinunter springt und in Richtung Hauptbahnhof rennt. Ich gebe Johannes ein Zeichen und wir düsen beide los."

„So wie du aufgesprungen bist, war mir sofort klar, dass du es auf den attraktiven Kerl am Zeitungskiosk abgesehen hattest." Johannes kniff den anderen ein Auge zu. „Aber nicht alle stehen auf einen Frontalangriff. Na, jedenfalls hatte ich genug Kleingeld für unsere Zeche dabei, konnte schnell unsere Klamotten schnappen und euch folgen."

„Das war echt klasse, wie du reagiert hast!" unterbrach ihn Petra.

„Dumm war nur“, fuhr Johannes fort, „dass er in die Einkaufspassage flüchten konnte. Sie liegt im Souterrain, das nach oben hin offen ist. Über eine ganze Reihe von Treppen kommt man in die Stadt hinauf. Jedes Mal, wenn er einen Haken um einen der Aufgänge schlug, wusste ich nicht, ob er nach oben entkommen war oder auf der anderen Seite der Treppe wiederauftauchen würde.“
„Wir teilen uns also auf“, ergriff Petra wieder das Wort: „Ich laufe links von den Treppen geradeaus weiter und Johannes übernimmt die rechte Seite der Passage. Vor uns springt Mike wie ein Hase im Zickzack um die Betonpfeiler herum, taucht auf, verschwindet, taucht wieder auf, verschwindet ...“
„Wir wollten ihn in die Zange nehmen“, erklärte Johannes. „Aber uns wurde viel zu spät klar, dass wir die falsche Methode gewählt hatten. An einem so herrlichen Wintertag bist du auf der Geradeausspur dort völlig verratzt. Auf meiner Seite standen die Ständer mit Damenunterwäsche und daneben die Damen. An Betonpfeilern ist leichter vorbeizukommen, als an denen!“
„Für Mike war es ein Heimspiel“, übernahm Petra. „Zumindest sah es so aus. Er bewegte sich flink wie ein Wiesel. Ich bin mir sicher, dass er von Anfang an wusste, wohin er wollte. – Egal.“ Sie machte zwei Fäuste und drückte sie fest aneinander. „Ich bleibe an ihm dran, jage ihn weiter durch die Passage. Ich will ihn kriegen. Dieser Schuft. Es musste so kommen. Auf dieser elendig langen Rolltreppe hinunter zur U-Bahn hängt er mich gnadenlos ab. Es war wie im Film. Er springt in die Bahn, die Türen schließen und ich stehe am Gleis, halte mir die Seite und schaue blöd den Rücklichtern hinterher.“
„Also kein Happy End.“ Sabine klang enttäuscht.
„Sagen wir mal, in dieser Episode hat der böse Bube noch einmal Glück gehabt“, entgegnete Johannes. „Fortsetzung folgt.“ Dabei zog er eine Digitalkamera aus der Hosentasche, fingerte kurz daran herum und reichte sie Wanda.
Die Aufnahme war ein wenig verwackelt. Dennoch konnte sie das Gesicht des jungen Mannes gut erkennen, wenn sie den Ausschnitt des Bildes vergrößerte: Es war schmal mit klaren, beinahe kindlichen Zügen. Er hatte dunkelblondes, kurz geschnittenes Haar, sie schätze ihn auf Anfang zwanzig. Er schaute erschrocken in die Kamera.
„Es war der Moment, als er Petra auf sich zurennen sah“, erklärte

Johannes. „Dafür, dass ich es aus dem Café fotografiert habe, ist es doch gar nicht so übel.“
Sabine linste über Wandas Schulter.
„Sauber“, sagte sie anerkennend. „Ein wunderbares Fahndungsfoto. Vielleicht kann Wolfgang mit Photoshop noch etwas rausholen.“
„Und ich habe schon eine Idee für die Fortsetzung.“ Johannes grinste triumphierend: „Dieses Mal kommt er mir nicht davon.“

42
Katzen zählen auf Sansibar

Noch am selben Abend gingen sie zu Wanda und schickten das Foto von Mike per E-mail an Walden Four. Johannes hoffte, die Aktionsgruppe damit aus der Reserve zu locken und seine Rechnung ging auf. Postwendend kam das Angebot, sich gleich am nächsten Tag in Marburg zu treffen. Der Absender, ein Typ namens Ted, verlangte Diskretion. Einen abgeschiedenen Ort. Kein Publikum. Am besten irgendwo im Wald. Wanda sollte allein kommen. Er würde sofort umkehren, wenn sie sich nicht an die Bedingungen hielte.

Petra war enttäuscht. Sie hatte mit Mike gerechnet. Bis Mitternacht saßen sie in Wandas Wohnung und schmiedeten ihren Plan für den folgenden Tag. Johannes und Sabine würden in Wandas Nähe bleiben. Petra wollte die Stellung im Labor halten. Nachdem es nicht Mike war, den sie erwarteten, besann sie sich auf ihre Dienstpflicht. Planstelleninhaber hätten keine flexiblen Arbeitszeiten. Sabine schlug vor, Wanda zu verkabeln und per Handy eine Standleitung zwischen ihr und einer Basisstation, wie Sabine es verschwörerisch nannte, herzustellen. Sabine selbst würde im Turmcafé sitzen und sofort Johannes anrufen, wenn Wanda Hilfe bräuchte. Alle waren von ihrer Idee begeistert. Sie verabredeten sich zur Generalprobe am nächsten Tag um zwölf am Turm.

Am Dienstagnachmittag Punkt zwei war es soweit. Wanda stand auf der Aussichtsplattform vor dem Kaiser-Wilhelm-Turm. Wie meistens an einem Wochentag um diese Zeit war auch an diesem Tag alles ruhig. Sie wartete. Ein zarter Dunstschleier hing über der Stadt. Inzwischen hatte sie sich damit abgefunden, dass es der Sonne nur selten gelang, ihn vollends zu lüften. Manchmal war sie mittags hierher gekommen, um ungestört einen wissenschaftlichen Artikel zu lesen oder schlüssige Formulierungen für ein Manuskript zu finden. Der Bügel des Headset drückte gegen ihren Nacken. Sie schob ihn vorsichtig nach hinten, damit das kleine Mikrophon, das sich hinter dem Stehkragen ihrer dikken Jacke verbarg, nicht verrutschte. Von dort führte ein Kabel zu dem Handy in der Innentasche. Es gehörte Wolfgang, Sabines Freund, und war eingeschaltet. Sabine saß derweil im Turmcafé gleich nebenan, am anderen Ende der Leitung und hörte mit. Bei der Generalprobe war alles gut gegangen. Allerdings hatte Wanda die Einseitigkeit ihrer Kommunikation nicht gefallen, denn sie selbst konnte Sabine nicht hören. Unter normalen Umständen hätte Wanda es durchaus genießen können, ihrer Freundin das Ohr voll zu quatschen, aber so ganz ohne ein vernehmbares Zeichen von ihr kam es ihr so vor, als blickte sie in einen leeren Spiegel. Das machte sie nervös. Immerhin, besser als nichts, versuchte sie sich zu beruhigen. Sollte die Leitung zusammenbrechen, würde Sabine zweimal anklingeln, das eindeutige Zeichen für Wanda, den Rückzug anzutreten oder einen belebteren Ort anzusteuern. Was ist, wenn ich in ein Funkloch laufe? hatte Wanda wissen wollen. Auch daran hatten sie gedacht, denn sollten Funk und Elektronik scheitern, stand immer noch die mobile Überwachung bereit: Johannes' Aufgabe war es, Wanda zu beschatten. Über ein zweites Handy würde Sabine ihn jederzeit erreichen können.

Seit zehn Minuten joggte er über den Ortenberg und versuchte, Wanda im Blick zu behalten. Zwar zweifelte sie an der Glaubwürdigkeit seiner Tarnung, trotzdem war sie froh, nicht allein zu sein. Eigentlich war es zu kalt zum Joggen. Johannes prahlte regelrecht mit den drei Lagen Unterwäsche, unter der er seine Hagerkeit verbarg. Dieser Zuwachs an Fülle und der gegerbte Teint unter dem Filz der Pudelmütze beseitigten jeden Zweifel an seiner Zugehörigkeit zu jener aussterbenden Gattung von Elastikhosenträgern, für die *Outdoor* ein Fremdwort war und deren unerschütterlicher Pioniergeist sie stets hinaustrieb, ihre Duftmarken an Tankstellen, in Supermärkten und vor Frittenbuden abzusetzen. Nur im Wald traf man sie kaum.

Wanda blickte zu den Bäumen hinüber und spielte nervös mit dem Plastikknopf in ihrer Jackentasche. An der roten Plakette würden sie sich erkennen.

Bis auf das Auto am Waldrand war der Parkplatz leer. Dort endete ein asphaltierter Weg, der zwischen Klinikum und Aussichtsturm schnurgerade durch den Forst geschlagen war. Ansonsten gab es nur Wanderwege. Wanda ließ ihren Blick noch einmal über die Stadt schweifen. Sie lag wie auf einem Handteller und griff mit krummen Fingern in das hügelige Umland. Die Höhenzüge in der Ferne schlummerten in tiefem Nebel. Alles dahinter schien sehr weit weg. Als sie sich umdrehte, stand neben dem Auto eine dunkle Gestalt. Schaute in Wandas Richtung, machte aber keine Anstalten, näher zu kommen.

„Es geht los", raunte sie in den Kragen ihrer Jacke.

Der Typ war groß, trug einen langen schwarzen Mantel und schwere Stiefel. Als er sie bemerkte und sah, dass sie auf ihn zukam, drehte er ruckartig den Kopf und spähte erst nach rechts, dann nach links. Mit seiner langen Nase und den dunklen Mulden um die Augen herum, von denen eines stets auf sie gerichtet blieb, erinnerte er sie an einen hungrigen Raben. Zwischen seinen Fingern drehte er einen roten Knopf. Als sie naher kam, spürte sie seinen abweisenden Blick, den er nur halbwegs hinter einer dichten Tolle verbarg. Wanda zeigte ihre Plakette und nannte ihren Namen.

Mit einer hastigen Kopfbewegung schlug er das Haar aus seinem Gesicht. Es war bleich und wirkte jungenhaft verletzlich. Etwas Vertrautes lag darin, aber der Eindruck blieb flüchtig, denn im selben Moment drehte er sich um. Hinten am Kopf schimmerte weiße Haut durch strähniges Haar. Ein Schuppenschauer besprenkelte Kragen und Schultern. Mit wehenden Mantelschößen lief er in den Wald hinein, Wanda hatte Mühe ihm zu folgen.

Auf dem breiten Fußweg blieb er stehen.

„Was willst du?" Er krächzte als wäre er im Stimmbruch.

„Wer ist Mike?"

„Was willst du von ihm?"

„Ich wurde ihm gern eins über die Rübe ziehen." Wanda pokerte.

Aber Ted schien sich im Griff zu haben.

„Ist das alles?"

„Er war unvorsichtig. Er wurde gesehen."

Das entsprach zwar nicht ganz der Wahrheit, aber es wirkte. Ted schien für einen Moment verunsichert.

„Er war's nicht." Er verzog das Gesicht. Jetzt hab'ich dich, triumphierte Wanda innerlich. Sie ging einfach weiter den Forstweg entlang.

„Willst du hier fest frieren?"

„Zuerst muss das Bild verschwinden", zischte er. Unwillig folgte er ihr.

„Vergiss das Bild. Es gibt eine Zeugin. Sie hat ein gutes Gedächtnis. Ich mache dir einen anderen Vorschlag: Du erzählst mir, was sich in der Nacht vom siebten November in unserer Abteilung abgespielt hat. Wenn mich dein Bericht überzeugt, werden wir schweigen und die Zeugin wird alles vergessen. Partielle Amnesie." Gut, dass Petra sie nicht hörte. Wanda schlug sich mit der Hand gegen den Hinterkopf. „Das müsste dir bekannt vorkommen?" Ted schaute sie finster an.
„Wer ist *wir* ?"
„Johannes Liebknecht, Peter Snider. Reicht das? Leider war es nicht möglich, die Polizei ganz aus der Sache heraus zu halten." Ted strich sich die Tolle aus dem Gesicht. Seine Unterlippe wölbte sich vor. Er schwieg beharrlich. Auf einmal brüllte sie los.
„Ich kann's nicht leiden, wenn man mich überfällt."
„Das ist nicht unser Stil." Er schmollte immer noch.
„Aber du weißt, wovon ich rede."
Er antwortete nicht.
„Also, was dann?" Es erschien ihr so einfach, zornig zu sein. Weil ich mich überlegen fühle? Der Typ ist harmlos. Ein Milchbubi. Der ganze Aufwand mit der Beschattung und der Standleitung war überflüssig. Sie hatten die Sache viel zu hoch aufgehängt. Ted sagte immer noch nichts.
„Ich weiß, was ihr macht", fuhr sie fort. „Ihr sucht nach belastendem Material, um Forschungsvorhaben an den Pranger zu stellen. Johannes hat euch den Auftrag erteilt, Daten aus einer gewissen BIT-Studie zu beschaffen. Er will jetzt wissen, ob ihr sie habt." Sie sah, wie Teds Rücken sich in einem kleinen Ruck versteifte. Er vergrub die Hände in den Manteltaschen und stierte geradeaus auf den Weg.
„Ich will dir sagen, wie es war." Ihr Ton verschärfte sich. „Mike fühlte sich von uns gestört. Deshalb hat er zuerst Johannes niedergeschlagen und dann mich. Er hat die Daten vom Computer geholt und danach alles gelöscht. Für wen arbeitet ihr eigentlich?" Während sie sprach, ließ sie ihn nicht aus den Augen. Ted schüttelte den Kopf.
„Also, was?"
„Wir sind nicht käuflich." Seine Stimme zitterte leicht. War es Empörung? „Wir agieren aus Überzeugung. Wir wollen die wirtschaftliche und technische Grundlage der gegenwärtigen Gesellschaft erschüttern. Dieses Ziel lässt sich nicht mit Reformen erreichen. Wir wollen keine Macht. Ganz im Gegenteil. Wir lehnen jegliche Kontrolle durch große

Organisationen ab, denn sie rauben uns unsere Freiheit." Er machte eine wegwerfende Bewegung mit der Hand. „Es wäre besser, das ganze verrottete System zu beseitigen und neu anzufangen."
„Mit Typen wie Mike?"
„Warum das System nicht mit den eigenen Waffen schlagen?"
„Weshalb schützt du ihn dann?"
„Wir hängen mit drin, wenn er auffliegt. Außerdem war es nicht so, wie du denkst." Er zögerte einen Moment, bevor er weiter sprach. „Als er in den Computerraum kam, lagen zwei Menschen am Boden. Ein Mann und eine Frau. Beide lebten. Verletzungen konnte er keine feststellen. Ein PC war eingeschaltet. Mike fand schnell Zugang zum System. Aber das Datenkonto der Zielperson war leer. Der Papierkorb ebenfalls gelöscht. Er legte den roten Knopf neben den Computer und verließ den Raum. Das war vielleicht dumm, aber bezeugt nur seine Unschuld. Hätte er sonst diese Spur hinterlassen?" Ein hoffnungsvoll fragender Blick, dann fuhr er fort: „Im Flur wartete er noch einen Augenblick, bis er euch reden hörte. Dann verschwand er."
„Und er hat uns einfach so liegen lassen?"
„Hätte er etwa dem Notarzt die Tür aufhalten sollten?" krächzte Ted. „Ich sagte doch, dass er auf ein Lebenszeichen von euch wartete, bevor er ging. Aber niemand durfte ihn sehen. Es war höchste Zeit für ihn, sich zu verdrücken. Er hat vollkommen richtig gehandelt. Außerdem musste er davon ausgehen, dass ihr vor ihm das Institut verlassen habt."
„Was?"
„Der Fahrstuhl ging, als er noch im Treppenhaus war."
„Sicher?"
„So steht es in seinem Bericht."
Wanda überlegte. Johannes und sie hatten den Aufzug nicht benutzt, als sie in jener Nacht das Institut verließen. Das war nach halb eins gewesen.
„Hat er jemanden gesehen?"
„Ich sagte es bereits. Er hat gewartet, bis ihr weg ward. Draußen stand nur noch der Toyota. Der andere Wagen war nicht mehr da. Dann ist auch er abgehauen."
„Warte mal", rief sie aufgeregt. „Von was für einem Wagen redest du?"
In diesem Moment klingelte ihr Handy. Wanda zog den Kopf in den Nacken. Das Telefon schepperte dumpf aus ihrer Jacke wie ein alter

Wecker, der gerade unter einem Kissen erstickte. Nach dem zweiten Klingelton war es unglaublich still. Unvermittelt fühlte sie sich am Kragen gepackt. Sie hörte den Reißverschluss sirren und spürte kalte Luft am Hals. Stocksteif stand sie da, die Jacke weit offen. Ted lachte kurz auf, als er das Handy aus ihrer Innentasche angelte. Er ließ sie wieder los und studierte das Display des Telefons.
„Soll ich Sabine rückrufen, damit sie alles erfährt?" Er musste ihren Namen auf der Liste der Anrufer entdeckt haben. Wer war er? Und wovon redete er? Etwas an ihm kam Wanda bekannt vor, so als hätte sie ihn schon einmal auf der Leinwand eines Kinos gesehen. So sehr sie auch in ihrem Gedächtnis grub, sie kam nicht drauf. Sie hörte sein triumphierendes Lachen.
„Du kennst mich also nicht mehr", stellte er grinsend fest. „Ich weiß mehr über dich, als dir lieb sein könnte." Sein Daumen strich über die Tastatur des Handys. „Weiß Sabine eigentlich von Rochester?"
Wanda fröstelte. Sie zog den Reißverschluss ihrer Jacke zu.
„Ich kenne dich nicht", erwiderte sie und ließ seinen hektischen Daumen nicht aus den Augen. Hatte er die Anwahltaste gedrückt?
„White lies", sagte er und sah sie aufmerksam an. „Hat Rick immer noch nichts bemerkt?" Wanda überlegte fieberhaft. Wer war dieser widerliche Typ?
„Du bist nicht besser als die anderen", schnauzte er sie nun an. „Und erzähl mir nichts von wissenschaftlicher Neugier, vom Nutzen für die Menschheit. Darum geht es euch nicht."
„Worum soll es dann gehen?" Wanda versuchte Zeit zu gewinnen. Sie dachte angestrengt nach, doch sie kam nicht dahinter. Sie riskierte einen flüchtigen Blick an ihm vorbei durch die Bäume. Wo Johannes nur steckte? Ob er sie hörte?
„Was?" Ted ließ ein wütendes Schnaufen vernehmen. „Du kennst deine wahren Motive nicht? Typisch Wissenschaftler!" Er holte tief Luft. „Ehrgeizig und machtgeil bist du wie die meisten deiner Kollegen. Alles nur Ersatzhandlungen. Künstliche Ziele. Nichts davon kann einen Menschen wirklich zufrieden stellen. Du zählst zu den ewig Rastlosen, die immer mehr wissen, haben, tun müssen, getrieben von ganz persönlichen psychologischen Bedürfnissen, weil die Erfüllung der wirklichen biologischen Notwendigkeiten trivial geworden ist."
„Und was treibt dich?" Sie versuchte, ihn von sich abzulenken und hoffte inständig, dass Sabine nichts davon mitbekam.

„Vielleicht besteht deine Ersatzhandlung darin, ein ganz persönliches Geheimnis zu lösen", ereiferte er sich weiter.
Auf einmal ergriff sie heftige Wut. „Was soll das hier werden? Ein Crash-Kurs in Selbsterfahrung? Was willst du überhaupt?"
„Ganz einfach", sagte er ruhig: „Du sorgst dafür, dass das Bild vernichtet wird, und ich halte den Mund."
Das trockene Knacken eines Astes ließ sie zusammenfahren. Ted packte sie und zog sie hinter einen Baum. Seine Finger drückten hart in ihren Unterarm. In der anderen Hand hielt er das Mobiltelefon. Auf dem Waldweg unter ihnen trabte Johannes. Wanda holte tief Luft.
„Und, was willst du mit dieser idiotischen Handlung ersetzen? Ist es dein missionarischer Eifer? Willst du mich etwa zum Feld-, Wald- und Wiesenforscher bekehren?"
„Du bist zu selbstbezogen genau wie diese Amerikaner, die wegen Zwergmolekülen einen Riesenaufstand machen. Deshalb verstehst du auch nichts." Er wartete einen Moment und lauschte. Als sie keine Schritte mehr hörten, sprach er weiter. „Es geht nicht darum, die Katzen auf Sansibar zu zählen. Wir müssen die Kontrolle über die eigenen existentiellen Dinge zurück gewinnen, die Grundbedingungen, die über Leben und Tod bestimmen."
Wanda starrte immer noch auf seinen Daumen. Aber sie wagte es nicht seine Hand abzuschütteln. Sie traute dem jähen Wechsel des Themas nicht wirklich. Von welchen Amerikanern redete er?
„Wir müssen uns den Naturgewalten aussetzen. Keine Endorphin-triefenden Extremtouren über Gletscher, durch Wusten oder Dschungelwelten. Ich meine das einfache Leben. Eine Hütte im Wald abseits der Zivilisation. Thoreau hat es uns vorgemacht."
„Wer?"
„Henry David Thoreau, ein Amerikaner. Wir berufen uns auf seine Schriften. Das Buch heißt Walden. Wir waren nur nicht die ersten. Deshalb nennen wir uns Walden Four."
„Ein Haufen von Chaoten seid ihr!" schimpfte sie weiter. „Ihr habt es nicht mal geschafft, meine aktuelle Adresse ausfindig zu machen. Nur durch Zufall bin ich an die Liste gekommen, die Snider auch für mich vorgesehen hatte. Wie wollt ihr mit dieser beschissenen Logistik die Welt verbessern?"
„Immerhin wissen *wir*, was läuft."

„So?"
„Die Amis", sagte er. „Sie ballern gerade blindlings in der Gegend herum. Versuch und Irrtum. Bald seid auch ihr dran. Es ist nur eine Frage der Zeit, bis die amerikanische Regierung erfährt, dass ihr die Substanz untersucht. Man hat NP2701 nämlich zu einer geheimen Staatssache erklärt. Die Regierung benötigt Argumente, um das Material, das ihre Waffenschmiede unlängst so großzügig verteilt hat, wieder einzusammeln." Er lachte. „Bei der Größe der Partikel keine einfache Sache. Sie müssen sich beeilen, bevor die Privatwirtschaft ihre Patente durchbringt. Nur, welche Regierung kann es sich leisten, offen zu sagen, dass ihr das kriegerische Potenzial einer Substanz mehr am Herzen liegt als sein Nutzen für die Menschheit?"
Wanda begriff. Das also war der Grund, weshalb Peter Snider ihr unter verdeckter Anschrift geschrieben hatte. Er hatte sie schützen wollen.
„Wir haben die Daten nicht." Teds Jungenstimme drang wieder an ihr Ohr. „Und wenn wir sie hätten, würde ich es niemandem sagen. Es ist viel zu gefährlich." Wanda fror. Teds Finger krallten sich so fest in ihren Arm, dass ihre linke Hand zu kribbeln anfing. Sie kniff die Augen zusammen. Ihre Blicke streiften sich kurz. Dann schaute er zu Seite.
„Sollten wir uns kennen?" fragte sie vorsichtig. Er schüttelte den Kopf.
„Besser nicht." Er ließ sie los und hielt sich das Handy ans Ohr. Dann reichte er es Wanda. Sabines vertraute Stimme drang wie durch eine dicke Schicht Watte zu ihr durch. Was hatte die Freundin mitbekommen? Als Wanda wieder aufsah, erblickte sie zwei wehende Mantelschöße, die um eine Biegung herum hangabwärts verschwanden. Ted lief ihr davon. Sie hätte Johannes hinter ihm herschicken können. Aber was sollte das bringen? Sie war inzwischen davon überzeugt, dass Mike nicht der Mann war, nach dem sie suchten. Aber wem hatte der Wagen gehört, den er auf dem Parkplatz vor dem Institut gesehen hatte? Erschöpft und durchgefroren stieg sie den Waldweg zum Aussichtsturm hinauf. Sabine kam ihr entgegen. Sie stellte keine Fragen. Wanda war erleichtert zu hören, dass Ted die Verbindung zwischen ihnen tatsächlich erst ganz am Ende wiederhergestellt hatte. Vor dem bullernden Ofen im Turmcafé massierte die Freundin ihr die Hand, bis das Gefühl wiederkehrte. Fünf dicke blaue Flecke zierten Wandas Unterarm. Den Druck seiner Finger spürte sie noch am darauf folgenden Tag.

43
Ausgebremst

In der Nacht träumte sie wieder: Sie ist im Haus ihrer Eltern. Sie weiß, dass er unten im Keller ist. Schnell schließt sie die Tür zur Kellertreppe. Sie dreht den Schlüssel herum. Das alte Schloss knackt beschwerlich. Sie hört die Haustür lose scheppern. Plötzlich ist es hell. In der Küche steht ein Fenster offen. Sie verschließt die Haustür, eilt in die Küche. Da hockt er schon im Fensterrahmen. Er springt hindurch und landet breitbeinig vor ihr. Er ist jung. Atmet heftig. „Ich will doch nur bei euch sein." Es klingt wie eine Bitte.

Sie erwachte ohne Angst und mit der Gewissheit, dass dieser Traum nicht wiederkehren würde.

Das war die Lösung. Er war ihr Schatten und gehörte dazu. Solange sie ihn ausgrenzte, würde er sie verfolgen. Wanda versuchte, sich sein Gesicht einzuprägen. Sie hatte es gemocht. Es lag wie ein Spiegelbild auf einer Wasseroberfläche, das in den Turbulenzen der Tagesereignisse leicht unterging. Am liebsten hätte sie es fotografiert, um es für immer festzuhalten.

Wenn ich nur malen könnte, dachte sie.

In der Buslinie sieben, die um kurz nach halb neun die Lahnberge hinauffuhr, drängten sich die Menschen. Am Hauptbahnhof musste Wanda kurz aussteigen, um eine Flut von Fahrgästen hinauszulassen. Aber es stiegen mindestens ebenso viele wieder ein. Sie stand hinten im Bus und hing mit der rechten Hand an einer Stange, wie ein Äffchen mit viel zu kurzen Beinen. Der linke Arm fühlte sich immer noch schwer an. Vorne beim Fahrer erkannte sie den Kollegen aus der Virologie. Sollte er nicht erst nächste Woche aus den USA zurückkommen? Er blickte stur geradeaus.

Kanterat war viel zu weit weg, als dass sie ihn hätte ansprechen können.

An der Haltestelle Hans-Meerwein-Straße sah sie, wie er in einem Pulk junger Leute verschwand, die schwatzend zu ihren Vorlesungen in die wissenschaftlichen Institute hinüber trotteten. Er ging geduckt und hatte es offenbar eilig, kam ihr vor wie einer, der vor etwas davonlief.
Dieses Mal fuhr sie mit dem Aufzug zur Abteilung hinauf. Hatte er hier im Lift gestanden, nachdem er sie und Johannes niedergeschlagen und Sabines Daten geraubt hatte? Für sie war es ein Mann gewesen. Sie schloss für einen Moment die Augen und versuchte ihn zu erspüren, wie er hinuntergefahren war in jener Nacht. War er zufrieden gewesen? Hatte er bekommen, was er wollte? Damals im Computerraum musste er, wenn auch nur kurz, hinter ihr gestanden haben. Da war diese Lücke in ihrem Gedächtnis, an der ihr Verstand festhielt, die sie mit nichts zu füllen vermochte.
An ihrem Anrufbeantworter blinkte ein Lämpchen. Jemand wartete auf ihren Rückruf. Wanda erkannte die Nummer des Sekretariats. Johannes kam herein und warf sich auf den kaputten Stuhl. Beide ächzten.
„Mir tut alles weh.“ Er hustete.
„Ich dachte, du warst Skifahren.“
„Das ist eine völlig andere Belastung.“ Johannes schniefte.
„Habt ihr das Bild gelöscht?“
Er blieb ihr die Antwort schuldig. Sah sie misstrauisch an. „Der Typ scheint einen mächtigen Eindruck auf dich gemacht zu haben.“ Wanda wühlte in einem Papierstapel auf ihrem Schreibtisch. Sie wollte nicht, dass Johannes ihre Nervosität bemerkte. Gestern Abend hatte sie Ted auf einem Foto wieder erkannt. Das Bild zeigte eine etwa vierzigköpfige Belegschaft, die sich auf den Stufen des amerikanischen Instituts dem Fotografen gestellt hatte. Mit der Lupe hatte sie schließlich sein Gesicht entdeckt. Dieselbe Rabenvogelphysiognomie. Das Haar hatte er damals ganz kurz getragen. Er hatte in einer der hintersten Reihen gestanden. Unscheinbar. Er war Postdoc gewesen wie sie, das wusste sie noch, hatte jedoch in einer anderen Gruppe gearbeitet. Sie musste sich eingestehen, dass dieses Gesicht für sie namenlos war. Hieß er wirklich Ted? Wanda hatte damals kaum ein Wort mit ihm gewechselt und ihn auch nicht für einen Deutschen gehalten. Woher wusste er nur von der Sache mit Rick? Obwohl der Typ ihr unheimlich war, hatte Wanda sich alle Mühe gegeben, Sabine und Johannes davon zu überzeugen, dass sie ihm glau-

ben konnten. Die Informationen über das Interesse der Amerikaner an NP2701, hatten Eindruck auf die beiden gemacht. Allerdings hatten sie sich ein wenig gewundert, dass sie nicht mehr über den zweiten Wagen hatte in Erfahrung bringen können.

„He", Johannes klopfte auf den Schreibtisch, „hörst du mir überhaupt zu?"

„Kanterat war heute Morgen im Bus", entgegnete Wanda ausweichend. Dann drückte sie die Rückruftaste am Telefon. Frau Bünte meldete sich. Professor Sturm ließe ihr ausrichten, dass er die Tagung in Berlin selbst übernehmen könne. Er wünsche sich aber, an diesen Tagen durch sie beim Studentenunterricht vertreten zu werden. Dann war das Gespräch auch schon beendet. Wanda legte auf und sah den Kollegen nachdenklich an.

„Es gibt eine undichte Stelle."

Johannes starrte sie verständnislos an.

„Ich erklär's dir später", fügte sie eilig hinzu und machte sich auf den Weg in den Nachbartrakt, zur Abteilung für Virologie.

44
Darwins Korallen

Die Sonne fiel in stroboskopischen Pulsen durch das Seitenfenster des Toyota. Hell, dunkel, hell, dunkel, hell ... Wanda kniff die Augen zusammen. Angestrengt blickte sie nach vorn. Die Nadel des Tachometers stand knapp unter hundertdreißig. Die Winterreifen trommelten auf die Straßendecke. Im Radio sang Anastasia. Wanda drehte die Lautstärke auf. Am Gambacher Kreuz wechselte sie auf die A5 in Richtung Frankfurt. Keine Staus, dachte sie erleichtert, in den Verkehrsnachrichten war ihre Strecke unerwähnt geblieben. Am Samstagnachmittag blockierten nur wenige Lkws die rechte Fahrspur, sie würde pünktlich sein.

Seit dem Treffen mit Ted spürte Wanda, dass sich die Schlinge, in der sie steckte, langsam zu zog. Sie konnte weder fliehen noch handeln. Sie war wie gelähmt, und ihr Verstand weigerte sich schlichtweg zu unterscheiden, ob es an ihr lag oder an ihrer Umgebung, von der sie sich zunehmend ausgegrenzt fühlte.

Die Mitarbeiterin aus der Abteilung für Virologie hatte Wanda vor der hermetisch verschlossenen Eingangstür regelrecht abgefertigt. Der Kollege sei unabkömmlich. Er würde sich bei ihr melden, sobald er wieder Zeit habe. Wanda hatte ihr kein Wort geglaubt. Dann die Sache mit dem Chef. Seit er aus dem Urlaub zurück war, kommunizierte Sturm mit ihr nur noch über seine Sekretärin, die Wanda erst für Anfang Februar einen Termin bei ihm geben wollte. Mit Thomas ließ sich auch nicht reden. Er wich ihr seit ihrem Abgang in der Silvesternacht aus. Andreas schrieb Klausuren. Vermutlich hatte sie auch ihn vergrault. Peter Snider konnte ihr Teds Andeutungen über die Ambitionen des amerikanischen Geheimdienstes bestätigen, war danach jedoch nicht mehr erreichbar. Mary Kampbell war für die nächsten zwei Wochen *out*

of office, wie ihre automatische Mailbox Wanda mitteilte. Hinzu kam, dass Johannes und Sabine in verschüchterte Einsilbigkeit verfielen, sobald sie auch nur das Wort NANOSNIFF in den Mund nahm. Wanda kam sich mittlerweile wie eine Aussätzige vor. Ihr blieb nur der Austausch mit Rudi, und der schien sie im Kreis zu führen. – Höchste Zeit, sich einen unabhängigen Beistand zu holen.
Am Bad Homburger Kreuz nahm sie den Abzweig in Richtung Oberursel. Wenn sie an ihn dachte, hatte sie einen kleinwüchsigen Mann vor Augen, mit einem hageren Gesicht und stohblondem, für sein Alter, noch recht vollem Haar. Zwei wasserblaue Augen blickten aufmerksam durch die Gläser einer großen Hornbrille. Damals hatte er immer ein weißes Hemd getragen, dazu eine Krawatte mit Tiermotiven. Mindestens sechs Jahre hatte sie Webeling nicht mehr gesehen. Wie sollte sie gleich das Gespräch mit ihm anfangen? Inzwischen war er pensioniert. Seine ehemalige Sekretärin, die sie unter der alten Telefonnummer im Institut für Zoologie der Universität Münster erreicht hatte, war sehr auskunftsfreudig gewesen. Der Professor sei in seine alte Heimat zurückgekehrt, hatte sie freundlich erklärt, gar nicht weit von ihr entfernt. Professor emer. Hartmut Webeling verbrachte seinen Ruhestand in Königstein im Taunus. Sie gab Wanda seine Telefonnummer.
„Ah, die junge Dame mit den Känguruh-Socken." Er besaß noch dieses jugendliche Lachen von damals.
Es stimmte. Seinerzeit besaß sie eine Vorliebe für Socken mit Tiermotiven. Dass er sich überhaupt daran erinnerte. Dabei hatte sie nicht einmal bei ihm studiert. Im ersten Semester war sie eher durch Zufall in sein Tutorium geraten. Diesmal erwies es sich als glücklicher Umstand, ganz hinten auf der alphabethischen Namensliste zu stehen so wie Webeling, der alle Anfänger, von Tappert bis Wunderlich, ein Semester lang unter seine Fittiche genommen hatte. Sie wurden bald ein kleiner, eingeschworener Kreis um den Professor herum, mit dem sie sich regelmäßig trafen, Wanderungen, Zoobesuche und Pizzaessen mit nächtelangen Diskussionen über Gott und die Welt veranstalteten, sich ihre beruflichen Träume erzählten, bis der ernüchternde Alltag des Studiums sie schließlich auseinander getrieben hatte. Immer wenn sie an diese Zeit zurückdachte, spürte Wanda wie ihr alter Pioniergeist wieder aufwallte. Zu jener Zeit war er so lebendig wie ein warmer Frühlingstag

gewesen und hatte ihr die Gewissheit gegeben, alles erreichen zu können, was ihr wichtig war. In den darauf folgenden Jahren sah sie Webeling nur noch selten, begegnete ihm eher flüchtig auf Korridoren und bei größeren Veranstaltungen. Ihm eilte stets der Ruf eines rührigen und umsichtigen Institutsdirektors voraus. Vorgestern am Telefon hatte sie ihn nicht gedrängt, und doch schien er sofort begriffen zu haben, dass ihr Anliegen sehr wichtig war. Er hatte sie zu sich nach Hause eingeladen. Zwar sei er ziemlich beschäftigt, aber am Wochenende könne er ihr ein Stündchen einräumen, wenn ihr das reichen würde. Sie freute sich darauf, ihn wieder zu sehen.

Bei Oberursel verließ sie die Autobahn über die Ausfahrt nach Königstein. Nach wenigen Kilometern erreichte sie den Ortsteil Mammolshain. Webelings Bungalow war von der Straße aus leicht zu entdecken Er hatte nicht übertrieben. Es war das größte Grundstück am Waldrand. Sie stellte Johannes Wagen am Gehweg ab. Die Klingel war eine Mulde aus Messing mit einem Knopf in der Mitte. Ein Glockenklang ertönte und Hartmut Webeling öffnete selbst die Haustür. Es waren immer noch dieselben wasserblauen Augen, die sie nun freudig und erwartungsvoll anblickten.

Ein metallischer Schimmer lag auf seinem Haar. Wanda erinnerte sich wieder. Schon damals bog sich seine Nasenspitze ein wenig nach rechts, als schnüffelte er ständig nach dieser Seite, während er sein Gegenüber fest im Blick behielt. Diese vermeintliche Wachsamkeit in alle Richtungen verstärkte den Eindruck seiner uneingeschränkten Präsenz, mit der er jeden, egal welchen Statuses, bedachte. Heute trug er Jeans und einen hellblauen Rollkragenpulli, darüber eine wildlederne Joppe. Er schaute zu seinen Filzpantoffeln hinab und öffnete die Hände, als wollte er sich entschuldigen.

„Meine Frau hat mit mir geschimpft. Aber ich hatte keine Lust, mich umzuziehen.“ Wanda lachte. Hellblau stand ihm gut. Aber sie war zu befangen, es ihm zu sagen. Als sie die Schuhe ausziehen wollte, winkte er ab.

„Schade“, sagte sie und lächelte verschmitzt. „Diesmal sind es Elche. Kanadische Elche.“ Er bestand darauf, ihre Socken zu sehen.

Der Boden aus grauem Terrakotta wärmte ihre Füße. Webeling führte sie in sein Arbeitszimmer. Der helle Teppich gab einen angenehmen Kontrast zu dem dunklen Holz des alten Schreibtischs, auf dem nur ein

Notebook stand. Er zeigte auf eine kleine Sitzgruppe vor dem Fenster. Wanda sank in eines der roten Sesselchen. Er setzte sich in das andere neben sie. In einem Samowar auf dem Bistrotisch köchelte es vernehmlich.
„Bedienen Sie sich“, sagte er und schob einen Unterteller mit einer zierlichen Porzellantasse zu ihr herüber. „Oder möchten Sie lieber einen Kaffee?“
Wanda schüttelte den Kopf und hielt die Tasse unter den versilberten Hahn. Webeling schaute zum Wald hinüber.
„Gegen halb vier kommen die Rehe. Erst eines, dann das zweite. Ganz vorsichtig treten sie aus dem Schutz der Bäume heraus. Manchmal sind es bis zu fünf Ricken. Ich genieße dieses Schauspiel jedes Mal von neuem, wenn ich daheim bin. Ich bin noch viel unterwegs. Wissen Sie, wenn wir Professoren in den Ruhestand gehen, dann blühen wir erst einmal so richtig auf. Endlich sind wir die lästigen Verwaltungsaufgaben los und können das tun, was uns Freude bereitet.“ Er warf ihr einen verschwörerischen Blick zu. „Aber erzählen Sie das nicht meiner Frau. Irgendwann wird sie schon selbst darauf kommen, dass ich auch mal den Rasen mähen könnte. Jedenfalls haben unsere Kinder bereits entdeckt, dass Opa ein guter Babysitter ist.“ Er dachte kurz nach. „Also in Marburg sind Sie jetzt. Die Stadt der Dichter und Denker. Heidegger, Pasternak, Benn, Kaschnitz. Ein paar kluge Wissenschaftler hat es wohl auch gegeben.“ Er sah Wanda belustigt an. „Zu meiner Schande muss ich gestehen, dass ich noch nie dort gewesen bin. Wie ich hörte, haben Sie sich mit der Medizin verbandelt.“ Er hob die Augenbrauen. „Erzählen Sie. Woran arbeiten Sie gerade und was kann ich für Sie tun?“ Über die eigene Forschung zu sprechen, war ein guter Einstieg. Allmählich löste sich ihre Befangenheit auf. Das Thema führte sie bald zu dem Grund ihres Besuchs. Sie erzählte Webeling von ihrer Entdeckung über NanoSniff. Sie hielt sich an die wissenschaftlichen Fakten.
„Therapien gegen das Altern“, sagte er und zog den Kopf zwischen die Schultern. „Als ob es eine Krankheit wäre.“ Er überlegte kurz. „Ich habe da so meine eigenen Ansichten: Kontrolle bewirkt doch nur, dass das Thema immer größer wird. Wir blähen es auf wie einen Heißluftballon, dem wir den Himmel verwehren.“ Er lächelte Wanda über seine Brille hinweg an. „Irgendwann werden wir das Sterben wieder kultivieren. Weil es uns fehlen wird.“

Wanda wartete einen Augenblick, bis sie weiter sprach. Jetzt kam der schwierigste Teil ihres Berichtes. Sie erklärte ihm, dass Sturm die jüngsten Befunde zu NanoSniff ignorierte. Es entging ihr nicht, dass Webeling im Verlauf ihrer Rede immer öfter aus dem Fenster blickte. Er lächelte nicht mehr. Sie sah die tiefen Furchen um die Partie seines Mundes.

„Sind sie gekommen, um sich bei mir über Ihren Chef zu beklagen?"

Wanda schluckte. Ich hätte es wissen müssen. Eine Krähe hackt der anderen kein Auge aus.

„Nein, ich will mich nicht beklagen", erwiderte sie unsicher. Sie fühlte sich missverstanden. „Ich bin mir nur nicht mehr sicher, was richtig und was falsch ist. NanoSniff birgt Risiken, die mein Chef nicht wahr haben will. Soll ich mein Wissen darüber zurückhalten, weil er die Dinge anders sieht als ich?"

„Als Wissenschaftlerin stehen Sie in einer Eigenverantwortung."

„Das heißt?"

„Ihr Spielraum hängt davon ab, wie breit sein Rücken ist."

„Das hängt davon ab, wie sehr es ihm nützt."

„Verkaufen Sie es ihm so, dass er es annehmen kann. Es macht keinen Sinn, ihn herauszufordern, es sei denn …"

„Ja?"

„… Sie suchen den Machtkampf. Dazu kann ich Ihnen nicht raten."

Wanda schwitzte. Was habe ich anderes erwartet? Es hat keinen Sinn. Ich hätte nicht herkommen sollen.

„Wissen Sie", fuhr er freundlicher fort. „Es gibt viele Wege, Tatsachen zu vermitteln. So ist das auch mit unseren wissenschaftlichen Erkenntnissen. Es kommt immer darauf an, was Sie erreichen wollen. Hegen Sie die Absicht, ihrem Chef zu schaden, wird es von allen auch so verstanden werden, die geballte Macht wird sich gegen Sie wenden. Man wird sie mundtot machen. Es wird der Sache nicht nützen. Geht es Ihnen aber darum, zu vermitteln, dass eine neue Technologie ein Risikopotential birgt, das Sie sogar noch experimentell belegen können, werden Sie auf offene Ohren stoßen. Ich will sagen, dass Sie Ihre Einstellung klären müssen. Die Argumente müssen auf Ihrer Seite bleiben, und das geht nur, wenn Sie die Menschen von Ihren Absichten überzeugen können. Es lässt sich niemand gern vor einen fremden Karren spannen."

„Aber genau das ist mein Problem“, ereiferte sich Wanda. „Wenn ich meine Erkenntnisse über NANOSNIFF offen lege, unterstütze ich die Interessen der amerikanischen Regierung. Dort sucht man zurzeit nach Argumenten, die zivile Nutzung zu untersagen, um NANOSNIFF dem Blick der Öffentlichkeit zu entziehen und es in den geheimen Forschungslaboren des Militärs verschwinden zu lassen.“

„Wie kommen Sie denn auf eine so abstruse Idee?“

„Es ist so. Ich habe meine Quellen.“ Wanda schaute ihm fest in die Augen. Ich werde den Teufel tun, ihm die ganze Geschichte zu erzählen. Er wird mich für verrückt erklären. Webeling seufzte.

„Also ein Nemesis-Syndrom können wir ausschließen. Sie wollen doch keine Rache für eine gerechte Sache, nicht wahr?“ Er sah Wanda über den Rand seiner Teetasse hin aufmerksam an. Sie schüttelte entschieden den Kopf.

„Das war vielleicht am Anfang so. Aber mittlerweile geht es um mehr.“

„Die Azteken verehrten eine Göttin der Eitelkeit“, fuhr er fort. „Sie nannten sie *Die den Dunst kontrolliert*, Ayauhteotl, die Herrin über Nebel und Rauch. Glauben Sie wirklich, Ihr Beruf gibt Ihnen die Macht, Geheimnisse zu lüften oder zu verschleiern? Sie nehmen sich zu wichtig. Ihnen ist nicht gegeben, solche Entwicklungen zu kontrollieren.“

„Aber ich fühle mich doch verantwortlich.“

„Ja, natürlich. Dann bleiben Sie auf dem Teppich! Jeder Versuch, diese komplexe Welt in den Griff zu bekommen, muss im Starrsinn enden. – Sie zäumen das Pferd von hinten auf und wundern sich, dass es sich aufbäumt.“

„Ich fürchte, von Pferden habe ich keine Ahnung.“

„Erst einmal müssen sie das Tier freundlich ansprechen – und bei *dem* Ton sollten sie bleiben. Es wird auf Sie selbst zurück wirken. Alles Weitere ergibt sich. Es gibt kein Patentrezept.“

„Es wird mich abwerfen. Ich werde meinen Job verlieren und …“ Sie biss sich auf die Lippen. Ich will nicht mit ihm über Günther Hilberg reden. Das gehört nicht hierher.

Er schien noch immer darauf zu warten, dass sie weiter sprach.

„… und meine Stimme in der wissenschaftlichen Gemeinschaft.“

„Sie haben Recht. Es geht um Ihre Existenz.“

„Und um meine Glaubwürdigkeit.“

„Aha, da haben wir es“, rief er triumphierend: „Es geht Ihnen um sich selbst. Und was ist mit der Sache, dem Betrug an der Wissenschaft?“
„Ich muss das erst klären. Sonst kann ich nicht weitermachen.“
„Aber das meine ich doch. Es ist untrennbar. Wenn Sie etwas erreichen wollen, müssen Sie einen Weg finden, den Menschen Ihr Anliegen verständlich zu machen. Das hängt auch davon ab, ob Ihr Auditorium empfänglich ist für die Erkenntnisse, die Sie mitzuteilen haben. Die Wissenschaftswelt ist gegenüber neuen Sichtweisen weniger aufgeschlossen als die gemeine Öffentlichkeit. Das klingt absurd, ist aber so, weil in unseren Territorien, neben allen menschlichen Weihen und Abgründen, eine Vielfalt an Gedanken, Ideen, Theorien und transgenen Organismen gedeiht, die wir für schützenswert halten. Auch Darwin war trotz seiner Querköpfigkeit opportun.“ Webeling machte eine kurze Pause. Dann fuhr er fort: „Für seine Skizzen und Zeichnungen über die Entstehung der Arten verwendete er als Metapher die Koralle. Mit diesem Bild überwand er die traditionelle Idee von der Hierarchie der Höherentwicklung, wie sie in der mittelalterlichen Baummetapher, des *Tree of Life*, zum Ausdruck kam. Außerdem bevorzugte er das Modell der Koralle, weil hier die lebendigen Zweige auf den toten gedeihen und dieser Aufbau mit einen Blick erlaubt, noch lebende Arten und bereits ausgestorbene getrennt voneinander zu betrachten. Darwin steckte mitten in diesem Gedankenexperiment, da erreichte ihn ein Aufsatz des jungen Naturforschers Wallace, der darin die Evolutionstheorie anhand der hoch aufstrebenden Eiche sehr überzeugend darzustellen wusste.“ Webeling nahm einen Schluck Tee. Langsam stellte er die Tasse zurück und sprach weiter: „Aus Sorge, die Priorität an seinen Forschungen zur Evolutionstheorie zu verlieren, brach Darwin seine zukunftsweisenden Überlegungen ab. Er musste seine Forschungsergebnisse unbedingt vor dem Konkurrenten veröffentlichen. Er bediente sich der bewährten Baummetapher, obwohl er gedanklich inzwischen weiter war. Seine Skizzen jedenfalls gleichen buschförmig verzweigten Korallen. Je mehr er jedoch Argumente für das Baummodell, vom dem er innerlich nicht überzeugt war, sammelte, umso tiefer verstrickte er sich in seinen inneren Selbstwiderspruch. Er formulierte zögerlich und so ist dieser Zwiespalt zwischen Sprache und Bild in seinen Schriften heute noch spürbar.“
„Ich verstehe nicht …“, murmelte Wanda.

„Sie stecken in einem Dilemma, das allen Wissenschaftlern dieser Welt nur allzu gut vertraut ist. Sie müssen unter Zeitdruck eine Erkenntnis vermitteln, die lückenhaft ist.“

„So ist es“, stöhnte Wanda.

„Aber dieser genetische Transfer zwischen Nanosonde und Virus, den gibt es doch?“

„Sicher.“

„Warum bauen Sie nicht darauf?“

„Sie meinen, das reicht?“

„Wenn es so ist, wie Sie sagen, ist diese Substanz für den therapeutischen Gebrauch nicht unbedenklich. Das lässt sich allemal aus Ihren Befunden ablesen. – Übrigens war Darwin zu jener Zeit nicht allein mit seiner Unzufriedenheit über die Baummetapher. Er war sich eben nicht sicher gewesen, aber er hatte die Lorbeeren kassieren wollen. Das war *sein* Motiv. Bei Ihnen ist das ja anders.“ Jetzt deutete er aus dem Fenster. Zwei Rehe traten auf die Lichtung. Mit Bedacht setzten sie ihre Schritte, als folgten sie einem stillen Gebot, nichts zu zertreten. Schweigsam saßen Wanda und Webeling noch eine Weile beieinander und schauten hinaus. Irgendwann kam seine Frau ins Zimmer, wollte Wanda zum Abendessen einladen.

„Es tut mir leid, aber ich werde erwartet“, log Wanda. Sie hatte bei diesen freundlichen fremden Leuten nichts Privates gesucht. In ihrer Nähe erlebte sie sich als eher unbeholfen und steif.

„Berichten Sie mir bei Gelegenheit“, sagte Webeling, als sie sich zum Abschied bei ihm bedankte. Sie hatte bekommen, was sie benötigt hatte, und auch schon eine Idee, wie sie weitermachen wollte. Draußen war es inzwischen dunkel geworden.

Als sie eine Stunde später wieder in Marburg war, fuhr sie beim Institut vorbei. Sie lud ein paar Dateien herunter und klemmte sich einen Stapel Kopien von wissenschaftlichen Artikeln unter den Arm. In einem der Labore dudelte ein Radio. Wanda warf einen Blick durch das runde Fenster in der Tür. Ulrike, Astrids Doktorandin, saß an der Sterilbank und pipettierte. Sie war so konzentriert bei der Sache, dass sie Wanda nicht bemerkte. Als sie zum Parkplatz hinüber lief, sah sie den Kollegen aus der Virologie. Er rannte in Richtung Bushaltestelle. Er erkannte Wanda, wollte schnell weitergehen. Aber sie kam ihm zuvor.

„Herr Kanterat?“ Er zuckte zusammen und blieb stehen. „Jetzt fährt

doch kein Bus mehr. Kommen Sie. Ich nehme Sie mit in die Stadt."
Kanterat machte noch ein paar Schritte weg von ihr. Dann drehte er sich um. Ein Luftzug blähte seinen offenen Trenchcoat, während er sich langsam auf Wanda zu bewegte. Erst als er unmittelbar vor ihr stand, bemerkte sie sein zerknirschtes Gesicht. Er hielt sich die Aktentasche wie ein Schutzschild vor die Brust.
„Es tut mir leid", druckste er.
„Kommen Sie", erwiderte sie freundlich. „Steigen Sie erst einmal ein." Wanda eilte voraus zum Auto und ließ die Zentralverriegelung klakken. Kanterat brauchte eine Weile, bis er mitsamt seiner Mappe im Sicherheitsgurt hing. Wanda wählte den weiteren Weg ins Lahntal hinunter.
„Eigentlich dürfte ich es Ihnen nicht sagen", begann er. Er wand sich. „Man hat mir die Angelegenheit entzogen und mich zum Schweigen verpflichtet." Wanda sah ihn fragend an.
„Chefsache."
„Aber Sie kennen den Befund?"
„Nein. Das Ergebnis der Analysen hat mein Chef sofort an sich genommen. Ich habe nur gesehen, wie kurz darauf Professor Sturm in sein Büro ging."
„Wissen Sie noch, wann das war?"
„Ein, zwei Tage vor Weihnachten. Das genaue Datum müsste ich nachsehen." Trotz der Kälte glänzten Schweißperlen auf seiner Stirn. „Es tut mir aufrichtig leid, dass ich Sie belogen habe." Wanda nickte.
„Chefsache. Ich verstehe."
„Sie hätten den Befund wie versprochen zu Weihnachten bekommen. Das müssen Sie mir glauben." Kanterat war für seine Zuverlässigkeit bekannt. Deshalb hatte sie ihn persönlich um die Analysen gebeten.
„Ja, sicher. Ich glaube Ihnen." Sie wunderte sich, dass sie so ruhig blieb. Das war also der Grund für das Schweigen. Sturm wusste Bescheid. Allerdings würde er ihren Nummerncode brauchen, um die Daten interpretieren zu können. Vielleicht wollte er das Ergebnis gar nicht erfahren. Auf jeden Fall kannte er jetzt das Gen, das von der Nanosonde in die Viren und mit den Viren in die Ratten gewandert war. Auf einmal hatte sie Herzklopfen: Der Befund aus Hilbergs Gewebeproben war unter den Daten.
„Es ist kein Drama", hörte sie sich sagen. „Bis auf eine Probe sind sie mir

inzwischen ziemlich egal." Er sah sie überrascht an. „Sie betrifft mich persönlich", fügte sie erklärend hinzu. Dabei hielt sie den Blick fest auf die breite Straße gerichtet. Er bat sie, am Philippshaus anzuhalten. Wanda half ihm aus dem Sicherheitsgurt.

„Schicken Sie mir eine E-mail mit der Nummer dieser Probe", sagte er, bevor er ausstieg. „Ich will sehen, was ich tun kann."

45
Mogelpackung

In der nächsten Woche stiegen die Temperaturen wieder über den Gefrierpunkt. Der Wind aus dem Westen trieb Regenwolken vor sich her. Auch in der Woche darauf regnete es mehrere Stunden am Tag. Die Lahn trat über die Ufer und flutete Radwege und Parkplätze. Auf den schmalen Trottoirs stießen sich Regenschirme und verhakten sonst friedliche Bürger bösartig miteinander. An den Straßenrändern sammelte sich das Wasser in breiflächigen Pfützen. Wanda lernte, die Bordsteinkanten zu fürchten.

Es war erst Ende Januar, aber die Luft triefte vor Nässe wie im April. Am Samstagnachmittag trat sie aus dem Bahnhofsgebäude und lief in Richtung Innenstadt. Die Fahrkarte nach Berlin steckte in ihrer Jackentasche. Sie konnte nicht so recht glauben, dass es tatsächlich schon soweit war. Am nächsten Morgen würde sie sich in den Zug setzen, um übermorgen … Ihr wurde heiß. Bleib ruhig, ermahnte sie sich. Der Vortrag steht. Es sind nur zehn Minuten. Dann ist alles vorbei. Sie hatte sich über Sturms Anordnung hinweggesetzt und ihre Pläne einfach weiter verfolgt. Natürlich wusste er nichts davon. Nur das Team der Ermittler war eingeweiht. Einfach war es nicht gewesen, Sabine und Johannes wieder ins Boot zu holen. Aber Wanda hatte nicht locker gelassen. Sollte der ganze Stress der vergangenen Wochen umsonst gewesen sein? Johannes konnte sich das Lästern nicht verkneifen, als Wanda vorschlug, die Kontamination mit dem Virus nicht als Unfall, sondern als ein gewolltes Experiment hinzustellen.

„Das ist ja wie im richtigen Leben", frotzelte er. Seine Augen blitzten abenteuerlustig, aber Wanda wusste, dass sie ihn überzeugt hatte. Sie brauchte ihn, damit er ihr den Rücken freihielt.

„Wie willst du denn die Tiere mit dem Virus infiziert haben?" Sabine ließ sich nicht so leicht von der Idee anstecken. „Nach welchen Kriterien hast du das Modell standardisiert? Hast du den Antikörpertiter bestimmt? Das ganze strotzt vor Unwägbarkeiten. Außerdem, kennst du überhaupt das Infektionsschutzgesetz? Du hättest eine Sondergenehmigung für diese Versuche gebraucht." Sabine war aufgebracht gewesen. „Wenn es mehr als Sicherheitsstufe zwei ist", beschloss sie ihre entmutigende Litanei, „können wir einpacken." Sabine hatte Recht. Die Bestimmungen für Arbeiten mit infektiösem Material bedurften Sicherheitsvorkehrungen, über die ihre Abteilung nicht verfügte. Natürlich gab es auch keinen Antrag auf einen Tierversuch dieser Art. Wie auch? Sie hatte diese Experimente schließlich niemals durchgeführt. Sie waren sozusagen virtuell. Wanda musste darauf hoffen, dass niemand diese Aspekte hinterfragte, geschweige denn prüfte. Was die experimentellen Unwägbarkeiten anbetraf, so einigten sie sich letztendlich darauf, die Tiere im infizierten Zustand gekauft zu haben, was vermutlich sogar stimmte, obwohl es ohne Absicht geschehen war. Wanda rechtfertigte ihr Vorgehen damit, dass nur das Modell erfunden war, das Ergebnis jedoch der Wahrheit entsprach, so wie bei Darwin, der seine Evolutionstheorie anhand des Lebensbaums vorgestellt hatte, obwohl er schon damals nicht mehr überzeugt davon gewesen war. Ihr war klar, dass sie Äpfel mit Birnen verglich. Der Lebensbaum war nur eine Metapher, während sie einem zufälligen Ereignis ein wissenschaftliches Design verpasste. Aber die Zeit drängte und ihr Schwindel erschien ihr, im Vergleich mit dem, was Sturm plante, immer noch vertretbar. Wusste sie überhaupt, was er vorhatte? Sie konnte es sich denken. Er würde es bei einer Erfolgsmeldung belassen. Schließlich war es ihnen gelungen, ein Gen mit Hilfe einer Nanosonde über die Nase in Rattenhirne zu schleusen, und Punkt. Das war schon spektakulär genug. Aber Wanda wollte auch den Rest noch erzählen. Der Clou ihrer Präsentation lag auf einer höheren Ebene: Sie wollte von nanoskaligen Datenautobahnen berichten, über die sich Gensequenzen auch in andere Organismen übertragen ließen. NanoSniff diente ihr als Modell, dies zu erläutern. So gab sie vor, dass es von Anfang an ihre Ansicht gewesen sei, einen Gentransfer zwischen Nanopartikeln und Viren nachzuweisen. Ihre Arbeitshypothese war, das es funktionierte – die Lüge war, dass sie vorgab, diese Annahme experimentell bewiesen zu haben, obwohl sie sich auf Befunde berief, die auf einer zufälligen Kontamination beruhten.

Sie konnte es mal wieder nicht lassen, das Pferd von hinten zu zäumen. Der Gaul hatte eben zwei Köpfe. Es durfte nur niemand bemerken, dass der hintere eine Attrappe war. Auf den ersten Blick war das nichts Ungewöhnliches. Wissenschaftler entwickelten ihre Hypothesen stets auf dem Hintergrund von Ergebnissen. Damit wurde dann der nächste Schritt im Versuchsablauf begründet, und eigentlich hätten jetzt Versuche folgen müssen, um ihre Annahmen zu prüfen. Aber dafür fehlte die Zeit. An diesem Punkt musste sie mogeln.

„Dieser Versuchsaufbau ist erstunken und erlogen. Du darfst ihn an keiner Stelle konkret beschreiben", hatte Sabine sie ermahnt. Wanda ärgerte sich. Ich bin doch nicht blöd. Sie stellte sich doch nur vor, wie es hätte gewesen sein können, während sie ihren Vortrag ausarbeitete. Sie bastelte ihren Bericht sozusagen um dieses Gedankengebilde herum – freilich, bis sie anfing, selbst daran zu glauben, als sei alles von Anfang an so gewollt gewesen. Das schlechte Gewissen überließ sie der Freundin.

Wanda hatte inzwischen den kleinen Kanal überquert. Nur noch ein paar Meter, dann war sie Zuhause. Unter den Briefkästen neben der Haustür trieb ein pappiger Zettelteppich aus Werbeprospekten auf einem Loch im Asphalt, das sich bei jedem Regen mit graubraunem Wasser anfüllte. Oben angekommen, schaute sie nicht zur Tür des Nachbarn hinüber, sie wollte sich nicht mit dem Anblick seiner Flaschensammlung die Laune verderben. Merkwürdig, seit die neue Schließanlage eingebaut war, gehörte ihr die Wohnung zum ersten Mal ganz allein. Zumindest empfand sie es so. Es gab keine fremden Gerüche mehr und ihr Bestand an Eiern verzeichnete keine unerklärlichen Verluste. Wenn sie ehrlich war, hatte sie kein einziges Ei mehr vermisst, seitdem sie sie gezählt und markiert hatte.

Sie beschloss, ihre Tasche zu packen und später noch einmal den Vortrag zu memorieren. Sie rückte einen Stuhl vor den Schlafzimmerschrank und holte den großen Koffer herunter. Ihm folgte eine Wolke aus Staub. Wanda musste niesen. Seit ihrem Einzug hatte vor gut einem dreiviertel Jahr hatte sie ihn nicht mehr angerührt. Flüchtig wischte sie mit der flachen Hand über das sperrige Gepäckstück. Dann legte sie es aufs Bett und klappte die beiden Schalen auseinander. Darin lag, zu einem unförmigen Bündel geschnürt, der alte Seesack neben der kleinen Reisetasche, die sie mit nach Berlin nehmen wollte. Eine Wölbung im Futteral des Koffers ließ sie aufmerken. Was war das? Neugierig tastete sie es ab, griff schließlich durch das Gummiband zur Innentasche und zog eine hölzerne Schatulle hervor. Dort hatte es also gesteckt! Ihr Schatzkästlein! Sie musste es beim Auspacken nach ihrer Rückkehr aus Amerika übersehen haben und hatte es völlig vergessen. Freudig strich sie über das verzierte Holz. Es schimmerte wie auf Hochglanz poliert. Winzige Dreiecke und Rauten waren in den Deckel eingearbeitet und fügten sich zu einer Symmetrie, die entfernt an ein Schachbrett erinnerte, in dessen Mitte eine Rosette stand. Um die Kanten verlief eine Bordüre aus feinsten Einlegestücken. Vorsichtig klappte sie den Deckel hoch. Wanda zählte zwei Milchzähne, drei Murmeln aus Glas, einen Schlüsselanhänger, ihr erster, er stammte aus einem Kaugummiautomaten, und den silbernen Knopf mit dem Anker, das einzige, was von ihrer geliebten Matrosenjacke übrig geblieben war, nachdem die Mutter sie einfach in die Kleidersammlung gegeben hatte. Viel zu schnell waren Wanda die Arme aus den Ärmeln gewachsen. Damals hatte sie nicht größer werden wollen. Da! Das Probefläschchen mit dem Nagellack! Knallrot und eingetrocknet. Das kam später hinzu, als sie es sich bereits anders überlegt hatte. Ihr Blick fiel auf die irisierende Innenseite einer Abaloneschale. Sie erinnerte sich nicht mehr, woher sie die hatte. Wanda legte sich das flache Schneckengehäuse in die Hand und betrachtete es. *Haliotis*, das Seeohr, besaß eine Schale in der Form einer menschlichen Ohrmuschel und war gepierced wie ein Punker. Wenn das Tier größer wurde, rutschte sein After um wenige Millimeter weiter an eine neue Stelle. So entstanden Löcher, die den Rand seiner Schale in regelmäßiger Reihe zierten. Sie waren nichts anderes als eine beharrlich verschobene Afteröffnung. Wanda erschien es als die perfekte Reihung wahrhaftiger Arschlöcher. Mit zunehmendem Alter der Schnecke wurden sie größer. Sie erinnerte sich, sie hatte das kleine am Anfang Holtmann genannt, so hatte ihr Mathelehrer geheißen, der nicht viel mehr als seine Formeln verstand. Das in der Mitte taufte sie jetzt auf den Namen Sturm. Er war sicherlich nicht das letzte, das ihr begegnen würde. Ihr Zeigefinger strich über das schimmernde Perlmutt. Aragonit, so hieß es im Fachjargon, war eine besondere Kristallisationsform von Kalk. Die Höhe der Kalkplättchen entsprach ungefähr den Wellenlängen von sichtbarem Licht, die sich überlagerten und Interferenzmuster erzeugten. So entstanden die Schillerfarben, die nichts anderes waren als von zahlreichen Kalkschichten reflektiertes Licht, ein physikalisches Phänomen, das unser Empfinden für Schönheit berührte. Sie kramte weiter und fand ein winziges Kofferschloss, einen Satz Dichtungsringe, ein paar alte Schlüssel – sie war eine leidenschaftliche Sammlerin gewesen – und einen einzelnen Ohrring, eine schwarze Katze, die einen Buckel machte. Sie wusste nicht mehr, weshalb sie die aufbewahrt hatte. Sie legte alle ihre Schätze in das Kästchen zurück und stellte es auf den Sekretär ihres Vaters. Es machte sich gut auf dem rötlichen Holz.

Wanda ging an den Schreibtisch und klappte das Notebook auf. Sie lud die Powerpoint-Präsentation vom USB-Datenträger auf die Festplatte. Ein Windstoss rüttelte leise am Fenster. Regentropfen liefen die Scheibe hinunter. Sie fröstelte. Eine Erkältung ist das Letzte, was ich jetzt brauche.

Wanda überlegte. Ihr blieb noch der Sonntag, um den Vortrag zu üben. Warum nicht gleich in die Badewanne steigen?

Nach dem Bad kuschelte sie sich in eine Decke und setzte sich vor ihren Superluxus-Flachbildschirm. Manchmal gab es merkwürdige Zusammenhänge. Sie mochte es niemandem erzählen, weil es eigenartig klang. Aber seit dem Einbau der neuen Schließanlage funktionierte auch die Verbindung zwischen Notebook und Fernseher, so dass sie sich endlich die Filme ansehen konnte, die Andreas ihr geliehen hatte. Sie entschied sich für Vincenzo Natalis *The Cube*. Die Spannung fing sie ein und die surreale Kulisse zog sie in eben die Zwischenwelt, die dieser Film fühlbar machen wollte. Das lenkte sie für eine Weile ab. Nachdem der Film vorüber war, fühlte sie sich leer. Die Unruhe kehrte zurück. Was soll ich tun, wenn Sturm doch pünktlich zum Vortrag in Berlin eintrifft? Für diesen Fall hatte sie keinen Plan. Sie musste sich ganz und gar auf Johannes verlassen. Sie ging früh zu Bett.

Gegen Mitternacht klingelte das Telefon. Wanda schreckte aus dem Schlaf hoch. Sie war sofort hellwach.

„Josy ist tot", hörte sie Sabine mit belegter Stimme sagen. „Gerade eben hat sie noch einmal tief geschnauft. Dann hat sie einfach aufgehört zu atmen." Die Ratte sei in letzter Zeit sehr unruhig gewesen. Seit ein paar Tagen hätte sie auf einmal nichts mehr gefressen und nur noch geschlafen. „Ich wollte es nicht wahr haben", jammerte sie. „Da war dieses merkwürdige Beben in ihr. Ich hab's ganz deutlich gespürt, wenn ich sie mir auf die Hand gesetzt habe." Sabine brach ab.

„Das tut mir leid." Wanda starrte auf ihre linke Hand. Sie zitterte leicht.
„Sag mir bitte", Sabine schniefte, „was ich jetzt tun soll?"
„Biene, es klingt vermutlich herzlos." Wanda zögerte einen Moment. „Josys Leichnam muss unbedingt gekühlt werden."
„Ich weiß", druckste Sabine. „Was meinst du? Kühlschrank oder Gefrierfach?"
„Kühlschrank wird reichen. Ruf Johannes an, dass er sie gleich morgen früh bei dir abholt, um die Sektion zu machen."
„Morgen ist Sonntag. Kann das nicht bis Montag warten."
„Montag früh ist er bei Sturm", erwiderte Wanda.

46
Notbremse

Montagmittag saß Wanda in der Cafeteria des Berliner Kongresszentrums und drückte sich das Handy fester ans Ohr. In das andere stopfte sie einen Finger, um Johannes besser verstehen zu können.

„Jemand muss ihn gewarnt haben", hörte sie ihn sagen.

„Aber wer?" Sie bemerkte sofort, dass sie viel zu laut sprach. Hinter ihr stand eine Geräuschkulisse aus klapperndem Geschirr, klirrenden Gläsern und Stimmen, gegen die sie vergeblich anzusprechen versuchte. Es fiel ihr schwer, den Lärmpegel ihrer Umgebung auszublenden. Ihre Nerven lagen blank. Außerdem hatte sie schlecht geschlafen.

„Dabei fing es so gut an." Johannes redete einfach weiter. Dafür, dass die Sache geplatzt war, klang er erstaunlich ruhig. Petra hatte Michael Wallach ausgehorcht und Sturms Reisetermine in Erfahrung gebracht. Sie wussten, dass Michael ihn am Morgen zum Bahnhof bringen sollte. Was war schief gegangen?

„Schon früh um sechs stand ich bei ihm vorm Haus", fuhr Johannes fort. „Es hätte doch sein können, dass er kurzfristig seine Pläne änderte. Ich wollte auf keinen Fall riskieren, ihn aus den Augen zu verlieren. Wie erwartet fuhr er gegen zwanzig vor sieben mit dem Taxi zum Institut hinauf. Fünf nach sieben holte Petra seinen Schlüssel. Sie hätte ihren Transponder zuhause liegen lassen, der Hausmeister hätte sie ins Institut gelassen, aber jetzt käme sie nicht in den Radioaktivbereich. Du weißt ja, wie gut sie lügen kann. Sie hat wohl ein bisschen mit dem Hintern gewackelt. Hat ihn tatsächlich überzeugt, den alten Bock." Er lachte kehlig. „Sie verlässt also mit Sturms Schlüsselbund sein Büro und schließt die Tür zum Sekretariat von außen ab. Die nun folgende Stunde ist eine wahre Zerreißprobe für unsere Nerven. Hoffentlich kommt er nicht vorzeitig auf die Idee, das Sekretariat zu verlassen.

Mehrmals schleiche ich vor die Tür und lausche. Kein Klopfen oder Hämmern. Mehr lässt sich durch das dicke Polster sowieso nicht hören. Genau sieben Uhr neunundfünfzig betritt die Bünte den Flur zur Abteilung. Am Eingang zum Sekretariat klebt ein Zettel mit der Nachricht, dass der Chef heute nicht mehr kommt. Folglich wundert sie sich nicht darüber, dass die Tür verschlossen ist. Sie geht hinein, legt Mantel und Tasche ab und tut, was sie immer tut, wenn der Chef nicht da ist. Sie schnappt sich Zigaretten und den Stapel mit Fernleih-Bestellungen, den ich vorsichtshalber ein wenig aufgestockt hatte, und besucht ihre Freundin in der Bibliothek. Und wie erwartet schließt sie die Tür hinter sich wieder ab. Etwa zur selben Zeit klingelt bei Michael Wallach zuhause das Telefon.

„Papa kommt heute nicht mehr. Mama bringt ihn zum Bahnhof", teilt ihm Sabine mit. Du weißt, wie kindlich sie klingen kann. Michael hat sie tatsächlich für Sturms Tochter gehalten. Jedenfalls verlässt er daraufhin erst gegen halb neun seine Wohnung. Sabine konnte es sehen. Sie hatte sich vor seinem Haus postiert. Etwa in der Zeit, muss es passiert sein. Mein Telefon klingelte und ich war für einen Augenblick abgelenkt."

„Komm endlich zur Sache!" Wanda grummelte der Magen vor Ungeduld.

„Viertel vor neun trabte die Bünte im Stechschritt über den Flur. Das Klappern ihres Schlüsselbundes verriet nichts Gutes. Später hat sie erzählt, der Chef habe sie in der Bibliothek erreicht. Sie war ziemlich aus dem Häuschen. Jemand muss ihn angerufen haben. Jemand, der genau wusste, wo sie steckte. Wenn das nicht passiert wäre, hätte er noch mindestens eine halbe Stunde dort oben geschmort. Niemand hätte ihn durch die schalldichten Türen gehört. Außerdem war um diese Zeit die Abteilung wie ausgestorben. Montags kommen die Leute erst zur Besprechung um zehn. Die Frühschicht machte Frühstückspause unten in der Cafeteria. Da gibt es kein Telefon."

„Vielleicht hat er den Hausmeister angerufen?" rief Wanda aufgebracht. Sie weigerte sich, Johannes dieses Märchen von einem wissenden Unbekannten abzukaufen. Eine Frau am Nachbartisch hob den Kopf und schaute sie verwundert an. Wanda drehte ihr den Rücken zu. „Dieser Plan ist ein Witz", zischelte sie.

„Herr Weidenreich war damit beschäftigt, den alten Kühlschrank aus deinem Labor zurück zu holen. Du weißt schon, dieses Ungetüm, das du neulich ins Lager abgeschoben hast. Er war zwar sauer, aber mir fiel nichts Besseres ein."

„Verdammt. Weshalb hast du dich nicht früher gemeldet?" raunte Wanda. Sie bemühte sich, leiser zu sprechen. „Vor fünf Minuten habe ich meinen Vortrag abgegeben. Er ist jetzt auf dem Rechner im Sitzungssaal. Ich kann ihn unmöglich zurückziehen."

„Es geht noch weiter", erwiderte Johannes ruhig. „Du hättest sehen sollen, wie der Chef glühte, als er aus seinem Büro stürmte. Er sprang der Bünte regelrecht ins Gesicht, als sie die Sekretariatstür aufschloss. Was ihr bloß einfiele, ihn einfach einzuschließen. Sie sei an allem Schuld, weil sie das Schloss nicht hatte austauschen lassen wollen. Sie war den Tränen nahe. Du kennst ja ihr Misstrauen gegenüber den neuen Schließsystemen. Der Chef hatte ihr damals nachgegeben, als sie darauf bestand, ihr Reich hinter ein klassisches Sicherheitsschloss zu versperren. Unser Glück. Die elektronischen Schlösser lassen sich mechanisch von innen entriegeln, so dass man immer hinauskommt. Unter den Umständen hätte unser Plan gar nicht funktioniert. Inzwischen war Sturms Zug nach Frankfurt abgefahren, aber unten auf dem Parkplatz wartete bereits ein Taxi. Er hatte durchaus noch eine Chance, seinen Flieger nach Berlin zu erwischen."

„Hat er nun oder hat er nicht?"

„Vermutlich ist er sogar noch rechtzeitig am Flughafen angekommen. Aber man hat ihn nicht mehr auf die Maschine gelassen." Johannes machte eine Pause. Der ganze Plan war seine Idee gewesen. Er genoss es mal wieder, sie zappeln zu lassen.

„Hör jetzt auf damit!" fuhr sie ihn an. „Sag mir endlich, was los ist!"

„Bombenalarm. Die Notbremse. Ein herrenloser Koffer irgendwo in der Abfertigungshalle. Alle Flüge wurden gestoppt. Der Flughafen war für mehrere Stunden gesperrt."

Wanda atmete hörbar aus.

„Er kommt also nicht?" Notbremse? Was hatte Johannes damit gemeint?

„Sagen wir mal, er wird bestimmt nicht pünktlich sein. Seine Maschine hat soeben abgehoben. Wenn er sich richtig beeilt, könnte er gerade noch deinen Schlussakt erleben."

47
Analysten und Kaffeesatz

Der Kaffee in der Tasse war inzwischen so kalt wie seine Füße, aber er konnte sich nicht vom Bildschirm seines Computers lösen. Nach dem Anruf ging er ins Internet. Er musste sich irgendwie ablenken. Es war sein freier Tag, und er konnte endlich mal wieder das Forum besuchen, das er für seine Kunden und die, die es einmal werden sollten, eingerichtet hatte. Dort gab es immer ein paar Fragen zu beantworten. Drei Stunden waren flugs vergangen. Um zwölf saß er noch im Schlafanzug an seinem Schreibtisch und tippte.

„wie funktionieren vorhersagemethoden und worauf gründen sich deine analysen des aktienmarktes?“ wollte ein Typ namens Jan wissen.

Die Antwort fiel ihm leicht.

„vorhersagemethoden berechnen aus faktoren, die in diesem moment gültig sind, einen künftigen folgezustand. mandelbrod hat in den sechziger jahren fraktale muster in den finanzmärkten entdeckt. mit hilfe seiner fraktaltheorie konnte er die entwicklung der baumwollpreise in den usa voraussagen. fraktale methoden, neuronale netze, genetische algorithmen … es gibt viele verfahren, die sich miteinander kombinieren lassen, um eine optimale vorhersage zu erzielen. ich verwende ein bisschen von allem. die neuronalen netzwerke zum beispiel sind quasi intuitive systeme. sie erkennen muster auf eine ganz ähnliche weise wie unser gehirn. die genetischen oder evolutionären algorithmen kannst du dir extrem vereinfacht wie eine waage vorstellen. konkurrierende ressourcen werden gegeneinander ausbalanciert. das ziel ist, ein optimales ergebnis zu bekommen. In unserem fall heißt das gewinnmaximierung.“ Er war stets um knappe Antworten bemüht. Denn die meisten seiner Kunden waren Laien und Kleinanleger. Es machte keinen Sinn, sie mit zuviel Theorie zu belasten.

„brauchen wir dafür wirklich computer?“ fragte ein anderer Teilnehmer. „die relativitätstheorie gründet sich auf gedankenexperimenten. sie hat vorhersagen ermöglicht, an denen die experimentalphysiker immer noch knappsen. ich frage mich, wie menschen allein mit ihrem kopf so tiefgreifende, vorhersagekräftige theorien aufstellen können. ist es eine spontane erweiterung des bewusstseins oder vielleicht doch von gott gegeben?“
Er hatte sich ein System zurechtgelegt, nach dem er die Besucher seines Forums einordnete. Diesen hier stellte er in die Kategorie der armen Philosophen, die ihre Mittellosigkeit hinter hochtrabenden Fragen verbargen. Von ihnen konnte er nicht mehr erwarten, als ein bisschen Unterhaltung. Er wunderte sich stets darüber, dass dieser mystische Schleier immer noch den Blick in die Zukunft vernebelte. Für ihn war Gott nicht mehr und nicht weniger als ein stochastisches Ereignis von bedingter Wahrscheinlichkeit, etwas, das zutreffen konnte oder auch nicht, je nachdem was man voraussetzte. Sein möglicher Anteil am Geschehen hing davon ab, wie klar die Prognose ausfiel. Es wäre genauso falsch gewesen, ihn zu leugnen, wie auf seiner Existenz zu beharren. Das Göttliche steckte im Unvorhersehbaren. Es forderte ihn heraus, seine Methoden zu optimieren. Es war der Teil seiner Arbeit, den er zu überwinden versuchte, obwohl er wusste, dass ihm dies lediglich annäherungsweise gelingen konnte. Allerdings hätte er niemals diese persönlichen Überlegungen ins Forum gestellt, auch wenn es ihm ein wichtiges Anliegen war, jedem eine Antwort zu geben.
„manche menschen haben für sich einen ansatz entwickelt, komplexe phänomene möglichst kurz zu beschreiben“, schrieb er deshalb zurück. „einstein war ein genie. wäre er kapitalanleger in der heutigen zeit, würde er wie banken und investmentfirmen für seine anlagegeschäfte das digitale orakel befragen. unsere finanzmärkte sind mittlerweile einfach zu kompliziert.“ Er nickte, als müsse er sich selbst bestätigen. Natürlich arbeiteten diese Methoden nur dann effizient, wenn ihre Annahmen sich an der Realität orientierten. Sie führten ein enormes Wissen, Beobachtung und Erfahrung zusammen und formulierten daraus Hypothesen, so wie Wissenschaftler Daten sammelten, um Theorien zu finden, mit denen sich ein Ergebnis möglichst genau vorhersagen ließ. Was war ein wissenschaftliches Postulat denn anderes als eine Prophezeiung? Richterin war am Ende immer die Wirklichkeit.

Gerade die Nanomedizintechnik produzierte viel heiße Luft, aber wenig wirklich Brauchbares. Die Wissenschaftler mussten erst noch ihre Hausaufgaben machen. Er wusste, wovon er sprach. Schließlich war er ein Insider. Unsicherheitsfaktor Nummer eins in diesem Geschäft war immer der Mensch. NANOSNIFF erschien ihm der beste Beweis für seine Theorie. Objektiv betrachtet, war das Produkt ein Meilenstein in der Entwicklung von Nanotherapeutika. Das Patent würde die Aktien der Boston Innovative Therapeutics über Nacht vergolden. Über eine Millionen Dollar hatte er mit Hilfe seines Klientels investiert. Noch nie zuvor stand soviel Geld auf dem Spiel. Nachdem Sturm die anstehende Fusion mit Lynx-Pharm hatte durchblicken lassen, hatte er sich und seine Kunden auch dort eingekauft. Zum ersten Mal saß er richtig dick drin und er konnte nicht mehr zurück. Es war ihm praktisch nicht möglich, dieses Aktienvolumen in der Kürze der Zeit einfach abzustoßen. Wenn es schief ging, konnte er nur noch verschwinden. Aber er würde sich dieses Jahrhundert-Geschäft nicht von einer übereifrigen Wissenschaftlerin verderben lassen. Er war nachlässig gewesen. Er hatte nicht bedacht, dass das interaktive Computerprogramm, das sie auf ihrem Rechner installiert hatte, sich selbst mit den vorhandenen Dateien verknüpfte. Das Programm war besser als er vermutet hatte. So war sie über das Datenmaterial ihres Vorgängers auf Themen wie Epigenese und Altern gestoßen. Er war überrascht gewesen, wie schnell sie ihre Schlüsse daraus gezogen hatte. Deshalb hatte er dafür gesorgt, dass Sturm sie aus dem Projekt entließ. Dummerweise hatte er sie für mundtot gehalten und am Wochenende den Rechner im Institut nicht mehr überprüft. So entdeckte er erst heute früh ihren heimlichen Plan. Er schaute auf die Uhr. Inzwischen musste Sturm in Berlin gelandet sein. Sein Blick fiel auf die Fotos an der Wand gegenüber. Sie gefielen ihm immer noch gut. Er hatte damals mit geometrischen Figuren experimentiert. Licht und Schatten hatte er sie genannt. Die Grenzen waren messerscharf. Es war ihm gelungen, den Objekten die Perspektive zu nehmen. Genau das verfolgte er jetzt mit ihr. Dieses Mal würde sie ihm nicht davon kommen.

Die Tagungspräsidentin war eine politische Hochglanzfigur. Wanda schätzte sie auf Anfang fünfzig. Sie war nicht besonders groß und von zierlicher Gestalt. Sie trug einen dunkelgrauen Anzug und am Hals eine Kette aus weißen Zuchtperlen. Aus ihrem rot geschminkten Mund sprach Perfektion und eiserne Disziplin. In ihrer Eröffnungsrede wimmelte es von Ausrufezeichen und Fragezeichen, die man auf diesem Kongress setzen sollte und sie sprach von Fingern, die in offene Wunden zu legen seien. Aber bitte konstruktiv. Ausrufezeichen. Da wollte sich Wanda gerne Mühe geben!

Obwohl Max Sturm als Referent angekündigt war, begrüßte sie der Chairman, der Vorsitzende ihrer Sitzung am Nachmittag, als hätte er sie bereits erwartet. Wanda sah sich um. Für sie war diese Szene völlig neu. Hier waren die Spezialisten auf dem Gebiet der somatischen Gentherapie versammelt. Sie studierte die Namensschilder an den Revers der Teilnehmenden. Ein paar hatte sie schon einmal irgendwo gelesen, aber sie kannte niemanden persönlich. Sie setzte sich in eine der vorderen Reihen. Im Verlauf der Sitzung konnte sie sich jedoch kaum auf das konzentrieren, was ihre Vorredner zu berichten hatten. Die Vorstellung, Sturm könnte in letzter Minute hier eintreffen, beunruhigte sie. Wer hatte ihn informiert? Wer außer Sabine, Petra und Johannes konnte wissen, was sie vorhatte? Rudi kam ihr spontan in den Sinn und sie musste über diese absurde Idee den Kopf schütteln. Am Samstagmorgen war sie noch einmal ins Institut gefahren, um ihn nach einer Einschätzung ihres Vorhabens zu befragen. Er fand keine logischen Fehler in ihrem Konzept. Dennoch war ihr mulmig zumute.

„Wir können auf die Forschung mit viralen Vektoren nicht verzichten, wenn wir beim internationalen Wettbewerb um Patente in der somatischen Gentherapie mithalten wollen.“ Die Nachdrücklichkeit, mit der ihr Vorredner das sagte, riss Wanda aus ihren Gedanken. „Täglich gehen neue Viren auf Menschen über. Das geschieht auf asiatischen Tiermärkten, beim Wildern im afrikanischen Busch oder beim Essen von rohem Fleisch. Von hier kommt die wirkliche Gefahr, nicht aus den Laboren.“ Mit dieser Feststellung beschloss der Mann seine Präsentation. Er war wissenschaftlicher Berater der Bundesregierung. Der Applaus hielt sich in Grenzen, aber die sich anschließende Debatte verlief hitzig. Jemand führte das Marburg-Virus an. Aber auch das habe man doch allem Anschein nach mit Meerkatzen aus Uganda eingeschleppt, erwiderte er selbstgefällig. Der Chairman wies auf das Ende der Diskussionszeit hin und leitete zum letzten Beitrag über. Wanda

schlackerten die Knie und ihre Hände waren gefroren wie Eisklumpen, als sie pünktlich um viertel vor drei zum Rednerpult ging.
„Du musst an deine Lieblingsspeise denken, wenn du das Auditorium begrüßt“, hatte Sabine ihr mit auf den Weg gegeben. Nach zwei Wochen volkswirtschaftlich finanziertem Personaltraining war sie fit in diesen Dingen.
Wanda ließ ihren Blick durch den Saal schweifen. Sie atmete auf. Sturm war nirgends zu sehen.
„Sehr geehrter Herr Vorsitzender, meine Damen und Herren. Ich freue mich Ihnen heute unsere neuesten Ergebnisse vorstellen zu dürfen.“ Weshalb muss ich ausgerechnet jetzt an Kakipüree mit Marzipan denken? Aber es war der letzte Gedanke, der sie kurz ablenkte, bevor sie mit sachten Ruderschlägen auf den Kanal ihrer Geschichte einbog. Auf einmal ging ihr Atem ganz ruhig, das Herzklopfen hatte sich gelegt und staunend lauschte sie ihrer eigenen Stimme, deren Festigkeit ihr den Rücken straffte.
„Chronische, vorwiegend altersbedingte neuronale Krankheiten erfordern neue Behandlungswege wie zum Beispiel die Gentherapie“, fuhr sie fort. „Die größte Hürde dafür stellen derzeit die noch nicht ausgereiften Übertragungssysteme dar, sogenannte Genfähren oder Vektoren. Ich werde Ihnen NanoSniff vorstellen, ein physikalisches Verfahren, das uns erstmalig erlaubt, einzelne Gensequenzen über die Riechbahnen gezielt ins Gehirn zu bringen. In Kooperation mit der Boston Innovative Therapeutics haben wir diese Methode geprüft. Da wir Nanopartikel und keine Viren als Vektoren benutzen, könnte man meinen, dass uns das, was mein Vorredner zum Abschluss gesagt hat, gar nicht betrifft.“ Wanda hielt kurz inne. Sie sah in aufmerksame Gesichter. Niemand räusperte sich. Alle im Saal hörten ihr zu. „Weit gefehlt“, fuhr sie fort. „Doch dazu mehr im zweiten Teil meines Vortrags.“ Sie brauchte knapp zehn Minuten, um Sabines Daten vorzustellen. Das war entschieden zu lang, obwohl sie es bei der Erfolgsmeldung über einen gelungenen Gentransfer beließ. Das Rattensterben war der Clou, den sie sich für den zweiten Teil ihrer Präsentation aufheben wollte. Ich werde meine Redezeit überziehen müssen. Sie sah kurz zum Chairman hinüber. Wenn er mich jetzt unterbricht, war alles umsonst. Er saß da mit offenem Mund und hörte ihr aufmerksam zu, wie alle anderen im Saal – jetzt begann der eigentliche Drahtseilakt, und sie

hielt die Balancierstange fest in den Händen. Sie war die letzte Vortragende in dieser Sitzung. Es war ihre Chance. Der Vorsitzende ließ ihr die Zeit.
Sie begann mit ihrer Hypothese, postulierte die Möglichkeit eines Transfers von künstlich eingeschleusten Genen auf Viren, hielt sich in „Anbetracht der fortgeschrittenen Redezeit“ nicht lange mit dem Versuchaufbau auf, der schließlich erfunden war, und kam ziemlich schnell zu den absonderlichen Phänomenen, die sie beobachtet hatten, nämlich den Verhaltensstörungen und der erhöhten Mortalität bei den Ratten. Dann folgten die Daten der molekularbiologischen Analyse aus der ersten Untersuchung, die Kanterat für sie gemacht hatte. Es war ein schlüssiger Nachweis dafür, dass das fremde Gen Teil des Virusgenoms geworden war. Das Resultat der zweiten Untersuchung, das ihnen womöglich die Gensequenz offenbart hätte, war beim Chef unter Verschluss. In diesem Moment war Wanda dankbar dafür, denn es schützte sie vor der Versuchung, geheime Informationen preiszugeben. „Aus Gründen des Betriebgeheimnisses kann ich an dieser Stelle das Gen nicht weiter spezifizieren.“ Mit diesen Worten leitete sie nach zwanzig Minuten das Ende ihres Vortrags ein.
„Das Rattenvirus, das durch unsere Experimente genetisch verändert wurde, gilt im Normalfall als harmlos und ist weit verbreitet.“ Sie setzte ein Ausrufezeichen. „Es fällt übrigens nicht unter die SPF-Bestimmungen, nach denen wir unsere Labortiere halten.“ Ein Raunen ging durch den Saal. „*Specific pathogen free* ist ein hoher Standard, aber eben nicht absolut keimfrei.“ Die letzte Powerpointfolie war eine Danksagung und zeigte die Liste der Mitarbeiter. „Ach, ja“, entfuhr es ihr wie beiläufig. „Natürlich handelt es sich hierbei um ein Virus, das für Menschen absolut ungefährlich ist. Was allerdings nichts heißen muss. Wie wir alle seit der Studie von Roth und Mitarbeitern wissen, kann durch eine einzige Veränderung in einem Enzym seiner Hülle ein reines Maus-Virus zu einem ausschließlich Vogel-spezifischen Virus mutieren.“ Sie senkte kurz den Blick. „Ich danke für Ihre Aufmerksamkeit.“ Ein jähes Ende, aber es wirkte.
Unter den Zuhörern wurde es unruhig. Sie fingen an, miteinander zu debattieren. Wanda spürte, wie die Anspannung von ihr abfiel. Bis hierher war alles glatt gegangen. Es war ihr so wichtig gewesen, die unvorhergesehenen Folgen der NanoSniff-Studie an die Öffentlichkeit zu

bringen. Jetzt war es vollbracht. Sie hatte die Gepflogenheiten der wissenschaftlichen Gemeinde respektiert. Sie hatte sich Gehör verschafft, und doch erschien ihr das alles auf einmal banal. Sie war bereits auf dem Weg zurück an ihren Platz, als plötzlich Applaus einsetzte. Sie zuckte zusammen. Auf eine Diskussion müsse leider verzichtet werden, hörte sie kurz darauf die Stimme des Chairman durch das Mikrofon schallen. Der Saal würde dringend benötigt. Aber vielleicht draußen im Foyer … Die Menschen sammelten ihre Notizen ein und erhoben sich langsam von ihren Stühlen. Wanda beeilte sich, noch vor ihnen den Ausgang zu erreichen. Das gelang ihr auch – aber draußen vor der Saaltür sah sie Sturm. Er kam geradewegs auf sie zu.

Als er sie erkannte, verzögerte er seinen Schritt, so als bewahrte er sich die Wahlmöglichkeit, im letzten Moment abzudrehen. Ein Flackern lag in seinem Blick, der sie nur flüchtig streifte. Es sollte wohl beiläufig wirken, aber an dem Bogen, den er um sie schlug, erkannte Wanda, dass er sich fürchtete. Was hatte Johannes gesagt? Jemand muss ihn gewarnt haben. War es möglich, dass er das alles gewusst hatte? Aber Sturm konnte nicht wissen, wie die Fachwelt es aufnehmen würde. Sie hätte diesen Augenblick zu gern noch ausgekostet. Jedoch wurde sie von ihren Zuhörern, die hinter ihr aus dem Sitzungssaal strömten, in die von Sturm eingeschlagene Umlaufbahn getrieben. Wenige Meter vor ihm kam sie zum Stehen. Die Menschenmenge hatte sich um jeden einzelnen von ihnen geschlossen, und sie saßen darin fest wie zwei Apfelkerne in ihren getrennten Gehäusen. Von weit her drangen Glückwünsche und Lob an ihr Ohr. Aber es blieben Floskeln, die Wanda nicht wirklich berührten. Sie kam sich vor wie in einem Raum mit gepolsterten Wänden, die die Geräusche um sie herum schluckten und ihr Empfinden dämpften. Sie behielt Sturm fest im Blick. Er hatte die Gunst der Stunde sogleich erfasst. Die linke Hand selbstgefällig auf das Brustbein gedrückt, malte er mit der Rechten Schnörkel in die Luft, über die er sein Gefasel stolzieren ließ. Sie staunte, wie schnell er die Fahne in die neue Windrichtung hängen konnte. Wo kurz vorher noch Furcht geflackert hatte, strahlte jetzt Überheblichkeit. Für Bruchteile von Sekunden sah sie ihn als flache Pappfigur wie sie für Werbungen gerne verwendet werden, irgendwie körperlos, nur Oberfläche. Wanda war klar, Sturm war gerade dabei, seinen Anspruch auf die Ergebnisse zu bekunden. Unter anderen Umständen wäre sie wütend geworden. Jetzt

erfüllte sie dieser Anblick nur mit Verachtung. Sicher. Sie hatte es ihm leicht gemacht. Wanda sah wie Sturm sich geschmeidig aus dem Ring der Bewunderer schälte und auf sie zukam. Er war ein perfekter Schauspieler, wenn es um seine Pfründe ging. Schamlos schlüpfte er in die Rolle des fürsorglichen Chefs.
„Kommen Sie." Sturm hob den Arm und legte ihn ihr auf den Rücken. Wanda versteifte sich. Zielsicher dirigierte er sie an den Stand eines Industrieausstellers. Niemand widersetzte sich ihm, als er dort kurzerhand die kleine Sitzgruppe okkupierte. Die verbarg sich hinter einer Stellwand, so dass hier ungestört wichtige Kundengespräche geführt werden konnten.
„Bringen Sie uns zwei Espressi?" Die junge Frau, die den Stand betreute, nickte und lächelte aus schwarzen Augen. Wanda spürte Max Sturms bohrenden Blick.
„Ich möchte, dass Sie das so schnell wie möglich veröffentlichen."
„Das geht nicht", erwiderte sie tonlos. Er lehnte sich zurück und schlug die Beine übereinander. Leichte Übelkeit stieg in ihr hoch.
„Sie wissen genau, wie diese Daten zustande gekommen sind." Ihre Stimme zitterte hörbar, obwohl sie fast flüsterte. „Diese Experimente sind niemals gemacht worden. Sie haben …"
„Die Umstände interessieren mich nicht", fiel Sturm ihr ins Wort.
„Ich soll also Versuche publizieren, die es niemals gegeben hat?" Wanda sah ihn provozierend an. „Es gibt nicht einmal eine Genehmigung für den Tierversuch."
Die junge Frau stellte den Kaffee auf dem kleinen Bistrotisch ab. Sturm wartete bis sie wieder gegangen war.
„Sie führen nur fort, was Sie hier bereits begonnen haben. Alles Weitere dürfen Sie getrost mir überlassen."
„Jetzt verstehe ich", murmelte Wanda. „Sie haben dem Vorsitzenden heute Morgen mitgeteilt, dass *ich* den Vortrag halten werde. Er hat es mir gesagt." Es war nur ein Bluff, aber Sturm erbleichte.
„Wo liegt das Problem?"
„Sie haben alles gewusst. Sie kannten sogar den Inhalt meiner Präsentation." Sturm hatte sie benutzt. Er hatte im letzten Moment erkannt, wie er seinen Kopf aus der Schlinge ziehen konnte und sie war ihm auf den Leim gegangen. „Ich frag mich nur wie …" Sie stockte. „Sie greifen nach Belieben auf unsere Daten zu." Im selben Moment, in dem sie

den Gedanken aussprach, kam ihr eine Idee. Oder er hat jemanden, der es für ihn macht. Einer, der es besser kann. Sturm stand auf und griff nach seiner Tagungstasche. Sein Blick ging durch sie hindurch, als existierte sie schon gar nicht mehr.

„Überlegen sie es sich. Vor den juristischen Konsequenzen gegenüber der BIT könnte ich Sie schützen, aber was die wissenschaftliche Gemeinschaft angeht … und die Öffentlichkeit …" Er zog die Augenbrauen hoch. Dann drehte er sich um und ging einfach davon. Wanda blieb noch eine Weile sitzen. Ich muss unbedingt telefonieren, ging es ihr durch den Kopf, aber sie war wie gelähmt. Die junge Frau kam und räumte das Geschirr ab.

„Oh", entfuhr es ihr überrascht, als sie Wandas Tasse aufnahm. „Ein großer Vogel. Da, sehen Sie!" Verständnislos blickte Wanda in die schmutzig braunen Schlieren von Kaffeesatz am Boden der Tasse. „Bei uns in der Türkei liest man die Zukunft darin. Ein Vogel bedeutet, dass Sie bald eine Reise machen werden." Sie setzte ein kluges Gesicht auf. „Ein großer Vogel steht für eine weite Reise." Zwischen ihren dichten Augenbrauen standen plötzlich ein paar steile Fältchen. Dann lächelte sie verträumt. „Sie werden fliegen."

48
Blaubarts Vermächtnis

„Er geht nicht ans Telefon." Sabine klang verärgert. „Aber er ist zu Hause. In dem Zimmer mit der großen Fensterfront ist gerade das Licht angegangen."

„Habe ich etwas von *anrufen* gesagt? Du sollst ihn nur im Auge behalten." Wanda sah durch das Fenster des ICE, wie sich die Dämmerung lustlos auf eine öde Winterlandschaft senkte, als ob sich Gleiches mit Gleichem vermischte. Es war erst Ende Januar, und sie hatte den Winter bereits satt. An Berlin erinnerten sie diesmal nur U-Bahnschächte, ein winziges Hotelzimmer und ein klimatisierter Vortragssaal. Sonst hatte sie nichts von der Stadt gesehen. Nach dem Gespräch mit Sturm war sie zum Bahnhof gefahren, um die nächste Verbindung zurück nach Marburg zu nehmen. Sie musste ihn noch heute zur Rede stellen. Morgen könnte es vielleicht schon zu spät dafür sein. Zwischen Hannover und Göttingen nahm der Zug wieder Fahrt auf. Sie drückte sich das Handy fester ans Ohr.

„Wann kommst du?" bettelte die Freundin.

„Zwei Stunden wird es noch dauern, vorausgesetzt niemand hat zwischen Kassel und Marburg Bombenalarm gegeben … Ich muss noch einmal umsteigen. – Hat Johannes schon Nachricht von Ted?" Wanda hatte ihn gebeten, nach dem zweiten Wagen zu fahnden, den Ted bei ihrem Treffen erwähnt hatte.

„Keine Ahnung. Aber ich hoffe für dich, dass du dich nicht irrrst. Ich frrrierrr mirrr hierrr nämlich den Arrrsch ab." Wanda stellte sich vor, wie Sabine in der Kälte an der Straße stand und das Haus beobachtete.

„Kann dich Johannes nicht ablösen? Er hat wenigstens ein Auto."

„Eine Toilette wär' mir jetzt lieber."

Am Marburger Bahnhof nahm Wanda ein Taxi. Im Radio liefen die Nachrichten. Der Frankfurter Bombenkoffer hatte sich als harmlose Attrappe entpuppt. Die Politiker sprachen von einer perfiden Provokation, die Medien mutmaßten eine inszenierte Probe für den Ernstfall. Wanda sagte dem Taxifahrer, er solle am Rotenberg anhalten. Sie zahlte und legte die wenigen Meter zu Fuß zurück. Auf der Straßenseite gegenüber der Einfahrt erkannte sie Johannes' Toyota. Sie klopfte ans Fenster der Fahrerseite. Es glitt lautlos nach unten. Warmer Kaffeeduft wehte ihr ins Gesicht. Sabine winkte vom Beifahrersitz.

„Das wird auch Zeit", begrüßte Johannes sie. „Die Rechnung für die Standheizung kommt separat. – Du willst wirklich alleine gehen?"

„Wenn ich in einer Stunde nicht zurück bin, dann kommt ihr hoch. Ich werde etwas zwischen die Haustür klemmen."

„In einer Stunde kann viel passieren." Johannes sah sie herausfordernd an. Er grinste. „Diese Nummer wird teuer." Es war zu dunkel, um den Ausdruck auf Sabines Gesicht zu erkennen. Hatte sie etwa geplaudert? Wanda schob ihre Reisetasche durchs Autofenster und gab ihr einen Schubs, so dass sie Johannes auf den Schoß plumpste.

„Weißt du schon was über diesen Wagen?"

„Ich hab's echt dringend gemacht. Aber dieser Ted hüllt sich in Schweigen."

Sie ging hinüber zum Hauseingang. Unterwegs nahm sie einen kleinen Kieselstein vom Boden auf. Konnte es sein, dass Thomas sie erwartete? Komisch, aber sie war sich sicher, dass er sie herein lassen würde. Sein BMW stand auf dem Stellplatz am Haus. Er musste Zuhause sein. Sie drückte auf die Klingel und lauschte. Nichts regte sich. Sie schellte nochmals und trat einen Schritt von der Haustür zurück. Seine Wohnung lag im zweiten Stock. Hinter dem Küchenfenster bewegte sich ein Schatten. Kurz darauf hörte sie das Summen des Türöffners. Im selben Moment ging das Licht im Treppenhaus an.

Die Haustür sprang auf, als Wanda dagegen drückte. Sie schob das Steinchen zwischen Metallrahmen und Türfalz und stieg langsam die Treppen hinauf. Wenn er verrückt ist? Ach was, schüttelte sie den Gedanken. Wenn hier jemand verrückt ist, dann bin ich es. Sabine mochte an ihren Ahnungen zweifeln, Wanda hingegen hoffte inständig, sich zu irren. Sie mochte ihn immer noch.

Die Tür zu seiner Wohnung war angelehnt. Sie trat ein. Aus den

Zimmern fiel Licht auf den kleinen Flur. Sie schob die Tür bis auf einen schmalen Spalt hinter sich zu. An der Garderobe hing seine Lederjacke. Es war der gleiche, wohl vertraute Geruch. Sie verspürte eine ängstliche Erregung, die sie anzog und zugleich in Schrecken versetzte. Noch konnte sie umkehren. Und wenn ich es nur verwechsle? Sie schaute in die Küche, dann ins Wohnzimmer. Er saß an seinem Computer und schrieb. Er ließ sich nicht stören, sondern blickte stur geradeaus auf den Monitor. Wanda setzte sich auf das blaue Ledersofa. Sie sagte kein Wort, starrte nur auf seinen Rücken. Ab und zu rieb er sich das Kinn. Er war nicht rasiert. Die Luft roch verbraucht. Auf dem Couchtisch lag die Digitalkamera. Ihr Blick fiel auf die Bilder mit den geometrischen Figuren. Sie erinnerte sich wieder. Sie hatte sie betrachtet, kurz bevor sie ihn in der Silvesternacht verlassen hatte. An dieser Stelle hatten sie aufgehört, miteinander zu tanzen.

„Was ist so wichtig, dass du nicht mit mir redest?“ unterbrach sie das Schweigen von mehreren Wochen. Thomas straffte seinen Rücken und zog hörbar Luft durch die Nase. Dann sah er flüchtig über seine Schulter. An seinem Hals spannten sich Falten.

„Schicker Anzug.“ Sein Ton versetzte ihr einen Stich. Dann wandte er sich wieder dem Bildschirm zu und tippte weiter.

„Es war blöd von mir“, sagte sie leise. „Ich weiß auch nicht, weshalb ich Silvester mitgegangen bin.“

„Was willst du?“ Er legte den Kopf in den Nacken und schaute zur Decke.

„Dass ich mich irre.“

„Wieso solltest du dich irren?“ Sein Lachen war kalt.

„Ich will es eben so.“ Sie starrte auf ihre Hände. Auf einmal stand er auf. Der Saum seiner Jeans war zerschlissen und stieß fransig auf seine nackten Füße. Durch den Riss, der über dem Oberschenkel klaffte, blitzte weiße Haut mit dunklen Härchen. Das Hemd war von zahlreichen Knittern übersät und stand offen. Dunkelblondes Haar kringelte sich über seiner breiten Brust, zog hinunter über die weiche Wölbung seines Bauchs und verschwand im Hosenbund knapp unter dem Nabel. Er ging in den Flur hinaus. Kurz darauf fiel die Wohnungstür klackend ins Schloss. Als er zurückkam, war sein Hemd zugeknöpft.

„Willst du dich wieder abholen lassen?“ Diesmal war es ein schmutziges Lachen.

„War nicht meine Idee."
„Brüderlein hat wohl 'nen Narren an dir gefressen." Thomas setzte sich wieder an seinen Schreibtisch. Brüderlein? Wie kam er darauf? Sie konnte sich nicht erinnern, mit ihm über Andreas gesprochen zu haben.
„Hör mal, Thomas, ich kann mir vorstellen, dass du sauer deswegen bist. Deshalb ..." Sie brach jäh ab, als er mit einem Mal aufsprang und wieder aus dem Zimmer lief. Sie hörte ihn in der Küche klappern. Ihr Handy hupte. Die SMS kam von Johannes.

antwort von T. es war ein dunkler BMW! wir kommen jetzt hoch. J.

Aus den Augenwinkeln bemerkte sie eine Bewegung auf dem Monitor. Wanda stand auf und ging zum Schreibtisch. Auf dem Bildschirm erkannte sie eine Liste mit Zahlen. Die Angaben waren in Dollar. Sie konnte gerade noch den Namen lesen, da packte er sie hart im Nacken. Thomas zog sie vom Schreibtisch weg und gab ihr einen Stoss. Sie stolperte und fing sich am Sofa auf.
„Madame ist ein bisschen zu neugierig."
„Also doch." Wanda spürte wie ihr die Knie weich wurden. Sie setzte sich auf die Couchlehne und rieb sich den schmerzenden Nacken.
„Also was?"
„Neulich nachts im Institut, das warst du. Du hast dicht hinter mir gestanden. Ich habe das Leder deiner Jacke gerochen, so wie eben im Flur. Ich hatte es nur vergessen. Weshalb hast du das getan?"
„Ich sage doch, du bist zu neugierig." Er stand breitbeinig vor ihr, gerade so weit entfernt, dass sie nicht nach ihm greifen konnte und doch so nah, dass sie zu ihm aufschauen musste.
„Du handelst mit BIT-Aktien?" Der schrille Ton ihrer Stimme ließ sich nicht vermeiden. Es ärgerte sie, denn es verriet ihre Angst.
„Ich hätte sie damals alle abstoßen sollen." Er seufzte. „Als ich erfuhr, was deine werte Freundin über NanoSniff herausgefunden hatte, war ich kurz davor, es zu tun. Aber Sturm machte einfach weiter, als wäre nichts gewesen. Er flog nach Amerika und kam mit dem Folgeprojekt zurück. Deine Sabine katapultierte sich mit ihrem kritischen Gehabe selbst ins Aus. Dass ich Johannes auf die Schliche kam, war reiner Zufall. An jenem Abend hatte ich von zu Hause aus ein bisschen im Intranet gestöbert. Da bin ich auf seine E-mails an Walden gestoßen.

Mir war auf einmal klar, dass es höchste Zeit war, die BIT-Daten vom Zentralcomputer zu löschen. Von zu Hause aus kann ich nur lesen, aber nicht aktiv zugreifen. Leider. Ich musste also noch einmal ins Institut hinauf. Oben auf dem Parkplatz stand Johannes' Toyota. Ich war auf der Hut, aber in der Abteilung schien alles ruhig. Aus Vorsicht nahm ich die Thermoskanne, die auf der Spüle stand, lief an seinem Zimmer vorbei und stellte mich im Computerraum hinter die Tür. Ich musste nicht lange auf ihn warten. Ich hatte leichtes Spiel mit ihm. Er bemerkte mich gar nicht. "

„Und wenn er dich gesehen hätte?"

„Ich hatte Glück. Oder er. Wie man's nimmt. Kurz darauf kamst du und hast mir die Arbeit abgenommen. Du hast den Kerl fachmännisch umgedreht, aber dann …" Er verzog das Gesicht. „Tut mir leid. Aber ich hatte keine andere Wahl. In deiner Tasche steckte das Kennwort zu Sabines Datenkonto. Das reichte mir als Beweis für eure Absichten. Am Anfang glaubte ich noch, dass ihr damals schon gemeinsame Sache gemacht habt."

Sie sah ihn verständnislos an.

„Na ja." Ein spöttisches Grinsen lag auf seinem Gesicht. „Rudi hat mich dann aufgeklärt."

„Was?" Sie schluckte trocken. „Du kannst …?" *Brüderlein.* Stimmt. Er hatte sich bereits verraten. Das konnte er nur über Rudi wissen. Was bin ich nur für ein Idiot?

„Ja", triumphierte er. „Werd' nur rot. Rudi ist eine Plaudertasche. Du hast vergessen, ihm einen Maulkorb zu verpassen. Wenn man weiß, wie man in das System kommt, lässt sich das Programm obendrein wunderbar manipulieren."

„Du hast mich die ganze Zeit ausgehorcht. Du weißt …"

„… alles", ergänzte er. „Ich bin etwas spät darauf gestossen, sonst wäre das Weihnachtspäckchen an Snider nicht mal bis Frankfurt gekommen." Sein Blick bohrte sich erbarmungslos in ihre Selbstachtung. Es war das aufziehende Schamgefühl, gegen das sie sich sträubte.

„Das sagst du nur so. Ich glaube dir kein Wort." Sie wehrte sich, obwohl sie längst wusste, dass er die Wahrheit sagte. Thomas hatte Rudi angezapft. Völlig ahnungslos hatte sie seinen Rat befolgt und Thomas hatte mit ihr gespielt wie mit einer Marionette.

„Anyway. Es hat sich für mich gelohnt." Er lächelte selbstgefällig.

„Ohne die Informationen, die dir Peter Snider geliefert hat, wäre ich wohl kaum auf die Idee gekommen, in US-Regierungsanleihen zu investieren.“ Er überlegte kurz. „Aber die Sache mit New Mexiko ist immer noch offen. Du wirst wohl nie erfahren, woran Andreas Vater gestorben ist. Und was dich betrifft …“

„Hör auf“, schrie sie ihn an. „Wir reden hier von *dir*. *Du* hast Sturm gestern Morgen angerufen. Du bist der einzige in der Abteilung, der weiß, wie man auf alle Daten zugreifen kann. Du hast deine Position als Administrator missbraucht. Ich werde dich anzeigen.“

„Ich hätte dich für intelligenter gehalten.“ Dieses Mal war es ein schamloses Lachen. „Frau Doktor Waals, Sie sind so gut wie tot!“ Warum musste sie ausgerechnet jetzt an das Grab auf dem Internet-Friedhof denken, auf dem ihr Name gestanden hatte. SLAM, ging es ihr durch den Kopf. Inzwischen traute sie ihm alles zu.

„Du bist in der Silvesternacht in meiner Wohnung gewesen und hast dir eine DVD angesehen.“ Wanda bemühte sich, ruhiger zu klingen.

Er hob warnend den rechten Zeigefinger.

„Red’ nicht mit mir, als wäre ich geistesgestört.“ Er lief aus dem Zimmer und kam mit ein paar Socken in der Hand zurück. „Ich hätte dich umbringen können“, erklärte er und hüpfte von einem Bein aufs andere, während er sich im Laufen die Strümpfe anzog. Als wäre das alles für ihn nur ein Spiel.

„Du hast mich doch schon lebendig begraben.“

„Ach, das. Ich wollte dich nur ein wenig einschüchtern.“

„Wie SLAM?“ Er gab keine Antwort. „Wie bist du nur an das Zeug gekommen?“

„Du stellst zu viele Fragen.“ Es war absurd. Ein unbändiger Druck staute sich in ihrer Brust. Aber aus ihrer Kehle drang lediglich ein überspanntes Kichern.

„Du bist verrückt.“

Wieder eilte er hinaus. Als er zurückkehrte, trug er Schuhe und einen Pullover. Er ging zum Computer und stellte ihn aus. Dann ließ er sich ihr gegenüber in den Sessel fallen.

„Nein, ich bin nicht verrückt. Ich bin nur ein schlechter Verlierer. Außerdem kann ich nicht leiden, wenn man mir zu nah auf die Pelle rückt.“ Sie sah ihm zu, wie er die Schnürsenkel band.

„Ich verstehe nicht ganz. Durch Rudi konntest du alles über mich erfah-

ren. Eigentlich war ich dir im Weg. Weshalb hast du mich dann zu dir eingeladen?" Er hielt kurz inne, als würde er nachdenken.
„Es war eine spontane Idee. Du hast mich gereizt", sagte er schließlich. „Mein letzter Versuch mit einem VOM." Wanda sah ihn fragend an. „Vorwiegend-Originalsubstrat-Mensch." Dann schüttelte er den Kopf. „Es funktioniert nicht. Wir hätten uns besser nur E-mails geschrieben." Plötzlich schellte es an der Tür. Er lief in den Flur hinaus. Wanda sprang auf und folgte ihm. An der Schwelle zum Wohnzimmer stand er plötzlich vor ihr. Er stieß sie ins Zimmer zurück. Sie stolperte und fiel. Sie fand sich am Boden wieder. Für einen Moment war sie wie betäubt. „Und was bist du?" fragte sie. Draußen polterte es gegen die Wohnungstür.
„Aufmachen!" brüllte Johannes. „Sonst rufen wir die Polizei."
„Du hast mir mein Geschäft kaputt gemacht." Thomas sah sie feindselig an. „Eigentlich müsste ich dich dafür bestrafen." Sein Gesicht hatte rote Flecken und sein Atem ging schnell.
„Wenn du mich anzeigst, mach ich dich kalt. Endgültig. Ich weiß alles über dich." Mahnend hob er den Zeigefinger und ging noch einmal in den Flur hinaus. Was machte er nur dort? Vor ihrem geistigen Auge sah sie die kleine Garderobe mit dem Spiegel. Sie hörte ein Rascheln und wie ein Reißverschluss zugezogen wurde. Als er zurückkam, trug er die Lederjacke und hielt eine kleine Reisetasche in der Hand. Dann schob er die Wohnzimmertür zu und schloss sie von innen ab. Den Schlüssel steckte er ein. Wanda saß immer noch am Boden, hatte sich mit dem Rücken an den Couchtisch gelehnt. Ihr Blick wanderte durch den Raum. Die Bilder, der Schreibtisch, der dunkle Monitor. Hinter ihr das blaue Ledersofa. Sie sah zum Fenster hinüber.
„Willst du abhauen?" Sie ärgerte sich über den kümmerlichen Klang ihrer Stimme. „Lässt das alles hier?"
Er schüttelte bedauernd den Kopf.
„Ach, Wanda, deine Neugier wird dich noch umbringen."
„Ach, Thomas. Du hast was vergessen." Er drehte sich um und in dem Moment schoss sie das Bild. Er erschrak, als ihn das Blitzlicht traf. Sie hielt die Kamera hoch.
„Sie ist gar nicht von deinem Vater. Du hast sie uns geklaut." Er zuckte die Achseln. Dann öffnete er das Fenster und sprang. Seine Schritte knirschten als liefe er über Kies. Sie entfernten sich schnell. Wanda

wählte Johannes Nummer, während sie mit den Augen vom Fenster aus Thomas Fluchtweg verfolgte. Aus dem Zimmer fiel das Licht auf ein Stück Flachdach, das etwa einen Meter unterhalb des Fensters an die Hauswand grenzte.
„Ich bin okay“, fiel sie Johannes sogleich ins Wort. „Schnell nach unten. Macht schon! Er ist auf dem Weg zu seinem Auto. Ich folge ihm durchs Fenster.“ Bevor sie sprang, sah sie auf das Display der Kamera. Das Bild war überbelichtet.
Sabine und Johannes sahen nur noch die Rücklichter des BMW, der mit quietschenden Reifen vom Hof brauste, erfuhr Wanda später von ihnen. Sie entdeckten die Leiter, über die Thomas vom Dach gestiegen war, auf dem Rasen hinter dem Haus. Er hatte seine Flucht vorbereitet gehabt.
Auf dem Weg zu ihrer Wohnung gab Wanda den beiden einen knappen Bericht. Sie löcherten sie mit Fragen. Wanda bat sie um einen Augenblick Ruhe, nur einen Augenblick. Sie spürte, wie ihre anfängliche Erleichterung allmählich in Enttäuschung umschlug. Und nichts konnte sie dagegen tun. Johannes setzte sie vor ihrem Wohnhaus ab. Er wollte Sabine nach Hause bringen und dann selbst bald schlafen gehen. Es war für alle ein langer Tag gewesen.

Auf der Schwelle zur Wohnungstür stand ein Karton mit Eiern. Unter dem Gummiband, das ihn zusammenhielt, klemmte ein Zettel. *Danke* stand in ungelenker Schrift darauf. Unterzeichnet war er mit *Der Nachbar*. Die Schachtel enthielt fünf Eier und einen Schlüssel. Wanda warf einen Blick auf die Wohnungstür nebenan. Das Oberlicht war erleuchtet. Sie klingelte kurz. Schritte näherten sich. Die Tür ging auf und ein hageres Gesicht lugte durch den Spalt. Als er sie erkannte, zog er die Tür weiter auf. Muffige Luft schlug ihr entgegen.
„Geht's Ihnen wieder besser?“ fragte er mit brüchiger Stimme. Er trug einen Jogginganzug. Auf seinen Wangen leuchteten rote Äderchen. Wanda zeigte ihm die Eierschachtel und sah ihn fragend an.
„Den Schlüssel hab ich noch von Ihrem Vormieter. Er passt ja jetzt nicht mehr.“ Er sprach mit schwerer Zunge und schaute verlegen zu Boden. „Die Eier“, stammelte er. „Ich schaff's nicht immer raus, wissen Sie.“ Aber Wanda wollte nichts mehr wissen. Sie war einfach nur noch müde. „Wir reden später“, sagte sie von ihrer Wohnungstür aus. Drinnen stellte sie die Reisetasche ab. Sie streifte die unbequemen Pumps von den

Füßen und schälte sich wie eine Zwiebel Hülle um Hülle aus ihren Kleidern. Sie ließ sie einfach fallen, so dass eine Spur entstand, die vom Flur an den Kühlschrank und zurück durch den Flur ins Bad und schließlich an den Schreibtisch führte. Dort legte sie das Handy ab. Jetzt war sie vollkommen nackt. Durch die Querstreben im Fenster war ihr Spiegelbild zweigeteilt. Der obere Abschnitt zeigte ihr Porträt und ging bis zum Ansatz ihrer Brüste. Sie neigte den Kopf zur Seite. Die Blässe und das Dekolleté passten zu einer Edelfrau. Den unteren Teil beherrschten die Brustwarzen, die sie mit ihren dunklen Höfen wie aus einem zweiten Gesicht beäugten. Ihr Abbild endete knapp unterhalb des Bauchnabels. Das geteilte Bild irritierte sie. Sie schaute an sich herab und erkannte den Wildwuchs ihrer schwarzen Scham. Sie schloss die Augen. Sanft berührten die Fingerspitzen den Hals. Der Handrücken glitt weiter hinab und durch das enge Tal ihres Busens, strich den flaumigen Haarstrich auf der Mitte des Bauches entlang, über die Mulde des Nabels hinweg, bis sich die Finger allmählich in den feuchten Niederungen ihrer wahrhaftigen Heimat versenkten. Sie hielt die Augen geschlossen, während sie sich selbst genoss. Irgendwann hupte das Handy vom Eingang einer SMS.

Wanda war noch in sich versunken, sie brauchte einen Moment, bis sie begriff. Die Nachricht kam von dem Kollegen aus der Virologie.

die von ihnen genannte probe ist ob. mfg kanterat

Ohne Befund. Das hieß, es gab keinen Hinweis auf die gesuchten Nanopartikel. Die Proben, die sie von Hilberg genommen hatten, waren sauber. Zwar widerlegte dieses Ergebnis nicht Sniders Hypothese, die Partikel konnten schließlich nach so langer Zeit abgebaut sein, aber es bestätigte sie auch nicht. Vielleicht hatte es in New Mexiko überhaupt keine Kontamination gegeben.

Zuerst spürte sie es in den Tiefen ihrer Eingeweide, dann stieg das freudige Gefühl ihr in die Brust und machte sich in einem Juchzen Luft, das sie selbst überraschte. Die ganze Situation erschien ihr auf einmal in einem anderen Licht. Wanda ging ins Bad und duschte heiß und lange. Danach schlüpfte sie in ihren Schlafanzug und lief durch die Zimmer, um die Lichter zu löschen. Sie sah das Kästlein mit der Einlegearbeit, das sie vor ihrer Abreise nach Berlin auf den Sekretär ihres Vaters gestellt hatte. Das war vor zwei Tagen gewesen. Inzwischen war so viel geschehen, dass es ihr vorkam, als wäre mindestes eine ganze Woche vergangen. Sie öffnete den Deckel und nahm das Bund mit den Schlüsseln heraus. Als Kind hatte sie immer wieder das Märchen vom Grafen Blaubart hören wollen, eine schaurig schöne Geschichte, in der es um Schlüssel und verbotene Türen ging. Wanda hatte stets gehofft, dass Blaubarts neugierige junge Frau die Tür doch nicht öffnen, am besten niemals finden würde. Denn der Horror kam erst, als sie Blaubarts Gebot missachtet und den Schlüssel benutzt hatte, das schreckliche Geheimnis ihres Gatten enthüllte. In ihrer Not hatte Wanda damals alle Schlüssel, die sie finden konnte, gesammelt und versteckt. Die meisten wurden ihr zwar wieder abgenommen, aber diese fünf waren ihr geblieben. Sie probierte sie der Reihe nach an der verschlossenen Schublade aus.

Der dritte passte.

Sie stieß auf ein kleines Bündel vergilbter Briefumschläge. Als sie die graue Paketkordel löste, fielen ein paar Fotos heraus. Sie zeigten alle dieselbe Frau. Sie war schlank und blond, trug eine Hochschlagfrisur und ein enges Kostüm. Ein adrettes Mädchen im Stil der sechziger Jahre, damals vielleicht Anfang zwanzig und offenkundig verliebt. Die Briefe waren an ihren Vater gerichtet, ein wenig schüchtern, aber voller Zärtlichkeit und Zuneigung. Wanda konnte sich nicht erinnern, dass ihr Vater jemals von ihr gesprochen hatte. Die Zeilen rührten sie an, aber ihre Existenz betraf sie nicht wirklich. Die Beziehung reichte zurück in eine Zeit, bevor ihre Eltern geheiratet hatten und sie geboren war. Die Briefe waren an eine Adresse in Mainz geschickt, wo ihr Vater als junger Mann eine Weile gelebt hatte. Auf dem Boden der Schublade entdeckte sie ein einzelnes Blatt. Es hatte unter dem Bündel gelegen und trug dieselbe ordentliche Handschrift wie die anderen Briefe. Wanda entfaltete es, und ihr Blick lief durch die Zeilen.

… Ich respektiere deine Entscheidung, auch wenn es mich innerlich zerreißt. Du sagst, es sei wegen des Kindes und ändere nichts an deinen Gefühlen für mich. Wie um Himmels Willen willst du das aushalten? Du betrügst dich und mich und alle anderen. Ich kann so nicht leben. Ich bitte dich, mich aufzugeben, damit ich wieder frei und glücklich sein kann …

Der Brief datierte aus ihrem Geburtsjahr.

49
Schmuggelware

Es blieb noch eine Weile Winter. Aber die launischen Wechsel der Temperatur überzeugten nicht wirklich. Die kalte Jahreszeit verhielt sich wie ein rückfälliger Kranker, der mit jedem Anfall schwächer wurde. Siechte dahin. Ein langsamer Tod. Und der war schnell vergessen, als der Frühling endlich einzog. Gleichzeitig stieg die Fieberkurve einer gesamten Fußballnation. Dies nahm Wanda ausschließlich durch Zeitungen und Magazine wahr, die sie im Wartezimmer ihres Hausarztes las, so wie jetzt. Sie interessierte sich nicht für Fußball und blätterte über die unzähligen Seiten hinweg, auf denen darüber berichtet wurde. Daher machte sie sich auch nichts daraus, dass die Mannschaft der Elfenbeinküste nun doch nicht in Marburg kampierte. Ihre Tage in dieser Stadt waren gezählt. Die Reise, die ihr die junge Türkin in Berlin angekündigt hatte, sollte Wirklichkeit werden: Eine Tagungsjury hatte ihr für ihre engagierte Präsentation und die aufschlussreiche Studie einen Forschungspreis zugedacht, der es ihr ermöglichen sollte, ein Jahr lang im Ausland zu arbeiten. Doch zuvor wollte sie ein wichtiges Projekt zu Ende führen.

Nach ihrem Vortrag in Berlin hatte Sturm mit dem Geschäftsleiter der BIT telefoniert. Paul Torman sollte unbedingt aus erster Hand erfahren, dass sich das NanoSniff-Gen durch ein Virus in der Rattenkolonie verbreitet hatte. Auch das Tiersterben verschwieg Sturm diesmal nicht. Zu seiner Überraschung zeigte sich Torman kooperativ. Er schlug sogar vor, die Beobachtungen experimentell abzusichern. Den Grund dafür erfuhren sie wenige Tage, nachdem ein privater Mittelsmann aus Amerika einige wenige Milligramm der Testsubstanz bei ihnen abgeliefert hatte. Kurz darauf beschlagnahmte nämlich die US-Regierung NP2701 überall dort, wo sie es aufgrund ihrer Recherchen vermutete und forderte die Firmen auf, ihre Patentanträge zurückzuziehen. Angeblich hatten sie sich über vertraglich geregelte Abmachungen hinweggesetzt. Die Anwälte der Regierung pochten darauf, dass NP2701 staatliches Eigentum sei und erhoben Anspruch auf jede Weiterentwicklung der Ausgangssubstanz. Die juristischen Firmenvertreter widersprachen dieser Auslegung der Verträge. Solange keine richterliche Entscheidung vorlag, herrschte ein inoffizieller Ausnahmezustand. Die Verhandlungen zogen sich in die Länge.

Dies alles erfuhr Wanda von Peter Snider, der ihr jetzt wieder schrieb, allerdings immer noch unter verdeckter Adresse. *Eines Morgens standen zehn Mann vor unserer Tür. Erst dachte ich: Jetzt kommen die Kammerjäger. Aber sie sahen so gar nicht nach einem Putztrupp aus. Hausdurchsuchung, hieß es. Hätten sie einen Kaffee gewollt, wäre ich in arge Bedrängnis gekommen. Es gibt nur drei Tassen in unserem Büro. Zehn Leute sind einfach zu viel. Sie standen sich in den winzigen Räumen auf den Füßen herum.* Hinweise auf das Labor in Marburg seien zu dem Zeitpunkt längst vernichtet gewesen, war der Satz, der Wanda schließlich aufatmen ließ.
Niemand konnte sagen, wie viel Zeit ihr noch blieb. Wanda musste sich sputen, wenn sie ihre Studie rechtzeitig abschließen wollte. Die größte Hürde war der Tierversuchsantrag gewesen. Bis zu einer offiziellen Zustimmung durch das Regierungspräsidium hätte ein halbes Jahr ins Land gehen können. Aber dieses Mal hatten sie alles richtig machen wollen. Sie deklarierten das Material, mit dem sie arbeiten wollten, als infektiös und gentechnisch verändert. Die Experimente sollten in der Virologie durchgeführt werden, die über alle Sicherheitsstandards von S1 bis S4 verfügte. Die Angelegenheit wurde zur Chefsache. Sturm telefonierte mit der Zentralen Kommission für Biologische Sicherheit in Berlin, und so flatterte die behördliche Erlaubnis bereits nach vier Wochen auf Wandas Schreibtisch. Anfang März konnte es losgehen. Anfang Mai wusste sie bereits, dass sich ihre Beobachtungen experimentell bestätigten. Sie konnte damit beginnen, die Publikation vorzubereiten. Beruflich lief alles so glatt wie lange nicht mehr. Allerdings war da noch dieses Zittern in ihren Händen. Zwar nicht mehr so stark wie vor ein paar Wochen – ein leichtes Beben immerhin, das sie beunruhigte.
Durch die Fenster im Wartezimmer des Arztes sah sie in einen wolken-

losen Freitagnachmittaghimmel. Gegen fünf wollte sie sich mit den anderen auf einer Wiese hinterm Rotenberg treffen. Vor ihr waren noch zwei Patienten dran. Der ältere Herr in der Sitzreihe gegenüber schnaufte und stieß ungeduldig seinen Gehstock auf den Boden. Die alte Dame neben ihm schaute von ihrer Illustrierten auf und wackelte mit dem Kopf. Es schien, als wäre sie in einem ewigen Aufruhr gefangen. Dabei lächelte sie Wanda freundlich zu. Wanda lächelte zurück, obwohl sie ihr Anblick nervös machte. Sie versuchte, zu lesen. Aber ihre Gedanken kehrten immer wieder zu den Ereignissen der vergangenen Wochen zurück. So vieles war ungelöst geblieben. Ihre Aufmerksamkeit verhedderte sich ständig in einem Gespinst aus Fragen, die nur schwerlich beiseite zu schieben waren.

Wenn sie an Thomas dachte, versteifte sich ihr Nacken bis zum Ansatz der Haare hinauf. Er hatte sie immer noch im Griff. Von Frau Bünte hatte sie erfahren, dass er seine Stelle ohne Angabe von Gründen fristlos gekündigt hatte, sein Arbeitszimmer war inzwischen leer geräumt. Einmal war Wanda zu seiner Wohnung gegangen, an der Haustür stand ein anderer Name, Thomas hatte sich einfach weg gebeamt und die Hinweise, die seine materielle Existenz bewiesen, lösten sich nach und nach auf. Er hinterließ keine offensichtliche Fehlstelle, um die sie hätte traurig oder wütend oder gar froh sein können. Dieses Sich-Verflüchtigen, ohne eine Spur zu hinterlassen, ließ sie zuweilen an ihrem eigenen Verstand zweifeln. In solchen Momenten kam ihr sogar das überstrahlte Bild von ihm, das sie in letzter Sekunde mit der Kamera hatte festhalten können, geisterhaft vor. Es ließ ihr keine Ruhe, dass er selbst nicht fassbar war und doch alles über sie wusste. Bestimmt hütete er ihre Korrespondenz mit Rudi wie eine Bürgschaft, die ihm ihr Schweigen sicherte. Ihr Problem war, dass sie ihm nicht wirklich etwas entgegen setzen konnte. Sie war sich sicher, dass Thomas für die Überfälle im Institut und in ihrer Wohnung verantwortlich war. Aber beweisen konnte sie es nicht.

Dieses Mal machte Doktor Gläser es kurz. Es sollte das letzte Gespräch nach einer langen Reihe von Untersuchungen sein.

„Der Neurologe findet nichts. Der Radiologe sagt, die Schilddrüse sei in Ordnung, Ihre Frauenärztin …"

„Sie haben den Pathologen vergessen", versuchte Wanda zu scherzen.

„So weit sind wir noch nicht." Gläser runzelte ein wenig ratlos die Stirn.

„Die erhöhte Leukozytenzahl, der Grund weshalb ich sie unbedingt noch einmal hatte sehen wollen, lässt sich nicht bestätigen. Wie fühlen Sie sich im Moment?"
„Bis auf die Tatsache, dass mir mein grüner Tee nicht mehr schmeckt, kann ich nicht klagen." Wanda lächelte.
„Ich denke, der Ortswechsel wird Ihnen gut tun." Die Augen des Arztes glänzten verklärt. Er begann, von seiner Zeit als Assistenzarzt in Südafrika zu erzählen – gab ihr noch ein paar Tipps für die Impfungen mit auf den Weg, und schon stand Wanda wieder draußen in diesem durch nichts getrübten ersten Licht des Frühlings. Auf der anderen Straßenseite wartete Andreas. Sein orangefarbener Pulli leuchtete wie ein Warnlicht. Als er über die Straße huschte, bremsten die Autos. Er strahlte, und auf seinem Gesicht lag ein bronzener Schimmer, der es kantiger wirken ließ. Er war der beste Beweis dafür, dass es noch ein Leben außerhalb klimatisierter Labore geben musste. Von der Philosophischen Fakultät waren es nur wenige Schritte bis zu den Lahnwiesen, auf denen an sonnigen Tagen die Studenten sich und ihre Koteletts grillten. Lesen, reden und denken, mit Freunden im Park herumtollen. Dieses Leben war von einer verspielten Unbeschwertheit und erinnerte Wanda an ihre eigene Studienzeit.
„Du lungerst wohl nur noch draußen herum." Sie fasste seine Hand, schob einen Ärmel seines Pullis den Unterarm hinauf und nahm ihn in Augenschein, als suchte sie nach Einstichen. Andreas ließ sie gewähren und klopfte ihr freundschaftlich auf die Schulter.
„Das ist Gerechtigkeit. Den Reichen die Finsternis, den Armen ein sonniges Plätzchen." Dann nahm er ihre Hand und zog Wanda mit sich fort.
„Komm, wir gehen zu Fuß. Ich weiß einen schönen Weg."
Sie liefen den steilen Renthof in Richtung Schloss hinauf. Irgendwann bogen sie auf einen Pfad ein und mit einem Mal standen sie im Wald. Das Licht fiel durch das junge Blattwerk der hohen Laubbäume wie durch Transparentpapier, das selbst die filigranen Schattenspiele auf den Pfaden grünlich schimmern ließ. Sie hatten sich eine ganze Weile nicht mehr gesehen und redeten über Belanglosigkeiten, bis Andreas sich endlich zu fragen traute:
„Ist sonst alles in Ordnung?" Er sah sie halb von der Seite her an.
„Ja, es sieht so aus. Ich war heute nur zur Kontrolle beim Arzt." Wanda zögerte. „Wir haben die meiste Zeit über Johannesburg geredet."

„Johannesburg?"
„Ich fliege bald hin." Es war das erste Mal, dass sie diese Absicht so klar formulierte. Sie konnte es selbst noch nicht fassen. Andreas sah sie mit großen Augen an. „Ich kenne dort eine Wissenschaftlerin", fuhr sie fort: „Sie hat mich eingeladen, bei ihr zu arbeiten. Mary Kampbell steht übrigens auch auf dieser verdammten Liste, die ich damals …" Er nickte heftig, als wollte er nichts mehr davon hören.
„Wann?"
„Ende Juni."
„Und wie lange bleibst du?"
„Ich habe einen Forschungspreis bekommen. Für ein Jahr wird es reichen. Was danach ist, werden wir sehen." Wanda strich sich eine kleine grüne Raupe vom Ärmel. „Ich kann´s noch nicht so recht glauben. Ich bin an den Preis gekommen wie die Jungfrau zum Kind. Eigentlich weiß ich gar nicht so recht, wofür man ihn mir verliehen hat."
„Ich habe immer gewusst, dass du die Beste bist. Aber was wird aus deiner Juniorprofessur?"
„Ich bin mir nicht mehr sicher, ob ich das wirklich will. Als Juniorprof kriegst du einen dicken Batzen Lehre aufs Auge gedrückt, und sollst dich obendrein noch im wissenschaftlichen Wettbewerb international behaupten. – Weißt du, dass ich dich um deine Lahnwiesen richtig beneide."
„In Südafrika scheint auch die Sonne."
„Ja, sicher", erwiderte sie. „Es wird bestimmt heilsam sein."
„Bist du also doch …" Andreas sah sie besorgt an.
„Nein", unterbrach sie ihn. „Keine Sorge. Es ist nichts. Nur, Mary ist so ganz anders als ich. Sie behauptet, dass sie inzwischen Farben riechen kann."
„Krass", entfuhr es Andreas.
„Na ja, sie leidet an einer Geruchsstörung. Ich habe ein wenig Angst …"
„Ist es ansteckend?"
Wanda lachte und schüttelte den Kopf. Auf einmal musste sie an ihren Bruder denken. Sie hatte versucht, mit ihm über die Briefe im Sekretär des Vaters zu reden, aber Robert hatte nichts davon wissen wollen. Irgendwann hatte sie es aufgegeben. Es war nichts mehr, was sie hier hielt. „Ich habe nicht vor, zurückzukommen." Die Entschlossenheit, mit der sie das aussprach, richtete sie auf.

Für einen Moment liefen sie schweigend nebeneinander her. Wanda lauschte. Um sie herum knisterte der Wald, als würden abertausende von winzigen Bläschen zerplatzen. Wanda sah die dichten Gespinste der Spannerraupen zwischen den Ästen. Die Blätter waren dort wie nach einem Kugelhagel durchsiebt. An vielen Stellen hingen nur noch traurige Gerippe. Was macht es für einen Sinn, fragte sie sich. Vielleicht hatte Mary Recht und New Mexiko hatte sie alle verändert. Schamanistischer Zauber oder Nanopartikel. Was immer es auch war: Es markierte mittlerweile auch für Wanda den Beginn eines Wandels, mit Ereignissen, die niemand so leicht zu verstehen vermochte. Panzerotti war geheilt. Günther Hilberg war tot. Es kam ihr so vor, als schaute sie in einen Spiegel, über den die Begebnisse huschten wie in einem Film, real und doch viel zu schnell, um greifbar zu sein. Eine zum Bersten verdichtete Fläche, doch dahinter war nichts. Wir stehen ganz am Anfang, dachte Wanda. Sie musste auf einmal lächeln: Und der Nanokosmos ist eine Scheibe.
Hinter dem Dammelsberg überquerten sie die Rotenberg Straße und liefen über den Hauptfriedhof.
„Es tut mir leid“, begann sie vorsichtig.
„Dass du gehst?“
„Nein“, Wanda schüttelte den Kopf, „aber dass wir nichts Weiteres über den Tod deines Vaters herausfinden konnten. Andererseits …“
„Ja?“
„… bin ich froh darüber, nichts gefunden zu haben.“
„Ich auch.“ Andreas drückte ihre Hand. „Es hätte ihn nicht wieder lebendig gemacht. Aber du … Du bist doch gesund?“ Sie nickte. Hand in Hand erreichten sie die ersten Felder. Ein bedrücktes Schweigen ging von Andreas aus.
„Du kannst mich besuchen“, wollte Wanda ihn aufmuntern. Sie hatte keine Lust auf Abschiedsschmerz.
„Pass auf, was du sagst!“ erwiderte er. „Ich könnte ganz plötzlich bei dir aufkreuzen.“ Sie lachten.

Sie hatten sich an der Wiese gleich gegenüber dem Sendemast verabredet. Von unten war das Gelände nicht einzusehen, denn der Fußweg, der hinauf führte, verschwand hinter einer Kurve. Aber da stand der Toyota am Wegesrand. Johannes und Petra erwarteten sie also schon.

Wanda genoss den sonnigen Abend. Sie liefen an Wiesen und Feldern vorbei, der Pfad stieg langsam an. Oben auf der Anhöhe kämmte eine leichte Brise das Gras und spielte mit seinen Farben. Mal erschien es auberginenviolett, dann wieder grün. Der Löwenzahn blühte und ließ seine ersten Schirmchen aufsteigen. Mitten in dieser Dünung trieben Johannes und Petra auf einer himmelblauen Plane wie auf einem Floß. Ein Sektkorken knallte.

Wanda rannte zu ihnen hinüber. Atemlos ließ sie sich auf die Unterlage plumpsen und griff nach dem ersten Glas. Der Sekt schäumte und lief ihr über die Hand.

Petra, die neben Johannes kniete, richtete sich kerzengerade auf und streckte ihr Glas in die Höhe. Mit ihrem Stirnband und in Johannes wehendem Flanellhemd sah sie aus wie die Freiheitsstatue auf Landurlaub. Selbst in dieser lässigen Pose, wirkte sie makellos, unberührbar. Wanda war sich nie sicher, was Petra tatsächlich von ihrer Umgebung mitbekam. Ihre kindliche Leichtigkeit machte sie gegenüber Missgunst und dem Ärger der anderen immun. Was sie nicht wahr haben wollte, perlte an ihr ab und man konnte ihr nicht einmal böse sein.

„Auf uns!“ erklärte Petra feierlich.

Sie ließen die Gläser klirren.

„Wo ist Sabine?“ wollte Andreas wissen.

„In den Süden abgetaucht.“ Wanda hob eine Augenbraue. „Downunder. Australien. Sie forscht jetzt in Adelaide. Die haben sogar dafür gesorgt, dass Wolfgang sich nicht langweilt. Er kann dort als Deutschlehrer arbeiten.“ Wanda leckte sich die klebrigen Finger und schüttelte sich. „Schmeckt irgendwie komisch.“

Andreas nippte an seinem Glas. „Also ich finde ihn okay“, sagte er. Johannes verteilte Weißbrot und Käsehäppchen. Der Käse kam ihr fade vor. Aber dieses Mal sagte Wanda nichts.

Sie hockten dicht beieinander und blinzelten in eine warme Abendsonne. Zu ihren Füßen dehnte sich die Stadt in ihre südliche Flanke. Es war ein friedliches Panorama. Ganz links, auf den Lahnbergen gegenüber, schmiegte sich der Kaiser-Wilhelm-Turm als eine schlanke Säule an die dicht bewaldete Kuppe. Dann kam der Dammelsberg, der die Sicht auf das Schloss verdeckte. Wanda schaute Andreas an.

„Hat sich die Polizei noch einmal bei dir gemeldet?“

„Sollte sie?“ Er schien mit den Gedanken ganz woanders zu sein.

„Immerhin gab es Spuren“, drängte Wanda und folgte seinem Blick über die westliche Hügelkette.
„Hier gibt es viele Spuren“, sagte er versonnen. „Da unten auf der Anhöhe von Ockershausen verläuft die Weinstraße, eine alte hessische Handelsstraße.“
„Nur für Wein?“ Petra setzte sich dicht neben ihn.
„*Wein* ist die alte Bezeichnung für *Wagen*“, erklärte Andreas. „Karren, wie sie im Mittelalter benutzt wurden.“
„Hier hausten Räuber, bärtige, von Schweiß und Dreck strotzende Kerle“, mischte sich Johannes nun ein. Er zwinkerte Wanda zu. „An besonders verregneten Tagen, wenn der Boden weich und formbar war, führten sie ein paar Karren die Straße entlang. An einer günstigen Stelle, die von der Schutzburg nicht einzusehen war, verließen sie den rechten Pfad und zogen die unausweichliche Spur in einen Hinterhalt.“
„Wie die Gangs in Miami.“ Petra hatte sich wie eine Schnecke eingerollt und kauerte auf der Decke. Ihr Blick war kindlich entrückt. Es fehlte nur, dass sie am Daumen nuckelte.
„Nur noch ein paar sonnige Tage im Sommer oder frostige Nächte im Winter, dann wurde die trügerische Spur fest und die wohl beladenen Wagen“, Johannes Augen blitzten, „rollten arglos in die Falle.“
„Du solltest dich als Stadtführer bewerben“, warf Andreas belustigt ein. Johannes wehrte ab.
„Die Rolle des Robin Hood gefällt mir entschieden besser. Auch die kluge Händlerin, die den Betrug noch rechtzeitig erkennt, ist mir sympathisch.“ Johannes schaute Wanda jetzt aufmerksam an. „Sie bemerkt, dass etwas faul ist. Sie lenkt ihren Wagen gerade noch aus der falschen Furt. Es holpert fürchterlich. Die Achsen stöhnen und die Radspeichen knarren bedrohlich. Aber sie schafft es.“
„Und wenn sie nicht gestorben ist …“ Petra schaute auffordernd in die Runde.
„… dann fliegt sie bald nach Afrika“, ergänzte Johannes. Er hob das Glas und prostete Wanda zu. „Auf deinen Preis. Du machst es richtig. Du bringst den Gewinn an einen sicheren Ort, während wir hier immer noch unsere Schlammspuren ziehen.“ Wanda zog den Kopf ein.
„Du hast Recht“, druckste sie verlegen. „Eigentlich hätte ich den Preis nicht annehmen dürfen. Es ist Schmuggelware. Schließlich war es Teamarbeit.“

„Keine Sorge." Johannes lachte. „Ich gönne ihn dir. Wirklich. Letztendlich bist auch du nur ein Jackett, an das der Orden geheftet wird." Er biss in sein Brot. „ … sei mir bitte nicht böse", fuhr er kauend fort, „aber bleiben wir doch realistisch. Der Preis gilt in Wirklichkeit niemand anderem als unserem Chef. Er weiß genau, wem er ihn zu verdanken hat und wem er sich bei nächster Gelegenheit dafür erkenntlich zeigen darf." Johannes verzog das Gesicht zu einem breiten Grinsen. „Ich hab's euch immer gesagt: Dein Freund gewinnt."

„Aber er hat doch nichts davon, wenn Wanda das Geld mitnimmt", ereiferte sich Petra. Wanda schüttelte den Kopf.

„Einen Preis zu vergeben, ist die eleganteste Art, jemanden abzuservieren. Er will doch nur, dass ich gehe."

Johannes schob sich ein Käsehäppchen in den Mund. Er wiegte den Kopf. „Da bin ich mir nicht so sicher. Er hat bestimmt damit gerechnet, dass du das Preisgeld in der Abteilung verwendest. Geschieht ihm recht, dass du es weg schaffst. Aber vielleicht klappt es und er bekommt tatsächlich den Methuselah-Mouse-Prize."

„Den was?" Petra blickte vom einen zum anderen.

„Den Maus-Methusalem-Preis", übersetzte Johannes. „Viereinhalb Millionen Dollar für ein paar altersschwache Mäuse. Diese Preiskategorie ist leider außerhalb unserer Möglichkeiten. Die Mäuse überleben bereits die Dauer unserer Arbeitsverträge. Aber wer es schafft, alte Mäuse zu züchten, hat für seinen Lebensabend ausgesorgt."

„Sturm?" Wanda schüttelte den Kopf. „Du verbreitest mal wieder Gerüchte."

Johannes Augen funkelten belustigt. „Du wirst sehen, er wird solange ackern, bis es klappt." Er wirkte absolut überzeugt. „Sturm braucht diese Preisdusche alle paar Jahre. Es funktioniert wie beim Lotus-Effekt. Manche Menschen tragen diese Westen, ihr wisst schon, die mit den winzigen Noppen. Unser Chef gehört auch zu dieser Spezies. Wenn du ihn mit einem Preisgeld überschüttest, spült es den Dreck weg, als hätte es ihn nie gegeben."

„Danke für die Blumen", gab Wanda beleidigt zurück. Johannes' Worte trafen sie an einer empfindlichen Stelle. Schließlich erlaubte auch ihr ein Preisgeld, die alten Geschichten hinter sich zu lassen.

„Ich meine nicht dich, Wanda. Ich rede von Sturm. Bei ihm ist es genetisch." Für einen Augenblick sagte niemand etwas.

„Apropos Gene", meldete sich Andreas zu Wort. „Kennt ihr inzwischen die Gensequenz von NanoSniff?"
„Das bleibt wohl Firmengeheimnis", erwiderte Wanda resigniert. „Sturm könnte es wissen. Schließlich kungelt er mit dem Chef der Virologie. Sie haben damals die Analysen gemacht und sollten den Code inzwischen kennen. Aber da ist nicht ran zu kommen. Wenn ich ehrlich bin, will ich es auch nicht mehr wissen."
„Klassischer Fall von Schutzbehauptung", ließ Johannes vernehmen. „Was wir nicht kennen, kann uns nicht erschüttern."
„Das stimmt nicht ganz", widersprach ihm Andreas. „Wir kennen die Wirkung. Das sollte reichen, davor zu warnen."
„Ziemlich schwammige Angelegenheit", entgegnete Wanda. „Was hat die Ratten letztendlich umgebracht? War es das Gen allein oder war es diese Verbindung zwischen Virus und Nanofähre, die das tödliche Potenzial erst geschaffen hat? Die Zusammenhänge sind viel zu komplex, als dass sie so leicht zu beurteilen wären. Wir wissen nicht einmal, woraus die Nanosonde genau besteht. Was lässt sie so gezielt in einen Organismus eindringen?" Sie überlegte. „Bei einem Nanopartikel liegt das Geheimnis auf der Oberfläche. Das ist ja der Unterschied zu unserer makroskopischen Welt. Wir sind es gewohnt, die Dinge aufzubrechen und zu zerlegen, um sie zu erkennen und zu verstehen. Im Nanokosmos ist alles Oberfläche. Da gibt es kein Drunter-Gucken. Wir haben es mit Grenzphänomenen zu tun, die einem, je filigraner sie werden, desto mehr endlos vorkommen. Ich habe mittlerweile die Orientierung verloren."
„Das ist der Moment, in dem wir die richtigen Fragen stellen", hörte sie Andreas sagen. Dann sah sie den Polizeiwagen, der langsam den Feldweg herauf rollte.
„Was will *die* denn hier?" Petra klang ärgerlich und verstaute sofort die Sektflasche im Korb. Eine Staubwolke tanzte hinter dem Auto her, das unbeirrt näher kam. Der Fahrer schaute zu ihnen herüber.
„Verdammt", entfuhr es Johannes. Er wurde rot.
„Hast du was ausgefressen?" fragte Wanda belustigt. Auf der Höhe des Sendemastes hielt der Wagen an. Zwei Polizisten stiegen aus. Ein Mann und eine Frau. Sie trug das blonde Haar im Nacken zusammen gebunden. *Thomas*, ging es Wanda durch den Kopf. Die SLAM Spuren. Sie hatten ihn erwischt, seinen Computer beschlagnahmt. Wanda schlüpfte in ihren Pullover.

„Ihr habt keine Ahnung", zischte Johannes. „Ist das klar?"
„Wovon redest du?" fragte Wanda, während sie die Polizisten nicht aus den Augen ließ. Die zwei betraten die Wiese und stapften durch das hohe Gras direkt auf sie zu. Johannes rutschte auf seinem Hintern hin und her. „Unser Manöver, Sturm aufzuhalten, hat es nie gegeben." Mit jedem Schritt der nahenden Polizisten, wuchs seine Panik. Plötzlich fuhr Petra ihn an.
„Ich glaube es nicht. Der Koffer im Flughafen. War das etwa deine Idee?"
„Halt die Klappe", fauchte Johannes. Bilder zogen an Wandas innerem Auge vorbei. Ein einsamer Koffer im Flughafen. Bombenalarm. *Die Notbremse*. Johannes hatte es selbst so genannt.
„Wer war dabei?" fragte sie unvermittelt, die Polizisten nur noch einige Schritte entfernt.
„Ted war uns noch einen Gefallen schuldig." Mehr sagte er nicht, denn da standen die beiden schon neben ihnen. Das Haar der Frau war eindeutig knäckebrotblond, und ihr rosiger Teint schimmerte beneidenswert unschuldig. Der Kollege blieb kurz hinter ihr stehen. Es war ein anderer als damals am Schloss.
„Guten Abend." Lidia Wasa nickte ihr und Andreas zu. „Wir kennen uns." Sie wirkte geschäftsmäßig kühl. Niemand sagte etwas. Die Polizistin blickte fragend vom einen zum anderen.
„Sie wissen, weshalb wir hier sind?" Sie saßen da wie eingefroren, wagten es nicht, sich zu rühren. In weiter Ferne grummelte der Himmel. War es ein Flugzeug oder ein nahendes Gewitter? Was mussten sie von ihnen denken?
„Sehen Sie den Traktor dort drüben?" Die Polizistin wies zu einer Baumgruppe weit hinten am Rand eines Feldes. „Der Bauer hat uns angerufen und sich beschwert. Ich muss sie auffordern, die Wiese zu verlassen." Andreas sprang sofort auf.
„Alles klar", sagte er. „Wir sind schon weg." Eilig sammelte er die Gläser ein und packte sie zu den Lebensmitteln in den Piknickkorb.
Eine rosa Wolkenfahne schmückte den Himmel, als Wanda den beiden Polizisten nachsah. Langsam schritten sie zu ihrem Wagen zurück. Es war höchste Zeit für ein letztes Bild. Sie zog das Handy aus der Tasche und richtete die kleine Linse aus. Das Display zeigte Johannes am Boden. Er kauerte auf allen Vieren. Er war krebsrot im Gesicht und

hielt sich den Bauch vor Lachen. Petra saß auf seinem Rücken und trommelte wild mit den Fäusten darauf herum. Andreas stand da, den Korb in der Hand, und schaute nach Süden. Sie würde es Sabine schikken. Irgendwo weit weg tuckerte der Motor des Traktors. Wanda hob die Nase in die Frühlingsluft und schnupperte.
Nichts. Sie roch nichts. Absolut nichts.

) Ende (

Danksagung

Danken möchte ich meinem Mann, Heinz Fehrenbach, und allen Freunden und Bekannten, die mich bei der Arbeit an diesem Buch unterstützt haben; meinem Verleger und Lektor Axel Dielmann für sein unermüdliches Engagement und Fee Braunsdorf für ihre Arbeit am Glossar; meinen Fachberatern, Angelika Graser und Rudolf Jörres, für ihre Ausdauer beim Lesen des Rohmanuskriptes und ihre klugen Anstöße, die stets Mut gemacht haben; Navina Dahmke, Markus Eickmann, Uli Köhler, Thilo Körkel, Michael Krause, Peter Rexin, Holger Schulz und Gregor Zimmermann für die anregenden Gespräche, Tipps und Vermittlungen; Willem Warnecke für den Crash-Kurs in Philosophie, Siegfried Wilhelm von der Pressestelle des Hessischen Landeskriminalamtes für die Infos aus der Ballistik und Christiane Peters für die Streifzüge durch die Marburger Stadtgeschichte.

Ein Buch lässt sich mit einem Bauwerk vergleichen. Am Anfang ist eine Idee, dann entsteht ein Plan. Die Statik ist wichtig, damit man sicher hindurchgehen kann. Das Schreibseminar im August 2006 mit Rainer Schildberger und die Treffen mit den Marburger LetterLadies waren sehr wichtig in dieser frühen Entstehungsphase. Als ich im Juni 2007 das NanoBioEthik-Seminar in Hofgeismar besuchte, ging es bereits ums *Möbelrücken*, und ich bekam noch ein paar gute Ideen für die Innengestaltung. Allen Teilnehmern und Teilnehmerinnen herzlichen Dank dafür. *Last but not least* danke ich meinen Mentorinnen, Marliese Pfeil und Andrea Saalbach, und dem unbekannten Landwirt, dass er uns nie von seiner Wiese vertrieben hat.

Glossar

Algorithmus: Handlungsvorschrift zur Lösung eines Problems; *genetische bzw. evolutionäre A.* sind in der Lage, durch Kombination und Auslese wiederholt verschiedene Lösungsvorschläge zu generieren und sie somit den gestellten Anforderungen entsprechend zu optimieren (siehe auch Neuronales Netz).

Autoklav: Gerät, das in Forschungslaboratorien zur Sterilisation von Instrumenten und Nährmedien verwendet wird. Ähnlich einem Schnellkochtopf wird unter Überdruck heißer Wasserdampf erzeugt, der keimtötend wirkt.

Bilobalid: Sesquiterpen, Inhaltsstoff der Blätter von *Ginkgo biloba*; die Vorstellung seiner günstigen Wirkung auf den Organismus stützt sich auf die Beobachtung, dass Ginkgo-Extrakte die Gedächtnisleistungen alter Mäusen steigern können.

Biolumineszenz: eine Form der Chemilumineszenz, die von Lebewesen betrieben wird; das Licht entsteht durch eine chemische Reaktion in einem Organ, Körperteil oder in symbiotischen Organismen (griech. *bíos: Leben* und lat. *lumen: Licht*).

Blut-Hirn-Schranke: physiologische Barriere zwischen dem Zentralnervensystem und dem Blutkreislauf. Eine besonders dichte Verbindung (*Tight junctions*) zwischen den Endothelzellen der Blutgefäße verhindert den Durchtritt bestimmter Substanzen durch die Zellzwischenräume und schützt das Gehirn u.a. vor im Blut zirkulierenden Krankheitserregern und Toxinen.

Buckyball / Buckminsterfulleren: kugelförmiges oder ellipsoides Kohlenstoffmolekül von 0,7 Nanometern Größe (siehe Fulleren).

Bulbus olfactorius: (dtsch. *Riechkolben*), ist ein kolbenförmiger Fortsatz an der vorderen Hirnbasis und über die Riechnerven mit dem Riechepithel der Nasenschleimhaut verbunden (lat. *bulbus: Zwiebel,* lat. *olfactorius: riechend)*.

Chairman: auch chair (dtsch. *Vorsitzender*), der ein Gremium, eine Kommission oder eine wissenschaftliche Veranstaltung leitet bzw. moderiert.

Cluster: weit verbreiteter Begriff, der nur im fachsprachlichen Kontext definiert werden kann; *hier*: Materiehaufen, die größer als Moleküle sind, aber kleiner als Nanopartikel und noch keine Festkörpereigenschaften haben.

de Lamarck, Jean-Baptiste: französischer Botaniker und Zoologe (1744 bis 1829); in seiner Evolutionstheorie vertrat er die Vorstellung von der Vererbung im Leben neu erworbener Eigenschaften. Mit seiner Schrift *Système des animaux sans vertèbres, ou table général des classes* schuf er eine bis heute weitgehend gültige Gliederung der Wirbellosen.

DNA-Microarray: auch Genchip, ist ein molekularbiologisches Untersuchungssystem, das die parallele Analyse von vielen tausend Nukleotidsequenzen (Genen) auf kleinstem Raum erlaubt.

Easy-to-clean: Verfahren zur Herstellung extrem glatter Oberflächen durch Beschichtung, um das Anheften von Schmutzpartiklen und unerwünschten Substanzen einzuschränken.

Entropie: (griech. *entropía: Wendung, Umwandlung*) ist eine thermodynamische Größe, mit der Wärmeübertragungen und irreversible Vorgänge in thermodynamischen Prozessen rechnerisch erfasst werden können. Sie ist ein Maß für die Unbestimmtheit / Unordnung eines abgeschlossenen Systems (Gas, Flüssigkeit oder Festkörper), das seit Anfang des 19. Jahrhunderts im 2. Hauptsatz der Thermodynamik formuliert ist, wonach Wärme – ohne Einfluß von außerhalb des Systems – stets nur von warm nach kalt fließt und ein Gleichgewicht ausbildet.

Epigenese: nach der Postformationstheorie bezeichnete Vorstellung, dass sich ein Organismus während seiner Entwicklung neu strukturiert und nicht bereits im Ei vorgebildet ist (griech. *Epigenesis: nachträgliche Entstehung*).

Epigenetik: beschäftigt sich mit den Mechanismen der Epigenese, die nicht auf Abweichungen in der DNA-Sequenz zurückgehen, sondern auf eine vererbbare Änderung der Regulation und Expression von Genen.

ETC-Group: auch *Action group on Erosion, Technology and Con-*

centration, ist eine internationale Organisation mit Sitz in Kanada. Sie analysiert und informiert über sozioökonomische und technologische Trends und setzt sich für den Schutz kultureller und ökologischer Vielfalt sowie der Menschenrechte ein.

Feynman, Richard: US-amerikanischer Physiker (1918 bis 1988), war an der Entwicklung der Atombombe beteiligt, Nobelpreisträger und Autor zahlreicher skurriler Essays und Bücher und seine „Feynman-Lectures", mit denen er um eine populäre Vermittlung auch von hochentwickelten wissenschaftlichen Erkenntnissen bemühte. Prägte den Begriff der „Cargo-Cult-Science" für sinnlose Wissenschaft. Seine berühmte Rede *There's Plenty of Room at the Bottom* im Jahre 1959 wird gern als Gründungsschrift der Nanotechnologie angesehen.

Fraktaltheorie: Aspekt der Chaostheorie, der sich mit geometrischen Gebilden befasst, die aus mehreren verkleinerten Kopien ihrer selbst bestehen. Mathematische Grundlage dieser Eigenschaft der *Selbstähnlichkeit* ist die Überlegung, daß es Geometrien mit nicht-ganzzahligen Dimensionen gibt, wie sie von *Mandelbrod* (siehe dort) formuliert wurden, so daß beispielsweise die Oberflächen von Körpern nicht mehr, wie in der klassischen Geometrie, eindeutig in ihrer Größe bestimmbar sind.

Friedman, Richard „Kinky": US-amerikanischer Country-Musiker, Schriftsteller und Politiker (geb. 1944); die Kriminalromane des *Kinkster*, wie er sich selbst in seinen Büchern nennt, tragen autobiografische Züge.

Fulleren: neben Diamant und Graphit die dritte Element-Modifikation des Kohlenstoffs (siehe auch Buckyball und Nanoröhrchen)

GFP – Green fluorescent protein: (dtsch. *Grün fluoreszierendes Protein*) ist ein Protein aus der Qualle *Aequorea victoria*, das bei Anregung mit blauem oder ultraviolettem Licht grün fluoresziert. Das GFP-Gen lässt sich an das Gen eines zu untersuchenden Proteins koppeln, mit dem es dann von der Zelle transkribiert wird (siehe auch Reportergen). Durch die Fluoreszenz des GFP kann so die räumliche und zeitliche Verteilung des anderen Proteins in lebenden Zellen, Geweben oder Organismen direkt beobachtet werden.

Haliotis: auch Seeohr oder Abalone genannt, zählt zu den Schnecken. Man findet sie an Felsküsten gemäßigter bis warmer Meereszonen.

Histone: Proteine, die im Zellkern vorkommen und als Bestandteil des Chromatins für die Verpackung der DNA, und auch für die Expression einiger Gene wichtig sind (siehe auch Nukleosom).

Hyperthermiebehandlung: von Tumoren, siehe *Jordan*, Andreas.

Impact-Faktor: genauer *Journal Impact Factor*, ist eine Maßeinheit, anhand derer Fachzeitschriften miteinander verglichen werden. Je höher der Impact Factor, desto angesehener ist eine Zeitschrift. Der Impact-Faktor gibt an, wie oft ein Artikel aus einer Zeitschrift im Mittel zitiert wird. Eine Publikation in einem Journal mit hohem Impact-Faktor wirkt sich auch auf die akademische Beurteilung und die Karrierechancen von Wissenschaftlern aus (engl. *high impact: mit großen Auswirkungen*).

Jordan, Andreas: deutscher Naturwissenschaftler, entwickelte die Magnetflüssigkeits-Hyperthermie zur Behandlung von Krebs. Dabei werden eisenoxidhaltige Nanopartikel in die Krebszellen gebracht und dort über ein Magnetfeld erhitzt. Die Tumoren werden dabei zerstört.

Kurzweil, Raymond: US-amerikanischer Unternehmer und Sachbuch-Autor (geb. 1948). Er zählt zu den Visionären der Künstlichen Intelligenz, einem Teilgebiet der Informatik, das sich mit der Automatisierung intelligenten Verhaltens befasst.

KimWipes: besonders fusselfreie Reinigungstücher aus Papier und Silikon, die gern zum Säubern von Glasobjektträgern und Pipetten verwendet werden.

Kristallstrukturanalyse: Methode zur Bestimmung des atomaren Aufbaus eines Kristalls häufig mit Hilfe von Röntgenstrahlen, die sich am Kristallgitter beugen, wodurch ein Beugungsmuster entsteht, aus dem die Kristallstruktur berechnet werden kann.

Lab-on-a-chip: Halbleiterchip für die Analyse kleinster Mengen biologischer Flüssigkeiten; zählt zu den chemischen Mikrosystemen.

Lotus-Effekt: wurde 1992 von dem Biologen, Wilhelm Barthlott beschrieben und bezieht sich auf eine geringe Benetzbarkeit von Oberflächen, die auf dem gleichen Prinzip beruht wie bei der Lotospflanze.

Makrolon: Polykarbonat, das sich durch besondere Eigenschaften wie Leichtigkeit, Transparenz, Bruchfestigkeit und Formstabilität auszeichnet. Anwendung findet es in der digitalen Speichertechnik, im Gebäude- und Automobilbau, Behältnissen für die Tierhaltung in Laboren sowie bei Sportbrillen und Helmvisieren.

Mandelbrod, Benoît: französischer Mathematiker (geb. 1924) und durch seine Arbeiten zur Fraktaltheorie (siehe dort) aus dem Jahr 1975 Mitbegründer der Chaostheorie.

Nanobots: auch Nanoroboter, winzige autonome Maschinen (hypothetisch), die u.a. in der Medizin- und Computertechnik ihren Einsatz finden sollen. (griech. *nanos: Zwerg / zwergenhaft*).

Nanopartikel: ein Verbund von wenigen bis einigen tausend Atomen oder Molekülen in einer Größe zwischen 1 bis 100 Nanometern (1 Nanometer entspricht 10^{-9} = 0,000000001 Meter).

Nanoröhrchen: auch Nanotube; Kohlenstoffmolekül, das die Form einer langen Röhre hat. Der Durchmesser beträgt ein bis mehrere Nanometer. In mehrwandigen Nanotubes sind mehrere Röhren ineinander geschachtelt.

Nanomedizin: Bereich der Medizin, der sich mit dem Einsatz von Nanopartikeln zur Diagnostik und Behandlung bestimmter Krankheiten beschäftigt.

Nelumbo nucifera: auch Lotos genannt; Pflanzengattung der Lotosgewächse, die in Asien und Australien beheimatet sind.

Neuronales Netz: bezeichnet die Vernetzung biologischer Strukturen von Gehirn und Nervensystem sowie ihre modellhafte Übertragung in künstliche neuronale Netze durch computergestützte Verfahren, um ihre Eigenschaften für Software-Anwendungen nutzbar zu machen.

Nose-only: (dtsch. *nur Nase*) Expositionsverfahren, bei dem Gase, Aerosole und Dämpfe vorwiegend an die Nasen von Versuchstieren herangeleitet werden; im Gegensatz zur Ganzkörper-Exposition (engl. *whole body*).

Nukleosom: Komplex aus DNA und Histonproteinen. Nukleosomen haben funktionelle Relevanz bei der Bildung von Heterochromatin, beim Gen-Splicing und bei der Aufspiralisierung der DNA vor der Mitose (siehe auch Histone).

Nukleotid: Grundbaustein der Nukleinsäuren, DNA und RNA, bestehend aus einer Phosphorsäure, einem Zucker und einer der Purin- bzw. Pyrimidinbasen, Adenin, Cytosin, Guanin, Thymin und Uracil.

Östrus: Brunst; bei weiblichen Säugetieren die Zeit erhöhter sexueller Aktivität. Während des Östrus geschieht der Eisprung. Laut Überlieferung aus der Mythologie soll die in eine Kuh verwandelte Io, von einer Bremse gebissen, in die Raserei getrieben worden sein (lat. *oestrus: Rossbremse*).

Peer-Review: ist ein Verfahren zur Qualitätssicherung wissenschaftlicher Arbeiten oder Projekte durch Gutachter desselben Fachbereichs, die so genannten *Peers* (engl. *seinesgleichen*).

Postdoc: auch Postdoktorand, ist ein Wissenschaftler, der nach Abschluss seiner Doktorarbeit in der Forschung befristet angestellt wird.
Quantum dots / Quantenpunkte: Festkörper von wenigen Nanometern Ausdehnung; Quantenpunkte sind freie Partikel oder in Halbleiter eingebettete Inseln, die sich wie künstliche Atome verhalten.
Rasterkraftmikroskop: auch STM für *Scanning Tunneling Microscope*; bei diesem Mikroskop wird das atomare Abbild einer elektrisch leitenden Oberfläche aus dem Tunnelstrom zwischen Mikroskopspitze und Oberflächeatom errechnet.
Regio entorhinalis: Hirnregion im Gyrus parahippocampalis; verschaltet u.a. den Bulbus olfactorius (s.o.) mit dem Limbischen System.
Reportergen: stellt die Expression anderer Gene dar (siehe auch GFP).
Richter, Gerhard: deutscher Maler (geb. 1932) von internationalem Ruhm; sein umfangreiches Werk ist durch viele Stilrichtungen geprägt, wie zum Beispiel durch eigenwillige Verfremdungstechniken fotografischer Vorlagen.
Schlupfwespe: Insektengruppe; zählt wie die Wespen, Ameisen und Bienen zu den Hautflüglern; das kleinste Insekt ist eine 0,17 mm lange Schlupfwespe der Trichogrammatidae. Zum Vergleich: Das einzellige Pantoffeltierchen ist 0,33 mm lang.
Seeman, Nadrian: US-amerikanischer Chemiker (geb. 1945) und Mitbegründer der DNA-Nanotechnologie. Er entwirft mit Hilfe von Nukleinsäuren neuartige Strukturen, die künftig u.a. in planar-technische Umgebungen wie Computerchips integriert werden sollen.
Selbstorganisation: ein Begriff der Systemtheorie, der in den 50iger Jahren geprägt wurde. Sie bezeichnet das spontane Auftreten neuer, stabiler, effizient erscheinender Strukturen und Verhaltensweisen in offenen Systemen, die sich fern vom thermodynamischen Gleichgewicht befinden, also Energie, Stoffe oder Informationen mit der Außenwelt austauschen.
SPF – specific-pathogen free: internationaler Hygienestatus bei der Haltung von Versuchtieren, der bestimmte Krankheiterreger ausschließt.
Substantia nigra: Region im Bereich des Mittelhirns mit einer Ansammlung von Nervenzellkörpern (Kernkomplex); erscheint durch einen hohen Gehalt an Melanin dunkel gefärbt.
Superhydrophobie: Zustand der extremen Unbenetzbarkeit mit Wasser (siehe Lotus-Effekt).

Taipan: *Oxyuranus spec.*, sehr giftige, bis zu 3 Meter lange australische Schlangengattung.

Thoreau, Henry David: US-amerikanischer Schriftsteller und Philosoph (1817 bis 1862). In seinem Werk, *Walden. Or life in the woods* beschreibt er sein einfaches Leben in der Natur um den *Walden-Pond* bei Concord, Massachusetts, wohin er sich zwei Jahre lang zu völlig autarkem Leben und Wirtschaften zurückzog (siehe auch *Walden*).

Tourettsches Syndrom: nach dem französischen Arzt Gille de la Tourette benannte neuropsychiatrische Erkrankung, die auf Stoffwechselstörungen im Gehirn zurückgeführt wird.

Transhumanismus: Bewegung in der Philosophie, die auf das Bestreben verweist, die Grenzen menschlicher Möglichkeiten und Bedingungen mit Hilfe neuer Technologien zu verändern und zu erweitern im Hinblick auf eine mögliche Verbesserung der menschlichen Existenz (lat. *trans: jenseits von* / lat. *humanus: menschlich*).

Tree of Life: auch *phylogenetic tree of life* oder *phylogenetischer Baum*, ist ein Modell mit dessen Hilfe, die evolutionären Beziehungen zwischen verschiedenen Arten oder anderen Verwandtschaftsgruppen dargestellt werden.

van der Waals, Johann: niederländischer Physiker (1837 bis 1923). Er entdeckte die Wechselwirkung zwischen Molekülen – die später nach ihm benannten Van-der-Waals-Kräfte (s.u.).

Van-der-Waals-Kräfte: relativ schwache Anziehungskräfte, die zwischen ungeladenen Atomen oder Molekülen auftreten.

Vitalmikroskopie: Techniken der Mikroskopie zur Beobachtung lebender Strukturen wie Zellen und Geweben.

Walden: Titel des Buches von Henry David Thoreau (s.o.) aus dem Jahr 1854; 1948 von B. F. Skinner für seinen utopischen Roman *Walden two* (dtsch. *Futurum zwei*) verwendet und im Jahr 1976 noch einmal für den Buchtitel *Walden Trés* (dtsch. *Futurum drei*) von Ruben Ardila.

Whistleblower: Bezeichnung für einen Informanten (dtsch. *Pfeifenbläser – jemanden verpfeifen*), der Missstände, illegales Handeln oder allgemeine Gefahren, von denen er an seinem Arbeitsplatz erfährt, an die Öffentlichkeit bringt.

Die Wissenschafts-Romane

Unsere Kultur ist zersplittert in viele Kulturfelder, die auf abstruse Weise von einander getrennt sind – durch mutmaßlich sinnvolles Spezialistentum, durch Ängste, durch Futterneid an den öffentlichen und privaten Fördertrögen; leider auch durch Engstirnigkeiten und schieres Desinteresse.

Zwischen den Bereichen Wissenschaft und Technologie einerseits und Literatur andererseits, zwischen Fact and Fiction ist der Graben derweilen eklatant. Der englische Wissenschaftler und Kulturpolitiker Charles Percy Snow wurde schon in den 50er Jahren nicht müde, auf die Kluft zwischen wissenschaftlicher Kultur und den anderen Kulturbereichen hinzuweisen:

In fact, the separation between the scientists and non-scientists is much less bridgeable among the young than it was even thirty years ago. Thirty years ago the cultures had long ceased to speak to each other: but at least hey managed kind of frozen smile across the gulf. Now the politeness has gone, and they just make faces ... the young scientists now feel that they are part of a culture on the rise while the other is in retreat.

Daran ist zu arbeiten. Unsere neue Reihe „Die Wissenschafts-Romane" will dies tun!

Durch alle Natur- und Geisteswissenschaften bis in die Wirtschafts- und Ingenieurswissenschaften vermitteln diese Romane wissenschaftliches Denken und Arbeiten – aus dem Fundus der Ideengeschichte bis in aktuellste Untersuchungen und ambitionierteste Theoriebildungen. Es geht um Brückenschläge zwischen den beiden sehr separierten Kulturen Wissenschaft und Literatur.

Die Bände unserer neuen Reihe erscheinen als fein gemachte Hard-Cover. Urs van der Leyn aus Basel hat die Bände gestaltet. Er hat dabei

die künstlerisch verfremdeten Fotographien unserer Autorin und Fotographin Kornelia Boje (schauen Sie in unserem Gesamtverzeichnis nach ihrem beeindruckenden Roman-Erstling „Ullas Erwachen“!) eindrucksvoll als Cover-Bebilderungen inszeniert.
Leonie Bodeving hat der Reihe das Logo beigesteuert, das auf allen künftigen Bänden erscheint:
Das Integral-Zeichen als Symbol für die Verklammerung von Wissenschaften und Literatur und als Signal für die zu integrierende Vielfalt der Wissenschafts-, Forschungs-, Innovations- und Denk-Welten und Welt-Modelle unter dem Dach unserer Reihe …

Realisiert ist die aufwendige Reihe mit einer eigens gegründeten Beteiligungsgesellschaft, an der sich Unternehmer mit eigenen Abteilungen für Forschung und Entwicklung beteiligt haben, aber auch literatur- und wissenschaftsbegeisterte Privatpersonen.

Weitere Interessenten werden gerne informiert!

Aber nun zu zweien der Wissenschafts-Romane:

Nölting oder Die Erfindungsfolter

An dem Tag, so erzählt man, als das Automobil erfunden wurde, verließ der Mann, der die Erfindungen zu registrieren hatte, sein Büro und schloss es ab, weil es seiner Meinung nach jetzt nichts mehr zu erfinden gab.
So endet nach 30 akribischen Jahren die Beamtenlaufbahn Heinrich-August Nöltings im Patentamt – und so beginnt eine Erzählung um eine Figur, die in ihrer ironischen Eigenwilligkeit ein älterer Bruder von Robert Walsers Jakob von Gunten sein könnte.
Rolf Schönlau lässt seinen Helden noch einmal von vorne beginnen bei der Suche nach dem blinden Fleck, der das noch nie Dagewesene birgt. Rückblickend, aber in stetig sich steigerndem Forscherfieber und in zunehmender Erfinderverschrobenheit tüftelt Nölting an einer Art von generalisierter Theorie des Erfindens. Während dieses geistesgeschichtlichen Forschungsprogramms defilieren vor dem Leser die großen Erfindungen des 19. Jahrhunderts vorbei. Die Erfinder von Nähmaschine, Glühbirne, Dynamit, Schreibmaschine und anderem beginnen, die Welt zu gestalten – und der Erfinder des Heinrich-August Nölting erzählt ein frühes Beispiel für den erst Generationen nach ihm formulierten Grundsatz, dass mit jeder Erfindung das dazugehörige Versagen gleich miterfunden wird.
Rolf Schönlau ist 1950 in Paderborn geboren, studierte nach pharmazeutischem Praktikum Literaturwissenschaften und Psychologie in Berlin und München. Er war literarischer Übersetzer, Dozent für Deutsch als Fremdsprache, veröffentlichte Kinderbücher und wurde 2004 zum Ingeborg-Bachmann-Preis geladen, wo ihm eine führende Kritikerin „eine gewisse Spitzenhäubchenhaftigkeit“ bescheinigte, während andere die Verfilmbarkeit des Buchs erwogen. Rolf Schönlau lebt einstweilen nicht in Hollywood, sondern in Schlangen.

) 72 Seiten ISBN 978 3 86638 203 9 17 Euro (

Harter Fall

Ich sprang von den Vorlesungen in die Experimente, vom Labor in die Geschäftssitzung, um dann zur Abnahme der Prüfungen doch zu spät zu kommen. Wie ein Pingpongball flippte ich immer schneller, wie ein Elektron, dessen Aufenthalt man nie bestimmen kann, weil es sich so rasend schnell bewegt und um sich selbst spinnt. Der Kopf war voll und trotzdem leer. Der Gedanke, die Krebsforschung aufzugeben, um neue Projekte zu beginnen, beschäftigte mich dauernd.

„Harter Fall" ist der Roman von **Bernd Ulrich Krippl**. Der 1950 geborene Biologe forschte nach seiner Promotion sieben Jahre in den USA und drei Jahre in Holland. Dort entdeckte er seine Leidenschaft für die Literatur, begann als Schriftsteller und Übersetzer zu arbeiten, moderierte am Goethe-Institut in Rotterdam Vorträge und veranstaltete spektakuläre Lesungen. Nun legt er seinen Debüt-Roman vor.

Krippls Ich-Erzähler forscht in der Gentechnik. Ein langjähriger Freund und erfolgreicher Finanzberater empfiehlt ihm den Schritt zur Gründung einer eigenen Gentechnik-Firma und verunsichert ihn in seinem wissenschaftlichen Ethos. An seine Lebensgefährtin bindet ihn eine mehr als wankelmütige Liebe. Der enge Bezug zu einem palästinensischen Freund verstrickt ihn in den Palästina-Konflikt und verwirrt sein Weltbild …

Da ist es nicht eben beruhigend, dass dieser Freund ihm eine attraktive, junge Biologin als Mitarbeiterin vermittelt, die immer dubiosere Verhaltensweisen an den Tag legt: Ist sie als Spionin in sein Labor eingeschleust? Sind gar terroristische Pläne und die Absicht auf Bio-Waffen-Beschaffung im Spiel?

Bernd Ulrich Krippl gibt einen spannenden Wissenschafts-Roman und das beunruhigende Psychogramm eines Forschers.

) 144 Seiten ISBN 978 3 86638 201 5 20 Euro (

Weitere Informationen
über die Autorin
Dr. Antonia Fehrenbach
finden Sie auf der Page der Reihe
www.die-wissenschafts-romane.de

sowie auf unserer
Verlagshomepage
www.dielmann-verlag.de

wo auch die jeweiligen
Lesungen angekündigt sind.
Hier auch finden Sie
unser gesamtes Verlagsprogramm
mit allen Reihen und Autoren.
Bleiben Sie neugierig!